Barbarossa

Die Kunst der Herrschaft

Gefördert durch

Ministerium für
Kultur und Wissenschaft
des Landes Nordrhein-Westfalen

KULTUR
STIFTUNG
DER
LÄNDER

Kunststiftung
NRW

PROVINZIAL

Stiftung LWL-Museum für Kunst und Kultur

Rotary
Club Selm – Kaiser Barbarossa

KREIS
UNNA

Barbarossa

Die Kunst der Herrschaft

MICHAEL IMHOF VERLAG

LWL

Für die Menschen.
Für Westfalen-Lippe.

Inhaltsverzeichnis

KATALOG

Cappenberg

Münster

ANHANG

Geleitwort

Jubiläen sind Anlässe, bedeutende historische Ereignisse in Erinnerung zu rufen, besser zu begreifen und weiter zu erforschen. Das gilt auch für das Jahr 1122, dem Jahr der Stiftsgründung in Cappenberg und dem Geburtsjahr Kaiser Friedrichs I. Barbarossa. Beide Geschehnisse sind verknüpft in der Person des Grafen Otto von Cappenberg, des Taufpaten des Kaisers, der als Sühne für das Niederbrennen des Münsteraner Domes gemeinsam mit seinem Bruder Gottfried der weltlichen Herrschaft entsagte und den Familienbesitz der Kirche stiftete. Für die westfälische Geschichte bedeutete diese Stiftsgründung vor 900 Jahren den Verzicht auf die Etablierung einer bedeutenden Herrschaftsdynastie mit der Folge, dass Westfalen bis 1802 überwiegend von Kirchenfürsten regiert wurde.

Solche komplexen Themen anschaulich zu machen und verständlich aufzubereiten, ist – gerade im Hinblick auf die jüngere Generation – der herausfordernde Vermittlungsauftrag unserer Museen. Das Team des LWL-Museums für Kunst und Kultur unter der Leitung von Dr. Hermann Arnhold hat sich daher intensiv mit der Frage beschäftigt: Wer ist Friedrich Barbarossa? Und wie kann es in einer Ausstellung gelingen, dem Kaiser nachzuspüren und eine ganze Epoche mit Leben zu erfüllen?

Zur Veranschaulichung der Stiftsgründung ist von den Ausstellungsmachern in Kooperation mit dem LWL-Medienzentrum und seinem Leiter Prof. Dr. Markus Köster ein zeitgemäßes Medium entwickelt worden. Mit einem Animationsfilm werden die beteiligten Personen zum Sprechen gebracht: von Papst und Kaiser bis zu Rittern und Bauern.

Während am Originalschauplatz Schloss Cappenberg die Stiftsgründung erzählt wird, weitet die Ausstellung in Münster den Blick und fragt erstmals systematisch nach der Bedeutung Kaiser Barbarossas für Geschichte, Kultur und Kunst des 12. Jahrhunderts vor allem in Nordwestdeutschland und auf dem Gebiet des heutigen Nordrhein-Westfalen.

Für die Inszenierung beider Ausstellungsteile hat das Team von Atelier Schubert sehr ideenreich die kostbaren Originale zur optimalen Wirkung gebracht. In starken Raumbildern vermittelt die Ausstellung die prägende Bedeutung dieser Epoche für Politik, Kunst und Kultur und auch hinsichtlich internationaler kultureller Verflechtungen – wie das in dieser Ausstellung großartig inszenierte orientalische Schachspiel zeigt.

Wir danken dem Rotary Club Selm – Kaiser Barbarossa, der Stadt Selm und dem Kreis Unna, auf deren Initiative die wissenschaftliche Tagung im September 2018 stattgefunden hat, deren Beiträge wesentliche Vorarbeiten für diese Ausstellung geleistet haben.

Unser Dank gilt den Teams von Dr. Hermann Arnhold und von Prof. Dr. Markus Köster. Besonders danken wir dem Ministerium für Kultur und Wissenschaft des NRW, der Kunststiftung NRW, der Provinzial Stiftung LWL-Museum für Kunst und Kultur, der Stiftung der Sparkasse Münsterland Ost, der LWL-Kulturstiftung, der Stiftung kunst sowie den Freunden des Museums für Kunst und Kultur e. V. für die großzügige finanzielle Förderung dieses Projektes.

DR. GEORG LUNEMANN
Der Direktor des Landschaftsverbandes Westfalen-Lippe

DR. BARBARA RÜSCHOFF-PARZINGER
Landesrätin für Kultur des Landschaftsverbandes Westfalen-Lippe

Der „Rotbart", Friedrich I. Barbarossa, ist bis heute einer der bekanntesten deutschen Kaiser des Mittelalters – einer Epoche, die auf viele Menschen große Faszination ausübt und die im Rheinland und in Westfalen im reichen kulturellen Erbe immer noch präsent ist.

Die Geschichte Barbarossas ist eng mit der Geschichte Westfalens verknüpft. Denn Barbarossa festigte die kaiserliche Stellung, indem er dem Welfen Heinrich dem Löwen im Jahr 1180 nach einem Treuebruch das Vertrauen und die Herzogtümer Sachsen und Bayern entzog. Sachsen wurde geteilt und das Herzogtum Westfalen unter der Herrschaft des Kölner Erzbischofs begründet.

Doch was hat Barbarossa, ein schwäbischer Herzogssohn, darüber hinaus mit Westfalen zu tun?

Barbarossa pflegte zahlreiche Verbindungen in das Rheinland und nach Westfalen, die in Kulturobjekten und Geschichten bis heute prägend sind: So sorgte er in Aachen für die Heiligsprechung Karls des Großen und stiftete den berühmten Radleuchter in der Pfalzkapelle. Köln verdankt ihm die Reliquien der Heiligen Drei Könige. Darüber hinaus war Barbarossa maßgeblich dafür verantwortlich, dass im Rheinland und in Westfalen die geistlichen Fürsten zu mächtigen Landesherren wurden.

Es gibt also zahlreiche Orte und Menschen in Nordrhein-Westfalen, die eine tragende Rolle im Leben und Wirken Kaiser Barbarossas gespielt haben und von denen bis heute Spuren geblieben sind.

Mit großer Wahrscheinlichkeit erblickte der Staufer vor 900 Jahren, kurz vor Weihnachten 1122, das Licht der Welt. Über die Initiative des LWL-Museums für Kunst und Kultur, diesen Geburtstag zum Anlass für eine Doppelausstellung auf Schloss Cappenberg und in Münster zu nehmen und die neuesten Forschungen zum Kulturerbe des 12. Jahrhunderts in Nordwestdeutschland einem breiten Publikum zu präsentieren, freue ich mich sehr.

Allen Beteiligten spreche ich meinen herzlichen Dank aus und wünsche den hoffentlich zahlreichen Besucherinnen und Besuchern eine interessante Zeit mit dem „Rotbart".

INA BRANDES
Ministerin für Kultur und Wissenschaft des Landes Nordrhein-Westfalen

Grußwort

War Friedrich I. Barbarossa ein kluger Stratege mit diplomatischem Fingerspitzengefühl oder vielmehr ein streitbarer Feldherr, von Expansion und Eroberung besessen? Die überlieferten Darstellungen des 1190 im Fluss Saleph ertrunkenen Kaisers zeichnen hier kein eindeutiges Bild. Zudem wurde die historische Figur Barbarossas schon bald nach seinem Tod durch dessen Idealisierung als Friedensfürst und Erneuerer des Reichs überlagert. Im 19. Jahrhundert erreichte die Verklärung des Regenten zum deutschen Nationalmythos ihren Höhepunkt. Sie fand ihren Ausdruck in Gedichten, Sagen, Historienbildern und Denkmälern. Im Nationalsozialismus setzte sich die Indienstnahme Barbarossas als Symbolfigur des starken Herrschers einer geeinten Nation für propagandistische Zwecke fort; unter dem Decknamen „Unternehmen Barbarossa" plante das NS-Regime den brutalen Angriffskrieg der Wehrmacht auf die Sowjetunion im Jahr 1941.

Mit der Doppelausstellung „Barbarossa. Die Kunst der Herrschaft" nimmt das LWL-Museum für Kunst und Kultur in Münster zusammen mit dem Schloss Cappenberg in Selm die Figur Friedrichs I. Barbarossa aus einer kunst- und kulturhistorischen Perspektive in den Blick. Sie legt die Schicht aus nationalistisch motivierter Zuschreibung, Idealisierung und Mythos frei und geht dem Denken, Handeln, Wirken und der zeitgenössischen Darstellung des berühmten Stauferkaisers auf den Grund. Ermöglicht durch ein komplexes Beziehungsgeflecht, das durch Land- und Reliquientausch gestützt wurde, reichte Barbarossas Wirken bis weit in den Nordwesten Deutschlands hinein. Sein Netzwerk unter anderem in Corvey, Cappenberg, Köln und Aachen half ihm dabei, seine Machtansprüche durchzusetzen und zu sichern.

Gerne hat die Kulturstiftung der Länder das LWL-Museum für Kunst und Kultur bei der Realisierung dieses Ausstellungsprojekts unterstützt. Neben der Förderung des Erwerbs, des Erhalts und der Dokumentation von Kulturgütern gehört es zu einer ihrer wichtigsten Aufgaben im Auftrag der 16 Länder, die Vermittlung von Kunst und Kultur von gesamtstaatlicher Bedeutung zu unterstützen und ein Bewusstsein für ihren Wert in der breiten Öffentlichkeit zu schaffen. In diesem Fall ermöglicht die Vermittlung einen Blick auf den historischen Barbarossa, fernab seiner nationalistischen und mystischen Verklärung. Die Ausstellungen in Selm und Münster spannen einen Bogen von den Kunstzentren in Westfalen über das Rhein-Maas-Gebiet bis nach Byzanz, Rom und Jerusalem und machen so deutlich, welcher intensive kulturelle Austausch mit der Regentschaft Barbarossas einherging. Erarbeitet unter anderem aus den eigenen Beständen der umfangreichen Mittelalter-Sammlung des LWL-Museum für Kunst und Kultur, ermöglicht die Doppelausstellung einen multiperspektivischen Blick auf den 1155 zum Kaiser gekrönten Barbarossa, auf die politischen und kulturellen Ereignisse des 12. Jahrhunderts und auf die Kunst seiner Zeit.

PROF. DR. MARKUS HILGERT
Generalsekretär der Kulturstiftung der Länder

Grußwort

Werke der Kunst spiegeln nicht nur die historischen Techniken, Vorstellungen und Formensprache ihrer Epoche wider, sondern auch die Verhältnisse der Kontrolle über die verbreiteten Bilder und Narrative. Künstlerische Repräsentation wird zu einer Säule der Machterhaltung und Bestätigung der jeweiligen Herrschaftsverhältnisse. Und dennoch sind Kunstwerke Ausdrucksformen möglicher Veränderung, indem diese Machtverhältnisse im Bildwerk befragen. Die Kunst ist nie allein in Dienst zu nehmen, sondern zeigt in ihren großen Ausprägungen zugleich Ideal und Kritik.

Die Kunststiftung NRW freut sich, die Realisierung der Ausstellung „Barbarossa. Die Kunst der Herrschaft" unterstützen zu können, denn diese setzt sich zum Ziel, einen neuen Blick auf die Verbindung von Kunst und Macht zu ermöglichen. Es ist eine Ausstellung mit regionalem Bezug zu Nordrhein-Westfalen, die herausragende Werke europäischer Geschichte präsentiert. Es geht hier nicht um die mythische Verklärung Barbarossas, wie er zur Zeit der deutschen Reichsgründung vor 150 Jahren in Dienst genommen wurde. Sondern es geht um einen anderen Blick auf den bedeutenden mittelalterlichen Kaiser Friedrich I., der für eine Weltoffenheit steht, die über die politischen Verhältnisse seiner Zeit hinausweist. So ist die Herrschaft Friedrich Barbarossas durch weitreichende Entwicklungen geprägt, wie etwa der universitären Bildung und den offenen Kulturaustausch mit anderen Kulturzentren der Zeit, als Zugang zur Kenntnis der Welt weit über das Imperium hinaus. „Barbarossa. Die Kunst der Herrschaft" zeigt auf, wie in Ergänzung zu den Machtverhältnissen im Kaiserreich ein kulturelles Netz auf der Basis von Kunst und Wissenschaft in Austausch und wechselseitiger Adaption mit Arabien und anderen Kulturen zu entstehen beginnt.

Eines der Hauptstücke der Ausstellung ist der weltberühmte „Barbarossakopf". Die vergoldete Bronzearbeit wurde dem Patenonkel des Kaisers, Otto von Cappenberg, zugeeignet, als dieser 1156 Propst des ersten deutschen Prämonstratenserstiftes im deutschsprachigen Raum in Cappenberg wurde. Die Kirche des Klosters von 1122 bewahrt dieses außerordentliche Kunstwerk, bei dem es sich um ein Reliquiar für den Stiftsheiligen Johannes den Evangelisten handelt. An diesem Originalschauplatz am Südrand des Münsterlandes wird die Ausstellung des LWL-Museums für Kunst und Kultur zusätzlich zum Münsteraner Haus gezeigt. Nicht zuletzt diese Verortung der europäischen, welthistorischen Gestalt Friedrich Barbarossas im heutigen Nordrhein-Westfalen ist ein Anlass zur Förderung dieser bedeutenden Ausstellung durch die Kunststiftung NRW.

PROF. DR. THOMAS STERNBERG
Präsident der Kunststiftung NRW

DR. ANDREA FIRMENICH
Generalsekretärin der Kunststiftung NRW

Vorwort

Die Idee, das Geburtsjahr von Friedrich I. Barbarossa 1122 zum Anlass zu nehmen für eine große Ausstellung, ist ein Projekt mit hohem Anspruch: Es geht dabei um nichts Geringeres, als die Figur des staufischen Kaisers und seine Zeit für die Öffentlichkeit lebendig zu machen.

Wer war dieser Kaiser, der seine Wirkmacht weit über die Grenzen seines unmittelbaren Einflussbereiches zur Geltung brachte, sodass sein Name bis heute für eine der prägenden Herrschergestalten der europäischen Kulturgeschichte des Mittelalters steht, in der die Mythen der nachfolgenden Jahrhunderte die historische Gestalt überlagern?

Friedrich I. stammte aus dem Adelsgeschlecht der Staufer und war von 1155 bis 1190 Kaiser des Heiligen Römischen Reichs. Den Beinamen Barbarossa erhielt er aufgrund seines rotblonden Vollbartes. Am Ende seines Lebens steht sein ungewöhnlicher und unerwarteter Tod, denn er starb nicht in einer Feldschlacht im Krieg und erlag auch nicht einer Krankheit: Während des Kreuzzuges auf dem Weg nach Jerusalem ertrank er beim Bad in einem Gebirgsfluss östlich von Antalya in der heutigen Türkei.

Die monumentale, mythologisierende Darstellung seines Todes finden wir in dem großformatigen Gemälde, das der Künstler Julius Schnorr von Carolsfeld im Jahr 1832 im Auftrag des Freiherrn vom Stein malte, und zwar für Schloss Cappenberg in Westfalen– eines der Hauptwerke des Ausstellungsteils, der sich dem historischen Ort widmet.

Im Cappenberger Kopf, nicht nur das zentrale Kunstwerk der Ausstellung, sondern auch eines der wichtigsten Werke mittelalterlicher Goldschmiedekunst in Europa, meinte die vorherrschende Meinung der Geschichtswissenschaft bis vor kurzem die Gesichtszüge von Friedrich I. Barbarossa zu erkennen. Er wurde um 1160 geschaffen, kam noch zu Lebzeiten des Kaisers in den Besitz des Cappenberger Stiftes und hat seitdem seinen historischen Aufbewahrungsort in der Stiftskirche. Das Ausstellungsprojekt bot Wissenschaftler:innen den Anlass, dieses Kopfreliquiar grundlegend zu untersuchen und neue Erkenntnisse zu Tage zu fördern, die in diesem Katalog und in der Ausstellung in Münster präsentiert werden.

Die Schau in Cappenberg stellt die Stiftskirche, die Stiftsgründung mit ihrem Bezug auf Barbarossa vor und beleuchtet den Barbarossa-Mythos kritisch. Die Ausstellung in Münster führt über die Frage nach der Person Barbarossas, seinen Aufgaben und seiner Stellung im Römischen Reich, über sein Netzwerk im deutschen Nordwesten, über die „weite Welt" des 12. Jahrhunderts in friedlichem und kriegerischem Transfer wie Pilgerreisen und Kreuzzüge, bis hin zur staufischen Kunst und Kultur in Westfalen.

Mein besonderer Dank gilt zunächst den beiden Kurator:innen Gerd Dethlefs für Cappenberg und Petra Marx für Münster, die die Inhalte der Ausstellung erarbeitet haben. Petra Marx war darüber hinaus für die inhaltliche Konzeption und Erstellung des kenntnisreichen und prächtig illustrierten Katalogs zuständig. Für alle wesentlichen historischen Fragen zur Person Barbarossas und mit wichtigen Beiträgen auf der Exponatenseite stand Jan Keupp von der Westfälischen Wilhelms-Universität in Münster als wissenschaftlicher Berater überaus hilfreich zur Seite. Ihm danke ich sowie auch den anderen Katalogautor:innen Knut Görich, Joanna Olchawa, Ulrich Rehm und Hedwig Röckelein für das Einbringen ihrer wissenschaftlichen Expertise und auch allen Autor:innen der Katalogeinträge. Einen besonderen Dank möchte ich auch dem LWL-Medienzentrum für Westfalen in Münster und seinem Leiter Markus Köster aussprechen, das den wunderbaren Animationsfilm für den Cappenberger Part erarbeitet hat, der Groß und Klein gleichermaßen in die komplexen Zusammenhänge der Cappenberger Stiftsgründung in der frühen Stauferzeit auf ungewöhnliche und spannende Weise einführt. Die emotional ansprechende Gestaltung der beiden Ausstellungsteile übernahm in fachkundiger Manier das Stuttgarter Atelier Schubert mit Dirk Schubert, Irina Voth und Angelika Vogel.

Ohne das Museumsteam des LWL-Museums für Kunst und Kultur wäre diese Ausstellung, deren Themen uns in der Vorbereitung immer wieder zu kreativen Lösungen angespornt hat, nicht entstanden. Mein besonders herzlicher Dank gilt daher allen Mitarbeiter:innen, die für dieses Projekt und seine Umsetzung unter der klugen Leitung der Ausstellungsmanagerin Gudrun Püschel an beiden Orten unermüdlich und engagiert gearbeitet haben.

Unter den zahlreichen leihgebenden Institutionen und Museen, denen ich für ihre Kooperation zu großem Dank verpflichtet bin, seien besonders Sebastian Graf von Kanitz und die Kirchengemeinde St. Johannes Evangelist in Cappenberg mit Pater Joachim Hagel OPraem und der dortige Kirchenvorstand sowie Martina Dlugaizcyk vom Bistum Münster hervorgehoben. Dem Kreis Unna mit dem Team unter Leitung von Frau Stefanie Kettler, das uns seine Räume im Erdgeschoss des Museums auf Schloss Cappenberg für die Ausstellung zur Verfügung gestellt hat, danke ich für die stets reibungslose und kollegiale Kooperation. Den Rotariern vom RC Selm – Kaiser Barbarossa, die den Anfangsimpuls für diese Ausstellung gaben und sie großzügig förderten, gilt mein besonderer Dank.

Eine so umfängliche Ausstellung an zwei Standorten ist immer auch eine große finanzielle Herausforderung. Dass sich zahlreiche Förderer, zum Teil sehr frühzeitig, bereit erklärt haben, uns bei diesem Projekt zu unterstützen, erfüllt mich mit großer Dankbarkeit und Stolz. Ich danke den Partnern und Förderern, ohne die dieses Projekt nicht möglich gewesen wäre.

Den Besucher:innen wünsche ich, dass sie auf den Spuren von Kaiser Friedrich I. Barbarossa diese ferne Zeit wieder entdecken. Die Begegnung mit ihren Geschichten und mit Barbarossa vermag uns Fragen mit auf den Weg geben, Neugierde wecken und vielleicht auch Inspiration sein für unsere Identifikation mit der Kultur und Gegenwart unseres europäischen Kontinents.

DR. HERMANN ARNHOLD
Direktor des LWL-Museums für Kunst und Kultur

Danksagung

Autor:innen-Kürzel

Für Hilfe und Unterstützung danken wir sehr herzlich:

Won Andres, Mainz
Peter Barthold, Münster
Clemens Bayer, Lüttich
Manuela Beer, Köln
Wolfgang Bockhorst, Münster
Wibke Bornkessel, Berlin
Dombauverein Minden
Friederike-Andrea Dorner, Osnabrück
Felix Dürich, Münster
Birgitta Falk, Aachen
Bernhard Flüge, Münster
Ursula Grimm, Münster
Johannes Großewinkelmann, Goslar
P. Joachim Hagel OPraem, Cappenberg
Claudia Höhl, Hildesheim
Katholische Dompropsteigemeinde Minden
Holger Kempkens, Paderborn
Friedrich Christian Freiherr von Ketteler-Harkotten, Füchtorf
Jan Keupp, Münster
Barbara Klössel-Luckhardt, Jochen Luckhardt, Wolfenbüttel
Stefan Kötz, Münster
Elena Kosina, Freiburg/Koblenz
Manfred Krampe, Freckenhorst
Kirsten Krumeich, Münster
Lothar Lambacher, Berlin
Ute Lass, Münster
Gerhard Lutz, Cleveland
Florian Meunier, Paris
Mittelalter Digital (Lukas Boch, Tobias Enseleit), Münster

Thomas Nübel, Soest
Marcus Pilz, Coburg
Tanja Pirsig-Marshall, Münster
Felix Prinz, Hildesheim
Gudrun Püschel, Münster
Hermann Queckenstedt, Osnabrück
Ivo Rauch, Koblenz
Norbert Reimann, Dortmund
Heinrich-Theodor Schulze Altcappenberg, Cappenberg
Sebastian Steinbach, Liesborn
Dirk Strohmann, Münster
Christian Walda, Dortmund
Susanne Wittekind, Köln
Peter Worm, Münster
Karin Zimmermann, Heidelberg

Mechthild Black-Veldtrup	MBV
Lukas Boch	LB
Michael Brandt	MichB
Miriam Brandt	MirB
Beate Braun-Niehr	BBN
Gerd Dethlefs	GD
Roman Deutinger	RD
Ekaterina Dudka	ED
Birgitta Falk	BF
Thomas Foerster	TF
Vera Henkelmann	VH
Ingrid-Sibylle Hoffmann	ISH
Volker Huth	VH
Kai Peter Jankrift	KPJ
Dorothee Kemper	DK
Holger Kempkens	HK
Jan Keupp	JK
Barbara Klössel-Luckhardt	BKL
Stefan Kötz	SK
Elena Kosina	EK
Lothar Lambacher	LL
Arne Leopold	AL
Regine Marth	RM
Petra Marx	PM
Wolfgang Gustav Metzger	WGM
Anna Maria Petutschnig	AMP
Venetia Porter	VP
Flora Tesch	FT
Annika Thewes	AT
Judith Thomann	JT
Luca Tosi	LT
Wolfgang Eric Wagner	WEW

Leihgeber

Abtei Hamborn, Duisburg

Archiv Graf von Kanitz, Selm-Cappenberg

Archives de l'État en Belgique, Lüttich

Biblioteca Apostolica Vaticana, Rom

Bibliothèque Royale de Belgique, Brüssel

Bischöfliches Dom- und Diözesanmuseum Mainz

Braunschweigisches Landesmuseum, Braunschweig

British Library, London

Castello Sforzesco – Museo d'Arte Antica, Mailand

Dommuseum, Hildesheim

Domschatz Essen

Domschatzkammer Köln

Domschatzkammer Osnabrück

Erzbischöfliches Diözesanmuseum und Domschatzkammer, Paderborn

Germanisches Nationalmuseum, Nürnberg

Goslarer Museum

Herzog Anton Ulrich-Museum, Braunschweig

Herzog August Bibliothek, Wolfenbüttel

Hessisches Landesmuseum Darmstadt

Historisches Archiv, Köln

Kath. Dompropsteigemeinde, Minden

Kath. Kirchengemeinde St. Bonifatius, Freckenhorst, Warendorf-Freckenhorst

Kath. Pfarrgemeinde St. Johannes Evangelist, Selm

Kath. Pfarrgemeinde St. Pankratius Warstein-Belecke, Warstein

Kath. Pfarrgemeinde St. Vitus, Willebadessen

Kölnisches Stadtmuseum

Kunstsammlungen und Museen Augsburg – Archäologisches Zentraldepot

Landesarchiv Nordrhein-Westfalen, Abteilung Westfalen, Münster

Landeshauptarchiv Koblenz

Landesmuseum Württemberg, Stuttgart

Lippisches Landesmuseum Detmold

LVR-LandesMuseum Bonn

LWL-Archäologie für Westfalen, Münster

LWL-Denkmalpflege, Landschafts- und Baukultur in Westfalen, Münster

LWL-Museum für Archäologie, Herne

Maximilian Freiherr von Fürstenberg, Essen-Kettwig

Metropolitankapitel der Hohen Domkirche Köln, Domschatzkammer

Musées royaux d'Art et d'Histoire, Brüssel

Museum Angewandte Kunst, Frankfurt

Museum August Kestner, Hannover

Museum Catharijneconvent, Utrecht

Museum für Kunst und Gewerbe, Hamburg

Museum für Kunst und Kulturgeschichte Dortmund

Museum für Kunst und Kulturgeschichte Schloss Gottorf, Landesmuseen Schleswig-Holstein, Schleswig

National Museum of Denmark, Kopenhagen

Niedersächsisches Landesarchiv, Abteilung Hannover

Niedersächsisches Landesarchiv, Abteilung Wolfenbüttel

Palais des Ducs de Lorraine – Musée Lorrain, Nancy

Paris, Musée du Louvre, Département des Objets d'art

Royal Library of Belgium, Brüssel

Schloss Grünsberg, Altdorf bei Nürnberg

St. Aegidius Wiedenbrück, Rheda-Wiedenbrück

St. Patrokli Dom-Museum, Soest

Staatliche Museen zu Berlin, Kunstgewerbemuseum

Staatliche Museen zu Berlin, Münzkabinett

Staatsbibliothek zu Berlin, Preußischer Kulturbesitz, Abt. Handschriften und historische Drucke

Stadt Höxter, Stadtarchäologie

Stadtarchiv Worms

TECHNOSEUM, Landesmuseum für Technik und Arbeit, Mannheim

The British Museum, London

Universitätsbibliothek Freiburg

Universitätsbibliothek Heidelberg

Victoria and Albert Museum, London

Weltkulturerbe Rammelsberg, Museum & Besucherbergwerk, Goslar

GERD DETHLEFS / PETRA MARX

Barbarossa.
Die Kunst der Herrschaft
Einführung zum Konzept der Doppelausstellung

Anlass, Idee und Standorte der Ausstellung

Wie kaum ein anderer Herrscher prägt der Staufer Friedrich I. Barbarossa bis heute unsere Vorstellung von Macht, Ruhm und Glanz eines mittelalterlichen Königs und Kaisers. Die Geschichtsschreibung des 19. Jahrhunderts hat ihn unter nationalistischen Vorzeichen zu einem deutschen Helden erhoben; der Mythos vom schlafenden Barbarossa im Kyffhäuser hat seine Person vollends verklärt. Doch was wissen wir heute tatsächlich über das Leben und Wirken dieser herausragenden Figur, dieses schwäbischen Adeligen, Ritters, Politikers und Kreuzfahrers, dessen Lebenszeit fast das gesamte 12. Jahrhundert und dessen Reisen weite Teile der damals bekannten Welt umspannen?

Anlass für unser großes und internationales Ausstellungsprojekt im Jahr 2022/23 ist der 900. Geburtstag Barbarossas. Die Schau findet an zwei Orten statt, im LWL-Museum für Kunst und Kultur in Münster und auf Schloss Cappenberg bei Selm (Kreis Unna). In der Kirche des ehemaligen Prämonstratenserstifts in Cappenberg wird der sogenannte Barbarossakopf aufbewahrt, eines der berühmtesten Zeugnisse der romanischen Goldschmiedekunst. Die beiden Gründer des Stifts, die Grafen Otto und Gottfried von Cappenberg, waren eng mit der Familie des Stauferkaisers verbunden, Otto fungierte 1122 als Taufpate Friedrich Barbarossas. In Ottos Testament (um 1160) wird die Schenkung einer Kaiser-Büste an den Konvent erwähnt, zusammen mit einer ebenso berühmten „Taufschale", die an das Ereignis erinnert. Eine persönliche Präsenz Barbarossas auf Cappenberg kann nur vermutet werden, schriftlich verbürgt ist seine Anwesenheit 1156 zum Osterfest in Münster. Der Cappenberger Kopf, der lange als authentisches Porträt des Kaisers galt, wie auch die kostbare Schale, auf der die Taufe Friedrichs dargestellt ist, werden im Zentrum beider Ausstellungsorte stehen und zunächst in Cappenberg gezeigt, um dann zeitlich versetzt nach Münster zu reisen.

Völlig neu an dieser Doppelausstellung ist der inhaltliche Fokus auf die Persönlichkeit Barbarossas in Rückbindung an seine Biografie und an die Umwälzungen des 12. Jahrhunderts. Das Projekt nimmt außerdem erstmalig seine Rolle und Stellung im Gebiet des heutigen Nordrhein-Westfalen mit den angrenzenden Regionen in den Blick. Cappenberg als historischer Ort und Münster mit einem der führenden Kunstmuseen in Nordrhein-Westfalen und dessen hochkarätiger Mittelalter-Sammlung eignen sich in besonderem Maße als Standorte dieser Ausstellung. Ziel des Projektes ist es, der wirkmächtigen Gestalt des Stauferkaisers im Spiegel der romanischen und frühgotischen Kunstschätze Europas nachzuspüren. Bis heute ist in diesen Zeugnissen Barbarossas weite Lebenswelt gegenwärtig.

Der Ausstellungsteil in Cappenberg

In Cappenberg wird Geschichte am historischen Ort mit zeitgemäßen Mitteln erzählt. Die Ausstellung schildert die Ereignisse rund um die Stiftsgründung und die Geburt des späteren Kaisers. Dieser packende Geschichtskrimi wird durch Graphic Novel-Elemente lebendig illustriert und als Kurzfilm animiert (Abb. 1).

Die Erzählung der Geschehnisse konzentriert sich dabei auf deren Hauptakteure: Die jungen Grafen Otto und Gottfried von Cappenberg nahmen an der Erstürmung und Zerstörung Münsters 1121 teil. Aus Reue verschenkten sie trotz heftigen Widerstandes der Verwandten ihren Familienbesitz an den Wanderprediger Norbert von Xanten. Graf Otto erwarb außerdem im Tausch gegen seine schwäbischen Erbgüter von Friedrich von Staufen ein byzantinisches Reliquienkreuz und wurde so Taufpate für dessen ersten Sohn Friedrich. Die Stiftung ermöglichte dem jungen Prämonstratenserorden einen enormen Aufschwung und begründete zugleich die bis 1803 bestehende Dominanz geistlicher Herrschaft in Westfalen. Die Stiftskirche samt Inventar wie den Stiftergrabplatten und dem Reliquienschatz wird als bedeutsamer Originalschauplatz in die Ausstellung einbezogen.

Die dreiteilige Ausstellung (das erste Katalogkapitel widmet sich der Stiftskirche) stellt die abenteuerliche Stiftsgründung als Teil einer Friedensbewegung vor: Wie steigen die Grafen von Cappenberg aus dem Karussell der Gewalt aus, wie wird dies für ihr Umfeld akzeptabel? Dieser Prozess verdeutlicht zugleich die Funktionsweise der mittelalterlichen Ständeordnung in den Hauptakteuren der Stiftsgründung: Papst und Kaiser, Herzog Lothar von Sachsen, der heilige Norbert mit dem Prämonstratenserorden sowie die Grafen Gottfried und Otto von Cappenberg, Gräfin Jutta geb. von Arnsberg und ihr Vater Friedrich, der die Stiftsgründung zu verhindern suchte, schließlich der Bischof von Münster. Für einen Cappenberger Stiftsherrn steht stellvertretend der konvertierte Jude Hermann Judaeus; die Nebendarsteller der Geschichte werden beispielhaft durch Ritter und Bauern reprä-

Abb. 1
Wutausbruch des Grafen Friedrich von Arnsberg, Entwurf für den *Animationsfilm „Cappenberg 1122"*, 2022, Illustration von Niklas Schwartz

sentiert. Wertvolle Originale, wie etwa das Vortragekreuz des Stiftes von 1122 und die Bestätigungsurkunden der Stiftsgründung, stellen einen direkten Bezug zu diesen Persönlichkeiten her.

Die zweite Abteilung gilt dem Memorialensemble zur Taufe Barbarossas: Die Schenkungsurkunde wird flankiert vom Bronzekopf und der Taufschale mit dem Bild der Eltern Barbarossas. Auf einem barocken Gemälde ist das nicht mehr erhaltene Reliquienkreuz zu sehen, den ebenfalls verlorenen Taufkelch repräsentiert ein Kelch des 13. Jahrhundert aus der Stiftskirche. Taufbilder und ein romanischer Taufstein veranschaulichen die Bedeutung des Taufaktes.

Schließlich wird im Freiherr-vom-Stein-Saal im Obergeschoss des Schlosses, zu dessen zentraler Einrichtung das Gemälde *Der Tod Friedrich Barbarossas 1190* (1832) (s. Abb. S. 132) von Julius Schnorr von Carolsfeld gehört, die ambivalente Rolle des Kaisers als nationaler Identifikationsfigur des 19. Jahrhunderts problematisiert. Hörstationen erschließen mit Gedichten von Friedrich Rückert und Heinrich Heine den Mythos um Barbarossa. Als künstlerisches Gegenstück stellt die Videoarbeit *flags* (2011) von Johanna Reich einen Bezug zu der Frage nach nationaler Identität aus heutiger Sicht her. Kritische Texte des 20. Jahrhunderts zum deutschen Nationalismus flankieren das entstehende Spannungsfeld.

Der Ausstellungsteil in Münster

Die Ausstellung im LWL-Museum für Kunst und Kultur in Münster knüpft inhaltlich und chronologisch an den Prolog in Cappenberg an. Zu Beginn dreht sich alles um die bildlichen Darstellungen Barbarossas in der Buchmalerei, auf Münzen und Siegeln, in der Skulptur und Goldschmiedekunst. Im Zentrum steht dabei die Frage, wie diese vermeintlichen Porträts von den Zeitgenossen wahrgenommen und gedeutet werden. Was sagt das Bild des Kaisers als frommer Stifter, als mutiger und grausamer Feldherr, als Herrscher im kaiserlichen Ornat oder als Gemahl der burgundischen Fürstin Beatrix über seine Persönlichkeit, seinen Charakter, seine Ambitionen und sein Herrschaftsverständnis aus?

Von hier führt die Erzählung der Ausstellung zum staufischen Netzwerk im heutigen Nordrhein-Westfalen, nach Corvey, Köln und Aachen, wo der Schwabe durch ein Geflecht einflussreicher Würdenträger, Äbte und Bischöfe, Grafen und Herzöge, seine Machtansprüche durchsetzt und sichert. Materieller Ausdruck dieses potenten Netzwerks sind neben Urkunden und Erlassen vor allem prächtige Kunstwerke, die von den Verbündeten und Vertrauten des Kaisers für die hiesigen Kirchen und Klöster gestiftet werden. Eine zentrale Rolle für die mittelalterliche Geschichte Westfalens spielt auch der sächsische Herzog Heinrich der Löwe, zunächst ein treuer Gefolgsmann, später ein erbitterter Gegner Barbarossas. 1180 wird Heinrich durch den Kaiser entmachtet, Sachsen in zwei Hälften geteilt und das westliche Gebiet dem Erzbistum Köln unterstellt – die Geburtsstunde des Herzogtums Westfalen.

Fernhandel, Pilgerreisen und die Kreuzzüge weiten im 12. Jahrhundert nicht nur den geografischen Horizont. Nach der frühen Wiederentdeckung und Wiedergeburt der Antike in der Karolingerzeit kann man für die Zeit Barbarossas von einer weiteren mittelalterlichen Renaissance sprechen. An den jungen Universitäten in Paris und Bologna florieren Forschung und Wissenschaft, hier verkehren die europäischen und auch deutschen weltlichen und geistlichen Eliten; es ist die Geburtsstunde der französischen Scholastik und eines neuen Kunststils, der Gotik. Gleichzeitig entfaltet die weltliche Kultur des ritterlichen Adels eine Hochblüte, die in zahlreichen Werken der höfischen Kunst und Dichtung ihren Niederschlag findet. Ein günstiges Klima sorgt für landwirtschaftliche Überschüsse und Bevölkerungswachstum, wirtschaftliche Entwicklungen führen zu einem Aufschwung von internationa-

Abb. 2
Öffnung des Cappenberger Kopfes durch den Goldschmied Peter Bolg (†) und Dr. Reinhard Karrenbrock zur Untersuchung der Reliquien, 17. Juli 2019

lem Handel und Geldverkehr und resultieren in einer Welle von Stadtgründungen. Der intensive Wissenstransfer zwischen Orient und Okzident fördert den Fortschritt in Medizin, Technik und Kunst. Die Ausstellung veranschaulicht diesen, auch durch Gewalt geprägten Umbruch am Beispiel der weltoffenen Hofhaltung Barbarossas und seines Kreuzzugs ins Heilige Land, bei dem er 1190 den Tod findet.

Der Cappenberger Bronzekopf, der im Vorfeld der Ausstellung mehrfach untersucht wurde (Abb. 2), und die Schale mit dem Taufbild stehen im Zentrum des anschließenden Kapitels und bilden den Höhepunkt des Ausstellungsrundgangs. Wie in einem Brennglas bündelt sich das gesamte Narrativ der Ausstellung in diesen beiden herausragenden Werken der Schatzkunst und in der zugehörigen Schenkungsurkunde. Die beiden Arbeiten werden nicht nur als historische Zeugnisse der Cappenberger Geschichte befragt, sondern in Hinblick auf ihren künstlerischen, liturgischen und funktionalen Kontext. Das komplette Cappenberger Stiftungsensemble steht beispielhaft für die ganz Europa umspannende christliche Kulturgemeinschaft: das Reliquienkreuz aus Byzanz, der Messkelch aus Frankreich, die Schale aus dem Maasgebiet, der Kopf aus Niedersachsen. Die Artefakte demonstrieren Reichtum und Kunstfertigkeit und verknüpfen antike Bildtraditionen mit christlichen Deutungswelten und hochaktuellen Machtansprüchen.

„Die Welt kommt nach Westfalen" – unter diesem Motto könnte der Ausklang der Schau stehen. In Einbeziehung der reichen Mittelalter-Sammlung des Museums entfaltet sich hier das Panorama der romanischen und frühgotischen Kunstschätze in Westfalen, mit hochkarätigen Arbeiten der Buch- und Schatzkunst, mit Wandmalereien und Reliquienschreinen. Das 12. Jahrhundert als eine Phase der Umwälzungen und Neuerungen spiegelt sich nochmals in der schillernden Gestalt Kaiser Friedrich Barbarossas und wird durch die kostbaren Exponate und eine innovative Ausstellungsarchitektur für die Besucher:innen lebendig.

GERD DETHLEFS

„Statt zügelloser Gewalt der Eifer himmlischen Gehorsams"

Zur Bedeutung der Cappenberger Stiftsgründung

D ie barocke Dreiflügelanlage des „Hochadligen Gotteshauses" Cappenberg –
so nannte sich das Stift im 18. Jahrhundert[1] – zeigt im Giebeldreieck des auf das
Jahr 1708 datierten Mittelrisalits in Akanthusranken drei antik bekleidete, mit
Lorbeer bekränzte Brustbilder; das mittlere ist zusätzlich von einem Lorbeerkranz einge-
fasst (Abb. 1).[2] Ist nur dieser mittlere ein Kaiser, oder alle drei? Meinen die äußeren Büsten die Stiftsgründer Gottfried (1096/97–1127) und Otto von Cappenberg (um 1100–1171),
die nach Angaben der Stiftschronik als Nachfahren Karls des Großen Verwandte von Kaisern und Königen waren?[3] Oder handelt es sich um die drei deutschen Kaiser, von denen das
Prämonstratenserstift Urkunden aus dem Jahrhundert seiner Gründung besaß? Der 1704
eingeweihte Kaisersaal der adeligen Benediktiner-Reichsabtei Corvey, zu der es Kontakte
gab, zeigte ähnlich die Bildnismedaillons der achtzehn Kaiser, die die Abtei privilegiert hatten.[4] Cappenberg besaß Urkunden von Heinrich V. (1081/86–1125), Friedrich I. Barbarossa
(1122–1190) und dessen Sohn Heinrich VI. (1165–1197),[5] die in den *Annales Cappenbergenses* des Kaplans Johannes Stadtmann (gest. 1635) 1622 erwähnt und von denen die
älteren sogar in den Annalen des Prämonstratenserordens von 1734 abgedruckt sind.[6] Die
Patenschaft des Grafen Otto von Cappenberg für den späteren Kaiser Friedrich Barbarossa
und die daraus erwachsenen Privilegien sind in den Stifts- und Ordens-Annalen gewürdigt.[7] Der mittlere Kaiser im Lorbeerkranz dürfte also so oder so mit Barbarossa als dem
für Cappenberg wichtigsten Kaiser zu identifizieren sein.

In der Stiftskirche (vgl. dazu Kapitel 1) war die Gründung vergegenwärtigt durch die
Grabplatte der beiden Stifter und Skulpturen am Hochaltar, am Reliquienhaus und am
Chorgestühl – ja die ganze Kirche diente nicht zuletzt der Erinnerung an und dem Fürbit-
tengebet für die Stifter (Abb. 2).[8]

← **Abb. 1**

Klosterschloss Cappenberg,
Detail: *Mittelrisalit
des Schlosses mit Frontispiz,*
Südflügel, um 1708,
Selm-Cappenberg

Ebenso lebendig war das Wissen um das wundertätige Reliquienkreuz von Barbarossas Vater Friedrich II. von Staufen, Herzog von Schwaben (1090–1147), das Otto von Cappenberg für das mütterliche Erbe in Schwaben, zwei Burgen, viele Ritter – vielleicht auch die Dienstleute um Ilbenstadt – und 2 000 Bauernhöfe, ertauschte:[9] Er, nicht sein Bruder Gottfried, wurde Taufpate des späteren Kaisers und Eigentümer des Kreuzes, das Otto erst als Propst nach 1156 dem Konvent überließ, um das ursprüngliche Patrozinium der Gottesmutter Maria und der Apostelfürsten Peter und Paul zu ändern und das Stift neben Maria dem Apostel und Lieblingsjünger Jesu, dem Evangelisten Johannes, zu weihen (Kat.-Nr. 29). Das Reliquienkreuz ist bis 1734 als vorhanden bezeugt und wurde 1803 dem letzten Propst überlassen (s. Kat.-Nr. 31).[10] Es ist seitdem verschollen, aber immerhin auf zwei Bildnisgemälden des Propstes Ferdinand Mauritz Goswin von Ketteler (1699–1784, amt. ab 1739) abgebildet (Abb. 3, 4).[11]

Für die Staufer war die Stiftsgründung weniger wichtig, trotz der Übernahme der Bauernhöfe, Ritter und zweier Burgen. Der Verlust des Reliquienkreuzes, das Herzog Friedrich bei seinen Aktionen stets um den Hals trug, bedeutete auch, dass ihn nun sein Glück verließ: Seinem Onkel Heinrich V. folgte 1125 nicht er als König, sondern Herzog Lothar von Sachsen.[12] War Barbarossas Schenkung der sogenannten Taufschale (Kat.-Nr. 135) samt dem „zugehörigen" Kopf – darunter wird man ein Kopf-Aquamanile „nach dem Bild des/eines Kaisers" zu verstehen haben, zumal die vier Füße des sogenannten „Cappenberger Kopfes" nicht in die Dellen in der Schale passen[13] – der Versuch einer Kompensation, um bei der liturgischen Handwaschung den Reinigungsakt der Taufe zur Bekräftigung der Fürbitte zeremoniell zu wiederholen? Die Schenkung bezeugt jedenfalls die Verbundenheit mit Cappenberg ebenso wie die beiden Urkunden Barbarossas für das Stift, in denen er das neue Johannes-Patrozinium 1161 (s. Kat.-Nr. 39) erstmals bezeugte und 1187 die Patenschaft Ottos würdigte. Aber insgesamt war Cappenberg wohl nur ein kleiner Knoten im weit geknüpften staufischen Netzwerk.

Für den ersten Stiftsvorsteher, den heiligen Norbert von Xanten (um 1080/85–1134),

Abb. 2

Köln, *Doppelgrabplatte der Stiftsgründer Gottfried und Otto von Cappenberg*, um 1320/30, Sandstein, ehemalige Stiftskirche St. Johannes Evangelist, Selm-Cappenberg

Abb. 3

Matthias Kappers, *Brustbild-nis Ferdinand Mauritz Goswin von Ketteler (1699–1784) als Propst zu Cappenberg,* um 1755/60, Öl auf Leinwand, Privatbesitz

Abb. 4

Pektorale des Propstes Ferdinand Mauritz Goswin von Ketteler (Detail aus Abb. 3)

und seinen Orden bedeuteten die Schenkungen der Grafen einen starken Impuls für die Ausbreitung der Prämonstratenser. Erst im Vorjahr 1120/21 hatte er nach neuen Regeln als Doppelkloster für Männer und Frauen Prémontré bei Laon (Nordfrankreich) gegründet, sodass ganze Familien wie die Cappenberger eintreten konnten. Aus deren Vermögensmasse konnte Norbert drei Stifte gründen – neben Cappenberg noch Ilbenstadt in der Wetterau nördlich von Frankfurt und Varlar im Westmünsterland bei Coesfeld, alle zunächst Doppelklöster. Zudem konnte Cappenberg als prämonstratensische „Eliteschmiede" das Personal weiterer Stiftsgründungen stellen und Texte produzieren, von denen die Autobiografie des konvertierten Juden Hermann Judaeus (um 1108–um 1173) (Kat.-Nr. 22, 23) der bekannteste ist.[14] Der Rückzug der Grafen aus der Politik erregte reichsweit Aufsehen und lenkte die Aufmerksamkeit auf Norbert und sein Anliegen. Bei Norberts Tod 1134 bestanden schon rund 70 Stifte.

Norbert war für Gottfried von Cappenberg nicht nur als charismatischer Prediger attraktiv, der ein radikales, asketisches Christentum predigte und seine Stifte nach der strengen Augustinus-Regel organisierte – der Gründungskonvent Cappenbergs kam aus Prémontré –, sondern wie seine westfranzösischen Vorbilder auch als Versöhner und Friedensstifter.[15] Norbert war beeinflusst durch die hochmittelalterliche Gottesfriedensbewegung, die seit der Mitte des 11. Jahrhunderts in Frankreich und im Rheinland versucht hatte, das Fehdewesen einzudämmen, die Hälfte jeder Woche und zudem die Marien- und Apostelfest-

Abb. 5
Nach Theodor Galle, *Vita
Norberti,* Bild 12: *Norbert als
Wanderprediger* und Bild 13:
Norbert als Friedensstifter,
um 1650/80, Kat.-Nr. 7

tage, Fasten- und Bußzeiten durch das Verbot der Kriegsführung zu befrieden. Auch wenn Reue als Motiv des Grafen Gottfried erst spät bezeugt ist:[16] Die Erstürmung und der Brand Münsters waren am 2. Februar 1121 erfolgt, dem Festtag Mariä Lichtmess. Besondere Friedensgebote für alle Marienfeste hatte die Synode von Reims 1119, an der auch Norbert teilnahm, noch einmal eingeschärft.[17]

Norberts Vita berichtet, wie er als Streitschlichter auftrat und verfeindete Menschen versöhnte (Abb. 5).[18] Sowohl als Prediger wie als Friedensstifter griff er allerdings in bischöfliche Vorrechte ein. Denn kirchenrechtlich war der zuständige Bischof auch amtlich für Streitschlichtung und Friedensstiftung zuständig.[19] Daher erfuhr Norbert immer wieder heftige Anfeindungen. Bischöfe klagten ihn beim Papst an – der ihm aber 1118 das Recht zu predigen verlieh (Kat.-Nr. 13) und 1119 der Aufsicht des ihm befreundeten Bischofs von Laon unterstellte.[20] So versuchte Norbert, seine Stiftsgründungen ohne die Bischöfe zu realisieren, indem er sich das Stiftungsgut persönlich schenken ließ.[21] Während ihn in Prémontré der Ortsbischof von Laon förderte, war das in Cappenberg viel schwieriger. Der Bischof von Münster hätte Cappenberg gern als Grenzburg übernommen. Gottfrieds Lebensbeschreibung überliefert indes seine Absicht, dass aus dem Ort des Waffenlärms einer des Friedens werde, dass „statt zügelloser Gewalt der Eifer des himmlischen Gehorsams" herrsche.[22] Graf Gottfried verstand seine Gründung als Beitrag zu einer politischen und gesellschaftlichen Befriedung des Lebens, die von 1120 bis zum Abschluss des Wormser Konkordats im September 1122 politisches Hauptthema im Reich war: vor allem die Versöhnung von Papst und Kaiser nach fünfzigjährigen Kämpfen.[23] Allerdings tritt in der späteren Wahrnehmung Norberts das pazifistische Anliegen stark hinter das Armutsgebot zurück, das für das Leben im Stift auch wichtiger war. Schon 1163 klagte man, das Stift sei stolz und weltlich geworden.[24] Erst in der Barockzeit schmückte man Norbert mit dem friedensbringenden Ölzweig als Attribut.

Eine nachwirkende Bedeutung hatte die Stiftsgründung auch für die beteiligten Grafenfamilien. Die Grafen von Cappenberg verschwanden aus der Politik, blieben aber in der Erinnerung lebendig. Ihr Besitz ging aber nicht ausschließlich an die geistlichen Stiftungen. „Omni sua", all das Seinige stiftete Gottfried seiner und Norberts Vita zufolge;[25] aber damit kann nur sein unangefochtener Eigenbesitz gemeint sein. Dass Gottfried erst nach zwei Jahren, nach dem Tod seines Schwiegervaters Friedrich von Arnsberg (um 1075–1124) als des heftigsten Gegners seiner Gründung, in den geistlichen Stand eintrat, dürfte an der Abfindung fremder Ansprüche liegen. Der erst widerstrebende Otto stimmte noch 1122 zu und überließ sein Erbe in Schwaben zugunsten der Neugründungen dem Neffen des Kaisers und damit dessen erwartetem Nachfolger und stiftete im Münsterland Varlar. Gottfried und Otto mussten zudem ihrer von dem Edlen Bernher von Erpenrath „entführten" und geheirateten Schwester Gerberga eine Aussteuer verschaffen; die bei Wesel-Hamminkeln gelegenen Güter kaufte das Stift 1199 zurück, während die Schwester Beatrix in Cappenberg eintrat und ihr Erbteil dem Stift Ilbenstadt zufiel, wo sie als Mitgründerin in Erinnerung blieb.[26]

Auszusteuern war auch die Halbschwester der beiden Stiftergrafen, Eilika (um 1107/10 – nach 1135), Tochter aus der zweiten, nach dem Tode des Grafen Gottfried I. von Cappenberg (gest. 1106) geschlossenen Ehe ihrer Mutter mit dem Grafen Heinrich von Rietberg (um 1080–1115/16), Bruder des Friedrich von Arnsberg. Eilika heiratete wohl um 1124/25 den Grafen Egilmar II. von Oldenburg (urkundlich bezeugt 1108–1142).[27] Ihr Erbteil wohl aus cappenbergischem Vorbesitz in Nordwestfalen muss immerhin so bedeutend gewesen sein, dass die Grafen von Oldenburg das Cappenberger Wappen oder eine Variante davon annahmen: den doppelten roten Balken im goldenen Feld; dieses Wappen ist auch als Cappenberger Wappen in Ilbenstadt überliefert (Abb. 6).[28]

Die Familie der Ehefrau des Grafen Gottfried, Jutta von Arnsberg (um 1103–nach 1154), muss dagegen als Verlierer der Stiftsgründung gelten: Sie selbst und ihr Vater Friedrich sträubten sich

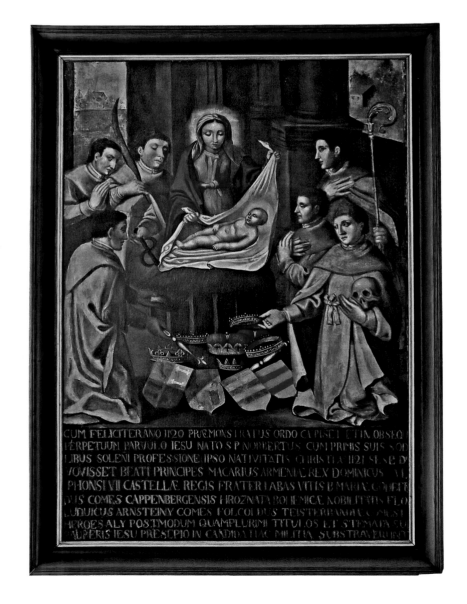

heftig, wenn auch vergeblich, gegen die Schenkung an Norbert. Die Vereinigung zweier mächtiger Grafenfamilien hätte – nach einem Zwist im Hause Arnsberg, der die Stammburg Werl und Teile des Familienbesitzes südlich der Lippe 1102 dem Kölner Erzbischof zufallen ließ – die geschwächte Stellung der Arnsberger wiederhergestellt. Erst nach dem Tode Gottfrieds gelang ein Ausgleich, als seine – nun nicht mehr dem Ehemann zu Gehorsam verpflichtete – Witwe aus dem Kloster austrat und den Grafen Gottfried von Cuyk (um 1100 – um 1158) heiratete (vgl. auch den Beitrag von Hedwig Röckelein in diesem Band). Es könnte ein kluger Schachzug Norberts von Xanten gewesen sein, der sich so mit ihrer Familie versöhnte und erreichte, dass Gottfried, sein Bruder und seine Mutter dafür 1129 das Prämonstratenserstift Marienweerd bei Cuyk gründeten.[29] Nach heftigen Fehden mit den Grafen von der Mark aber verkaufte der letzte, kinderlose Graf Gottfried IV. (um 1300–1371) die Rest-Grafschaft 1368 an den Kölner Erzbischof,[30] damit sie nicht seinen sonst erbberechtigten Feinden zufiel.

Erben der Cappenberger waren auch diejenigen Familien, die die von ihnen ausgeübten Vogteirechte übernahmen.[31] Die Edelherren von Steinfurt übernahmen die über das Damenstift Münster-Überwasser und wohl auch über das Stift St. Mauritz, das Erben der westfälischen Billunger 1040/64–1070 gegründet hatten; die Vogteirechte über die Cappenberger Stiftsgüter zwischen Coerde und Saerbeck verkauften sie 1277 für die große Summe von 350 Mark Silber![32] Gelten die Cappenberger und Ravensberger Grafen als Nachfolgefamilien der 1016 erloschenen westfälischen Billunger, so die Steinfurter als einer der Erben der 1106 ausgestorbenen ostsächsischen Billunger aus dem Harzvorland. Sie urkundeten erstmals 1129 im Münsterland und gründeten 1133/34 in Clarholz und Lette das nächste westfälische Prämonstratenserstift als Tochterstift Cappenbergs, wohl als Sühnestiftung für den Mord des Gottfried von Cuyk-Arnsberg am Grafen Florenz von Holland bei Utrecht 1133.[33] Zu seinen Vögten wählte das Stift Cappenberg die Grafen von Berg-Altena und dann deren Nachfolger, die Grafen von der Mark, die dort bis 1277 sogar ihre Grablege hatten.[34]

Das Ausscheiden der Cappenberger Grafen aus dem Wettbewerb um die politische Führungsrolle in Westfalen bedeutete, dass auf die Dauer die geistlichen Fürsten mehr als zwei Drittel Westfalens regierten. Der Erzbischof von Köln erhielt die gräflichen Ministerialen in seiner Diözese südlich der Lippe mit deren Dienstgütern.[35] Der Ehrgeiz seiner Nachfolger nach der Führungsrolle schien durch

Abb. 7

Fragment der *Grabplatte des Bischofs Dietrich II. von Winzenburg (um 1084–1127)*, um 1265, Kat.-Nr. 18

die Verleihung des westfälischen Herzogtitels nach dem Sturz Heinrichs des Löwen (um 1129/35–1195) 1180 realisierbar; der Ankauf von Arnsberg 1368 markierte eine weitere Etappe dorthin.

Auch der Bischof von Münster (Abb. 7) zählte zu den Gewinnern. Nachdem Norbert 1126 Erzbischof von Magdeburg geworden war, unterstellte Graf Otto 1129 ihm seine Stiftung Varlar, vor 1137 auch Cappenberg.[36] Die Übernahme von 105 Cappenberger Ministerialen (wohl erst bald nach 1127) wurde darin sichtbar, dass die Wappenfarben der Cappenberger zu denen des Bischofs wurden; allerdings datieren die Belege dafür erst aus dem frühen 14. Jahrhundert.[37] Wappen als Erkennungszeichen einzelner Grafen und dann Ritter kamen zwar erst im 2. Viertel des 12. Jahrhunderts auf, doch waren Heeresfahnen älter; dafür sind einfache Teilungen und auch Streifen wie gelb-rot-gelb typisch.[38] Der Bischof von Münster konnte mit dieser Streitmacht fast seine ganze Diözese und auch Teile des Bistums Osnabrück seiner Herrschaft unterwerfen.[39] Das Hochstift (Fürstbistum) Münster war bis 1802 der flächenmäßig größte geistliche Staat im Heiligen Römischen Reich.

Mit politischen Herrschaftsrechten übernahmen die Bischöfe auch die Verantwortung für den Frieden im Lande, wie es eine Urkunde des Bischofs Ludwig 1169 ausdrücklich formulierte.[40] 1173 bezeugte Kaiser Friedrich Barbarossa, dass die Aufgaben des Hochvogtes, des Grafen von Tecklenburg, endgültig an den Bischof fielen, der damit für die Durchsetzung von Recht und Gesetz im Lande verantwortlich und also Fürstbischof wurde. Die Erwartung, sie seien die friedlicheren Landesherren, haben die Bischöfe im fehdereichen Mittelalter nicht immer erfüllt. Ihre Rolle bei der Landfriedensbewegung des 13./14. Jahrhunderts sollte aber nicht unterschätzt werden.[41]

Die Gottfriedsvita berichtet auch, welche Raubeine seine Ministerialen (Abb. 8) waren, wie diese die Bauern beraubten und der Graf sie einmal zwang, ihre Beute zu erstatten.[42] Sollte der Bischof sie nun bändigen! Bischof und einheimischer Adel fanden indes zu einem symbiotischen Verhältnis, trotz mancher Konflikte im Einzelnen. Das Domkapitel war Adelssöhnen vorbehalten. Es profitierte wie das Stift Cappenberg durch die Schenkung von Gütern, wenn ein Rittersohn eintrat. Die Domherren, oft Mitarbeiter der bischöflichen Verwaltung, durften wie anfangs auch der Cappenberger Propst den Bischof wählen, der dann vom Papst „nur" bestätigt und vom Kaiser mit den weltlichen Herrschaftsrechten belehnt wurde. Das war so 1122 im Wormser Konkordat (Abb. 9) zwischen Kaiser und Papst zeitlich exakt parallel zur Cappenberger Stiftsgründung ausgehandelt worden. Und man erinnere sich: Die Stiftsgründung war erfolgt wegen des Krieges um die Einsetzung eines Bischofs, eines papst- oder kaisertreuen Bischofs 1118–1121.

Profitierten auch die Bauern von der Stiftsgründung 1122 (Kat.-Nr. 28)? Viele gräfliche Höfe gelangten an das Stift, und es ist glaubwürdig, dass die Formen der sich nach und nach entwickelnden Eigenbehörigkeit, der münsterländischen Form bäuerlicher Unfreiheit

Abb. 8
Nordwestdeutschland, *Ritter in Turnierrüstung*, um 1250, Kat.-Nr. 25

und Bindung an den Hof, bei geistlichen Grundherren etwas weniger streng als bei weltlichen und adeligen Grundherren ausfiel. „Unter dem Krummstab ist gut leben", hieß es bis in das 18. Jahrhundert. Was man über die Zeit kurz vor der Aufhebung des Stiftes 1803 weiß, zeugt von einem relativen Wohlstand der bäuerlichen Bevölkerung.[43]

Was lässt sich aus dem Geschehen von 1122 lernen, heute, in einer Zeit der Entchristlichung? Welchen Sinn kann die Stiftsgründung heute vermitteln? Das Stift entstand, als die Mitsprache machthungriger Laien in der Kirche zurückgedrängt und das christliche Gebot der Demut und des Friedens gegen weltliche Große geltend gemacht wurde. Das Friedensgebot wollte man zumindest an einem Ort realisieren. Heute jedoch wollen Laien wieder mehr Mitsprache. Die Vision einer Verchristlichung und Befriedung der Welt, die ethische Bindung politischer Machtausübung und Herrschaft, Armut und Demut als Tugenden, auch die Orientierung an den Friedensgeboten des Evangeliums – das war die Vision von Norbert und Gottfried. Wenn jüngste Darstellungen der Menschheitsgeschichte anthropologische Konstanten aufdecken wie die latente Aggressivität des Homo sapiens,[44] wird die Menschheit ohne strikte zivilisatorische und politische, vernunftgebundene Regeln nicht überleben, ohne den ungebrochenen Willen, Missstände und Gewalt abzustellen.

Anmerkungen

1 Steinen 1741, S. 1–2 zur Fassade. **| 2** Vgl. Dethlefs 2004, S. 57–59. Beschreibung der Fassade mit Chronogramm auch in der Stiftschronik bis 1713, Stadtmann 1698–1713, S. 191–192. **| 3** Stadtmann 1698–1713, S. 6, nach der älteren Gottfrieds-Vita, vgl. Niemeyer/Ehlers-Kisseler 2005, S. 157, Z. 10. **| 4** Brüning 1973, S. 25–26. Zur Bedeutung der Gründung für die Selbstdarstellung der Klöster vgl. Dethlefs 2003, S. 816–826. **| 5** Wilmans/Philippi 1881, S. 326–328 Nr. 236, S. 337–339 Nr. 241–242, S. 349 Nr. 250; vgl. auch Leistikow 2000, S. 48–55. **| 6** Stadtmann/Kumann 1828; Stadtmann 1698–1713, S. 29 (1123, auch in Bistumsarchiv Münster, GV Hs. 171 S. 104–106), 48 (Verweis auf das *Liber Privilegiorum* 1161/1187, diese in Abschriften ebd. GV Cappenberg A3 Bl. 33 von 1187, Bl. 34 von 1189, 29v (Urkunde Ottos IV.), 52 (1191); Nucleus um 1700–1730, Bl. 11r (Privilegien Friedrichs I.), Bl. 24v–26r (Urkundenanhang, 1123, 1161); Hugo Bd. 1,1, Nancy 1734, Sp. 433–436/469–472, hier Sp. 436, 472, und Probationes Sp. 368–376 (zehn Urkunden 1122–1223). **| 7** Stadtmann 1698–1713, S. 47; Nucleus um 1700–1730, Bl. 11r; Stadtmann/Kumann 1828, Bl. 21v; Hugo Bd. 1, Sp. 436; vgl. auch Hüsing 1882, S. 68–69. **| 8** Vgl. Dethlefs 2009, S. 13–18; Engel 2021, S. 314–323. **| 9** Leistikow 2000, S. 321; Niemeyer/Ehlers-Kisseler 2005, S. 159; vgl. Bockhorst 2022, S. 73–74.; Opll 2022, S. 154–155 Nr. 8. **| 10** Hüsing 1882, S. 66–68, nach Hugo Bd. 1 1734, Sp. 472, mit einer auf 1705 datierten Liste der im „Gazophylacium" (Kirchenschatz) befindlichen Reliquien aus dem ertauschten Kreuz; Landesarchiv Westfalen, KDK Münster Fach 19 Nr. 19 Bl. 64r. **| 11** Dethlefs 2015, S. 37–46; Steinen 1741, S. 5. **| 12** Vgl. Rensing 1954, S. 167–168, 182–183; Grundmann 1959, S. 39–41; für das Folgende auch Balzer 2015, S. 20–24. **| 13** Appuhn 1973, S. 148–149, danach auch Lambacher 2022, S. 200. **| 14** Ehlers-Kissler 2022, S. 108 Anm. 26, 113–124; vgl. auch den Beitrag von Jan Keupp in diesem Band, bei Anm. 33–38. **| 15** Vgl. Felten 1984, S. S. 69–93; Grauwen/Horstkötter 1986, S. 34–35. **| 16** Bockhorst 2003, S. 66–67; ders. 2022, S. 79–80; Görich 2022 b, S. 37 Anm. 144. **| 17** Vgl. Hoffmann 1964, S. 186–194 für die Kirchenprovinz Reims, S. 225–229 über die päpstliche Friedenspolitik ab 1115. Die Beschlüsse von Reims 1119 zum Gottesfrieden „in omnibus festibus sanctae Mariae" bei Mansi Bd. 21, Venedig 1776, Sp. 236–237. **| 18** Vita Norberti, Wilmans 1856, cap. 6 S. 675, 26–30, cap. 7 S. 676,7–39, cap. 10 S. 680,15–16; Kallfelz 1973, S. 462,20–24, 464,17–34, 478,3–4. **| 19** So noch im Codex iuris canonici 1917, Can. 343. § 1. **| 20** Vita Norberti, Wilmans 1856, cap. 9, S. 678, Z. 1–2; Kallfelz 1973, S. 470. **| 21** Vgl. Weinfurter 1989, S. 70–77. **| 22** Niemeyer/Ehlers-Kissler 2005, S. 128, 140, Z. 16–17; Hüsing 1882 S. 22; vgl. Kallfelz 1973 S. 508,14–15. **| 23** Dendorfer 2022, S. 66–67. **| 24** Leistikow 2000, S. 105; Görich 2022 b, S. 39 Anm. 165. **| 25** Niemeyer/Ehlers-Kissler 2005, S. 112,9, 168,22; Vita Norberti, Wilmans 1856, cap. 15, ed. S. 688,30/32; Kallfelz 1973 S. 508, Z. 7/11. **| 26** Leistikow 2000, S. 80; Niemeyer/Ehlers-Kissler 2005, S. 76, 166, Z. 10; WUB II cod. Nr. 548 (1196), 582–583 (1199); Stadtmann 1698–1713, S. 52. **| 27** Vgl. Leistikow 2000, S. 9–10; Leidinger 2009, S. 152; Raimann 2013, S. 141–145, 150, 164–166; Hillebrand 1962, S. 65–73; Bockhorst 2022, S. 80. **| 28** Fritz 1961, Abb. 8, 10, 14; Kat.-Nr. 1–3, 6, 20–22, 31, 43 (Gemälde aus Werne), 45, 56. Skeptisch dazu Veddeler 1993, S. 22, ohne Kommentar zur Ilbenstädter Wappenform. Vgl. unten Anm. 37. **| 29** Leidinger 2009, S. 156, 163–170 mit weiteren Nachweisen; Kohl 2003, S. 462. **| 30** Gosmann 2009, S. 200–201. **| 31** Vgl. Hömberg 1950, S. 94–96. **| 32** Petry 1973, S. 67–69 nach WUB III Nr. 1028. **| 33** Zu den Vogteirechten der Cappenberger vgl. Balzer 2006, S. 187–190; Kohl 2003, S. 462–465; vgl. Kohl 2006, S. 68–69. Zu Varlar s. Bockhorst 2022, S. 77. **| 34** Fischer 2018, S. 91; Stadtmann 1698–1713, S. 52, 72; Stadtmann/Kumann 1828 Bl. 23, 27v; WUB III Nr. 1047. **| 35** Niemeyer/Ehlers-Kissler 2005, S. 124, Z. 8, S. 173, Z. 16–17. **| 36** Leistikow 2000, S. 67–69. **| 37** Veddeler 1993, S. 15–24 mit großer Skepsis zur Frühdatierung der Wappen. Immerhin bringt schon die niederdeutsche Bischofschronik, geschrieben um 1424/30, eine Notiz zur Wappengleichheit, s. Ficker 1851, S. 108. **| 38** Vgl. Vok Filip 2000, S. 12–17; Galbreath/Jéquier 1978, S. 21–37, hier Anm. 39 zu dem 1150 bezeugten Siegelwappen der Grafen von Berg, zwei Schachbalken, und zum Wappen ihrer westfälischen Erben, der Grafen von der Mark. **| 39** Zur territorialen Entwicklung des Fürstbistums s. Kohl 1999, S. 552–590; Dethlefs 2022, S. 33. **| 40** WUB II Cod. S. 108 Nr. 342. **| 41** Vgl. Pfeiffer 1955, S. 81–118. **| 42** Niemeyer/Ehlers-Kissler 2005, S. 128, Z. 10–129,2. **| 43** Vgl. Kreuzkamp 2003, S. 5–13, 22–45. **| 44** Vgl. Harari 2013, S. 23–38, 495–508.

KNUT GÖRICH

Friedrich Barbarossa
Facetten von Person und Herrschaft

Es war die rötlichblonde Haarfarbe, die dem Stauferkaiser Friedrich I. seinen bekannten Beinamen eintrug: Rot(haarig) (lat. *rubeus*) wurde er schon von seinen Zeitgenossen genannt, „Barbarossa" – Rotbart – aber erst in italienischen Quellen des 13. Jahrhunderts.[1] Der Freisinger Kleriker Rahewin (Kat.-Nr. 46) beschrieb den Kaiser so: „Sein Haar ist blond und oben an der Stirn etwas gekräuselt, die Ohren werden kaum durch darüber fallende Haare verdeckt, da der Barbier aus Rücksicht auf die Ehre des Reiches das Haupthaar und den Backenbart durch dauerndes Nachschneiden kürzt. Seine Augen sind scharf und durchdringend, die Nase ist schön, der Bart rötlich, die Lippen sind schmal und nicht durch breite Mundwinkel erweitert und das ganze Antlitz ist fröhlich und heiter".[2] Der vergoldete Bronzekopf, der noch heute im früheren Prämonstratenserkloster Cappenberg aufbewahrt wird, scheint dieser Beschreibung zu ähneln, weshalb man ihn seit dem späten 19. Jahrhundert für ein Porträt des Staufers hielt (vgl. Kat.-Nr. 126) (Abb. 1). Mittlerweile ist jedoch klar, dass der sogenannte Cappenberger Barbarossakopf von vornherein dazu gedacht war, Reliquien des heiligen Johannes aufzunehmen und kein Bildnis des Staufers ist (vgl. dazu den Beitrag von Ulrich Rehm in diesem Band). Graf Otto von Cappenberg (um 1100–1171) gab das Werk in Auftrag und stiftete es dem Kloster, das er zusammen mit seinem Bruder Gottfried 1122 gegründet hatte und in das er selbst eintrat.[3]

Aber Verbindungen zwischen dem westfälischen Cappenberg und dem schwäbischen Staufer gab es: Otto – entfernt verwandt mit Barbarossas Vater, Herzog Friedrich II. von Schwaben (1090–1147) – war Taufpate des wohl am 20. Dezember 1122 geborenen späteren Kaisers. Von diesem Ereignis legt die bildliche Darstellung auf einer silbernen Schale Zeugnis ab, die bis 1802/03 ebenfalls in Cappenberg aufbewahrt wurde (vgl. Kat.-Nr. 135). Die Taufe stand im Kontext der 1122 erfolgten Beilegung des Investiturstreits zwischen Kaiser und Papst (siehe dazu den Beitrag von Gerd Dethlefs in diesem Band). Damit verbunden war die Aussöhnung Heinrichs V. mit der Adelsopposition im Reich. Es scheint, als ob Ottos Taufpatenschaft den Friedensschluss gewissermaßen besiegelte, denn sie verband mit Herzog Friedrich II., dessen Mutter Agnes eine Schwester des salischen Kaisers war,

← **Abb. 1**
Barbarossa-Relief, 12. Jahrhundert, Stein, Bad Reichenhall, Kreuzgang von St. Zeno

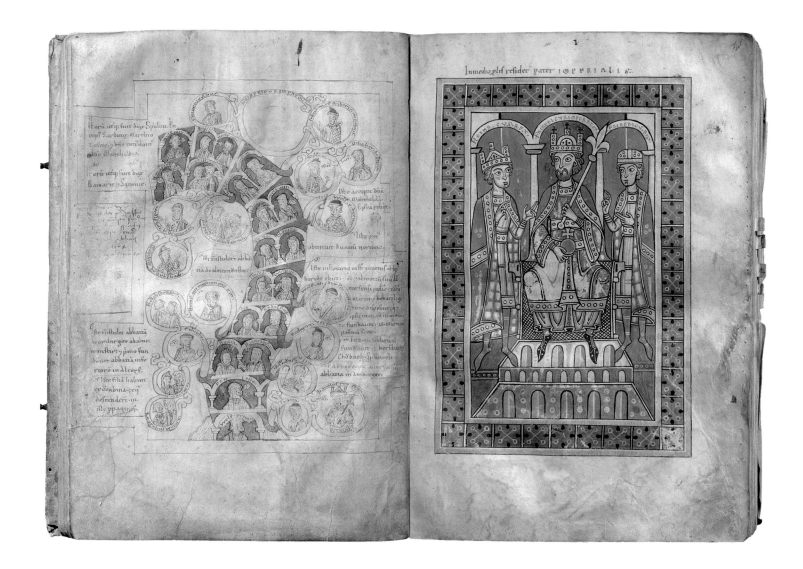

Abb. 2

Kloster Weingarten, *Weingartner Welfenchronik, Stamm-
baum und Thronbild*, nach
1185/91, Fulda, Hochschul-
und Landesbibliothek

→ **Abb. 3**

*Herrscherbild Kaiser Fried-
richs I. Barbarossa*, um 1180,
Kat.-Nr. 47

einen Repräsentanten des kaiserfreundlichen Adels mit den Grafen von Cappenberg, die im
Herzogtum Sachsen zu den Hauptstützen der kaiserfeindlichen Partei gehört hatten.[4]

Die Verwandtschaft mit der salischen Kaiserfamilie und der daraus abgeleitete, aber
vergebliche Anspruch auf Thronfolge nach dem kinderlosen Tod Heinrichs V. begründete
ein konfliktreiches Verhältnis von Barbarossas Vater Friedrich II. und dessen Bruder Konrad mit dem 1125 gewählten König Lothar III. Aber Konrad wurde nach Lothars Tod 1138
von dessen Gegnern zum König gewählt. In dessen Konflikten mit Heinrich dem Löwen
(um 1129/30 oder 1133/35–1195) und Welf VI. (1115–1191) um das Herzogtum Bayern nahm
Barbarossa eine vermittelnde Position ein, denn über seine welfische Mutter Judith war
er mit ihnen verwandt. Seit 1147 Herzog von Schwaben, verfolgte er nicht stets dieselben
Ziele wie sein königlicher Onkel, auch wenn er häufiger an dessen Hof erschien und 1147/48
an dessen Kreuzzug teilnahm.

Nach Konrads überraschendem Tod im Februar 1152 nutzte Barbarossa die Gelegenheit,
den Thronfolgeanspruch von dessen minderjährigem Sohn Friedrich (um 1144/45–1167) zu
überspielen und sich selbst mit Unterstützung mächtiger Reichsfürsten im März in Frankfurt zum König wählen und in Aachen krönen zu lassen. Besonders wichtig waren dabei
seine welfischen Verwandten (Abb. 2). Sein Onkel Welf VI. und sein Vetter Heinrich der Löwe

wurden für lange Zeit seine treuesten Anhänger und in ihren Ranganprüchen bestätigt. Barbarossa sicherte Welf VI. den Herzogtitel durch Zuweisung von Herrschaftsansprüchen in Italien (Spoleto, Tuscien), Heinrich der Löwe erhielt zusätzlich zu Sachsen das Herzogtum Bayern.

Als Herzog von Schwaben entstammte Barbarossa einer Familie, die in der Vermittlung zwischen König und Fürsten reichlich Erfahrung gesammelt hatte, und mit den anderen Fürsten des Reichs teilte er die Vorstellung, dass das Handeln des Königs demonstrativ Rücksicht auf den Ranganspruch des Adels zu nehmen hatte. Rang war das strukturierende Element der politisch-sozialen Ordnung und bezeichnete in der hierarchischen Gesellschaft des Mittelalters die soziale Identität des Einzelnen. Die Missachtung von (Rechts-)Ansprüchen, die an den Rang geknüpft waren, wurden als Bedrohung dieser Identität wahrgenommen: Unterblieben die dem Rang geschuldeten Zeichen des sozialen Respekts, war die Ehre (honor) verletzt.[5] Entsprechend häufig wurden Konflikte mit erlittener Ehrverletzung begründet, und entsprechend wichtig waren demonstrative Ehrerweisungen, um Konflikte zu vermeiden oder beizulegen. Selbst König geworden, wusste Barbarossa unter Rücksicht auf solche „Spielregeln der Politik"[6] im Rangstreit der Großen so gut zu vermitteln, dass er zeitlebens mit keiner breiten Fürstenopposition konfrontiert war.

Die Wahrung der „Ehre des Kaisers" und der „Ehre des Reichs" (honor imperatoris, honor imperii) war ebenso ein Grundsatz seines politischen Handelns wie die Wahrung der Treue, die ihn mit allen Personen(-gruppen) verband, die seine Herrschaft anerkannten. Zwar war oft strittig, zu welchen konkreten Diensten die Treue (fides, fidelitas) verpflichtete, aber die Gegenseitigkeit der Treuebindung war ein Fundament der politischen Ordnung, denn geleistete Dienste hatte der Herrscher zu belohnen. Treuebindungen eröffneten und begrenzten gleichermaßen seinen politischen Handlungsspielraum.[7]

Abt Wibald von Corvey und Stablo (1098–1158) unterrichtete Papst Eugen III. (um 1080–1153) über den neu gewählten König und schrieb Barbarossa nicht nur Erfolg im Kampf, Streben nach Ruhm und Freigebigkeit zu, was ohnehin dem Ideal des Kriegeradels entsprach, sondern auch Zugänglichkeit, Gewandtheit und Entschlusskraft in Beratungssituationen[8] – und damit sozusagen kommunikative Qualitäten, die in

Abb. 4
*Goldbulle Friedrichs I. Barba-
rossa als Kaiser*, Typar Mitte
1154, Kat.-Nr. 61

einer wesentlich von Mündlichkeit geprägten konsensualen
Herrschaftspraktik unbedingt vorteilhaft waren. Dazu gehörte
auch seine mehrfach belegte Neigung zu Spott und Ironie, mit
der er Lacher auf die eigene Seite zu ziehen verstand – was in
Entscheidungssituationen ebenfalls nützlich war und gerade
deshalb ein gefürchteter Zug seines Auftretens gewesen sein
dürfte. Die rhetorische Begabung des Staufers war auffallend;
dass Wibald sie explizit aber nur auf dessen deutsche Mutter-
sprache bezog, war eine kleine Bosheit des Abtes. Zwar war Barbarossa durchaus ein interessierter Zuhörer gelehrter Gespräche
an seinem Hof (Abb. 3), aber wie jeder junge Adlige hatte er nur
reiten, jagen und kämpfen gelernt, nicht aber lesen und schreiben
– und war deshalb nach Maßstäben des gebildeten Klerus ein
„gekrönter Esel". Latein, die Sprache der Kirche, in der auch die
unter seinem Namen ausgestellten Urkunden geschrieben wurden, lernte er erst im Laufe seiner fast vierzigjährigen Regierungszeit zu sprechen.

Dass Barbarossa seinem Onkel auf dem Thron folgte, markiert eine Zäsur, die eine Veränderung der am Hof einflussreichen Personenkreise mit sich brachte. Abt Wibald verkör-
perte indessen ein Stück Kontinuität, denn schon am Hof Konrads III. war er ein wichtiger
Ratgeber gewesen. Seine Expertise war Barbarossa nicht nur in den Kontakten mit dem
Papst zur Vorbereitung der Kaiserkrönung 1155 von Nutzen, sondern auch in den Beziehungen zu Byzanz. Offenbar als Belohnung für seine Gesandtschaftsreise 1155/56 erhielt
Wibald von Manuel Komnenos (1118–1180) und Barbarossa genug Gold, um damit den heu-
te verlorenen Altaraufsatz (Retabel) zu Ehren des heiligen Remaklus in Auftrag geben zu
können (vgl. Kat.-Nr. 72 und den Beitrag von Joanna Olchawa in diesem Band, besonders
S. 78 f. mit Abb. 3, 4). Wegen seiner guten Beziehungen zu Goldschmieden beauftragte
Barbarossa den Abt auch mit der Herstellung des Siegelstempels für seine Königsbulle
(Abb. 4) und für das Siegel seiner Gemahlin Beatrix (um 1140–1186).

Die Wahrung von Recht und Frieden war die zentrale Herrscherpflicht. In der Proble-
matik, dass Anerkennung des Königsgerichts auch Anerkennung des Herrschaftsan-
spruchs bedeutete, Ablehnung aber dessen Zurückweisung, wurzelte Barbarossas langjäh-
riger Konflikt mit oberitalienischen Städten, in denen sich Formen der Selbstverwaltung
durch gewählte Konsuln etabliert hatten. Durch Klagen wurde der Kaiser in die Konflikte
zwischen den Städten hineingezogen, aber jede seiner Interventionen wurde von der Seite,
die ihn nicht als Richter angerufen und damit seinen Herrschaftsanspruch schon demonstrativ anerkannt hatte, als Parteinahme zu Gunsten des Klägers wahrgenommen – und er
selbst als parteiischer Richter.

Diesem Dilemma konnte der Staufer schon deshalb nicht entkommen, weil er zur Durchsetzung seiner Herrschaft auf die militärische Unterstützung jener Städte angewiesen war,
die durch Anrufung des Königsgerichts ihre eigenen Interessen verfolgten – allen voran
Pavia und Cremona, die auf diese Weise den Kaiser in ihre alte Rivalität mit der lombardischen Metropole Mailand einspannten, das Barbarossa 1158 belagerte und 1162 zerstörte.[9]

→ **Abb. 5**
„Barbarossa-Relief" von der
Porta Romana in Mailand,
um 1171, Kat.-Nr. 58

Die Mailänder mussten sich in demütigenden Formen unterwerfen. Man verhandelte sogar über die Frage, ob die Konsuln mit Schuhen an den Füßen oder barfuß vor den Kaiser ziehen mussten, um ihm Genugtuung für die erlittene Ehrverletzung zu verschaffen. Solche öffentlichen Inszenierungen von Überordnung und Unterordnung waren ein charakteristisches Element mittelalterlicher Königsherrschaft – und Barbarossas Macht bemaß sich nicht zuletzt darin, solche Aufführungen auch erzwingen zu können.

Die auf dem Hoftag von Roncaglia 1158 erlassenen Gesetze schrieben dem Kaiser unter Rückgriff auf das spätantike römische Recht unbeschränkte Autorität zu. Als Reaktion auf Willkür und Ausbeutung durch die neugeschaffene Reichsverwaltung gründete sich Ende 1167 der lombardische Städtebund, dessen Führung bald das wiedererstarkte Mailand übernahm (Abb. 5) und gegen dessen Heer der Staufer 1176 bei Legnano eine schwere Niederlage erlitt, die ihn auf den Verhandlungsweg zwang. Erst im Frieden von Konstanz wurde 1183 der Kompromiss gefunden, dass Barbarossa die je nach Stadt unterschiedlichen Rechtsgewohnheiten anerkannte, die Kommunen aber den Kaiser als Legitimationsquelle ihrer Selbstverwaltung. Dieser hart erkämpfte Konsens schuf eine auf Jahrzehnte hinaus tragfähige Friedensordnung in Oberitalien und sicherte dem Gericht des Kaisers unumstrittene Anerkennung.

In der Frühphase des Konflikts in Italien spielte Rainald von Dassel (zwischen 1114 und 1120–1167), ab 1156 Kanzler Barbarossas und ab 1159 auch Erzbischof von Köln, eine zentrale Rolle (vgl. u. a. Kat.-Nr. 77). Als kaiserlicher Gesandter in Mailand beleidigt, wurde er zu einem unnachgiebigen Scharfmacher. 1162 bestand er auf die bedingungslose Unterwerfung der durch die systematische Verwüstung ihres Umlandes hungernden Stadt, damit „der Kaiser

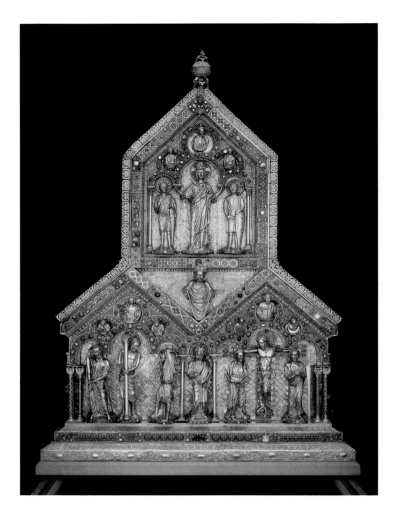

Abb. 6

Nikolaus von Verdun, *Rück-seite des Kölner Dreikönigen-schreins; Halbfigur des Erz-bischofs Rainald von Dassel* (Kopie), 1190 – um 1220, Kat.-Nr. 77

ganz nach seinem Wunsch Rache und Barmherzigkeit üben könne."[10] Unter den vielen Be-lohnungen, die Rainald vom Kaiser zum Dank für seine treuen Dienste erhielt, ragen die Re-liquien der Heiligen Drei Könige hervor. Rainalds Rolle bei der Entdeckung der Reliquien ist undurchsichtig.[11] Nach Köln transferiert, wurden sie binnen kurzem zum Kern des Dreikö-nigskultes und zum Ziel vieler Pilger (Kat.-Nr. 8, 79) (Abb. 6).

Auch an der Eskalation des Konflikts mit dem Papsttum war Rainald nicht unbeteiligt. 1157 überbrachte der Kanzler der römischen Kirche, Roland Bandinelli, auf dem Hoftag in Besançon dem Kaiser einen Brief Papst Hadrians IV., der ihm vorwarf, die Gefangennahme des Erzbischofs von Lund nicht bestraft zu haben, und ihn unter Hinweis auf die 1155 er-haltene Kaiserkrönung zu Wohlverhalten aufforderte. Rainald übersetzte den Text für Barbarossa und die Fürsten, die des Lateinischen nicht mächtig waren, so zugespitzt ins Deutsche, dass der Eindruck entstand, die Kaiserwürde sei vom Papst abhängig. Der Hof sah die päpstliche Krönung aber nicht als konstitutiv für die Kaiserwürde, sondern die Königswahl, war der römisch-deutsche König doch seit Otto I. (912–972) stets zum Kaiser erhoben worden. In aller Öffentlichkeit stritt man über den Ursprung der kaiserlichen Ge-walt, Barbarossa ließ in Briefen diese Verletzung des *honor imperii* beklagen.

Der anschließende Streit über zuvor niemals eindeutig geklärte kaiserliche Rechtsan-sprüche im päpstlichen Herrschaftsbereich um Rom führte zu einer Spaltung des Kardinals-kollegiums. Sie schlug sich nach dem Tod Hadrians IV. 1159 in einer doppelten Papstwahl

Abb. 7
Armreliquiar für Karl den Großen, 1165/73, Kat.-Nr. 59

nieder, aus der Kardinal Octavian als Viktor IV. und Roland als Alexander III. (um 1100 oder 1105–1181) hervorgingen. Der Tod Viktors IV. 1164 änderte nichts, da unter Rainalds Regie mit Paschalis III. (um 1110–1168) umgehend ein neuer Papst gegen Alexander erhoben wurde. Zur Festigung des Gehorsams gegenüber Paschalis III. sollte die Heiligsprechung Karls des Großen (um 747/48–814) in Aachen beitragen. Der Papst hatte sein Kanonisationsrecht an Rainald von Dassel delegiert, in dessen Kölner Diözese Aachen lag. Am 29. Dezember 1165 erhob Barbarossa mit den anwesenden Bischöfen die Gebeine des Karolingers aus dessen Grab in der Marienkirche. Barbarossas Verehrung für seinen heiligen Amtsvorgänger bestimmte das dynastische Bildprogramm in den Reliefs auf dem Reliquiar für einen Armknochen Karls des Großen (Abb. 7), aber auch seine Stiftung eines großen Radleuchters (siehe den Beitrag von Joanna Olchawa, S. 81, Abb. 5).

Die schwerste Hypothek für die Beilegung der Kirchenspaltung war, dass Barbarossa den Eklat von Besançon als persönliche Beleidigung auffasste. Deshalb weigerte er sich lange, Alexander III. in persönlicher Begegnung als rechtmäßigen Papst anzuerkennen und ihm die zeremoniellen Ehrendienste zu erweisen, die er Hadrian IV., Viktor IV. und Paschalis III. schon bereitwillig erwiesen hatte: Kniefall, Fußkuss und Steigbügelhalten. Erst nach der Niederlage von Legnano bevollmächtigte der Kaiser namentlich Erzbischof Wichmann von Magdeburg zu Verhandlungen, die im Juli 1177 zum Friedensschluss mit Alexander III. führten. Vor dem Markusdom in Venedig begegneten sich die langjährigen

Kontrahenten persönlich in einer umsichtig vorbereiteten feierlichen Zeremonie, die Barbarossa keinen Gesichtsverlust zumutete.[12]

Die beiden Vettern Barbarossa und Heinrich der Löwe hatten sich lange Zeit gegenseitig unterstützt – Heinrich den Kaiser mehrfach auf seinen Italienzügen, Barbarossa den Doppelherzog vor allem im Ausbau seiner Herrschaft in Sachsen (vgl. Kat.-Nr. 360). 1168 heiratete Heinrich im Dom zu Minden die englische Königstochter Mathilde (um 1156–1189), und in Braunschweig, das zum Prototyp fürstlicher Residenzbildung wurde, entfaltete sich eine einzigartige Hofkultur (Abb. 8). Mit Blick auf die Machtstellung des Herzogs meinte ein zeitgenössischer Chronist, diesem sei ein neuer Name geschaffen worden: „Heinrich der Löwe" (*Heinricus leo*).[13] Den Löwennamen als traditionelle Bezeichnung starker Herrschaft nahm der Welfe durch die Errichtung eines bronzenen Löwenstandbildes vor seiner Residenz ganz augenfällig für sich in Anspruch (Abb. 9), auch durch die Prägung von Münzen mit dem Löwenbildnis (vgl. Kat.-Nr. 94).

Heinrichs Königsnähe und Barbarossas aufreizende Parteilichkeit zu Gunsten seines Vetters weckten Neid und Missgunst unter den Großen, aber erst die Klage, die Erzbischof Philipp von Köln (um 1130–1191) vor Barbarossas Gericht gegen den Herzog erhob, ließ den Konflikt ab 1178 aus der Latenz treten. Philipp und Heinrich hatten sich den Kaiser durch vor allem in Italien vielfach erwiesene treue Dienste verpflichtet. Vor sein Gericht geladen, vertrauten sie unterschiedlichen Ressourcen: der gelehrte Erzbischof auf seine Kölner Rechtsschule, die aus dem in Italien systematisierten Lehnsrecht juristische Argumente schmiedete,[14] der rangbewusste Doppelherzog auf seine Machtstellung und die Solidarität seines kaiserlichen Verwandten. Indem Heinrich aber der Ladung vor Barbarossas Gericht mehrfach den Gehorsam verweigerte, drängte er ihn in den offenen Konflikt. Den Herzog zur Sühne für die Missachtung des Gerichts zu zwingen, wurde – wie im Falle Mailands – zu einer Frage des *honor imperii*. Im April 1180 wurde auf dem Hoftag von Gelnhausen dem Löwen das Herzogtum Sachsen entzogen und die Herzogswürde für dessen westfälischen Teil dem Erzbischof von Köln übertragen, im September in Altenburg die Übertragung des Herzogtums Bayern an Otto von Wittelsbach (um 1117–1183) verkündet. Heinrich unterlag der Macht seiner mit dem Kaiser vereinigten Gegner und unterwarf sich im April 1181 in Erfurt: Wie schon die Mailänder Konsuln musste er dem Kaiser zu Füßen fallen.

Abb. 8

Helmarshausen, *Evangeliar Heinrichs des Löwen und der Mathilde von England, Krönungsbild*, um 1188, Handschrift, Pergament, Wolfenbüttel, Herzog August Bibliothek

Der Staufer hatte weder über Alexander III. noch über den Städtebund gesiegt, und der
Sturz seines welfischen Verwandten zeigte ihm die Grenzen seines Handlungsspielraumes,
denn auf Druck der Fürsten hatte er sich wohl dazu verpflichtet, seinen Vetter nur mit ihrer
Zustimmung wieder in seine alte Stellung einzusetzen, also die Grenzen von dessen Ent-
machtung aus der Hand geben müssen. Aber die Konfliktbeilegungen wirkten auch stabili-
sierend, denn sie schufen Konsens und waren stets Inszenierungen der kaiserlichen Herrschaft, die die Beteiligten auf das Gezeigte festlegte.[15] Barbarossas Hof war weiterhin die
Bühne, auf der die Großen um Rang und Ehre rivalisierten. Das verschwenderisch aufwendige Hoffest zu Mainz von 1184, auf dem Barbarossas älteste Söhne Heinrich (1165–1197)
und Friedrich (1167–1191) die Schwertleite erhielten (Kat.-Nr. 54), versammelte eine Viel-
zahl von Reichsfürsten. Das Fest war mit Waffenspielen unter Teilnahme des Kaisers
eine eindrucksvolle Darstellung des gemeinsamen ritterlichen Selbstverständnisses, gleichermaßen Erinnerung an vergangene Kämpfe wie eine gerade in ihrer ungeheuren Kost-
spieligkeit sinnvolle Investition in die Zukunft, galt es doch, mit Blick auf den absehbaren
Thronwechsel um künftige Treue zur Herrscherfamilie zu werben.

Barbarossas schon 1169 zum römisch-deutschen König gekrönter Sohn Heinrich VI.
hatte nördlich und südlich der Alpen bereits politische Erfahrung gesammelt, als er 1186
in Mailand Konstanze von Sizilien (1154–1198) heiratete. Dieses Ehebündnis beendete den
alten Konflikt mit dem normannischen Königreich in Süditalien. Der Rang bestimmte den
Horizont möglicher Eheschlüsse und ihre politische Instrumentalisierung. Barbarossa hatte nach seiner Königswahl die Scheidung von seiner ersten Gemahlin betrieben, der Grafen-

tochter Adela von Vohburg (s. Kat.-Nr. 63a), dann die Heirat mit einer byzantinischen Prin-
zessin erwogen und schließlich 1156 die burgundische Grafentochter Beatrix geheiratet, die
ihm die Freigrafschaft Burgund einbrachte und damit seine Stellung in Burgund stärkte.
Die dänischen, englischen, ungarischen, kastilischen, französischen und byzantinischen
Heiratsprojekte für seine Kinder zerschlugen sich jedoch ausnahmslos an unvorhersehba-
ren politischen Konstellationen, lediglich die wohl schon beim Frieden von Venedig 1177 in
Aussicht genommene sizilische Heirat wurde realisiert.

Als Reaktion auf die Eroberung von Jerusalem durch Sultan Saladin rief der Papst Ende
1187 zum Kreuzzug auf. Nach dem französischen und englischen König nahm auch Barbarossa das Kreuz. Aus dem erfolglosen Kreuzzug Konrads III. zog er Lehren und bereitete
seinen zweiten Aufbruch ins Heilige Land nicht nur durch Gesandtschaftsaustausch mit
Isaak II. Angelos (1155–1204) von Byzanz und dem Seldschukensultan Kilic Arslan (um
1113–1192) vor, um so den friedlichen Durchzug durch ihre Reiche abzusichern, sondern
legte auch eine finanzielle Mindestausstattung für die Kreuzfahrer fest, um den Vormarsch
nicht durch mittellose Teilnehmer zu behindern. Auch Wissen wurde gesammelt: Aus dem
Kloster Schäftlarn erhielt der Kaiser eine Abschrift der Kreuzzugsgeschichte des Robert
von St. Remi (Kat.-Nr. 122), und wahrscheinlich traf er im April 1189 in seiner elsässischen
Pfalz Hagenau noch Burchard aus dem Stift St. Thomas in Straßburg, der 1175/76 in seinem Auftrag Ägypten und Syrien bereist hatte.[16]

Im Mai 1189 brach von Regensburg aus mit etwa 3000 gepanzerten Reitern und 12000
überwiegend kampffähigen und berittenen Knappen das bislang größte Heer zum Kreuzzug auf. Auf dem Landweg erreichte man über Ungarn und Serbien byzantinisches Reichs-
gebiet, wo sich die getroffenen Absprachen aber als nicht tragfähig erwiesen. Nach mühsam gefundenem Ausgleich setzte das Heer an Ostern 1190 über den Hellespont, der
Marsch durch das anatolische Hochland stieß zuerst auf den Widerstand türkischer Noma-

denstämme, dann machten politische Veränderungen im Seldschukenreich die früheren Vereinbarungen hinfällig. Unter verlustreichen Kämpfen und strapaziösen Entbehrungen erreichte das Heer im Juni das christliche Armenien. Bevor Barbarossa dessen Herrscher Levon II. (um 1150–1219) die zugesagte Königskrönung zuteilwerden lassen konnte,[17] ertrank der Kaiser fast siebzigjährig am 10. Juni im Saleph (Göksu) (Kat.-Nr. 54, Abb. 10).

Mit seinem Leichnam wurde verfahren, wie es beim Tod hoher Herren in der Fremde üblich geworden war:[18] Um ihn in der Sommerhitze überhaupt transportieren zu können, wurde er ausgenommen und mit Salz konserviert, drei Wochen später in Antiochia zerschnitten und so lange gekocht, bis das Fleisch von den Knochen fiel. Friedrich von Schwaben ließ dann die Gebeine seines Vaters vorläufig in Tyros bestatten, von wo aus sie nach Jerusalem gebracht werden sollten. Aber die erhoffte Eroberung blieb aus, Friedrich starb vor Akkon, und das Wissen um Barbarossas Grab ging mit dem Untergang der Kreuzfahrerstaaten im 13. Jahrhundert verloren. Er ist der einzige mittelalterliche Kaiser, dessen Grablege bis heute unbekannt ist. So konnte er als Kaiser, der entrückt wurde und in einem Berg schläft, in das kollektive Gedächtnis der Deutschen zurückkehren und im 19. Jahrhundert zum Nationalmythos werden.

Anmerkungen

1 Die folgende Darstellung beruht auf Görich 2011. **❘ 2** Schmale 1965, S. 709, Z. 16–23. **❘ 3** Görich 2022 b. **❘ 4** Dendorfer 2022. **❘ 5** Görich 2001. **❘ 6** Althoff 2014. **❘ 7** Dendorfer 2019. **❘ 8** Hartmann 2012, Brief 339, S. 712, Z. 13–17. **❘ 9** Görich 2015. **❘ 10** Güterbock 1949, S. 61. **❘ 11** Böhringer/Oepen 2016. **❘ 12** Görich 2019. **❘ 13** Helmold von Bosau 1990, S. 300. **❘ 14** Dendorfer 2013. **❘ 15** Görich 2018. **❘ 16** Thomsen 2018. **❘ 17** Philipsen u.a. 2019. **❘ 18** Schmitz-Esser 2014 b.

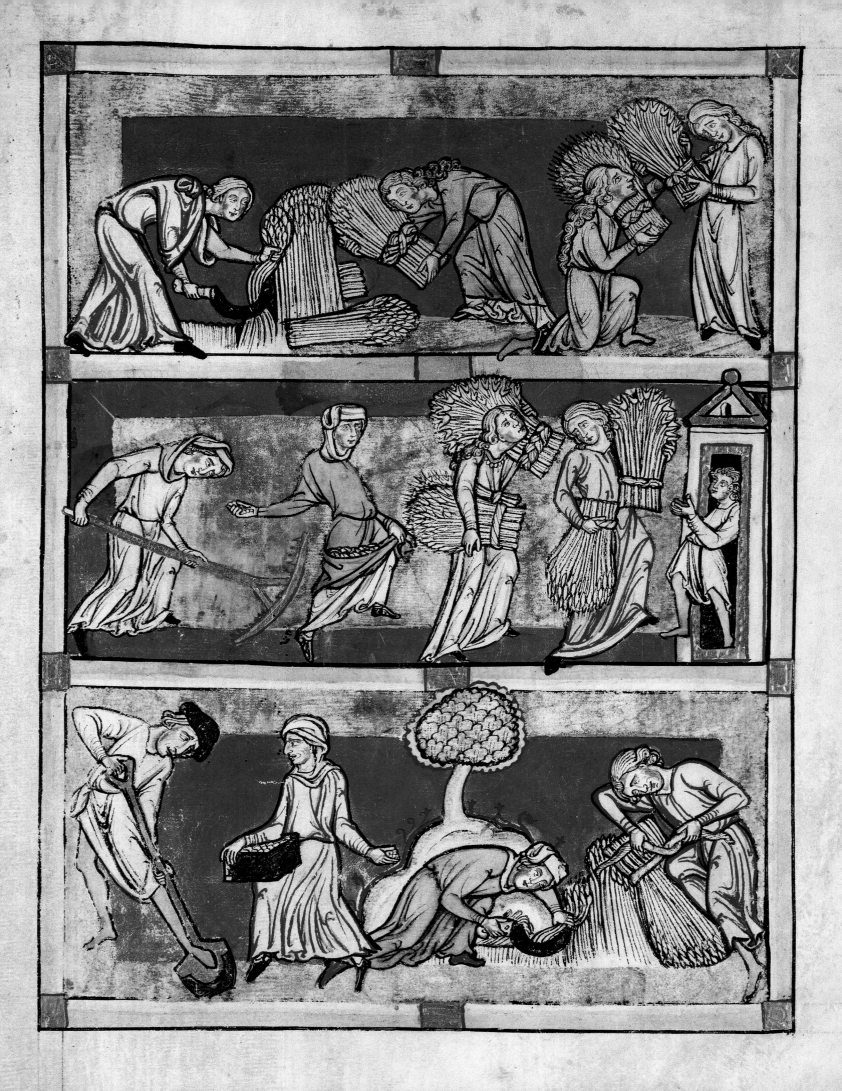

HEDWIG RÖCKELEIN

Frauen und Macht im 12. Jahrhundert

Jutta von Arnsberg und Hildegard von Bingen

Als Gründer des Prämonstratenserstiftes Cappenberg sind die Brüder Gottfried (1096/97–1127) und Otto von Cappenberg (um 1100–1171) fest in unserem kollektiven Gedächtnis verankert. Dabei wird übersehen, dass an diesem Akt unweigerlich eine Reihe von Frauen als Miterbinnen des cappenbergischen Gutes beteiligt waren: namentlich die Gemahlin Gottfrieds, Jutta von Arnsberg, und seine Schwestern Gerberga und Beatrix.

Welche Optionen Frauen des Adels im 12. Jahrhundert zwischen Welt und Kloster offenstanden, soll hier exemplarisch an zwei Beispielen diskutiert werden, die – obwohl Zeitgenossinnen – sich nie begegnet sind: ebenjene Jutta/Ida von Arnsberg (um 1103 – nach 1154) und die berühmte Nonne Hildegard von Bingen (1098–1179). Das imaginäre Bindeglied zwischen beiden ist Friedrich Barbarossa (um 1122–1190): Er spielte in den frühen 1120er-Jahren eine Rolle, als ihr Schwager Otto den Säugling über die Taufe hielt; Hildegard kam erst 40 Jahre später mit ihm ins Gespräch, nachdem er 1152 zum König gewählt worden war (Kat.-Nr. 67).

Weder Hildegard noch Jutta bestimmten selbst über ihren Lebensweg. Wie üblich entschieden die Eltern bzw. die Vormünder über ihre Karrieren. Das hinderte aber beide nicht, als erwachsene Frauen ihr Leben selbst in die Hand zu nehmen und es im Rahmen der Möglichkeiten, die ihnen die Gesellschaft ließ, zu gestalten (Abb. 1).

Die Wirkung der beiden Protagonistinnen zu Lebzeiten und über ihren Tod hinaus könnte unterschiedlicher nicht sein. Während Jutta von Arnsberg über die Region hinaus kaum bekannt ist, stieg Hildegard zu einer der berühmtesten weiblichen Ikonen des Mittelalters auf.[1] Das Wenige, was man über Jutta in Erfahrung bringen kann, steht in den beiden Lebensbeschreibungen (Viten) ihres ersten Ehemannes Gottfried von Cappenberg[2] und in den Urkunden aus dem Haus ihrer Familie, der Grafen von Werl und Arnsberg. Die Gottfried-Viten sind darum bemüht, ihren Helden als gottgefälligen Mann zu schildern und geneigt, alle Hindernisse, die sich ihm bei seiner Konversion und der Stiftsgründung in den Weg

← **Abb. 1**
Mittelrhein, *Jungfrauen-
spiegel, Erntebild*, um 1310,
Pergament, Bonn,
LVR-LandesMuseum

stellten, als Instrumente seines Martyriums zu interpretieren. Die Kritiker seines Planes, darunter auch Jutta und ihr Vater Friedrich, werden darin dämonisiert. Über Hildegard verfassten zwei Echternacher Mönche, Gottfried und Dietrich, eine eigens ihr gewidmete geistliche Vita.[3] In dieser hagiografischen Erzählung wird sie zur untadeligen Heroine stilisiert. Hildegard, die „Posaune Gottes", konnte lesen und schreiben, sie äußerte sich zu theologischen Fragen in eigenen Schriften und führte einen umfangreichen Briefwechsel mit den geistlichen und weltlichen Eliten ihrer Zeit.[4] Über die erwachsene Hildegard sind wir gut informiert, aber über ihre Herkunft und Kindheit wissen wir wenig. Sie wurde in die Familie der Edelfreien von Bermersheim in der Nähe von Alzey hineingeboren und wuchs mit neun Geschwistern auf.

Bedeutender als die Familie der Hildegard war zu ihrer Zeit zweifelsohne die Familie der Jutta von Arnsberg. Sie stammte aus einem der mächtigsten westfälischen Adelsgeschlechter.[5] Ihr Vater, Graf Friedrich von Werl/Arnsberg (um 1075–1124), führte zunächst um 1115/18 zusammen mit dem Kölner Erzbischof in Westfalen die antikaiserliche Fürstenopposition an.[6] Da er seine politischen Ziele rigoros verfolgte, erhielt er den Beinamen „der Streitbare". Jutta war das einzige überlebende Kind aus der Ehe Friedrichs mit Adelheid, der Tochter des Herzogs von Limburg, die seinen sozialen Aufstieg befördert hatte. Als Alleinerbin des umfangreichen Besitzes war Jutta eine ausgezeichnete Partie für Gottfried, den Sohn des gleichnamigen Grafen von Cappenberg, dem sie um 1120 in die Ehe gegeben wurde. Die Cappenberger waren erst seit zwei Generationen im Münsterland ansässig.[7] Diese eheliche Verbindung brachte ihnen erheblichen Gewinn an Besitz und Ansehen in der Region. Die Ehe versprach eine gemeinsame Regierung der Arnsberger/Cappenberger über Orte, die von Darmstadt über die Wetterau nördlich von Frankfurt bis nach Westfalen und zum Niederrhein gereicht hätten.

Die Familien der Brautleute hatten zunächst gemeinsam mit dem Kölner Erzbischof Friedrich I. auf der Seite der westfälischen Fürstenopposition gegen Kaiser Heinrich V. gestanden. 1118 wechselte Graf Friedrich von Arnsberg jedoch die Seiten und lief zur kaiserlichen Partei über. Die Cappenberger

Abb. 2

Hauptlinie der Grafen von Arnsberg, 2009

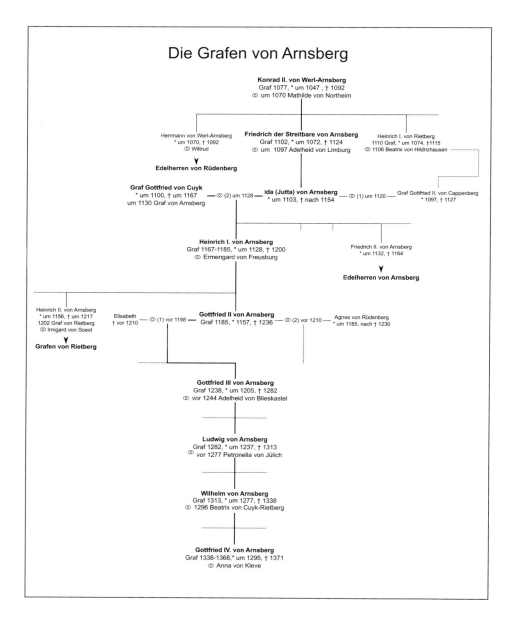

Die Grafen von Arnsberg

Konrad II. von Werl-Arnsberg
Graf 1077, * um 1047 , † 1092
⚭ um 1070 Mathilde von Northeim

Herrmann von Werl-Arnsberg
* um 1070, † 1092
⚭ Wiltrud

Friedrich der Streitbare von Arnsberg
Graf 1102, * um 1072, † 1124
⚭ um 1097 Adelheid von Limburg

Heinrich I. von Rietberg
1110 Graf, * um 1074, †1115
⚭ 1106 Beatrix von Hildrizhausen

Edelherren von Rüdenberg

Graf Gottfried von Cuyk
* um 1100, † 1167
um 1130 Graf von Arnsberg
⚭ (2) um 1128

Ida (Jutta) von Arnsberg
* um 1103, † nach 1154
⚭ (1) um 1120

Graf Gottfried II. von Cappenberg
* 1097, † 1127

Heinrich I. von Arnsberg
Graf 1167-1185, * um 1128, † 1200
⚭ Ermengard von Freusburg

Friedrich II. von Arnsberg
* 1132, † 1164

Edelherren von Arnsberg

Heinrich II. von Arnsberg
* um 1156, † um 1217
1202 Graf von Rietberg
⚭ Irmgard von Soest

Elisabeth
† vor 1210 ⚭ (1) vor 1198

Gottfried II von Arnsberg
Graf 1185, * 1157, † 1236
⚭ (2) vor 1210

Agnes von Rüdenberg
* um 1185, nach † 1230

Grafen von Rietberg

Gottfried III von Arnsberg
Graf 1238, * um 1205, † 1282
⚭ vor 1244 Adelheid von Blieskastel

Ludwig von Arnsberg
Graf 1282, * um 1237, † 1313
⚭ vor 1277 Petronella von Jülich

Wilhelm von Arnsberg
Graf 1313, * um 1277, † 1338
⚭ 1296 Beatrix von Cuyk-Rietberg

Gottfried IV. von Arnsberg
Graf 1338-1368,* um 1295, † 1371
⚭ Anna von Kleve

hingegen verblieben bis 1122 bei den sächsischen Fürsten.[8] Auf der Seite des Kaisers stand auch Herzog Friedrich II. von Schwaben, der Vater Friedrich Barbarossas. Er spielte 1120–1122 eine maßgebliche Rolle als Vermittler zwischen der päpstlichen und der kaiserlichen Partei sowie den Reichsfürsten. Umso erstaunlicher ist es, dass er sich im Herbst 1121 gegen Friedrich von Arnsberg stellte und für die Cappenberger verwendete, mit denen seine Familie weitläufig verwandt war. Doch auch Kaiser Heinrich V. unterstützte im September 1122 die Entscheidung Gottfrieds, sich aus dem weltlichen Leben zurückzuziehen und die Burg Cappenberg in ein Prämonstratenserstift zu verwandeln.

Durch die politischen Entwicklungen in Westfalen und im Reich sowie die persönlichen Entscheidungen Gottfrieds stand die eheliche Verbindung Juttas mit Gottfried, die vor 1118 ausgehandelt und vor 1122 eingelöst worden war, von Anfang an unter einem schlechten Stern. Dabei stand mehr auf dem Spiel als nur eine politische Allianz. Mit der Heirat verbanden die Arnsberger die Hoffnung, trotz des Fehlens

Abb. 3
Mittelrhein oder Rheinland/Westfalen, *Wappenscheibe der Grafen von Arnsberg und Ravensberg*, um 1255/75, Glasmalerei, Darmstadt, Hessisches Landesmuseum

eines männlichen Nachkommen die Genealogie und den Besitz für die nächste Generation zu sichern. Friedrichs dringendster Wunsch war es, dass das junge Paar das Erbe der Arnsberger antrat.

Diese Ehe sollte die Cappenberger noch stärker an die Arnsberger binden. Schon 1106 hatte die Mutter Gottfrieds, Beatrix von Hildrizhausen (um 1070/75–1115), in zweiter Ehe den Grafen Heinrich von Rietberg (gest. 1115) geheiratet, den Bruder Friedrichs von Arnsberg, einen Onkel Juttas (Abb. 2).[9] Solche Kreuzheiraten waren im 12. Jahrhundert in Kreisen des Adels und der Königshäuser üblich, um politische Bündnisse zu schmieden oder zu festigen.[10] Doch das Ehebündnis zwischen Gottfried und Jutta stand aus demselben Grund kirchenrechtlich auf tönernen Füßen. Wegen zu naher Verwandtschaft waren solche Verbindungen nicht zulässig. Gingen die Beteiligten sie dennoch ein, so lieferte der Inzest einen hinreichenden Grund, die Ehe vor dem bischöflichen Gericht oder vom Papst zu annullieren. Davon machte beispielsweise Friedrich Barbarossa Gebrauch, als er sich 1153 von seiner ersten Gemahlin Adela von Vohburg (vor 1127–nach 1187) trennte (Abb. 4).[11] Das hinderte ihn jedoch nicht, in seiner zweiten Ehe mit Beatrix von Burgund (um 1140–1184) erneut eine Gemahlin zu wählen, die genauso nah mit ihm verwandt war.

Die 1121/22 getroffene Entscheidung des Grafen Gottfried, seine weltliche Karriere zu beenden, den gesamten Besitz seiner Familie in eine geistliche Stiftung innerhalb der Burg einzubringen und selbst in dieses Prämonstratenserstift einzutreten,[12] hatte nicht nur für ihn, sondern auch für die Familien der Cappenberger und der Arnsberger grundstürzende Folgen. Sie erzürnte Friedrich von Arnsberg genauso wie seine unmittelbar davon betroffene Tochter Jutta.[13] Der Autor der zweiten Vita Gottfrieds schreibt, Friedrich von Arnsberg habe die Mönche bedroht, weil sie seiner Tochter die Dos Kappenberg entzogen hätten.[14] Die Dos (lat. Geschenk, Gabe) wurde anlässlich der Verlobung zwischen den Brauteltern verabredet und war – jedenfalls im Reich nördlich der Alpen – von der Familie des Bräutigams zu stellen. Nach Friedrichs Aussage hatten die Cappenberger Jutta demnach im Rahmen des Ehevertrags zugesagt, ihr die Burg als Sicherung für den Fall zu hinterlegen, dass Gottfried sterben würde, bevor ihre Nachkommen volljährig sind. Zudem mochte Friedrich befürchten, dass Gottfried den gesamten arnsbergischen Besitz bei Kinderlosigkeit seiner Ehe dem Stift Cappenberg überweisen würde. Um den Heimfall der arnsbergischen Herrschaft unter allen Umständen zu verhindern, hielt er Eilika, die Tochter seines Bruders Heinrich aus der Ehe mit Beatrix von Hildrizhausen – auch sie eine Alleinerbin –, von 1122 bis zu seinem Tod 1124 in Arnsberg gefangen.[15] Ihre Integrität und Heiratsfähigkeit sollte unter allen Umständen gewahrt und ebenso die Gefahr gebannt werden, dass Gottfried II. von Cappenberg in seinem religiösen Eifer auch die Burg Arnsberg (Abb. 5) in ein Prämonstratenserstift umwandelte.

Gottfried II. verstieß erneut gegen kirchliches Recht, als er seine Gemahlin zwang, die Ehe zu trennen.[16] Zwar war die Trennung (nicht die Scheidung!) der Ehepartner grundsätzlich erlaubt, wenn einer von ihnen ins Kloster eintreten wollte,[17] aber nur unter der Bedingung, dass der andere Partner zustimmte oder – besser noch – ebenfalls zum Klosterleben konvertierte. Die Trennung der Ehe hätte zudem der Zustimmung des ortsansässigen Bischofs bedurft. Von einer Mitwirkung des Münsteraner Bischofs Dietrich II. von Winzenburg (um 1084–1127), dem Gottfried von Cappenberg im Winter 1121/22 mit Gewalt und gegen den Willen Kaiser Heinrichs V. zur Thronsetzung verholfen hatte, schweigen sich die sonst so mitteilsamen Hagiografen jedoch aus.

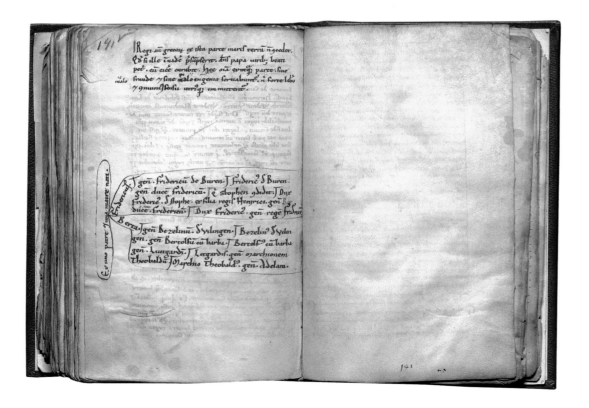

Abb. 4

Briefbuch des Abtes Wibald von Stablo, Eintrag Friedrichs I. zur Verwandtschaft mit Adela von Vohburg, 1146–1157, Kat.-Nr. 71

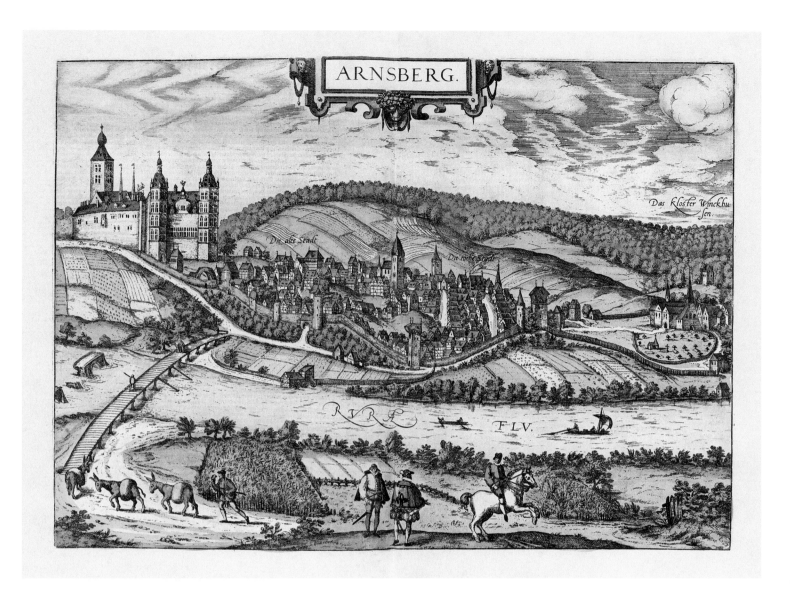

Abb. 5

Franz Hogenberg, *Ansicht von Schloss und Stadt Arnsberg von Westen*, kolorierter Kupferstich, 1588

Gottfried zwang seine Gemahlin nicht nur, der Ehetrennung zuzustimmen, sondern auch, selbst ins Kloster einzutreten;[18] dasselbe erwartete er von seinen Geschwistern Otto, Gerberga und Beatrix. Die *Vita prima Godefridi* behauptet, ein gewisser Franco (von Diepenheim) habe versucht, Jutta zu entführen, um sie zu ehelichen. Der Autor der *Vita secunda* vermutet ihren Vater Friedrich als Anstifter dieses Planes.[19] Auch wenn diese Geschichte befremdlich anmuten mag, so ist doch zu konstatieren, dass nach weltlichem Recht eine durch Raub (*raptus*) begründete Ehe dann rechtsgültig war, wenn die Braut dem zugestimmt hatte.[20] Gottfrieds Schwester Gerberga, die er ebenfalls ins Kloster hatte zwingen wollen, machte von diesem Rechtssatz Gebrauch. Sie ließ sich von Bernher von Erprath entführen, einem Edelherrn vom Niederrhein, und heiratete diesen ohne die Zustimmung ihres Vormunds.[21] Die andere Schwester Gottfrieds, Beatrix, beugte sich dagegen dem Willen ihres Bruders und nahm den Schleier in Cappenberg; der Bruder Otto entschloss sich nach längerem Zögern ebenfalls für das Klosterleben. Doch die Geschwister verweigerten sich der von Gottfried propagierten strengen Askese und vollständigen Armut; sie behielten Teile ihres ererbten Besitzes zurück.[22]

Für die weiblichen Verwandten, die er zum Klostereintritt bewegen konnte, gründete Gottfried in unmittelbarer Nähe des Männerkonvents eine Zelle (*cellula*). Sie befand sich möglicherweise zunächst westlich der Klosterkirche und wurde im 13. Jahrhundert an den Fuß des Kappenbergs verlegt (gen. Niedercappenberg). Damit war zum ersten Mal auf Reichsboden ein Prämonstratenserdoppelkloster entstanden. Während der Männerkonvent zu stattlicher Größe heranwuchs, blieb die kleine Frauengemeinschaft bedeutungslos.[23] Ihr gehörten nur wenige Frauen an, von denen wir kaum mehr wissen als ihren Todestag. Einige wechselten um 1160 nach Oberndorf bei Wesel, wo die Cappenberger auf eigenem Boden ein Prämonstratenserinnenstift gegründet hatten (vgl. zur Stiftsgründung auch den Beitrag von Jan Keupp in diesem Band).[24]

Während Beatrix nach dem Tod Gottfrieds im Jahr 1127 wahrscheinlich den Leichnam ihres älteren Bruders in das Cappenberger Stift Ilbenstadt in der Wetterau begleitete, nutzte Jutta die Gelegenheit, sich aus der misslichen Lage und ihrem fremdbestimmten Leben zu befreien. Sie heiratete 1128/29 Gottfried (um 1100–1168), den Grafen von Cuyk aus dem Herzogtum Kleve in den Niederlanden (Abb. 6). Als Kompensation stiftete Gottfrieds Familie 1129 ein Prämonstratenserstift an der Maas. So erfüllte sich doch noch der Wunsch ihres Vaters Friedrich, dass ein Gottfried (I.) die Grafschaft Arnsberg übernähme. Aus der Ehe gingen fünf Kinder hervor und auch die nächsten Generationen waren mit einer großen Kinderschar gesegnet (Abb. 7). In jeder Generation schlug mindestens eines der Kinder eine geistliche Laufbahn ein: Jutta (um 1130–1162), die Tochter Gottfrieds und Juttas/Idas wurde Äbtissin im Stift Herford (amt. 1146–1162). Von den Enkelkindern leitete Bertha (um 1202–1292) das Stift Essen, Syradis (um 1207–1227) das Kloster St. Aegidii in Münster, Ermengard (um 1204–nach 1279) wurde Nonne im Kloster Oelinghausen, ihr Halbbruder Hermann (um 1210–nach 1236) Kanoniker in Soest. Unter den späteren Generationen finden wir Arnsberger:innen in Meschede, bei den Zisterzienserinnen im Kloster Paradiese zu Soest und in Fröndenberg, als Erzbischöfe von Hamburg-Bremen, als Domherren zu Osnabrück und als Kanoniker zu Köln. Man kann den Arnsbergern also auf keinen Fall Vorbehalte gegen das geistliche Amt unterstellen; sie opferten weit mehr ihrer Kinder auf dem Altar als die Staufer. Jedoch hätte in der besonderen Situation der 1120er-Jahre der dauerhafte Verbleib Juttas im Kloster zum Aussterben des Geschlechts und zum Verlust des gesamten Territoriums geführt. Von einem Aussterben der Arnsberger hät-

Abb. 7

Grabtumba des Grafen Heinrich II. und der Gräfin Ermengard von Arnsberg, um 1330, Stein, Arnsberg-Wedinghausen, Kapitelsaal des ehemaligen Prämonstratenser-Stifts

ten am meisten die Cappenberger, der Bischof von Münster und sein Hochstift sowie der Kölner Erzbischof bzw. das Hochstift Köln profitiert.

Auch Hildegards Karriere wurde von den Eltern bestimmt. Dank ihrer älteren Brüder war die Genealogie gesichert und ihre Familie konnte es sich leisten, vier weitere Geschwister dem geistlichen Stand zu übergeben. Hildegard, vermutlich das jüngste der Kinder, war von schwacher physischer Konstitution. Ihre visionäre Gabe zeigte sich bereits in jungen Jahren. Daher lag in ihrem Fall eine geistliche Karriere nahe. Im Alter von acht Jahren wurde sie in die Obhut der Religiosen Jutta von Sponheim (um 1092–1136) gegeben. Mit dieser lebte sie seit 1112 in einer Klause neben dem Benediktinerkloster auf dem Disibodenberg an der Mündung der Glan in die Nahe. Doch weder als einfache Sanctimoniale auf dem Disibodenberg noch als Äbtissin des von ihr 1150 gegründeten Benediktinerinnenklosters auf dem Rupertsberg bei Bingen beschränkte sich Hildegard auf das Gebet hinter Klostermauern. Bestärkt durch ihre prophetische Gabe entwickelte sie großes Gottvertrauen und ein starkes Selbstbewusstsein (Abb. 8). Sie fühlte sich dazu berufen, ihre Zeitgenossen zu mahnen und auf den rechten Weg zu füh-

ren. Davon legen ihre Schriften, insbesondere der *Liber Scivias* (*Wisse die Wege*), und ihre teilweise predigtartigen Briefe Zeugnis ab (Abb. 9).

Schon der Stauferkönig Konrad III. (1093/94–1152) suchte und fand Rat bei Hildegard. Nachdem dessen Neffe Friedrich Barbarossa 1152 von einer Fürstenversammlung zum König gewählt worden war, wandte sich Hildegard an ihn (Kat.-Nr. 67). Sie forderte eine kluge, gerechte Regierung und Barmherzigkeit ein; sie erinnerte ihn, dass er nicht aus eigener Kraft herrsche, sondern ihm die Herrschaft von Gott verliehen worden sei. Sie erhoffte sich von ihm Frieden im Reich und ein Ende der Auseinandersetzungen mit dem Papst. Doch als Barbarossa ihren Beschützer, Erzbischof Heinrich I. von Mainz (amt. 1142–1153), absetzte, griff Hildegard den Herrscher scharf an und intervenierte bei Papst Eugen III. (um 1080–1153). Der ließ sich zwar nicht dazu erweichen, den Amtsentzug zu revidieren, aber er erkannte Hildegard als Seherin, Prophetin und Kirchenlehrerin an. Das war die höchste Auszeichnung, die eine Frau aus und in den Reihen der Kirche in dieser Zeit erreichen konnte.

Obwohl sich Hildegard mit ihrem moralischen Rigorismus nicht nur Freunde machte, scheint ihr Friedrich Barbarossa zunächst die harsche Kritik nicht übel genommen zu haben; angeblich lud er sie sogar auf die kaiserliche Pfalz Ingelheim am Rhein ein, und er privilegierte 1164 ihr Kloster (Kat.-Nr. 68). Doch Hildegards Geduld und Friedenssehnsucht wurde während des langandauernden päpstlichen Schismas in den 1160er-Jahren auf eine harte Probe gestellt. Schließlich konnte sie nicht mehr umhin, Friedrich I. als einen der Hauptschuldigen für die Kirchenspaltung verantwortlich zu machen und kündigte ihm ewige Verdammnis an.

Da Hildegards Botschaften ihren Adressaten viel abverlangten und da sie sich als Frau die Rolle der öffentlichen Mahnerin und Predigerin anmaßte, geriet sie des Öfteren mit weltlichen und geistlichen Autoritäten in Konflikt. Manche bezichtigten sie des Hochmuts, wo ihre erste Pflicht doch die Demut gewesen wäre. Aus der Distanz betrachtet, kann man ihr höchstens Selbstüberschätzung und Naivität angesichts ihrer realen Wirkungsmöglichkeiten vorwerfen. Zu komplex waren die politischen Verhältnisse und zu hierarchisch die kirchlichen Strukturen, als dass eine einzelne, zumal eine weibliche Person eine durchgreifende Reform hätte initiieren und durchsetzen können.

HEDWIG RÖCKELEIN

Anmerkungen

1 Die Literatur über Hildegard von Bingen ist uferlos. Zur Orientierung verweise ich auf drei weiterführende Schriften, die anlässlich der Wiederkehr des 900-jährigen Geburtstages Hildegards erschienen sind: Aris 1998; Haverkamp 2002; Ausst.-Kat. Mainz 1998. **2** Niemeyer/Ehlers-Kisseler 2005. Die *Vita I Godefridi comitis Capenbergensis* – im Folgenden abgekürzt V I G – wurde verfasst unter dem 2. Propst von Cappenberg, Magister Gottfried, zwischen 1149 und 1156. Die *Vita secunda* (abgekürzt V II G) wurde von einem Cappenberger Mönch während der Regierung Abt Hermanns (1171/72–1210) nach 1178/79, vielleicht sogar erst nach 1204 kompiliert aus der V I G, der *Vita Norberti A (Wilmans 1856)*, aus Ilbenstädter und Cappenberger Überlieferungen sowie einem Brief Bernhards von Clairvaux (um 1090– 1153). **3** Führkötter 1980. **4** Der Briefwechsel Hildegards ist nicht im Original erhalten, sondern nur in literarischen Briefbüchern, die in verschiedenen Versionen im 12. und 13. Jahrhundert erstellt wurden. In jüngster Zeit wurde die Vermutung geäußert, es könnte sich um fiktionale Briefe handeln. Die Briefe sind von Hildegards Sekretär Volmar und dem späteren Redaktor Wibert von Gembloux (um 1125–1213) überarbeitet worden, um die Briefstellerin in einem positiven Licht und als gefragte Ratgeberin erscheinen zu lassen. Vgl. dazu Embach 2003, Kap. 5, S. 177–251; Führkötter 1965; Van Acker 1991/93; Van Engen 2000. **5** Vgl. Bollnow 1930; Leidinger 2009. **6** Zur politischen Bedeutung und Herrschaftsbildung der Arnsberger vgl. Ehbrecht 1981; Gosmann 2009. **7** Der Besitzschwerpunkt der Cappenberger lag in der Wetterau. Durch die Herkunft ihrer Mutter Beatrix von Hildrizhausen-Schweinfurt waren sie auch zu beträchtlichem Güterbesitz in Schwaben gekommen. Vgl. dazu Leistikow 2000, S. 5–8. **8** Zur politischen Situation in diesen Jahren vgl. Dendorfer 2022. Der Parteienwechsel erklärt möglicherweise die äußerst negative Darstellung Friedrichs von Arnsberg in V I G, cc. 12–13 und 28–32. **9** V I G, c. 55, S. 161. **10** Zu den Ehen zwischen den Cappenbergern und den Arnsbergern vgl. Weller 2004, S. 819–824. **11** Hlawitschka 2005, S. 506–536, hier: S. 526–528. **12** Über die Gründe für die Konversion Gottfrieds von Cappenberg ist viel spekuliert worden, vgl. dazu Bockhorst 2022; Dendorfer 2022. **13** Laut der Vita Norberti (s. Wilmans 1856), S. 688, widersprachen Jutta, der jüngere Bruder Otto, die Vasallen und Ministerialen der Cappenberger und Graf Friedrich von Arnsberg dieser Entscheidung Gottfrieds. **14** V II G, c. 4. Vgl. auch den Kommentar der Herausgeberinnen Niemeyer/Ehlers-Kisseler 2005, S. 41 und 73. Die Stelle ist fast wortgenau in der Vita Norberti (s. Wilmans 1856), S. 689 enthalten. **15** V I G, S. 142, und Einleitung S. 34 f.; das Erbe der Rietberg war nach dem Tod Heinrichs I. an die Arnsberger zurückgefallen. Bockhorst 2022 hingegen sieht als Grund für die Gefangennahme den Versuch Friedrichs, die Rietberger Besitzungen nach dem Tod seines Bruders 1115/16 wieder an sich zu ziehen. Beide Argumente schließen sich m. E. nicht aus. **16** Der Fall behandelt bei Birkmeyer 1998, S. 128–133, 178–184, 201–203. **17** Vgl. dazu Birkmeyer 1998, S. 55–57 und 76–88. **18** Die V I G, c. 6, S. 112 beschönigt den Vorgang: Gottfried habe Jutta durch Ermahnungen dazu bewogen, den Schleier zu nehmen; nach der Vita Norberti (Wilmans 1856), c. 15, S. 688 habe sich Jutta dem Willen Gottes gebeugt („nutu Dei uxor consensit"). Die V II G, c. 3, S. 168 spricht tatsächlich vom Widerstand der Jutta und erklärt den Hintergrund als Alleinerbin von Arnsberg. **19** V I G, c. 14, S. 121 f.; V II G, c. 5, S. 172 f. **20** Zur Raubehe vgl. Joye 2012. **21** V II G, c. 3, S. 166, und Kommentar S. 76. **22** Bockhorst 2022, S. 84. **23** Die Angaben von Leistikow 2000, S. 210–213, sind teilweise unzutreffend. **24** Zu dieser Gründung vgl. Ehlers-Kisseler 2003 und Jan Keupp in diesem Band.

← **Abb. 8**
Sogenannte *Krone der Hildegard von Bingen*, um 1170, verschiedene Stoffe, Stickereien, Riggisberg, Abegg-Stiftung

← **Abb. 9**
Hildegard von Bingen, Liber Scivias, Autorinnenbild, 1200/20, Handschrift, Pergament, Heidelberg, Universitätsbibliothek

In nomine sce et indiuidue trinitatis patris et filii et spiritus sancti. Ω. ego OTTO di gratia
Caselbhensis ecclie. cum pie memorie fre meo Hodefrido deuot fundator postea aut eade gra teri eiusdem loc
omnib successorib meis in perpetuu. Qm iuxta csuetudine & duotione quidã insipient cogitantiu. qui speciales patinos de nu
scor eligunt. ego qq sctissimu. & xpo priuilegio amoris dilec tu. Johanni aplm. in suma cu deuotione patinu elegi n sum pass
deuotione. opis attestatione care. iuxta illo qd dic tu e; Probatio dilec tionis. exhibitio e opis. Itaq tudui p uirib aliq collige
qui in uerrit to ipi beati Johis do dilecti trib nri refectio sollepnior peurari posset; Que & nominati subscpsi. ne ul ignorantia neg
e tui dari. uel dolo possent ullaten subcelari. In Wetmere xvii. solidos ad ppetua luminaria ecclie ipi. Apd Ingelnhei d plant
carpata uini. qm psoluent Wiselenses. In Reomago medietate uini d qda uinea. quocat Chundmen. ite iReomago marca. q dabit Eella
Cappnbgisis. In Wesheim iiii. solidos d onat t. de cãso que tab tenuit. In Hagen iiii. solidos d onat t. In Ripenhor
ii. solidos eide monete. In Frthburg ix. solidos t mouient. Dom nra in Hilbeke iiii. modios nueu. ad lampades succenddas. in utg
testo s Johis. De Budenpothe v. solid wiselense. & tres maldro siliginis. sororib in wisela. in Oc taua s Johis p Natiuitate d
Sed et hoc n solum successor meor. ueruetia toti congagationi noticie impru ee cupio. qd tre hec que pscripta sunt. ad memor
trum ac soror refec tione deputaui ita etia cruce aurea qua sci Johis appellare soleba. cu gemis & catenuli aure
gnet lapd argnteu. ad Imparoris formatu effigie. cum sua pelui nichomin argntea. necn & calice que in Trekacensis misit epc qd
ing ad ppetuu ornatu memorate ecclie. tota deuotioe inuiolabilit dicaui. Iq hec oia ita ut hic annotata st. non solu successo
bus meis s & toti congagationi consuanda atq implenda. in ea fide comitto. q xpe matre suam. scissima & ppetua uirgineo
caro suo Johi in cruce pendens comendauit. & qm hec comendatio licet pio cordi amabil sit. tn durv & temesariv cor n sati
terret aut contringit: hui pagine uiolatore eterno ligam anathemate. quisq resipiscens. quecuq umminuit aut subtxi
ad integru re tauret atq reforma. IC onsuatori sit pax. & gra. a patre & filio. & spiritu sco: contet
tore. eiusdem Trinitatis. & indiuidue unitati. ya & uindic ta plequat. fiat. fiat.

JAN KEUPP

Die Verfügung des Propstes Otto von Cappenberg

Einblicke in das Ordnungsgefüge des 12. Jahrhunderts

„Graf Otto, der Gründer und dritte Propst dieses Ortes, hat ein goldenes Kreuz, ein silbernes Haupt, eine silberne Schüssel und einen Kelch geschenkt." – auf der Rückseite einer prachtvollen Cappenberger Urkunde fasste ein Schreiber des Spätmittelalters deren Rechtsinhalt in sachlicher Schlichtheit zusammen (Abb. 1).[1] Hinter diesem knappen Vermerk verbirgt sich indes eine Verfügung, die sich auf „hochrangige und prominente mittelalterliche Kunstwerke" bezieht,[2] welche zumindest zum Teil die Zeiten überdauert haben dürften. Sie erscheint zugleich dazu geeignet, die Vielfalt und Reichweite jener Verflechtungen offenzulegen, die Glaubenspraxis, Politik und Weltsicht des staufischen Zeitalters in dynamischer Weise durchdrangen.

Auf der Vorderseite des Pergamentblattes entfaltet der Aussteller des Diploms Otto (um 1100/03–1171), Mitgründer und seit 1156 Propst des Prämonstratenserstiftes Cappenberg, eine persönlich gehaltene Gedankenerklärung (Abb. 2).[3] In aller Demut bekennt er seine besondere Verehrung des Apostels Johannes, den er um der besonderen Liebe Christi willen zu seinem Schirmherrn auserwählt habe. Zum tätigen Beweis seiner Ergebenheit wolle er an den beiden Gedenkfesten des Apostels (27. Dezember und 6. Mai) für die Brüder der Stiftsgemeinschaft ein feierliches Gedächtnismahl einrichten, für das er na-

← **Abb. 2**
Stiftungsurkunde des Propstes Otto von Cappenberg, um 1160/70, Kat.-Nr. 29

Otto Comes ffundator et tercius hui9 loci ppositus:
Donavit Crucem auream: caput argenteum: pelvim
argentea. et calicem :
Fol. 14 nu. 8.

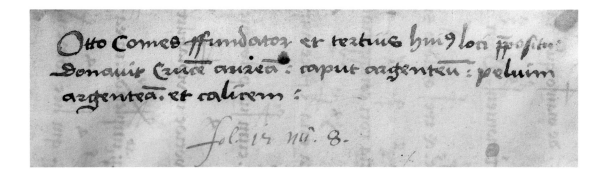

Abb. 1
Stiftungsurkunde des Propstes Otto von Cappenberg, um 1160/70, Rückseite, Detail, Kat.-Nr. 29

mentlich genannte Geld- und Naturaleinkünfte zur Verfügung stellt. Auch die Ordensschwestern in Wesel-Oberndorf sollten am 3. Januar, der Oktav des Gedenkfestes des Heiligen, eine Aufbesserung ihrer Mahlzeit erhalten. Ebenfalls mit dem Apostel verbunden erscheint das edelsteinverzierte Brustkreuz, das der Propst bereits früher zum Schmuck der Cappenberger Kirche bestimmt hatte, gemeinsam mit einem Kelch, der ihm durch den Bischof von Troyes übersandt worden war. Hinzu kam, wie es im Urkundentext heißt, der „silberne, nach dem Abbild des [oder: eines] Kaisers gestaltete Kopf, gemeinsam mit seiner gleichfalls silbernen Schale". Den Abschluss bildet ein beschwörender Appell an die künftigen Pröpste und Konventualen des Stiftes Cappenberg, die Anordnungen getreulich zu bewahren, gefolgt von einer doppelten Androhung von Bannfluch und göttlichem Zorn gegen die Verächter der Verfügung. Dem Diplom fehlt eine Datumsangabe, es lässt sich aber durch paläografischen Schriftvergleich und aufgrund inhaltlicher Erwägungen in das Jahrzehnt zwischen 1161 und 1171 setzen.[4]

Das Faksimile der Urkunde wurde bis vor kurzem in der Cappenberger Stiftskirche in einer Vitrine gemeinsam mit dem goldenen Johannesreliquiar und einer Kopie der sogenannten Taufschale Friedrich Barbarossas präsentiert. (Abb. 3) Dieses inzwischen historische Arrangement hat zu Recht Kritik auf sich gezogen, verengte es doch den Aussagegehalt des Diploms auf die vermeintlich sichere Authentifizierung der erhaltenen Kunstobjekte, während das „Hauptanliegen Ottos – die Stiftung der Johannes-Feste" – in den Hintergrund trat.[5] Diese Reduktion ist indes als Resultat intensiver Anstrengungen zu begreifen, die mitunter widersprüchlich wirkenden Fragmente der mittelalterlichen Überlieferung in eine sinnhafte Ordnung zu überführen. Dabei bleibt zu diagnostizieren, dass keiner der zahlreich vorliegenden Deutungsversuche des Stiftungskomplexes frei von Hilfsannahmen und hypothetischen Schlussfolgerungen bleibt. Jedes Bestreben, seine historische Dimension vom Standpunkt der Gegenwart aus zu erkunden, hat daher zuvorderst die Brüchigkeit und Vorläufigkeit, aber auch die pluralen Möglichkeitsräume geschichtswissenschaftlicher Erkenntnis zu vergegenwärtigen.

Abb. 3
Ehemalige Vitrine in der Cappenberger Stiftskirche mit *Kopfreliquiar des heiligen Johannes Evangelista, sogenannter Taufschale (Replik) und Testament Ottos von Cappenberg (Kopie)*, 2018

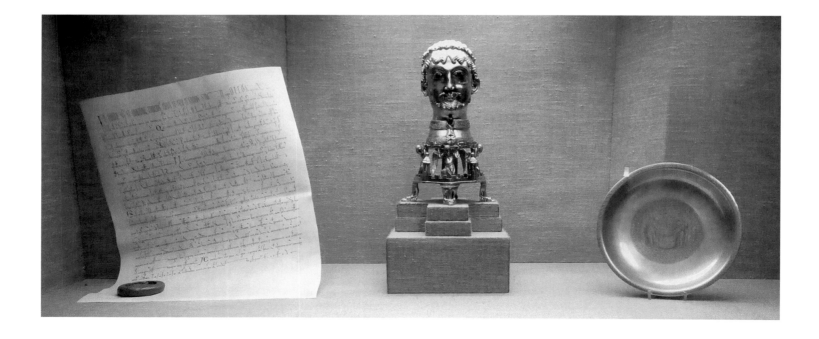

1. Pluralität statt Papierkorb: Ein Kristallisationskern historischer Erkenntnis

Johann Wolfgang von Goethe muss am 9. Dezember 1822 mit dem falschen Fuß aufgestanden sein. Anders wäre kaum zu erklären, was er seinem Sekretär an jenem Montagmorgen in die Feder diktierte.[6] Das an diesem Tag entstandene Konzept eines Briefes an den preußischen Oberregierungsrat Schultz kommt auf jene gravierte Cappenberger Silberschale zu sprechen, mit der Goethe sich bereits geraume Zeit befasst hatte, seit sie im Februar 1820 auf sein persönliches Anraten hin von der Erbgroßherzogin Maria Pawlowna nach Weimar geholt worden war (Abb. 4).[7] Nachdem zu diesem Objekt freilich mittlerweile sechs voneinander abweichende Gutachten namhafter Fachvertreter eingegangen waren, die zudem alle Goethes eigenem Deutungsansatz widersprachen, wandte der Dichterfürst sich voller Unwillen vom Gezänk der Gelehrten ab. Angesichts der kaum überblickbaren Vielfalt der „Auslegungen über *wer sonst, wie, wann und wo*" erschien es ihm in einem morgendlichen Aufwallen von Ärger das Beste zu sein, dass man „das Becken wieder einschmelzte, damit nur niemand weiter darüber *meinen* könnte".[8] Doch noch vor dem Mittagessen ließ der Geheimrat diesen destruktiven Gedanken wieder fallen – der Satz findet sich nicht mehr in der Reinschrift seiner Korrespondenz. Dazwischen liegt nach Ausweis seines Tagebuchs die Lektüre der Preisrede ‚*Ueber den Nutzen der Geschichte*' des bayerischen Staatsrats Friedrich Roth, welcher der Olympier womöglich die tröstliche Einsicht verdankte, dass historische Erkenntnis „keineswegs ein fertiges Gebilde" sei.[9]

Tatsächlich stellt die Episode aus Goethes Zeiten nur den Auftakt einer ausufernden Fachdebatte dar, die sich um die Cappenberger Kunstschätze entspann. Seit der Kunsthistoriker Joseph Bernhard Nordhoff 1878 einen Teil der Objekte als „Hohenstaufer-Kleinodien" deklariert hatte[10] und der junge Archivbeamte Friedrich Philippi 1886 glaubte, das goldene Kopfreliquiar als „Porträtbüste Kaiser Friedrichs I." ansprechen zu dürfen,[11] avancierte dieses Bildwerk nachgerade zur nationalen „Ikone des deutschen Mittelalters und der staufischen Geschichte"[12] (Kat.-Nr. 135). Umrankt wurde diese Deutung von einem dichten Kranz nicht weniger thesenfreudiger Abhandlungen, zuletzt gefolgt von dem redlichen Bemühen, auf Basis materialtechnischer Analysen „eine Schneise in den Wald der bisherigen Thesen und Theorien" zu schlagen.[13] Wo sich das Dickicht zu lichten beginnt, findet sich die Forschung heute unversehens an jenem Punkt wieder, der bereits Nordhoff, freilich auf Grundlage einer fehlerhaften Lesart, als Ausgangsbasis gedient hatte: bei der Annahme zweier Köpfe in Cappenberg, eines silbernen Kaiserbildes und des diadembekrönten goldenen Johannesreliquiars.[14] Doch auch diese aktuelle Annahme, so ließe sich in Anschluss an den Münchner Mediävisten Knut Görich einwenden, „kann man […] nicht beweisen, sondern muß man glauben wollen."[15]

Indes ist Görich gleichfalls zuzustimmen, dass die bange Frage, ob angesichts der neuesten Erkenntnisse gut „130 Jahre Forschungen zum Cappenberger Kopf in den Papierkorb" entsorgt werden müssten, mit einem klaren ‚Nein' zu beantworten ist.[16] Diese Position ergibt sich aus dem bereits in Goethes Zeiten diskutierten Wesen historischer Erkenntnis: Während es der Dichter im Vergleich mit den Beweisverfahren der Mathematik als Schwäche des Geschichtswissenschaftlers ansah, „daß Sie in historischen Dingen mich niemals zwingen können, Ihrer Meinung zu sein", hatte ihm bereits im August 1806 sein Ge-

Abb. 4

Handwaschschale mit der Taufe Kaiser Friedrichs I. Barbarossa, Detail mit Taufszene und Inschriften, Mitte 12. Jahrhundert/nach 1170, Kat.-Nr. 135

sprächspartner, der junge Historiker Heinrich Luden, geschickt entgegengehalten, seinem Fach sei eine solche Zwangsgewalt ohnehin fremd und zuwider. Man wolle lediglich durch kluge Deutungsvorschläge „die freie Überzeugung gewinnen", die „Geister frei" lassen, zumal gerade durch den interpretativen Irrtum erst „Leben in das Studium der Geschichte" gelange.[17] Die bis heute höchst lebendigen Debatten um die Cappenberger Kunstobjekte haben in diesem Sinne tatsächlich wertvolle Beiträge zum Verständnis des 12. Jahrhunderts geliefert: Im Labor der Geschichtswissenschaft ist kaum ein Fragment der mittelalterlichen

Abb. 5
Byzantinische Seiden aus dem
Cappenberger Kopf,
9. bis Mitte 12. Jahrhundert,
Kat.-Nr. 130

Überlieferung des Prämonstratenserstiftes unbeachtet geblieben; für schier jedes Puzzle-stück wurden mehrfache Kombinationen erwogen.

Der Komplex der Cappenberger Stiftung erweist sich in diesem Sinne als ‚epistemi-sches Objekt': als Gegenstand im Stadium des Rätselhaften, Unverstandenen und Vorläu-figen. „Epistemische Dinge", so drückt es Molekularbiologe und Wissenschaftshistoriker Hans-Jörg Rheinberger treffend aus, „verkörpern, paradox gesagt, das, was man noch nicht weiß".[18] Gleichwohl fungieren sie gewissermaßen als Kristallisationskerne für neu ent-stehendes Wissen, das durch sie erst fassbar und vermittelbar wird. Stand schon Goethes Gesuch um eine fachkundige Einordnung der sogenannten Taufschale am Auftakt einer wissenschaftlich betriebenen Inschriftenkunde, so erbrachte der weitere Forschungsgang auch in politik-, kirchen- und kulturhistorischer Perspektive unschätzbar wertvolle Ein-sichten in die Lebenswelt der staufischen Epoche. Die lange Forschungsgeschichte zu den Cappenberger Kunstobjekten erweist sich daher in erster Linie als Ermöglichungsinstanz eines vertieften Verständnisses der mittelalterlichen Verhältnisse: Sie hat in der dichten Abfolge fachkundiger Studien die weit gespannten gedanklichen Verbindungen und perso-nalen Netzwerke sichtbar gemacht, die sich im Stiftungsakt Ottos von Cappenberg mit-einander verwoben.

2. Personale Verflechtungen: Die Cappenberger Kunst im Kontext zeitgenössischer Elitenetzwerke

Das Stift Cappenberg, so glaubte man sich im friesischen Mariëngaarde zu erinnern, habe in den 1160er-Jahren einen glanzvollen Eindruck erweckt, es protzte geradezu „unter dem Schatten der weltlichen Fürsten, die es begründet und mit ihren Gütern ausgestattet haben".[19] Wenngleich im Abstand mehrerer Jahrzehnte niedergeschrieben, wird man dieser Einschätzung mit Blick auf den reichen Schmuck der Cappenberger Kirche kaum wider-sprechen wollen. Tatsächlich verdankte das Stift seine Gründung einer politischen Kräfte-konstellation, welche die Spitzen der damaligen Adelsgesellschaft miteinschloss. Das gol-

dene Pektoralkreuz, das Propst Otto nach dem Wortlaut seiner Verfügung in den Besitz seiner Kirche überführte, mag als materielles Zeugnis eines Raum- und Kulturgrenzen überspannenden Gefüges dynastischer Austauschbeziehungen dienen. Schenkt man einer späteren, im Kern freilich zuverlässigen Überlieferung Glauben, so entstammte es dem Besitz der byzantinischen Kaiserin Irene (um 1088–1134). Diese hatte es der bayerischen Herzogin Wulfhild (um 1075–1126) übersandt, die über ihre Mutter aus der ungarischen Königsdynastie der Arparden eine nahe Verwandte war. Wulfhild wiederum gab das Goldkreuz mit seinen heilsspendenden Reliquien noch zu Lebzeiten an ihre Tochter Judith (um 1100–1130/31) weiter, die es in ihre Ehe mit dem Stauferherzog Friedrich II. von Schwaben (1090–1147) einbrachte.[20] Der weltgewandte Fürst nutzte das Kleinod in ungewöhnlicher Weise, indem er es dem Kaufpreis hinzufügte, für den er 1122 das umfangreiche schwäbische Erbgut der westfälischen Grafen Gottfried (um 1097–1127) und Otto von Cappenberg erwarb.[21] Die Brüder, deren Geschlecht sich einer Abkunft von Karl dem Großen und dem Sachsenherzog Widukind rühmte (vgl. den Beitrag von Petra Marx in diesem Band),[22] waren zu diesem Zeitpunkt auf die Hilfe ihres entfernten staufischen Verwandten besonders angewiesen: Mit seiner Unterstützung gelang es ihnen, die vehementen Widerstände zu überwinden, die sich gegen ihr frommes Anliegen richteten, selbst der Welt zu entsagen und ihre reichen Eigengüter in den Besitz der jungen prämonstratensischen Ordensgemeinschaft zu überführen. Die ursprünglich im Korpus des Kreuzes aufbewahrten Reliquien ließ Otto von Cappenberg schließlich in ein goldenes Kopfreliquiar legen.[23] Und tatsächlich lassen textiltechnische Untersuchungen der Reli-

quienhüllen aus dem heute erhaltenen Kopfbild die Herkunft mehrerer Stofffragmente aus dem byzantinischen Osten erkennen (Abb. 5).[24]

Stehen Brustkreuz und Reliquienbestand somit für den zukunftsträchtigen Schulterschluss zweier gut vernetzter Adelsfamilien, so wurde diese Allianz durch einen weiteren traditionellen Akt dynastischer Bündnispolitik weiter befestigt: Wohl noch zum Jahresende 1122 hob Otto von Cappenberg den Sohn des Schwabenherzogs, den späteren Kaiser Friedrich I. Barbarossa (um 1122–1190), aus der Taufe und begründete damit ein künstliches Verwandtschaftsverhältnis.[25] Offenbar war beiden Seiten daran gelegen, die Taufpatenschaft über den unmittelbaren Anlass hinaus dem Gedächtnis zu bewahren. Zu einem schwer bestimmbaren Zeitpunkt, vermutlich in den 1160er Jahren,[26] ließ man ein Abbild der Taufszene in den Grund einer silbernen Handwaschschale gravieren (s. o. Abb. 4). Das umlaufende Inschriftenband weist sie als Gabe des Kaisers an den im Bildfeld namentlich bezeichneten Paten Otto von Cappenberg aus.[27] Eine zweite Inschrift stellt einen Bezug zwischen der liturgischen Handwaschung des geistlichen Zelebranten und dem reinigenden Sakrament der dargestellten Taufhandlung her: Im gottesdienstlichen Vollzug sollte hierdurch das Andenken an die besondere Beziehung zum Reichsoberhaupt gepflegt und zugleich der gnadenspendende Akt der Sündentilgung rituell nachvollzogen und erneuert werden.[28]

Schlaglichtartig vermag schließlich der in der Verfügung Ottos letztgenannte Gegenstand die Reichweite des Beziehungsnetzwerkes des Propstes zu erhellen: Genannt wird ein Kelch, der als Geschenk des Bischofs von Troyes nach Cappenberg gelangt war. Die Spur des Objektes führt zu Heinrich von Sponheim (um 1108/09—1169), als Sohn des Herzogs Engelbert II. von Kärnten (gest. 1141) ein weiterer Spross des deutschen Hochadels.[29] Zugleich rückt mit dieser Persönlichkeit die raumübergreifend agierende geistliche Elite des 12. Jahrhunderts in den Blick: Als junger Kleriker hatte Heinrich die hohen Schulen von

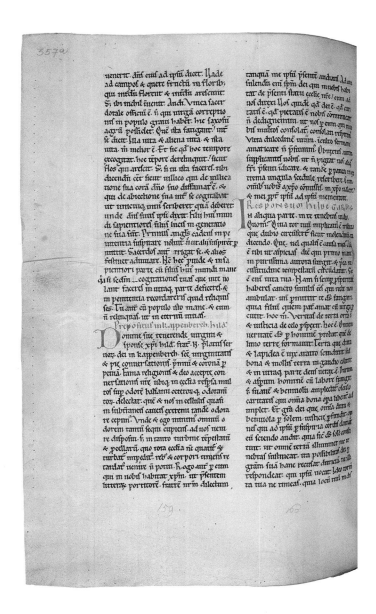

Abb. 8

Brief des Propstes von Cappenberg an Hildegard von Bingen, zwischen 1180 und 1190?, Rupertsberger Riesencodex, Handschrift, Pergament, Wiesbaden, Hochschul- und Landesbibliothek RheinMain

Paris besucht, Nukleus und pulsierendes Herz einer sich neu entfaltenden europäischen Wissenschaftskultur.[30] Vielleicht durch Vermittlung seines Vetters, des Erzbischofs Friedrich I. von Köln (um 1075/78–1131), war er anschließend in die Zisterzienserabtei Morimond eingetreten und hatte sich damit der dynamischen monastischen Reformbewegung seiner Zeit angeschlossen. Das Kloster im burgundischen Grenzgebiet zu Lothringen erwies sich in der Folge als Magnet für Adelssöhne aus nahezu allen Regionen des Reiches. Zeitweilige Aufnahme fand hier unter anderem der Geschichtsschreiber Otto von Freising (um 1112–1158) (Kat.-Nr. 46). Sein französisches Bischofsamt verdankte Heinrich von Sponheim schließlich nicht zuletzt der Ehe seiner Schwester Mathilde (gest. 1160/61) mit dem mächtigen Herzog Theobald II. von Blois-Champagne (um 1090–1152). Diese dynastische Verbindung wiederum war unter tatkräftiger Mitwirkung Norberts von Xanten (1080/85–1134) (Abb. 6) zustande gekommen, des charismatischen Gründers der prämonstratensischen Chorherrengemeinschaft.[31]

Von der Errichtung der ersten Niederlassung in Prémontré westlich von Laon bis zum Tod Norberts im Juni 1134 lassen sich an nahezu hundert Standorten Stiftsgründungen fassen, welche der prämonstratensischen Lebensordnung folgten.[32] Bereits dieser quantitative Befund mag einen Eindruck von der expansiven Dynamik und spirituellen Stahlkraft der jungen Ordensbewegung vermitteln. Mit der Gründung des Stifts Cappenberg hatte die Gemeinschaft erstmals im rechtsrheinischen Gebiet Fuß gefasst; es bildete den Ausgangspunkt für ein rasches Ausgreifen in die Zentrallandschaften des römisch-deutschen Reiches. Folglich ist eine „Prägung des jungen Konvents durch die französischen, flandrischen, wallonischen, lothringischen und rheinischen Gefolgsleute Norberts" plausibel anzunehmen.[33] Das Stift avancierte rasch zu einer überregionalen Drehscheibe des Ordens und fungierte als intellektuelle Ausbildungsstätte[34] und Rekrutierungszentrum für die weitere Expansion. Zahlreiche Spuren führen nach Osten in das Gebiet der Erzdiözese Magdeburg (Abb. 7), andere womöglich bis nach Polen und in die Kreuzfahrerreiche Palästinas.[35] Seit der Umwandlung der gräflichen Burg in ein Prämonstratenserstift 1122, so rühmt es an der Wende zum 13. Jahrhundert die jüngere Lebensbeschreibung Gottfrieds von Cappenberg, „haben zahlreiche unserer Brüder außerhalb an verschiedenen Orten Bischofstühle, Abteien, Propsteien, Kirchenämter und andere geistliche Würden erlangt". Der unbekannte Verfasser zählt die prominentesten Persönlichkeiten auf, darunter die Bischöfe Evermod (um 1100–1178) und Isfried von Ratzeburg (um 1115–1204) sowie Walo von Havelberg (ges. 1177/78) und Wigger von Brandenburg (gest. 1159/61).[36] Nur schemenhaft scheinen im Überlieferungsbestand hinter diesen Namen die umfangreichen Korrespondenznetzwerke auf, die für einen regen Austausch von Gebeten, geistlichen Ratschlägen und Handschriften sorgten. Exemplarisch verwiesen sei auf den Briefwechsel Ottos von Cappenberg mit der bis heute wirkmächtigen Visionärin Hildegard von Bingen (1098–1179) (Abb. 8).[37] Für die europaweite Verbreitung Cappenberger Gelehrsamkeit mögen die Merkverse zur kalendarischen Berechnung der ‚Goldenen Zahl' stehen, die aus der Feder des zweiten Cappenberger Propstes Otto ‚Magister' (gest. 1156) stammen, der nachweislich mit den bedeutendsten Geistesgrößen, Päpsten und Herrschern seiner Zeit in Kontakt stand.[38]

3. Vergegenwärtigung des Göttlichen, vergegenständlichte Verbindungen

Der schmuckvolle Habitus des mit kalligrafischer Kunstfertigkeit verfassten Diploms Ottos von Cappenberg (vgl. Abb. 2) verweist auf das hohe Bildungsniveau, welches das Leben im westfälischen Prämonstratenserstift zu dieser Zeit prägte. Dessen überregionales Beziehungsnetzwerk spiegelt sich zugleich in der erlesenen Qualität der Objekte, die zum Schmuck der Cappenberger Kirche beschafft wurden. Zur Ausstattung der dreischiffigen romanischen Basilika zählte die „in Form und Qualität außergewöhnliche Darstellung des gekreuzigten Christus" des vielleicht um 1200 aus einer Kölner Werkstatt bezogenen hölzernen Kruzifixes (Kat.-Nr. 4).[39] Ausführung und Inschrift der sogenannten Taufschale weisen ebenfalls in den rheinisch-kölnischen Raum (Kat.-Nr. 135), während man für das goldene Johannesreliquiar Einflüsse der Hildesheimer Goldschmiedekunst reklamiert hat.[40] So kostbar und glanzvoll diese Objekte indes auf heutige Betrachter wirken mögen, so wenig lässt sich deren Funktion in der Sichtweise ihrer mittelalterlichen Schöpfer und Stifter auf den Aspekt der diesseitigen Statusrepräsentation beschränken. Sie erfüllten vielmehr einen höheren Zweck, indem sie der Vergegenwärtigung und Vergegenständlichung des ewig währenden Waltens Gottes dienten.

Die Urkunde Ottos von Cappenberg dokumentiert in dieser Hinsicht weit mehr als ein Rechtsgeschäft im weltlichen Sinne: Ihr Text ist eingeklammert von der Anrufung der göttlichen Dreieinigkeit an Auftakt und Schluss, die Fläche des Diploms hingegen wird dominiert von der sechsmaligen Wiederkehr des charakteristischen Namenszugs des Apostels Johannes. Dessen Verehrung steht folglich im Zentrum der Verfügung. Den Schlüssel zum Verständnis der Gesamtkomposition liefern die den Konventualen bestens bekannten liturgischen Gebete und Gesänge des Kirchenjahres. Sie verknüpfen den Vollzug der gottesdienstlichen Handlungen mit dem ewig währenden Heilsversprechen Gottes und konstitu-

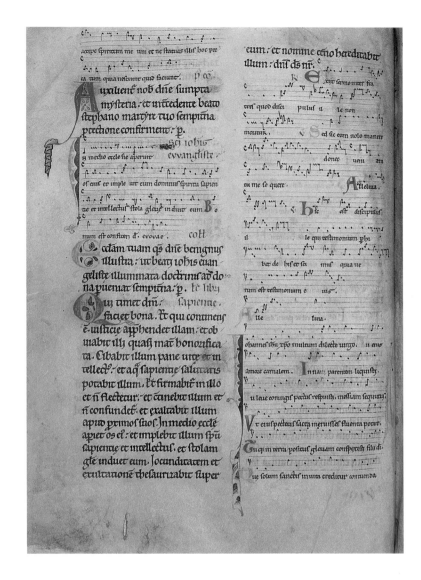

Abb. 9

Prämonstatensisches Missale, Johannesliturgie, Ende 12. Jahrhundert, Pergament, Paris, Bibliothèque Nationale de France

ieren dadurch ein weiteres Netzwerk gedanklicher Referenzen von überzeitlicher Beständigkeit: Nachvollzogen wird im Stundengebet zum Johannesfest am 27. Dezember die Einladung des Gottessohnes an den Evangelisten, sich zum Gastmahl mit ihm und den übrigen Jüngern zu gesellen. Die Cappenberger Chorherren könnten die gesungene Antiphon der Vesper treffend auch auf ihr eigenes Streben nach der Gnade Christi bezogen haben: „Nimm Dich meiner an, Herr, auf dass ich bei meinen Brüdern weilen möge, in deren Gesellschaft du kamst und mich eingeladen hast; öffne mir die Pforte des Lebens und geleite mich zur Gemeinschaft deines Mahles".[41] Das vom Propst Otto für diesen Tag gestiftete Gedächtnismahl formte auf diese Weise zugleich die spirituelle Identität der gesamten Stiftsgemeinschaft. Indem er durch die Reinszenierung des Gnadenmahls kollektiv in die Gefolgschaft seines Kirchenpatrons eintrat, konnte der Cappenberger Konvent Teilhabe an dessen Heilsgewissheit gewinnen. Dem vergoldeten Kopfbild mit den Johannesreliquien mochte im Rahmen einer solchen performativen Vergegenwärtigung des Heiligen zentrale Relevanz zukommen. Der Eingangsgesang zum Johannesfest imaginierte den Apostel selbst „inmitten der Kirche", geschmückt mit der Stola höchster Ehren.[42] Die in der Vita Gottfrieds und der Verfügung Ottos von Cappenberg bezeugte Stiftung von Ewigen Lichtern findet im direkt anschließenden Gebetstext ihre treffende Begründung: „Erleuchte, Herr, voller Güte deine Kirche, auf dass sie im Glanz der Lehren deines seligen Apostels und Evangelisten Johannes zu den ewigwährenden Gaben gelangen möge."[43] (Abb. 9)

Die auffällige Inszenierung des Kopfbildes mit dem – ikonografisch freilich keineswegs eindeutigen – ‚imperialen' Symbol einer silbernen Diadembinde ließe sich in diesem Kontext mit Ludger Körntgen als „Verweis auf die für den Menschen eigentlich wichtige Sphäre von Glanz, Macht und Herrlichkeit Gottes, vor der jede innerweltliche Macht verblassen musste", verstehen.[44] Auch die Gegenwart der kaiserlichen Geschenke ordnet sich vollkommen der Johannesverehrung und den damit verbundenen Bedürfnissen des Cappenberger Konvents unter: „Empfange, Herr, die Gaben, welche wir dir am Festtag desjenigen darbringen, durch dessen Beistand wir errettet zu werden hoffen", so lautete das Sekretgebet der Brüder zum Apostelfest.[45] Konnte das römisch-deutsche Kaisertum von zeitgenössischen Gelehrten zuvorderst „als Instrument Gottes zur Erhöhung der Kirche" gedeutet werden,[46] so mochte die Taufdarstellung Friedrichs I. im Silbergrund des Handwaschbeckens und vielleicht ebenso das vom Propst als ‚kaisergleich' imaginierte Kopfbild als Zeugnis dafür dienen, dass der regierende Herrscher dieser Verpflichtung seines Amtes in Demut und Dankbarkeit tatsächlich nachkam. Die Cappenberger Herrscherbilder formulierten auf diese Weise gewiss kein tagespolitisches Herrschaftsprogramm, durchaus aber eine programmatische Aussage zur Stellung des legitimen Kaisertums innerhalb eines von Gott geordneten und stets auf das Göttliche bezogenen Weltganzen.

Man mag dem Mittelalter „das Vermögen, Unsichtbares in Sichtbares einzukleiden und im Sichtbaren Unsichtbares aufzuspüren", als maßgebliche Epochensignatur zuschreiben.[47] Die Verfügung Ottos von Cappenberg vermochte es über die dort verzeichneten Praktiken und Objekte tatsächlich, einen solchen Brückenschlag zwischen irdischem Dasein und der dem menschlichen Auge verborgenen Sphäre des ewigen Heils zu vollbringen. Transzendiert wurden zugleich die Grenzen von Zeit und Raum: Das Ensemble verweist auf verschiedene Stationen der Heilsgeschichte bis an die Schwelle zur Gegenwart, es offenbart überdies die enge Verflechtung der geistlichen und weltlichen Eliten seiner Zeit. Das Vermögen, sich mit Hilfe materieller Gaben auf sichtbare Weise in dieses unsichtbare Ordnungsgefüge einzuschreiben, dies zählte in der zweiten Hälfte des 12. Jahrhunderts wahrhaftig zur hohen ‚Kunst der Herrschaft'.

Anmerkungen

1 Stiftsarchiv Cappenberg, Urk. 13, Dorsualvermerk. **| 2** Görich 2022 c, S. 9. **| 3** Bockhorst/Niklowitz 1991, S. 32 f. Siehe dazu zuletzt Keupp 2022, S. 177–195; Opll 2022, Regest 49, S. 173 f. **| 4** Siehe dazu Petry 1972, S. 156–159; Keupp 2022, S. 181–184. Auf einer fehlerhaften Übersetzung des Ausdrucks „nominatim subscripsi" (= habe ich namentlich aufgeführt) gründet die zeitliche Fixierung auf die Sterbestunden Ottos von Cappenberg bei Bayer 2022, S. 285. Hingegen schlägt Opll 2022, Regest 49, S. 173 eine Frühdatierung vor, die allerdings auf der unsicheren Annahme der Identität der, z. T. unterschiedlich benannten, Weinpflanzungen in Remagen beruht. Dies setzt voraus, dass Otto von Cappenberg die Stiftung seines Vorgängers willkürlich außer Kraft gesetzt hat. **| 5** Niklowitz/Heß/Lehnemann 2016, S. 500. **| 6** Siehe zum Tagesablauf Goethe 2016, S. 282. **| 7** Siehe dazu Goez 1994; Keupp 2014. **| 8** Mommsen/Mommsen 1958, S. 38. Siehe zu diesem nicht in die Reinschrift übernommenen Passus Horch 2001, S. 149–154. **| 9** Roth 1822, S. 6. **| 10** Nordhoff 1878. **| 11** Philippi 1886. **| 12** Görich 2022 b, S. 12 **| 13** Ebd., S. 48. **| 14** Siehe v. a. Bayer 2022. **| 15** Görich 2011, S. 648. Es stellt sich tatsächlich die methodische Frage, ob die Imagination zusätzlicher, mittlerweile aber verschwundener Entitäten das probate Mittel zur Lösung historischer Widersprüche ist. Sie entziehen sich mithin jeder Möglichkeit der Falsifizierung. **| 16** Görich 2017, S. 65. **| 17** Goethe 1999, Zitate S. 120, 121. **| 18** Rheinberger 2002, S. 25. **| 19** Vita Fretherici 2001, c. 40, S. 202. **| 20** Siehe Gamans 1643, §11, S. 844. Zu den verschiedenen Überlieferungssträngen siehe Horch, 2013, S. 82–84. Die Verwandtschaftsverhältnisse auch bei Balzer 2012, S. 277–279. **| 21** Vita I, in: Niemeyer/Ehlers-Kisseler 2005, c. 54, S. 159 f. Siehe zum Vorgang Horch 2013, S. 72–81. **| 22** Vita I, in: Niemeyer/Ehlers-Kisseler 2005, c. 53, S. 157. **| 23** Ebd., c. 54, S. 160. **| 24** Stauffer 2014, S. 150–152. **| 25** Siehe Opll 2022, Regest Nr. 11, S. 157 mit weiteren Literaturhinweisen. **| 26** Die Möglichkeit einer Datierung nach 1171 stellt Lambacher 2022 in den Raum. Dies setzt allerdings voraus, dass Friedrich I. seinem Paten ein Blankoexemplar geschenkt hatte. Für solche unverzierten Schalen wäre ein Beleg erst beizubringen. Die Fixierung auf 1187 bei Bayer 2022, S. 304 f. ist als rein spekulativ abzulehnen. **| 27** Zu den Inschriften ausführlich Bayer 2022, S. 290–296. **| 28** Siehe Keupp 2014, S. 307; ähnlich Hütt 1993, S. 83–95, 144 f. **| 29** Zur Biografie knapp Ehlers 2013, S. 18. **| 30** So, allerdings legendarisch, die Fundatio monasterii Victoriensis 1904, S. 292. **| 31** Vita Norberti, Wilmans 1956, c. 17, S. 693. **| 32** Ehlers-Kisseler 2021, S. 75. **| 33** Ehlers-Kisseler 2022, S. 108. **| 34** Die Briefe des Propstes Ulrich von Steinfeld 1976, Nr. 55, S. 631. **| 35** Ehlers-Kisseler 2019, S. 108 und 113–115. **| 36** Vita II, in: Niemeyer/Ehlers-Kisseler 2005, S. 162–184, hier S. 162 f. **| 37** Van Acker 1991/93, Bd. 2, Nr. 146/146r, S. 324 f. **| 38** Laon, Bibliothèque municipale, Ms. 410. Zum Netzwerk siehe Niemeyer 1967, S. 450f. **| 39** Lutz 2015, S. 153. Zur Gesamtausstattung vgl. Engel 2021, S. 314–323. **| 40** Lambacher 2022, S. 221 und mit plausiblen epigrafischen Argumenten Bayer 2022, S. 297–304. Zum Johannesreliquiar Brandt 2022, S. 349–363. **| 41** Hesbert 1968 (cao) Nr. 2391, S. 170. Siehe aus dem Umfeld der Cappenberger Gründungen die Pergamentfragmente eines Antiphonars im Dom- und Diözesanarchiv Mainz, Alte Kästen K 35/II/R21 (Einbandreparatur Klosterrechnung Nieder-Ilbenstadt 1616/17). **| 42** Weyns 1973, S. 6. Siehe Brandt 2022, S. 363. **| 43** Weyns 1968, S. 35. Ein schönes Handschriftenbeispiel bietet das prämonstratensische Missale der Bibliothèque nationale de France, Ms. Latin 833, fol. 9v. **| 44** Körntgen 2022, S. 249. **| 45** Weyns 1968, S. 35. **| 46** Ehlers 2013, S. 184. **| 47** Schramm 1956, S. 1086.

Vom Cappenberger Johannesreliquiar zum Barbarossakopf und zurück

Verabschiedung eines nationalen Mythos

Der sogenannte Barbarossakopf

Mit suggestivem Licht- und Schattenspiel taucht das goldschimmernde Antlitz aus tiefem Schwarz hervor und tritt uns frontal gegenüber, gerahmt von den scharf gezogenen goldenen Linien eines Hochrechtecks mit Zinnenstruktur am oberen Rand (Abb. 2).[1] Das Ganze vermittelt, auch vom gewählten Ausschnitt her, den Eindruck einer Porträtfotografie, in der wir der stilisierten und doch wahrhaftigen Erscheinung einer weltlichen Herrscherpersönlichkeit zu begegnen meinen. Nichts deutet unmittelbar auf einen religiösen Zusammenhang hin. Dabei handelt es sich bei dem fotografierten Objekt um das dem Cappenberger Kirchenschatz zugehörige Reliquiar des heiligen Johannes des Evangelisten (Abb. 1, 3).

Zur großen Landesausstellung im Württembergischen Landesmuseum 1977 unter dem Titel *Die Zeit der Staufer* feierte das abgebildete Bronzeobjekt auf dem Cover jedes einzelnen der fünf Katalogbände einen bundesrepublikanischen Höhepunkt seiner Karriere als einer ikonischen Vergegenwärtigung des Kaisers Friedrich I. Barbarossa.[2] Wer dem Objekt selbst noch nicht gegenübergestanden hat, wird kaum vermuten, dass der Kopf auf dem Einband gegenüber den Originalmaßen des Objekts erheblich vergrößert erscheint. Einschließlich der Sockelzone ist das Reliquiar selbst gerade einmal 31,4 cm hoch.

In der Historiografie des deutschen Kaiserreichs war der Stauferherrscher zu einer nationalen Identifikationsfigur herangereift – als Typus durchsetzungsfähiger monarchischer Gewalt gegenüber fürstlichen Partikularinteressen und übersteigertem päpstlichem Machtstreben. Was zur Authentifizierung dieser Vorstellung zunächst noch gefehlt hatte, war ein aus der Epoche Barbarossas selbst stammendes Bildnis, das diesen Anspruch angemessen hätte verkörpern können.

Abb. 2
Cover des Ausstellungskatalogs *„Die Zeit der Staufer"*, 1977, Stuttgart, Landesmuseum Württemberg

← **Abb. 1**
Kopfreliquiar des heiligen Johannes Evangelista, um 1160, Kat.-Nr. 126

Das Johannesreliquiar und die mittelalterlichen Textquellen

Das änderte sich bald, nachdem der im preußischen Archivdienst tätige Historiker Friedrich Philippi im Jahr 1886 eine bestimmte Textstelle in einer Urkunde des Grafen Otto von Cappenberg, des Taufpaten Barbarossas, mit dem bronzenen Johannesreliquiar im Cappenberger Kirchenschatz in Verbindung gebracht hatte.[3] Der wohl zwischen 1160 und 1171 abgefasste Text, gelegentlich als „Testament" Ottos von Cappenberg bezeichnet, benennt ein silbernes Haupt (*capud argenteum*) und eine dazugehörige, ebenfalls silberne Schale (Kat.-Nr. 135).[4] Während die Identifizierung der benannten Schale mit jener heute im Kunstgewerbemuseum in Berlin aufbewahrten sogenannten Taufschale Friedrichs I. Barbarossa einiges für sich hat (Abb. 4), wirft die Gleichsetzung des Cappenberger Johannesreliquiars mit dem benannten „silbernen Haupt" erhebliche Schwierigkeiten auf. Der bemerkenswerte Hinweis des Urkundentextes allerdings, dass jenes Haupt nach dem Antlitz eines Kaisers gestaltet worden sei (*ad Imperatoris formatum effigiem*), verleitete Philippi und viele nachfolgende Forschergenerationen zu dem Kurzschluss, der Kopf des Cappenberger Johannesreliquiars sei nach dem historischen Erscheinungsbild Friedrichs I. Barbarossa gestaltet worden.

Anders als die Taufschale in Berlin besteht aber dieses Reliquiar eben nicht aus Silber, sondern aus Bronze und ist somit Resultat eines sehr spezifischen Produktionsprozesses, der sich deutlich im Erscheinungsbild abzeichnet. Bisher haben sich am Objekt auch bei der jüngsten Untersuchung keinerlei Silberspuren nachweisen lassen, sodass eine frühere Versilberung auszuschließen ist. Zudem ergeben die Figur des Reliquiars und die Schale zusammen kein stimmiges Ensemble. Schon von den Maßen her ist eine Zusammengehörigkeit fraglich, zumal sich die früher gelegentlich angenommene Aufstellungsbestimmung des Cappenberger Reliquiars auf bzw. in der Silberschale als nicht haltbar erwiesen hat. Das übliche Gegenstück zur mittelalterlichen Schale wäre ein Wasserspender (Aquamanile), und das ist das betreffende Artefakt sicher nicht.

Es ist dementsprechend wahrscheinlich, dass es sich bei dem in der Quelle benannten Pendant zur Silberschale um ein silbernes Aquamanile gehandelt hat, das nach dem Antlitz eines Kaisers gestaltet war und das heute als verschollen gelten muss. Eine gewisse Vorstellung vom Objekttypus vermittelt am ehesten das antikisierende Büstenaquamanile aus dem Aachener Domschatz (Abb. 5).

Ausgesprochen plausibel erscheint die Verbindung des Cappenberger Reliquiars mit einem vermutlich in die 1160er-Jahre zu datierenden Nachtrag zu der sogenannten „Ersten Vita" Ottos von Cappenberg, deren Entstehung vor 1158 angesetzt wird.[5] Hier ist von einem vergoldeten Haupt die Rede, in dem Reliquien aufbewahrt wurden, die zu dem Reliquienkreuz des heiligen Johannes aus dem Besitz des Vaters Friedrich Barbarossas, Friedrichs II. von Schwaben, gehört haben. Dieses Reliquienkreuz, das bis ins 18. Jahrhundert hinein in Cappenberg nachweisbar ist,[6] ist auch im schon benannten „Testament" Ottos von Cappenberg erwähnt (vgl. dazu auch den Beitrag von Gerd Dethlefs in diesem Band).[7] Sollte mit dem in der „Ersten Vita" benannten vergoldeten Haupt das Cappenberger Johannesreliquiar gemeint sein, so dürfte dieses freilich erst nach der Abfassung des sogenannten Testaments Ottos in den Cappenberger Kirchenschatz gelangt sein, wahrscheinlich also im Laufe der 1160er-Jahre.

Die vermeintliche historische Ausnahmeerscheinung

Zur These der angeblichen Übereinstimmung des Reliquiars mit dem im „Testament" Ottos benannten Haupt und zur Behauptung, es handle sich dabei um ein Abbild Barbarossas, trat im Laufe der weiteren kunsthistorischen Beschäftigung mit dem Cappenberger Bronzeobjekt ein weitreichendes Urteil hinzu: Dieses lautet, es handle sich bei dem vermeintlichen Barbarossakopf um eine Ausnahmeerscheinung in der Geschichte der Bildnisbüste – bereits ein knappes Jahrhundert vor der eigentlichen Erneuerung der antiken Büstentradition. Immer wieder wurde das Cappenberger Reliquiar als das seinerzeit einzige Porträt eines zeitgenössischen Herrschers in seiner spezifischen Art des dreidimensionalen Bildnistypus gepriesen, als Wegbereiter der nachantiken Herrscherbüste. Der Cappenberger Kopf wurde als erstes „zweckfreies" Porträt seit der Antike gefeiert.[8] Und vor diesem Hintergrund wurde zugleich ein Konflikt zwischen profaner und sakraler Bestimmung mittelalterlicher Kunst unterstellt – ein Konflikt, der zugleich für die Spannung zwischen Fort- und

← **Abb. 5**
Büsten-Aquamanile,
um 1180, Kat.-Nr. 129

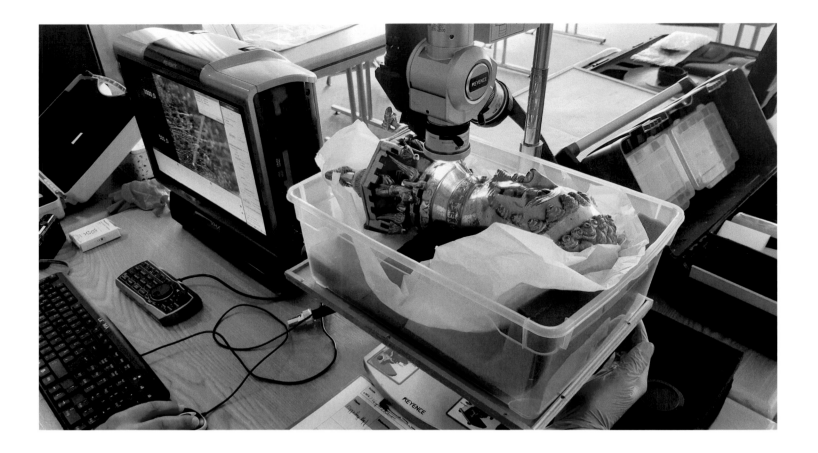

Abb. 6

Untersuchung des Kopf-
reliquiars des heiligen Johan-
nes Evangelista, 31. August
2021

Rückschrittlichkeit einstehen sollte. Otto von Cappenberg kommt dabei eine durchaus
undankbare Rolle zu: Er sei es gewesen, so Hermann Fillitz im besagten Ausstellungskata-
log von 1977, der „die erste unabhängige Porträtdarstellung der abendländischen Kunst
seit karolingischer Zeit" in ihrer Fortschrittlichkeit ausgebremst habe, denn er habe „die ursprünglich profane Plastik kirchlichem Zweck gewidmet".[9]

Der angebliche Funktionswechsel

Hinter solchen Äußerungen steckt die Vermutung, Otto von Cappenberg habe eine ursprüngliche Bildnisbüste des amtierenden Kaisers erst nachträglich in ein Reliquiar verwandeln
lassen. Dabei lieferten die im Umfeld der Ausstellung 1977/78 erfolgten kunsttechnolo-
gischen Beobachtungen durchaus erste Indizien für berechtigte Zweifel daran. Und so verwundert es wenig, dass die entsprechenden Ergebnisse keine weitere Resonanz oder gar
Öffentlichkeit fanden, bis Michael Brandt die betreffenden Akten vor wenigen Jahren im
Archiv der LWL-Denkmalpflege, Landschafts- und Baukultur in Westfalen, wiederentdeckte.
Die erhaltenen Aufzeichnungen enthalten Hinweise darauf, dass zumindest Teile der Ob-
jektinschrift bereits im vorbereitenden Wachsmodell des Bronzegusses angelegt gewesen
sein müssen. Und die jüngsten Untersuchungen vom 31. August 2021 haben die Ursprüng-
lichkeit der Inschrift deutlich bestätigt (Abb. 6).

Das heißt, die Zweckbestimmung des Bronzeobjekts, Haarreliquien des heiligen Johannes zu bergen und die Bitte an den Heiligen selbst um dessen Beistand zu formulieren,

stand schon zu Beginn der Arbeit am Bronzeobjekt fest: „HIC Q[VO]D SERVETVR DE CRINE IOH[ANN]IS HABETVR TE P[RE]CE PVLSANTES EXAVDI SANCTE IOH[ANN]ES" – „Was hier bewahrt wird, ist vom Haar des Johannes. Erhöre, heiliger Johannes, die dich durch Gebet bedrängen!"

Die Abweichungen vom Barbarossabild des 12. Jahrhunderts

Weitgehend ausgeblendet blieb bei der Identifizierung des Cappenberger Bronzekopfes als Barbarossaporträt die Frage, warum dieser eigentlich so radikal vom etablierten Barbarossa-bild des 12. Jahrhunderts abweicht. Dieses Bild nämlich basiert auf der Vorstellung eines Mannes mit gewelltem, vollem Haupthaar und relativ kurzem, allenfalls leicht gewelltem Vollbart. Die geläufigen Attribute waren die Bügelkrone mit Pendilien, ein lilien- oder kreuzbesetztes Zepter und ein kreuzbesetzter Reichsapfel sowie der Mantel, der vor der rechten Schulter so fixiert ist, dass der rechte Arm frei bleibt, während der linke vom Man-tel bedeckt ist. So jedenfalls sehen wir den Herrscher auf seiner Königsbulle (Abb. 8) und auf dem von ihm beauftragten Behältnis für die Armreliquie Karls des Großen, heute im Musée du Louvre (Abb. 7).

Wie erheblich die Gestalt des Johannes-Reliquiars von diesen Darstellungen differiert, sei hier nur kursorisch angesprochen: Das Haupthaar ist hier eine Ansammlung von kurzen, fein ausgebildeten Locken, die sich zum Teil leicht korkenzieherartig vom Kopf abheben. Mindestens so auffällig ist der Bart gestaltet: Der Backenbart besteht aus einer Reihung ver-

Abb. 7
Armreliquiar für Karl den Großen, Bildnis Friedrichs I. Barbarossa, 1165/73, Kat.-Nr. 59

Abb. 8
Goldbulle Friedrichs I. Barbarossa als König, Typar März 1152, Kat.-Nr. 53

gleichbarer Einzellocken, der Kinnbart ist recht kurz gehalten und deutlich zweigeteilt. Der sehr schmale Oberlippenbart verläuft auffallend waagerecht und ist ganz vom übrigen Bart abgesetzt. Die großen Augen sind überwölbt von mehrfach gestaffelten Bögen, deren unterster wohl das Augenlid und deren oberster die Augenbraue bezeichnen soll.

Und auch die Attribute sind ganz andere: Anstelle der Bügelkrone mit Pendilien ist das Haupt mit einem am Hinterkopf geknoteten Diademband ausgestattet, einem aus antiken Kaiserdarstellungen geläufigen Motiv. Das analoge Knotenmotiv am Hals mag eine, wenn auch sehr entfernte Erinnerung an die übliche Mantelschließe sein. Auffällig an der Ausprägung des Knotens aber ist vor allem, dass das Motiv geläufigen zeitgenössischen Formen der Textildarstellung angeglichen ist, wie wir sie vor allem vom Motiv des Lendentuchs des gekreuzigten Christus kennen (Kat.-Nr. 141).

Abb. 9

Godefroy de Huy, *Reliquienbüste des Papstes Alexander I.*, Kloster Stavelot, um 1145, Email, Silber, Kupfer, vergoldet, Brüssel, Musées Royaux d'Art et d'Histoire

Die Teilhabe an der Tradition des Büstenreliquiars

Hat man sich einmal von der These gelöst, der Cappenberger Bronzekopf sei ein Ausreißer in der Geschichte der Bildnisbüste, so lässt er sich leicht mit einer durchaus gewichtigen Bildnisbüstentradition des 12. und 13. Jahrhunderts in Verbindung bringen: nämlich mit

jener der Kopf- bzw. Büstenreliquiare, in denen die jeweils betreffende Heiligenfigur repräsentiert ist. Als traditionsbegründend für diese Gruppe gilt das Reliquiar des heiligen Papstes Alexander I. aus Stavelot (Abb. 9), um 1145 von Godefroy de Huy (ca. 1100–ca. 1173) hergestellt.[10] Zu dessen Nachfolge zählt man die Reliquiare des heiligen Candidus aus Saint-Maurice d'Agaune,[11] des heiligen Petrus aus Sitten[12] und schließlich auch das Johannesreliquiar aus Cappenberg.

Das Gemeinsame der benannten Artefakte ist zum einen die Verbindung der Kopfform mit einer den Brustbereich markierenden Trägerzone, die es erlaubt, das bildliche Programm zu erweitern.[13] Zum anderen haben wir es bei der Gestaltung des jeweiligen Kopfes mit unterschiedlichen Formen von Antikenbezügen zu tun. Die Darstellung des heiligen Alexander in Stavelot etwa folgt nach verbreiteter Auffassung einem bestimmten Typus des Augustusporträts, der im Mittelalter sehr präsent war. Jeder der soeben benannten dargestellten Heiligen gehörte der römischen Kaiserzeit an und war Träger eines höheren geistlichen oder weltlichen Amtes, sodass darstellerische und motivische Anklänge an die Antike und antikisierende Amtsinsignien naheliegen.

Die Art der Antikenrezeption

Anders als das Alexander-Reliquiar von Stavelot (vgl. Abb. 9) folgt das Cappenberger Johannesreliquiar offenbar nicht einem bestimmten Kaiserporträttypus. Vielmehr sind es Einzelmotive, die hier an die Antike erinnern. Und das trifft ganz besonders auf die Haar- bzw. Bartgestaltung zu. Die engsten motivischen Analogien lassen sich nach bisheriger Kenntnis in Bildnissen des Kaisers Caracalla (188–217) finden.[14] Ausgesprochen ähnlich ist die Lockenbildung des Haupthaares und des Bartes, mit seiner auffälligen Trennung von Oberlippen- und Backenbart. Am besten vergleichbar sind die entsprechenden Caracalla-Münzporträts, wie im Fall des hier gezeigten Aureus (Abb. 10). Neben weiteren Analogien in anatomischen Details bieten die Caracalla-Bildnisse zudem eine mögliche Erklärung für die außergewöhnlich gestaffelte Bogenbildung über den Augen des Cappenberger Bronzekopfes: Die besonders ausgeprägten Stirnwülste der erhaltenen Büstenbildnisse Caracallas wurden bei der Übertragung ins Profil der Münzbildnisse so über den Augen platziert, dass sie leicht als Bögen über den Augen interpretiert werden konnten.

Die „sprechende" Haarmotivik

Die Wahl maßgeblicher motivischer Details war offenbar der Absicht geschuldet, mit dem Cappenberger Kopf einen außergewöhnlichen Darstellungstypus Johannes' des Evangelisten zu kreieren: den eines Johannes mittleren Alters mit besonders auffälliger Haupthaar- und Bartgestaltung. Und dies hat wahrscheinlich mit dem engen Zusammenhang zwischen dem Johannesreliquiar und dem oben benannten Reliquienkreuz des heiligen Johannes aus dem Besitz Friedrichs II. von Schwaben zu tun, das auch im sogenannten „Testament" Ottos von Cappenberg verzeichnet ist. Dieses Kreuz enthielt unter anderem Überreste sowohl Johannes' des Täufers als auch Johannes' des Evangelisten. Und dazu gehörten insbesondere Haarreliquien des Evangelisten. Johannes Gamans konnte hier im 17. Jahrhundert, wohl anhand der Authentiken, sogar Haupthaar und Barthaar (*capilli, crines, & barba S. Ioannis Euangelistæ*) unterscheiden.[15] Zu einer besonderen Gestaltung insbesondere des Bartmotivs gab es also durchaus Anlass. Dass dabei eine gewisse Nähe auch zur Ikonografie Johannes' des Täufers zustande kam, wurde womöglich zumindest billigend in Kauf genommen. Auch die bekannte Bezeichnung des benannten Reliquienkreuzes war nicht auf einen bestimmten Johannes festgelegt (*Crucem auream quam Sancti Johannis appellare solebam*),[16] zumal ja Reliquien beider Johannes vorhanden waren. Eine gewisse

Abb. 11
Kopfreliquiar Johannes'
des Täufers aus Fischbeck,
2. Drittel 12. Jahrhundert,
Kat.-Nr. 128

motivische Verwandtschaft ist tatsächlich zum Kopfreliquiar Johannes' des Täufers aus dem Damenstift Fischbeck (an der Weser) zu bemerken, auch wenn dieses weit weniger differenziert gestaltet ist (Abb. 11). Den Cappenberger Prämonstratensern kann dieses Objekt bekannt gewesen sein, da sie zur Jahrhundertmitte kurzzeitig das Fischbecker Stift übernommen hatten. So ist es nicht verwunderlich, dass das Cappenberger Kopfreliquiar bei seiner ersten wissenschaftlichen Erwähnung 1882 als Darstellung Johannes' des Täufers verzeichnet wurde.[17]

Auf dem aktuellen wissenschaftlichen Kenntnisstand ist der Interpretation des Cappenberger Johannesreliquiars als Barbarossaporträt offensichtlich jegliche Grundlage entzogen. Die daraus resultierende Verabschiedung jenes nationalen Mythos, der sich um das Artefakt rankt, bedeutet allerdings nicht, dass dieser einfach aus dem Bewusstsein der Kunstgeschichte entweicht. Der hier nur grob umrissene, sehr prägnante und lange währende Ausschnitt aus der Rezeptionsgeschichte des Cappenberger Reliquiars wird weiter zu untersuchen und kritisch zu diskutieren sein.

Anmerkungen

1 Dieser Beitrag bietet eine knappe Zusammenfassung bestimmter Überlegungen, die ausführlicher in Görich 2022 a verhandelt werden, vgl. Rehm 2022. **| 2** Ausst.-Kat. Stuttgart 1977. **| 3** Philippi 1886, S. 150–161. **| 4** „[...] ita etiam crucem auream, quam sancti Johannis appellare solebam, cum gemmis et catenulis aureis, quin et capud argenteum ad imperatoris formatum effigiem cum sua pelvi nichilominus argentea, necnon et calicem, quem mihi Trekacensis misit episcopus [...]": Bockhorst/Niklowitz 1991, S. 32, Z. 22–25. **| 5** „Has igitur memorabiles reliquias venerabilis Otto, precipuus Iohannis dilector, nostre letabundus invexit ecclesie atque in capite reposuit deaurato, [...]": Niemeyer/Ehlers-Kisseler 2005, S. 105– 161, hier cap. 54, S. 160, Z. 6; zur Datierung vgl. ebd. S. 9. **| 6** Vgl. Prutz 1883/1994, S. 434. **| 7** Vgl. oben Anm. 4. **| 8** Bloch 1980, hier S. 109, Kat.-Nr. 2; Ausst.-Kat. München 1950, S. 134, Kat.-Nr. 323; Grundmann 1959, S. 43; Meyer 1946, S. 16. **| 9** Ausst.-Kat. Stuttgart 1977, Bd. 1, S. 393 f., Kat.-Nr. 535 (Hermann Fillitz), hier S. 394. **| 10** Wittekind 2004; vgl. auch: Falk 1991/93, S. 165–168; Reudenbach 2010, hier v. a. S. 1 f., S. 22 f.; Terrier Aliferis 2016, S. 47–51. **| 11** Vgl. Falk 1991/93, hier S. 198–200; Ausst.-Kat. Paris 2014. **| 12** Falk 1991/93, S. 195–198. **| 13** Wittekind 2005. **| 14** Lahusen 2003 (mit Diskussion des Caracalla-Porträttypus S. 48 und 50, Abb. 6). **| 15** VVgl. Gamans 1643, S. 844; vgl. auch Horch 2013, S. 17–19, S. 55, S. 246 f.; Horch 2014, hier S. 117; Röckelein 2022. **| 16** Vgl. oben Anm. 10. **| 17** Hüsing 1882, S. 68.

JOANNA OLCHAWA

Pracht, Macht und Memoria
Mittelalterliche Objekte zwischen Sakralität und Hofkultur

Objekte des 12. Jahrhunderts in einer sinnlichen Wahrnehmung und als geschichtliche Zeugnisse

Vergoldete Reliquiare, silberne Monstranzen, bronzene Kreuze, aber auch Olifanten aus ostafrikanischem Elfenbein, byzantinische Seidenstoffe und Kristallschachfiguren aus den Regionen unter islamischer Herrschaft – die in der Ausstellung präsentierten und zu bewundernden Objekte brillieren auf den ersten Blick durch ihre wertvollen und wirkungsmächtigen Materialien, detailreiche Bearbeitungen und hochkomplexe Verbindungen von Form und Funktion(en). Jenseits der Wahrnehmung ihrer materialästhetischen oder gestalterischen Besonderheiten lassen sie sich heute aber, mitsamt

← Abb. 1
Löwen-Aquamanile, um 1200/50, Kat.-Nr. 92

Abb. 2
Pilatus wäscht seine Hände, um 1335, Deckenmalerei, Kloster Wienhausen

schriftlichen wie auch bildlichen Überlieferungen, als geschichtliche Zeugnisse für ein ganzes Spektrum an Phänomenen, Ereignissen und Tätigkeiten verstehen. Sie bieten dann die Möglichkeit, beispielsweise mithilfe von Vergleichen technische Innovationen zu veranschaulichen oder durch die Auffindung bei archäologischen Ausgrabungen den bestens vernetzten Fernhandel über Land- und Wasserwege zu rekonstruieren. Auch kann anhand des Umgangs mit ihnen, wie innerhalb des Geschenke- und Gabentauschs zwischen byzantinischen, islamischen und christlich geprägten Höfen, eine transkulturelle Verflechtung bzw. die vom Kunsthistoriker Oleg Grabar angenommene „shared culture of objects"[1] verdeutlicht werden. Schon im 19. Jahrhundert erkannte der Kunsthistoriker Carl Frey (1857–1917) in *Ursprung und Entwicklung Staufischer Kunst in Süditalien*: „Geschichte wird wahrhaft fruchtbringend erst betrieben werden können bei einer ausreichenden Kenntniß sämmtlicher Quellen, nicht bloß der schriftlichen, sondern auch der monumentalen".[2] Doch es sind nicht nur die naturgemäß großen Bauten dieser Zeit, sondern gerade auch die kleinformatigen, mobilen und in ihren Bedeutungen changierenden Artefakte, die auf vielfältige Art Einblicke in die damaligen Wissens-, Vorstellungs- und Handlungsräume geben können. Dies gilt nicht nur für die Zeit ihrer Entstehung und ursprünglichen Verwendung, sondern – wenn sie weiterverschenkt, verkauft, repariert oder mit neuen Erzählungen aufgeladen werden – auch weit darüber hinaus und teilweise sogar bis heute.[3]

Grundsätzlich ist solch ein offener Zugang für alle (mittelalterlichen) Objekte weiterführend, gleichgültig aus welcher Zeit und aus welcher Region sie stammen, ob es sich um die eingangs genannten Objekt- und Materialtypen handelt oder um Münzen und Siegel, welche eher zu den Realia oder Zeugnissen materieller Kultur gezählt werden. Für jene Werke aus dem westmitteleuropäischen Mittelalter lässt sich ferner beobachten, dass die heute so streng voneinander geschiedenen Ebenen von Staat und Kirche, einer weltlichen (königlichen wie auch höfischen) und einer sakralen Sphäre, weitestgehend ineinanderfließen. Im 12. Jahrhundert wird das Reich als Heiliges Reich (lat. *sacrum regnum*) verstanden[4] und der königliche Hof als *palatium sacrum* noch stärker sakralisiert.[5] Religiös konnotierte Objekte, Räume sowie Rituale werden dementsprechend genutzt, um Herrschaft nicht nur sichtbar zu machen, sondern auch zu begründen und zu legitimieren.

Luxusproduktion: Objekte, Künstler, Auftraggeber und Auftraggeberinnen im 12. Jahrhundert

Das „lange" 12. Jahrhundert ist in Westmitteleuropa eine besondere Zeit. Mit Metaphern wie der „Blüte" und dem „Aufbruch", mit Begriffen wie „Renaissance", „Umbruchszeit" oder mit der Moderne entlehnten Vokabeln wie der „industriellen Revolution des Mittelalters" versuchte man in der wissenschaftlichen Literatur, diese Epoche mit den außergewöhnlich vielen technischen, soziokulturellen und politischen Wandlungsprozessen, der dynamischen Vernetzung durch Kreuzzüge und Pilgerreisen, der Entwicklung der Städte und der Entstehung der Universitäten zu greifen.[6] Die in all jene Kontexte und Erfahrungen eingebetteten künstlerischen Erzeugnisse – von der Architektur über Skulptur, Buchkultur bis hin zu Objekten – können dies anschaulich zur Geltung bringen oder auch selbst mitprägen.[7] So kommen durch den Austausch mit anderen, islamisch geprägten Regionen im 12. Jahrhundert neue Objekttypen wie Aquamanilien, also figürlich gestaltete Gießgefäße, auf. Kannen und Schalen ersetzend, werden die Bronzen in Gestalt von Drachen, Löwen (Abb. 1), Rittern und Senmurven (sassanidischen Pfauendrachen, s. Kat.-Nr. 158, 159) in den bereits bestehenden liturgischen oder weltlichen Handwaschungsritus integriert (Abb. 2).[8] Wirtschaftliche Veränderungen ermöglichen das Aufkommen von Beinschnitzwerkstätten in Köln (Kat.-Nr. 78) oder Emailwerkstätten in Limoges in Frankreich (Kat.-Nr. 108), die mit seriell gefertigten Einzelteilen oder ganzen Werken wie Kreuzen oder Reliquienkästchen auf die offenbar große Nachfrage reagieren und für den Export produzieren. Die künstlerischen Verfahren zur Herstellung von Glasfenstern oder Goldschmiedearbeiten werden in

Schriften wie der berühmten, um 1120 entstandenen und weit verbreiteten *schedula diversarum artium* (auch unter dem Titel: *de diversis artibus* – Über verschiedene Künste) reflektiert. In dieser Anweisung ist unter anderem zu lesen, „was Griechenland an Arten und Mischungen der verschiedenen Farben besitzt, was Russland an kunstvoll ausgeführten Emailarbeiten und an mannigfaltigen Arten des Niello kennt, was Arabien an Treibarbeit, Guss oder durchbrochener Arbeit [...] auszeichnet, [...] was das in feiner Arbeit in Gold, Silber, Kupfer, Eisen, Holz und Stein geschickte Deutschland lobt."[9] Die Fülle an Referenzen ist bemerkenswert, wenngleich diese kaum der historischen Realität entsprechen und eher der Aufwertung der Techniken dienen.

Eines der formal und ikonografisch eindrucksvollsten und innovativsten Kunstwerke der Mitte des 12. Jahrhunderts ist sicherlich das Remaklus-Retabel.[10] Gestiftet durch den königsnahen Abt Wibald von Stablo und Corvey (1098–1158) für die Benediktinerabtei von Stablo im heutigen Belgien, ist das annähernd drei Meter hohe Monument vermutlich nach dem Kirchenbrand 1701 eingeschmolzen worden und bis auf zwei Fragmente – die Emailmedaillons mit den Personifikationen der Fides-Baptismus in Berlin und der Operatio in Frankfurt am Main (Abb. 3) – nicht mehr erhalten. Wohl aber zeugt eine recht große und beglaubigte Kopie einer Zeichnung aus dem Jahr 1666 von dem vielschichtigen Bildprogramm (Abb. 4).[11] Die triumphbogenartige Schauseite des Retabels war im Osten des Chores über dem Matutinaltar (an dem die Frühmesse gelesen wurde) aufgestellt und wies in der Mitte eine Nische für den eingestellten Schrein mit den Gebeinen des heiligen Remaklus (600–673) auf. Diese war von acht in Silber ausgeführten Bildfeldern mit der Geschichte des Klosterpatrons von seiner Jugend, der Bischofsinvestitur über die Schenkungen von Landbesitz und dem Bau von Kirchen bis zu seinem Tod flankiert. Über der Nische waren in der Ädikula drei Medaillons zu sehen, von denen die zwei erhaltenen jenes in der Mitte mit der Taube des Heiligen Geistes umrahmten. Das Bogenfeld darüber beherrschte der Achtpass mit der *Majestas Domini*, umgeben von den vier Kardinaltugenden, Evangelistensymbolen, Paradiesflüssen, Engelschören sowie Propheten am Baum der Erkenntnis im Paradies und dem heiligen Remaklus neben dem Baum des Lebens. Oberhalb des Retabels wurden – ähnlich einer Inventarliste – die Besitztümer des Klosters aufgezählt, versehen mit der Stifterinschrift, welche zudem die Unterscheidung zwischen Materialwert und künstlerischer Arbeit hervorhob: „Abt Wibald hat dieses Werk gemacht. In ihm enthalten sind 60 Mark Silber und 4 Mark Gold. Die gesamten Kosten des Werkes betragen 100 Mark. Keiner möge im Voraus so große Arbeit und so großen Aufwand als von geringem Nutzen (seiend) herabwürdigen".[12] Die Darstellung der Heiligenvita, die Funktion als Reliquienschrein und die Präsentation in Gestalt eines Retabels wurden also in diesem Werk miteinander verschmolzen. Auffällig ist aber auch die aktive Rolle des Monuments als eine Art Stiftungs- und Besitzurkunde zur Sicherung der Macht Wibalds und des Klosters im 12. Jahrhundert. Sie hatte auch noch im 17. Jahrhundert nicht an Relevanz verloren, wie die Zeichnung beweist.

Welcher Künstler oder welche Werkstatt das Retabel verantwortete, lässt sich nicht mehr feststellen. Mehrfach wurde in der älteren kunsthistorischen Literatur auf einen Goldschmied verwiesen, der heute unter dem Notnamen *aurifaber G.* bekannt ist und von dem ein Briefwechsel mit Wibald von Stablo überliefert ist (Kat.-Nr. 71). Auch wenn sich die An-

nahme, jener Goldschmied habe sowohl den Schrein als auch das Retabel geschaffen, nicht
mehr als haltbar erweist, bezeugen die Dokumente doch ein erstaunliches Selbstbewusstsein des Künstlers gegenüber dem Auftraggeber und Stifter. So beschwert sich Wibald:
„[...] Man ist es bei Menschen von deiner Kunst gewöhnt, dass sie öfter ihre Versprechungen
nicht einhalten, weil sie mehr in Arbeit nehmen, als sie ausführen können. Die Wurzel allen
Übels ist ja die Habgier. Doch sollten dein Genie und deine geschickten und berühmten
Hände gar keinen Vorwurf aufkommen lassen, daß du irreführende Zusagen machst. [...]
du weißt, daß wir es mit unseren Wünschen sehr eilig haben, – und was wir wollen, das
wollen wir sofort. So sagt ja auch Seneca in seinem Werk ‚De beneficiis': ‚Wer schnell gibt,
gibt doppelt.'" Darauf antwortet der Künstler rhetorisch gewitzt: „[...] Deine Ermahnungen,
die du aus dem Hort deiner Freundlichkeit und Weisheit hervorgeholt hast, habe ich teils
mit Vergnügen teils mit gehörigem Respekt aufgenommen. [...] Nun liegt es allerdings nicht
immer nur bei dem, der die Zusagen macht, sie auch einzuhalten. Meistens nämlich hat der
die Verantwortung, dem etwas versprochen wurde, wenn durch ihn die Erfüllung einer Zu-
sage vereitelt oder verzögert wird. Wenn du es also, wie du sagst, mit deinen Wünschen
so eilig hast und du das, was du willst, sofort willst, so beeile du dich, daß ich mich bei
der Arbeit für dich beeilen kann. Denn ich beeile mich ja und will mich weiter beeilen, wenn
ich nur nicht durch die Not aufgehalten werde. Unsere Geldbeutel sind nämlich leer. [...] Da
nun der bedrängte Mensch sich freut, wenn nach der Leere die Fülle kommt, so hilf du
meiner Not ab, wende die Arznei an, und gib schnell, damit du doppelt gebest, – und du wirst
mich zuverlässig, beständig und schließlich ganz dem Werk für dich hingegeben finden. [...]"[13]

Wibalds enge Zusammenarbeit mit Goldschmieden lässt sich aber auch bei anderen
Werken nachvollziehen. Aus weiteren Briefen geht hervor, dass der Abt mit der ehrenvollen
Aufgabe betraut wurde, für Friedrich I. Barbarossa insgesamt sieben Siegelstempel,
darunter die Goldenen Bullen (Kat.-Nr. 73), herstellen zu lassen.[14] Sie wurden allesamt von

Abb. 4

Zeichnung des Remaklus-

Retabels aus Kloster Stablo,

1666, Kat.-Nr. 72

einem Goldschmied des Rhein-Maas-Raumes ausgeführt, welcher – weil er namentlich nicht fassbar ist – den Notnamen „Meister der Barbarossa-Siegel" erhielt.[15] Wahrscheinlich schuf dieser im Auftrag des Königs auch das Armreliquiar Karls des Großen (Kat.-Nr. 59).[16]

Memorialpraxis: Objekte als Stiftungen und Schenkungen

Die Korrespondenz, obgleich einzigartig, impliziert die enge Beteiligung der auftraggebenden und stiftenden Personen an den entstehenden Werken. Die Gründe hierfür können recht unterschiedlich sein, zum Beispiel praktischer Natur als Einflussnahme auf die Gestalt der Arbeit und die Kontrolle der Kosten. Darüber hinaus können die Stiftungen die eigene Frömmigkeit zum Ausdruck bringen oder zur Jenseitsvorsorge und zum Freikaufen von Sünden dienen.[17] Mit den gestifteten Werken verbindet sich vor allem die Vorstellung von Memoria (lat. Gedächtnis, Andenken, Erinnerung), welche weit über das Wort hinaus ein System aus liturgischen und kulturellen Praktiken meint, die zur Vergegenwärtigung und zu einem kollektiven Gedächtnis beitragen oder dieses erst erzeugen.[18] Als Stifter und Stifterinnen engagieren sich zunächst Könige und Königinnen, fürstliche Auftraggeber und Auftraggeberinnen, die geistliche Elite und später auch Kaufleute und die Bürgerschaft. Was gestiftet wird, lässt sich einerseits aus Stiftungsurkunden, Testamenten, Nekrologien (Totenbüchern, vgl. Kat.-Nr. 70), Einnahmen und Inventaren erschließen, andererseits – sofern die Werke über eine Grundversorgung der Kirche, des Klosters oder Ordens mit Nahrung, Kleidung oder Geld hinausgehen – aus den noch erhaltenen Gebäuden, Grabmälern oder auch liturgischen Geräten.[19] Mit Inschriften und Bildnissen konnten sich die Stiftenden in die Werke im Wortsinn einschreiben (vgl. Kat.-Nr. 89), und wenn sie die Wirkmächtigkeit des Objektes durch außergewöhnliche oder fremdartige Materialien wie Straußeneier oder durch eine komplexe Ikonografie zu steigern wissen, können sie in besonderer Weise auf sich aufmerksam machen und sicherstellen, fortwährend in die Gebete der Kleriker einbezogen zu werden.

Zu den herausragendsten Werken des 12. Jahrhunderts gehört ebenfalls der sogenannte Barbarossa-Leuchter in Aachen (Abb. 5). Als eine Schenkung Friedrich Barbarossas und seiner Frau Beatrix an die Patronin des Aachener Münsters, Maria, wurde der Leuchter in der Zeit zwischen der Königskrönung 1152 und dem Tod der Beatrix 1184 – möglicherweise wie das Armreliquiar Karls des Großen anlässlich der Heiligsprechung Karls des Großen 1165 – im Oktogon der Krönungskirche aufgehängt.[20] Die achtpassige Lichterkrone weist einen Durchmesser von 4,15 Metern auf und besteht aus feuervergoldeten Kupferteilen, die den Schein der 48 aufgesteckten Kerzen reflektieren und so eine eindrückliche Wirkung erzielen können. Die Form wird durch acht größere und acht kleinere, mehrstöckige Türme gebildet, welche durch horizontale Bänder mit Inschriften verbunden sind. Diese sind in zwei Texte zu je acht Versen gegliedert: Der erste Teil ist als eine Art „Titulus zum Leuchter als Bilderwerk" mit dem Verweis auf das Himmlische Jerusalem und Maria als Beschenkte zu verstehen, während der zweite mit der Nennung Friedrichs I. Barbarossa als *Cesar catholicus, rex romanorum* (lat. der katholische Kaiser, König der Römer) sowie den Anweisungen zur Gestalt des Leuchters als Stifterinschrift zu lesen ist.[21] Allerdings können

diese wichtigen Zeilen, selbst wenn man unter dem Leuchter steht, nicht entziffert werden. Sie wenden sich beim Hinunterlassen des Werkes und dem Anzünden der Kerzen also nur an die Geistlichen des Aachener Münsters und generell die Kirchenpatronin als Fürsprecherin. Was aber auffällt, ist sicherlich die damals einzigartige achteckige Form, welche sowohl räumlich auf das Oktogon der Aachener Marienkirche Bezug nimmt als auch konzeptuell an die achteckige Reichskrone erinnern sollte. Zudem kann die Durchdringung zweier Quadrate als *Hierusalema quadrata* und *Roma quadrata* und somit als Verbindung von himmlischer und weltlicher Herrschaft verstanden werden.[22]

Die 16 Türme, welche ehemals mit Silberfiguren ausgestattet waren, weisen durchbrochen gearbeitete Bodenplatten auf. Als Bildflächen genutzt, zeigen die kreisförmigen acht Szenen aus dem Leben Christi mit der Verkündigung, Geburt, Anbetung der Heiligen Drei Könige, Kreuzigung, den drei Frauen am leeren Grab am Ostermorgen (Abb. 6), Himmelfahrt, Ausgießung des Heiligen Geistes und der *Majestas Domini*. Die quadratischen Platten sowie die Vierpässe präsentieren acht Personifikationen von Seligpreisungen aus der Bergpredigt bzw. Feldpredigt Jesu, welche durch Inschriftenbänder gekennzeichnet sind. Gemeinsam umspannen sie das Leben und die zentrale Lehre Christi. Die Seligpreisungen veranschaulichen überdies einen Bezug zur Stiftungstätigkeit des Königs, da sie in der Feldpredigt genannt werden, wo es unter anderem heißt: „Gebt, so wird euch gegeben" (Lk 6,38). Ferner befand sich der Leuchter in direkter Nähe zum sogenannten Heinrichsambo, einer Schenkung

Abb. 5

Rhein-Maas-Gebiet, *Barbarossa-Leuchter*, 1165/70, Kupfer, vergoldet, Aachen, Dom

Abb. 6

Rhein-Maas-Gebiet, *Bodenplatte vom Barbarossaleuchter mit Frauen am Grab,* 1165/70, Kupfer, vergoldet, Aachen, Dom

Abb. 7
Rhein-Maas-Gebiet, *Armilla mit Kreuzigung Christi* (oben), um 1170/80, Kupfer, vergoldet, Grubenschmelz, Nürnberg, Germanisches Nationalmuseum

Abb. 8
Rhein-Maas-Gebiet, *Armilla mit Auferstehung Christi* (unten), um 1170/80, Kat.-Nr. 49

JOANNA OLCHAWA

Heinrichs II. (973/978–1024) aus der Zeit zwischen 1002 und 1024 (vgl. Kat.-Nr. 52), auf dem während der Messe die Evangelien gelesen wurden und auch Predigten stattfanden.[23] Damit gelingt es Friedrich I. Barbarossa, sich nicht nur auf Karl den Großen, sondern auch auf den Salier Heinrich II. zu beziehen. Gleichzeitig machen die christologischen Bildthemen auf die Herrschersakralität aufmerksam und stellen sicher, dass der König wie auch die Königin memoriert werden.

Die Räume des Königs: Sakrale als höfische Kultur

Um Macht herzustellen, zu halten und zu legitimieren, eignen sich im 12. Jahrhundert unterschiedliche Mittel und Strategien, Räume und Personengruppen. Eine der Möglichkeiten, ein Gefolge und Verbündete an sich zu binden, stellt der „Hof" eines Fürsten oder eines Königs dar. Wie dieser aber konkret definiert werden kann, erweist sich auch im 12. Jahrhundert als eine Herausforderung. Spitzfindig erläutert der englische Schriftsteller Walter Map (um 1140–1208/10), er könne es ebenfalls nicht erklären, schließlich sei der Hof „instabil und wechselvoll, ortsgebunden und wandernd, in der Verschiedenheit seiner Zusammensetzung sich selbst oft unähnlich. [...]"[24]. Damit beschreibt ihn der Autor besser als manch ein Zeitgenosse. Grundsätzlich ist der Hof an einen Herrscher gebunden und damit zeitlich begrenzt, er besteht aus der Verwaltung und einer Hofkapelle für den Gottesdienst sowie aus politischen, sozialen und sakralen Praktiken als Teil der höfischen Kultur. Damit ist der Hof nicht rein weltlich konnotiert, sondern seit karolingischer Zeit auch als sakral überhöhter Raum, namentlich als *palatium sacrum*, zu verstehen.[25] Die Sphären von Politik und Religion sind auch hier eng miteinander verbunden, was angesichts der umfassenden, sich auf alle Bereiche beziehenden christlichen Deutung der Welt im Mittelalter nicht weiter verwundert.

Abb. 9

Johann Adam Delsenbach, *Wahre Abbildung der sämtlichen Reichskleinodien, Armbänder, Schweißtuch*, 1790, Radierung, handkoloriert, Nürnberg, Germanisches Nationalmuseum

In der Zeit unter Friedrich I. Barbarossa sind zwei Hoftage, 1184 und 1188 in Mainz, hervorzuheben. An dem früheren, der „ersten großen Selbstdarstellung der ritterlich-höfischen Gesellschaft und Kultur"[26] mit geschätzten 40 000 Anwesenden, fanden Festmähler statt, wurden Geschenke überreicht und vor allem die Schwertleite seiner Söhne als Akt der Verleihung der Ritterwürde begangen; dieser Ritus verdeutlichte die Generationen übergreifende Regierungsfähigkeit des Geschlechts. Für die Feierlichkeiten wurde auch eine Kapelle aus Holz errichtet, in der man mehrere Gottesdienste abhielt.[27] Der 1188 stattgefundene „Hoftag Jesu Christi" verfolgte hingegen andere Ziele: Als „erster Ritter" und „Verteidiger des Glaubens" forderte der Kaiser zum Kreuzzug auf und verpflichtete zum kriegerischen Einsatz für die Kirche.[28] Zur Verbreitung des Ideals des christlichen Rittertums wurden auch Kunstwerke in ihrer zwischen den Sphären vermittelnden Rolle instrumentalisiert und Ritterheilige als Märtyrer der Thebäischen Legion (wie Gereon, Mauritius, Viktor und Cassius), wie sie auf dem Reliquienschrein aus Bein, der ersten Rezeption des Dreikönigsschreins in Köln (Kat.-Nr. 77, 78), zu sehen sind, neu verehrt.[29]

In diesen Rahmen, zwischen Krieg, Politik und Kirche, sind auch die sogenannten Armillae einzuordnen (Abb. 7). Die paarweise auf den Mantel über dem Oberarm aufgenähten Insignien weisen in ihrer Verwendung als militärische Herrschafts- und Standeszeichen zwar auf eine antike Tradition zurück, erfahren aber im Herrschaftszeitraum Friedrichs I. Barbarossa eine neue Bedeutung.[30] Es sind nur vier Werke mit je der Darstellung der Geburt Christi, der Darbringung, der Kreuzigung und der Auferstehung bekannt. Sie entstanden in maasländischen Goldschmiede- und Emailwerkstätten – folglich in der Region, in der auch das Remaklus-Retabel und der Leuchter hergestellt wurden. Auch wenn schon allein aufgrund ihrer Datierung um 1180 auszuschließen ist, dass Friedrich I. Barbarossa sie während seiner Krönung zum König 1152 oder zum Kaiser 1155 trug, werden sie eng mit seiner Person verknüpft.

Die schildartige Platte mit der Kreuzigung, die 1978 vom Germanischen Nationalmuseum in Nürnberg erworben wurde, zeigt im Zentrum Christus am Kreuz, der von Longinus mit der Lanze und Stephaton mit dem Essigschwamm an einem Ysopstängel attackiert wird, um seine Qualen noch zu steigern. Hinter ihnen stehen jeweils Maria und Johannes mit über ihren Köpfen schwebenden Engeln, während unterhalb des Kreuzes und des Fußbretts drei Soldaten um das Gewand Christi spielen. Die heute im Musée du Louvre in Paris aufbewahrte und in der Ausstellung präsentierte Armilla mit der Auferstehungsszene stellt den aus dem geöffneten Sarkophag entsteigenden Christus dar, der von Engeln zu beiden Seiten und den unten liegenden (schlafenden) Wächtern umrahmt wird. Der Darstellungstypus ist in dieser Zeit recht außergewöhnlich, da die Auferstehung eher mit den Frauen am leeren Grab – wie auf der Bodenplatte des Barbarossa-Leuchters zu sehen – wiedergegeben wird.[31] Neben dem Kopf Christi ist die Inschrift REXUREXTIO D(OMI)NI platziert. Sie ist eindeutig falsch, da Auferstehung lateinisch *resurrectio* heißen müsste. Es ist jedoch möglich, dass der Fehler mit Absicht eingefügt wurde, um auf Christus als *rex* (lat. König) und damit auch auf den Träger der Spange anzuspielen. Während die Platten mit der Geburt Christi und der Darbringung, die zu den Reichskleinodien des Heiligen Römischen Reichs gehörten, im 18. Jahrhundert verlorengingen (Abb. 9),[32] stammen die beiden erhaltenen Objekte wahrscheinlich aus dem Grab des Großfürsten Andrej Bogoljubskij (1111–1174) in der Uspenski-Kathedrale in Wladimir in Russland. Nach seiner Heiligsprechung 1701 wurde dessen Grab geöffnet; offenbar kamen dann die Armillae zum Vorschein. Historisch betrachtet ist es durchaus vorstellbar, dass sie Friedrich I. Barbarossa bei einem Treffen in Regensburg 1189 als Ehrengabe dem Fürsten Wladimir Jaroslavic Rurik (1156–1199) überreichte, der die Emailwerke nach Wladimir brachte und in das damals umgebettete Grab Bogoljubskijs legte.[33]

Die Objekte in der „wilden Semiose" der Ausstellung

Es sind kunst- und kulturhistorische Ausstellungen wie diese Barbarossa-Schau, die die unterschiedlichsten Objekte aufgrund ihrer (material-)ästhetischen Prächtigkeit und ihres verweisenden Charakters zusammenbringen, sie auf neuartige Weise interagieren lassen und damit vielleicht ungewöhnliche Bezüge zur heutigen Zeit schaffen.[34] Erlesene Werke wie das Remaklus-Retabel (in der zeichnerischen Kopie aus dem 17. Jahrhundert), der Barbarossa-Leuchter in Aachen oder die Armillae in Nürnberg und Paris wie auch alle anderen präsentierten Werke können außerhalb ihres ursprünglichen Gebrauchskontextes erfahren und zu sinnlichen Anschauungsobjekten werden. In ihnen verdichtet sich aber auch Geschichte und das Wissen der Zeit, es werden bestimmte Vorstellungen seitens der Auftraggeber und Auftraggeberinnen sowie der Künstler zu Stiftungen und Memoria oder von am Körper getragenen Abzeichen sichtbar, die wiederum in einem symbolischen Akt weiterverschenkt wurden. In einer „wilden Semiose", wie es die Kulturwissenschaftlerin Aleida Assmann (geb. 1947) nannte,[35] also in der Kombination dieser zwei Wahrnehmungsweisen von Ästhetik und Bedeutung, schreiben sich die Objekte vor allem im Kontext der Ausstellung in die heutige kollektive Erinnerung und unser kulturelles Gedächtnis ein und bringen sie uns erneut zum Staunen.

Anmerkungen

1 Grabar 1997. **2** Frey 1891, hier S. 296 f. **3** Objekte als Geschichtsquellen zu verstehen, ist keineswegs eine neue Erkenntnis oder eine neue Methode, sie erlebt aber in den vergangenen zwei Jahrzehnten einen neuen Aufschwung, siehe beispielsweise: Keupp/Schmitz-Esser 2015; Miller 2017. **4** Erkens 2017; Laudage/Leiverkus 2006; Weinfurter 2005. **5** Luchterhandt/Röckelein 2021. **6** Um einige Beispiele herauszugreifen: Gimpel 1980; Haskins 1927; Moore 2001; vgl. Rathmann-Lutz 2016. **7** Von Epochenbegriffen wie Romanik und Gotik, vor allem der Vorstellung des 12. Jahrhunderts als Übergangszeit zwischen Romanik und Gotik wird abgesehen, da diese an Beispielen aus der Architektur entwickelt wurden und sich nicht auf andere Gattungen übertragen lassen. **8** Olchawa 2019. **9** Brepohl 2013. **10** Gearhart 2019; Hahn 2012, S. 217–219; Krempel 1971; Wittekind 2004, S. 225–259. **11** Lüttich, Archives de l'Etat, Tribunal de la Chambre impériale, Nr. 1148, 87,0 x 86,0 cm. **12** Wittekind 2004, S. 341 f. **13** Lüttich, Archives de l'Etat, Fonds de l'abbaye de Stavelot Ms 341, übers. nach: Rädle 1975, S. 74–79. **14** Zu den Briefen: Hartmann 2011. **15** Drös 1993, S. 183. **16** Deér 1961, vgl. Fees 2015, S. 112. **17** Die Literatur zu Stiftungen im Mittelalter ist enorm, exemplarisch sei für die historische Perspektive verwiesen auf: Borgolte 2014–2016. **18** Michalsky 2009. **19** Jaritz 1990; Marx 2013; Schlotheuber 2012. **20** Henkel 2021, URL: https://bonndoc.ulb.uni-bonn.de/xmlui/handle/20.500.11811/8979 (zuletzt aufgerufen: 20.4.2022), S. 152–196. **21** Bayer 1986, S. 229. **22** Wimmer 2005. **23** Der Heinrichambo ist seit dem 15. Jahrhundert aus dem Oktogon an die Südseite des ersten Chorjoches verschoben, vgl. Schomburg 1998. **24** Übers. nach: Ehlers 2010, S. 13–24, hier S. 13. **25** Vgl. Luchterhandt/Röckelein 2021. **26** Spieß 1992, Sp. 142–143, hier Sp. 142. **27** Wolter 1991. **28** Rueß 2009. **29** Ausst.-Kat. Darmstadt/Köln 1997, S. 229–231, Kat.-Nr. IV.38 (Markus Miller). **30** Kahsnitz 1979. Getragen sind sie auf dem Arm auf dem Siegel Friedrichs I. Barbarossa, 1152 (Marburg, Hessisches Staatsarchiv, Kl. Ahnaberg 1154, Mai 3) zu erkennen. **31** Kahsnitz 1979, S. 35–40. **32** Delsenbach 1790; vgl. Kashnitz 1979, S. 12–14. **33** Wörn 1980. **34** Greenblatt 2004. **35** Assmann 1995.

PETRA MARX

„Die Vergangenheit neu erfinden"
Skulpturale Grabmäler der Barbarossazeit in Westfalen

Friedrich I. Barbarossa – Ein Kaiser ohne Grab und die Entstehung des figürlichen Grabmals im 11. und 12. Jahrhundert

Eine der größten Leerstellen in der Gedächtniskultur des Mittelalters ergibt sich aus dem Umstand, dass der staufische Kaiser Friedrich I. Barbarossa (1122–1190) keine letzte Ruhestätte fand. Nach seinem tragischen Tod während des Dritten Kreuzuges im Fluss Saleph im südlichen Anatolien am 10. Juni 1190 hatte man seine sterblichen Überreste nach den damaligen Gepflogenheiten behandelt, den Leichnam ausgekocht und das Fleisch von den Knochen getrennt.[1] Die Kenntnis über den Ort eines nur vorläufigen Grabes für die kaiserlichen Gebeine in der Kathedrale der libanesischen Stadt Tyros – man wollte diese später zurück in die Heimat überführen – ging nach dem Scheitern des Kreuzzugs verloren. Nicht zuletzt entstand durch das Fehlen des Leichnams der nationale Mythos vom ewig im Kyffhäuser schlafenden Stauferkaiser.[2]

Die bereits 1184 verstorbene zweite Frau Friedrichs, Kaiserin Beatrix von Burgund, wurde in der Königs- und Kaiser-Grablege der Salier im Dom zu Speyer beigesetzt. Dort war aus der Bestattung des ersten salischen Herrschers Konrads II. bis zum Tod Heinrichs V. im Jahr 1125 eine dynastische Gruft im „Königschor" hervorgegangen, deren Merkmale die ebenerdige Bettung der Verstorbenen in schmucklosen Steinsarkophagen waren, unter Beigabe von Bleitafeln mit wichtigen Lebensdaten und schlichten Nachbildungen der königlichen Würdezeichen, wie vergoldete Kupferkronen oder einen Reichsapfel aus Holz und Leder.[3] Man kann wohl vermuten, dass sich eine Grabstätte für Barbarossa an diesem ausgezeichneten Ort in Aussehen und Ausstattung ähnlich präsentiert hätte. Da die Staufer sich selbst in der Nachfolge der Salier sahen, hat die Etablierung einer Staufer-Grablege nicht stattgefunden. Oder hätte es auch anders kommen können? Dazu mehr am Schluss dieses Beitrags.

← **Abb. 1**
Grabmal Widukinds von Enger (Detail), um 1120/30 (wie Abb. 6)

Die seit den Karolingern und Ottonen überlieferte, auf Inschriften und Insignien zumindest nach außen reduzierte Memorialtradition (von den kostbaren Gewändern der Verstorbenen ist hier nicht die Rede)[4] trifft im ausgehenden 11. und vor allem im 12. Jahrhundert auf eine bahnbrechend kunst- und kulturhistorische Neuerung, die von Shirin Fozi erstmals umfassend aufgearbeitet wurde: die Entstehung des ganzfigurigen bildplastischen Grabdenkmals.[5] Wie aus dem Nichts und ohne vergleichbare Vorläufer wird für den glücklosen sächsischen Gegenkönig Rudolf von Rheinfelden nach 1080, nach seiner tödlichen Verwundung im Kampf gegen die Truppen des Saliers Heinrich IV., im Merseburger Dom ein ganzfiguriges vergoldetes und mit Edelsteinen besetztes Bronze-Bildnis geschaffen (Abb. 2), dessen Einzigartigkeit bald Niederschlag in den Schriftquellen findet. Das erste figürliche Grabmal eines europäischen Herrschers sei, so Shirin Fozi, ironischerweise einem Monarchen gewidmet, der dieses Amt in den Wirren des Investiturstreits, zwischen seiner ersten und zweiten päpstlichen – und gegen die Salier gerichteten – Ernennung und seinem Tod im Oktober 1080 faktisch nicht ausüben konnte. Es sollte noch über 200 Jahre dauern, bis (auch) in Deutschland und wiederum in Speyer ein Grabmonument mit dem lebensgroßen plastischen Bildnis eines Königs, des 1291 verstorbenen Rudolfs von Habsburg, im Glanz aller royalen Insignien, entstand.[6]

Die Frage nach den besonderen Umständen, die zu der singulären Neuschöpfung des Merseburger Rudolf-Grabmals geführt haben, ist umfassend diskutiert worden. Nachdem der Gegenspieler des rechtmäßigen Königs Heinrich IV. eigentlich siegreich aus der erwähnten Schlacht hervorgegangen war, stand er durch sein Ableben historisch als Verlierer da. Umso wichtiger erschien es offenbar seinen Anhängern, ihn mit den herausragenden und von den Herrschersiegeln bekannten Abzeichen des Königtums, Bügelkrone, Lilienzepter und Reichsapfel, zu rühmen und zu verewigen.[7] Eine andere Deutung besagt, dass Rudolf (und so heißt es auch in der Inschrift) durch sein „heiliges Opfer" quasi in den Rang eines Märtyrers

Abb. 3
Westfalen/Münster, *Heiligen-
Reliefs von St. Mauritz*,
Sandstein, um 1080/90,
Münster, LWL-Museum für
Kunst und Kultur

gelangt sei; für einen solchen wäre, in der Tradition der frühen figürlichen Reliquiare, ein
Gedächtnisbild aus dem ewigen Material Bronze, prächtig geschmückt mit Gold und Edelsteinen, durchaus angemessen gewesen.[8]

Die Diskussion um das Merseburger Grab berührt aber auch andere zentrale Aspekte
der Kunstgeschichte: In welchen Fällen und in welchem Kontext ist es erlaubt, dreidimen-
sionale Skulpturen in den Kirchenraum zu bringen? Ausgehend vom christlichen Bilder-
verbot galt auch im 11./12. Jahrhundert, dass die figürliche Wiedergabe von Heiligen (wie
den erwähnten Reliquiaren) Gefahr laufe, in heidnische Idolatrie zu verfallen.[9] Für die Entwicklung großformatiger plastischer Bildwerke spielen gerade die Grabmäler eine besonders wichtige Rolle, setzen sie doch erstmals die damalige theologische Vorstellung von
der körperlichen Auferstehung aller Christen, die für ihre Sünden gebüßt hatten, am Tage
des Jüngsten Gerichts visuell um. Für die Datierung des Rudolf-Bildnisses um 1080/90
(und genau gegen die von Romedio Schmitz-Esser jüngst vorgebrachte spätere Einordnung
um 1120)[10] spricht die noch gering ausgebildete räumliche Plastizität seines Körpers, „as
if stuck in a doorway, present and yet unable to enter the physical space of the living, offe-
ring a curios mix of physical presence and representational absence".[11] Darin unterscheiden
sich die von Schmitz-Esser für seine Argumentation der Spätdatierung ins Feld geführten

← Abb. 2
*Grabplatte Rudolfs von
Schwaben*, Bronze, um 1080,
Bronze, Merseburg, Dom

Abb. 4

*Grabplatte Rudolfs von
Schwaben* (Detail), um 1080
(wie Abb. 2)

Abb. 5

*Kopfreliquiar des heiligen
Johannes Evangelista* (Detail),
um 1160, Kat.-Nr. 126

Magdeburger Bronze-Grabmäler der Mitte und der 2. Hälfte des 12. Jahrhunderts jedoch
ganz fundamental von dem Merseburger Werk, das sich im Raumverständnis vielmehr in
der Nähe der ältesten Reliefs Westfalens, den „Mauritzreliefs" von 1080/90, verorten lässt
(Abb. 3). Den großen zeitlichen Abstand zeigt meines Erachtens auch ein Vergleich mit
dem um 1160 entstandenen Cappenberger Kopf (Abb. 4, 5).

Auf die Bedeutung und Rezeption plastischer figürlicher Grabmäler in den zeitgenössischen Vorstellungen von Leben und Tod, auf die Spannung zwischen dem verwesenden
irdischen Leib in der Tumba und dem unversehrten, schon die jenseitige Herrlichkeit erbli-
ckenden „ersatz body" darüber, kann hier nicht näher eingegangen werden.[12] Angesichts
der Tatsache, dass sich gerade auf dem Gebiet der Königslandschaft Sachsen und damit
auch im heutigen Westfalen eine größerer Anzahl bedeutender figürlicher Grabmonumente
erhalten hat, erscheint es lohnenswert, die drei wichtigsten Beispiele vorzustellen. Sie
bieten, nach der grundlegenden Untersuchung von Gabriele Böhm, einen Überblick zu unterschiedlichen bestatteten Personen, zu den Formen und der künstlerischen Bearbeitung
ihrer Grabmäler und zu ihrer Funktion als Memorialbilder.[13] Dabei folge ich der These Fozis,
wonach es bei diesen frühen Grabmälern gerade nicht um die in der Ausstellung postulierte
„Kunst der Herrschaft" – sozusagen über den Tod hinaus – geht. Im Gegenteil: Die hier

versammelten Kunstwerke verbindet in der Nachfolge des Grabmals Rudolfs von Schwaben die Idee einer bewussten Korrektur und Überschreibung von Misserfolgen und Niederlagen. Durch ihre Grabbilder soll das Andenken der „fallen warlords and failed dynasties", so Fozi, posthum korrigiert und die Vergangenheit „neu erfunden werden" („to reinvent the past").[14] Die besagten Denkmäler dienten weniger der individuellen Gedächtniswahrung, in der es um das Seelenheil der einzelnen Verstorbenen geht; sie richteten sich vielmehr an die Personengruppen im direkten Umfeld der Verstorbenen, um deren gemeinschaftlich erworbenen Rechte und Besitztümer zu wahren und zu legitimieren, so Fozi.

Drei stauferzeitliche Grabmäler in Westfalen – Formen, Funktionen und künstlerische Bezüge

Das Grabmal für Widukind von Enger, um 1120/30

Das Grabmal für den Sachsenherzog Widukind von Enger in der ehemaligen Stiftskirche St. Dionysius zeigt in mehrfacher Hinsicht eine enge Verwandtschaft mit dem Bildnis Rudolfs von Schwaben.[15] Ein – hier bartloser junger und mit 179 Zentimetern lebensgroßer – Mann ist mit einer Chlamys, dem über der Schulter geschlossenen römischen Feldherrenmantel, bekleidet und mit den Abzeichen eines Königs ausgestattet, der Bügelkrone und dem Lilienzepter (Abb. 1, 6). Seine Füße fallen wie seine Hände überproportional groß aus. In die Borten seines Herzoghutes, der hierdurch einer Krone mit Bügeln ähnelt,[16] und die Säume von Mantel und Untergewand sind ovale Vertiefungen eingelassen, die, wie die ganze Skulptur, ehemals vielleicht farbig gefasst oder mit Glasflüssen (oder Edelsteinen?) besetzt waren. Damit erinnert das ehemalige prunkvolle Aussehen des Grabmals an das Erscheinungsbild der Grabtumba des Grafen Wiprecht von Groitzsch aus dem 2. Viertel des 13. Jahrhunderts (Abb. 7).

So klar also die bildliche Aussage – so rätselhaft der Hintergrund für diese ungewöhnliche Rangerhöhung des Herzogs. Bis heute ist unklar, ob es jemals ein Grab für den 785 durch Karl den Großen besiegten Sachsenführer in Enger gab. Der Merseburger Bischof und Chronist Thietmar (975/76–1018) bezeichnete Widukind erstmals als „REX" (König),[17] die (spätere) Grabinschrift rühmt ihn als „König der Engern" und Begründer des Stifts und stellt durch die Formulierung „hier heilt der König des Himmels" eine christologische Konnotation her.[18] Vermutlich lassen sich diese Ehrentitel darauf zurückführen, dass der Sachse als Vorfahre der tatsächlichen Gründerin Mathil-

Abb. 6

Grabmal Widukinds von Enger, um 1120/30, Sandstein, Enger, ehemalige Stiftskirche St. Dionysius

Abb. 7

Grabplatte Wiprecht von Groitzsch, um 1230, Stein, Pegau, Stadtkirche

de, Gemahlin Kaiser Heinrichs I., galt. Eine Kirche gab es zum Zeitpunkt der Gründung 948 durch Mathilde schon, der im Berliner Kunstgewerbemuseum ausgestellte Dionysius-Schatz zeugt von den reichen Schenkungen der ottonischen Herrscherin, die später heiliggesprochen wurde, und nachfolgender Generationen. Den Abglanz dieser hohen Abkunft vor Ort zu würdigen, war vermutlich der Anlass für die Anfertigung des Widukind-Grabmals in Gestalt eines ruhmreichen Königs. Dies geschah wiederum in einer kritischen Phase tiefgreifender Umwälzungen, als Lothar von Süpplingenburg 1125 den letzten Salier Heinrich V. ablöste. Als Auftraggeber kommen neben der Engerer Stiftsgemeinschaft die sächsischen Adelsfamilien in der Umgebung in Frage, die ihre herrscherlichen und territorialen Ansprüche mit diesem Grabbild bekräftigen wollten.

Anders als unter diesem übereinstimmenden politischen Aspekt unterscheidet sich das Widukind-Grabmal als Werk der Bildhauerkunst jedoch erheblich von seinem Vorläufer. Nach Gabriele Böhm „klafft zwischen beiden Grabbildern eine Lücke. Statt blockhaft geschlossener Umrisse und deutlicher Antithese zum Untergrund finden wir bei Rudolf Transparenz, diffuse Konturen und eine starke Verhaftung mit der Platte, die sich nicht nur aus der Technik der Bronzearbeit erklären lässt".[19] Das Volumen des Körpers mit seinen Gliedmaßen wird unter den straff gespannten Falten deutlich sichtbar, auch wenn die Stilisierung der Oberflächen wiederum vermutlich durch Werke der (Helmarshausener) Buchmalerei (Kat.-Nr. 69) und Goldschmiedekunst (u. a. Kat.-Nr. 145) geprägt wurde.

Das Grabmal für Gottschalk von Diepholz, um 1120

Ein weiteres künstlerisch herausragendes und im politisch-historischen Kontext aussagekräftiges figürliches Grabdenkmal der frühen Stauferzeit in Westfalen, in diesem Fall für einen Vertreter der geistlichen Eliten, hat sich in der ehemaligen Abteikirche St. Clemens auf der Iburg, der Residenz der Osnabrücker Bischöfe, erhalten (Abb. 8).[20] Die Grabinschrift besagt: „Der adelig geborene Bischof ruht in diesem Grab. Acht Jahre stand er der Kirche vor, der sein Leben Ende Dezember beschloss. Dieser war Gottschalk [Godescalcus], Christus sei ihm gnädig".[21] Gottschalk erscheint der Nachwelt wie der Sachse Widukind als glatt rasierter, junger Mann mit einem kurzen Pagenschnitt. Tonsur und Pontifikalgewänder weisen ihn, auch wenn die Hauptinsignien – Mitra und Bischofsstab – fehlen, als Metropolitan des Bistums Osnabrück aus. Die 174 Zentimeter hohe Gestalt füllt schmal und überlängt das trapezförmige Bildfeld der Grabplatte, ein Abbild „von Vornehmheit, Würde und Monumentalität".[22] Wie üblich, ist auch Gottschalk mit weit geöffneten Augen im ernsten ovalen Gesicht als Lebender dargestellt; seine rechte Hand ist zum Segensgestus erhoben, in der Linken hält er die Heilige Schrift.

Der Tod des Bischofs am 31.12.1118 fällt in eine Phase heftiger Auseinandersetzungen um die Ausrichtung des Bistums im Investiturstreit. Gottschalk selbst, Spross einer alteingesessenen Adelsfamilie, war zwar vom Salierkaiser Heinrich V. eingesetzt worden, stand aber auf der Seite der Kirchenreformer. Mit der Ernennung seines Nachfolgers Thietmar und nach dem Wormser Konkordat 1122 war der Konflikt 1123 zunächst beigelegt. Genau in dieser Zeit könnte das bildplastische Grabmal Gottschalks in Auftrag gegeben worden sein, um die Kontinuität der päpstlichen Gefolgschaft in Osnabrück dauerhaft vor Augen zu führen.[23] Die Schmucklosigkeit und der Verzicht auf die Wiedergabe der prachtvollen Bischofsabzeichen können mit Fozi als Demutsgestus der Reformanhänger gedeutet werden.[24] Es ist denkbar, dass die Familie der Grafen von Diepholz mit dem Grabmal und der besagten Inschrift – unter ausdrücklichem Hinweis auf die adlige Abstammung Gottschalks – ihre Gebietsverluste in der erwähnten Auseinandersetzung bemänteln wollten – ganz im Sinne einer „Erneuerung der Vergangenheit".[25]

Dabei ist die Skulptur selbst von großer künstlerischer Finesse und erinnert wiederum an Werke der westfälischen Schatzkunst. Unter den Vergleichsbeispielen, die Böhm und Fozi nennen, sei hier – vor dem Hintergrund direkter persönlicher Verbindungen zwischen Osnabrück und Minden im 11. und 12. Jahrhundert – die Elfenbeintafel Bischof Sigeberts von Minden (amt. 1022—1036) vorgeführt (Abb. 9).[26] Unter dem genannten Aspekt der „Reformkunst" besticht auch der Blick auf die Bischofsbilder am Paderborner Dom-Tragaltar von 1120/27.[27] Das fein ziselierte Muster am Dalmatik-Saum kann aber auch dem Diadem des Königshaupts aus Freckenhorst (Kat.-Nr. 5), in seiner Nähe zu den Techniken der Bronze- und Goldschmiedekunst, zur Seite gestellt werden. Zum dortigen Hauptwerk der hiesigen Bildhauerkunst, dem ins Jahr 1129 datierten Taufstein, lassen sich jedoch keine Parallelen ziehen.

→ **Abb. 8**

Grabplatte Bischof Gottschalks von Diepholz, um 1120, Sandstein, Bad Iburg, ehemalige Benediktiner-Klosterkirche

Abb. 9

Minden?, Bischof Sigebert von Minden während der Messe, Elfenbeintafel, nach 1022, Staatsbibliothek zu Berlin – Preußischer Kulturbesitz

Das Grabmal für Reinhildis von Riesenbeck, um 1180

Die historische Person oder das historische Ereignis, das im ausgehenden 12. Jahrhundert zur Anfertigung einer Relief-Grabplatte für eine junge Frau namens Reinhildis von Riesenbeck führte, liegt trotz vielfältiger Forschungen weiterhin im Dunkeln.[28] Auf der wie im vorhergehenden Fall sich trapezoid verjüngenden Grabplatte mit einer Höhe von 175 Zentimetern wendet sich eine weibliche Gestalt mit betend erhobenen Händen zu einem mit Wolken (und nicht, wie Shirin Fozi meint, mit Flammen) gefüllten Himmelssegment, aus dem kopfüber ein Engel herabfährt, um ihre kleine Seele in Empfang zu nehmen (Abb. 10). Ihr elegantes Gewand mit Pelzbesatz, unter dessen Oberteil sich ihre jugendlichen Brüste abzeichnen, und lang herabfallenden Ärmeln, die körperliche Arbeit unmöglich machen, kennzeichnen den hohen sozialen Rang der Bestatteten. Ihr dramatisches Schicksal erzählt die im inneren Rahmen umlaufende Inschrift, die epigrafisch ins Ende des 12. Jahrhunderts verweist: „Reinhilds [ist] gestorben. Ein jeder möge beten für die Jungfrau, die Erbin des verstorbenen Vaters war. Auf Verlangen des zweiten Ehemannes hat die Mutter sie getötet. Bald ist sie aufgestiegen, weil sie [als Erbin] bekommt die himmlischen Wohnungen. Als Miterbin Christi [hat sie] fromme Werke [vollbracht]. Gerhardus".[29] Die Grabplatte und diese Zeilen sind die einzigen Zeugnisse zur möglichen Existenz dieser jungen Frau, bei der es sich vielleicht um eine Nonne oder eine Kanonisse (wegen des Schleiers bzw. der engen Haube) gehandelt haben könnte.[30] Ausgehend von dem Grabbild im neuzeitlichen Bau der Riesenbecker Kalixtuskirche entwickelte sich eine Reihe lokaler Legenden um Reinhildis, im Volksmund Sünte Rendel oder Rendel genannt.

Im Bistum Osnabrück wurde Reinhildis aufgrund ihres gewaltsamen Todes als Märtyrerin verehrt, was wiederum aus der Gestaltung des Grabmals resultiert: Das Mädchen wohnt seinem eigenen irdischen Ableben und der Aufnahme seiner Seele bei Gott bei, was nur den gewaltsam für ihren Glauben zu Tode Gekommenen zusteht. Für ihren besonderen Rang spricht auch der Orantengestus mit seinen zwei Bedeutungsebenen: der Verherrlichung Gottes und der Aufforderung an die Betrachtenden, selbst am Grab Fürbitte zu leisten.

In der Wiedergabe der jungen frommen Frau ähnelt das Reinhildis-Relief, wie vor Böhm schon Fozi festgestellt hat, den deutlich älteren Stuckfiguren am Heiligen Grab in Gernrode, insbesondere der dortigen Maria Magdalena, und den Stuck-Äbtissinnen in Quedlinburg aus der Zeit um 1130. Interessant sind auch die Vergleiche mit der Kölner Bildhauerkunst der zweiten Hälfte des 12. Jahrhunderts, mit den monumentalen Bildnissen frühchristlicher Märtyrerinnen wie der heiligen Cäcilia oder dem älteren Stifterinnen-Denkmal der Plektrudis in St. Maria im Kapitol (Abb. 11). Einen größeren zeitlichen Abstand bei ähnlicher Formensprache legt dagegen die Gegenüberstellung mit einer weiblichen Heiligen von den erwähnten „Mauritzreliefs" nahe (s. o. Abb. 3).

In der neuen weiblichen Frömmigkeit des Rheinlands sieht Shirin Fozi auch die spirituellen Wurzeln des Riesenbecker Reinhildis-Grabmals. Wenn sie auch nicht zum engsten Kreis der Seherinnen und Mystikerinnen des 12. Jahrhunderts – allen voran Hildegard von Bingen – zähle, „there are many small points of resonance that reflect the shared visual and spiritual culture that emanated from the valley of the Rhine".[31] Nach der These von Fozi, wonach die Funktion der frühen Grabmäler in der Umdeutung vergangener Ereignisse liege, sei Reinhildis ein Beispiel für die Verkörperung von größeren und höheren kulturellen und sozialen Werten; ihr Grabmal solle daran erinnern, christliche Tugenden über weltlichen Reichtum zu stellen und ihr Tod bzw. ihre Geschichte solle in diesem Sinne als beständiges Vorbild dienen.

Ohne die zeitliche Einordnung der Grabinschrift wäre eine Verortung des Reinhildis-Reliefs in das späte 12. Jahrhundert tatsächlich schwierig, da wie bei den beiden anderen besprochenen Werken direkte Übereinstimmungen in der Skulptur fehlen. Unter den stilistischen Parallelen, die Gabriele Böhm anführt, finden sich u. a. die Marienfigur des Vitus-Reliquiars aus Willebadessen (Kat.-Nr. 151) und im Helmarshausener Kanonblatt aus der Sammlung des Museums (Kat.-Nr. 142). Damit erweist sich, dass auch am Ende des 12. Jahrhunderts die Schatzkunst in Westfalen als „Geburtshelferin" der monumentalen Skulptur fungiert.[32] Als eine der frühesten Arbeiten der westfälischen Bildhauerkunst, die auf Vorbilder aus der Plastik selbst zurückgreift, kann das Geva-Grabmal (Mitte 13. Jahrhundert) in Freckenhorst gelten.[33]

→ **Abb. 10**
*Grabplatte für Reinhildis
von Westerkappeln*, um 1180,
Sandstein, Riesenbeck,
Katholische Pfarrkirche
Sankt Kalixtus

Abb. 11
Köln, *Grabplatte der heiligen
Plektrudis*, 3. Viertel 12. Jahrhundert, Sandstein, Köln,
St. Maria im Kapitol

Hypothesen zu einem Grabmal für Kaiser Friedrich Barbarossa

Den Überblick zu den bildplastischen Grabdenkmälern der Zeit Barbarossas in Westfalen soll ein Blick zurück zum Anfang dieses Textes beschließen. Zu den erwähnten frühen Quellen, die auf die exzeptionelle Grablege des sächsischen Gegenkönigs Rudolf von Rheinfelden reagieren, zählen die *Gesta Friderici* des Bischofs Otto von Freising (gest. 1158) für seinen jungen Neffen Friedrich von Staufen (Kat.-Nr. 46). Otto schildert dort einen Besuch des weiterhin amtierenden Königs (und späteren Kaisers) Heinrich IV. im Merseburger Dom an der Gedenkstätte für seinen gefallenen Gegner. „Als ihn nun jemand fragte, warum er zugelassen habe, dass jemand, der nicht König gewesen sei, mit königlichen Ehren bestattet liege, habe er gesagt, ‚möchten doch alle meine Feinde so ehrenvoll bestattet liegen!'".[34] Auch wenn es Heinrich an Ironie nicht mangelte – die Zwiespältigkeit der Merseburger Ehrung mag ihm doch bewusst gewesen sein.

Die Existenz dieses und damit eines ungewöhnlichen und dazu besonders prächtigen figürlichen Grabmals war sicher nicht nur über diesen Text am Hof Barbarossas und in seiner Umgebung bekannt; man denke darüber hinaus an das zu seinen Lebzeiten wiederum in Bronze gegossene Denkmal für den 1152 verstorbenen Magdeburger Erzbischof Friedrich I. von Wettin. Dieser faktischen Akzeptanz bildplastischer Wiedergabe verstorbener Würdenträger steht eine andere Quelle aus derselben Zeit entgegen: „Noch für das Jahr 1167 ist ein einschlägiges Verbot aus päpstlichem Munde anlässlich der Aufstellung eines entsprechenden Bildnisgrabes verbürgt: Auf die Nachricht, dass die Kölner Bürger auf dem Grabe ihres in Rom verstorbenen, in die Heimat überführten Erzbischofs Rainald von Dassel, Kanzler Kaiser Barbarossas, sein in Stein skulptiertes Bild plazierten, hatte Papst Alexander III. dessen Entfernung geboten. Er, der Papst, werde den Nachfolger [Philipp von Heinsberg] nicht eher bestätigen, bis dieser ‚das zu Rainalds Ehren skulptierte Idol' wieder aus dem Dom geschafft habe".[35] Allerdings zählte Rainald zu den schärfsten Gegnern Papst Alexanders, was eine Rolle bei diesem Verbot gespielt haben wird.

Angesichts der eingangs geschilderten Ereignisse um den Tod Barbarossas scheint es müßig, über das mögliche Aussehen eines Grabmals für den Stauferkaiser nachzudenken. Die Strahlkraft der Saliergruft in Speyer und der dortigen Tradition der bild- und schmucklosen Bestattungen hätten bei der Einrichtung einer Grablege für Friedrich sicherlich eine maßgebliche Rolle gespielt. Und dennoch sei dieses Gedankenspiel einmal erlaubt, angesichts seiner herausragenden Rolle für das römisch-deutsche Reich und seines letztlich als Märtyrertod geltenden Ertrinkens während des Kreuzzuges. Mit dem Relief im Kreuzgang von St. Zeno in Reichenhall (S. 28, Abb. 1) existiert eine skulpturale Darstellung Barbarossas,[36] die vorführt, wie – sicherlich auf höherem künstlerischen Niveau – ein solches um 1190 zeitgemäßes Grabbild für den Stauferkaiser ausgesehen haben könnte.

Robert Suckale, mit dem alles anfing – und den Kolleginnen und Kollegen, auf deren breiten westfälischen Schultern ich stehen darf – in Dankbarkeit gewidmet.

Anmerkungen

1 Schmitz-Esser 2014 b. Für die kritische Durchsicht dieses Beitrags gilt Jan Keupp mein herzlicher Dank. **I 2** Vgl. den Beitrag von Knut Görich in diesem Band mit weiterer Literatur. **I 3** Ehlers 2011; Von Fircks 2021, zu Speyer ebd. S. 178–180. **I 4** Von Fircks 2021. **I 5** Fozi 2021; zum komplexen Themenbild von Grabmal und Memoria zuletzt die knappe Zusammenfassung von Wolfgang Augustyn in Augustyn/Söding 2021, S. 1–10. **I 6** Von Fircks 2021, S. 184–187, Abb. 10, 11; ebenda, S. 176–178 zu den königlichen Grabmälern der Plantagenet in Fontevrault; zu den Pariser Königs-Grabmälern Fozi 2021, S. 69–77. **I 7** Hinz 1996. **I 8** Dale 2002. **I 9** Vgl. Hinz 1996, S. 18–22. **I 10** Schmitz-Esser 2021. **I 11** Fozi 2021, S. 55. **I 12** Ebd. S. 2. **I 13** Böhm 1993. **I 14** Fozi 2021, S. 4. **I 15** Böhm 1993, S. 31–40, Nr. 1.2 und Fozi 2021, S. 103–112. **I 16** Laut Hinweis von Jan Keupp. **I 17** Böhm 1993, S. 39. **I 18** Ebd., S. 33. **I 19** Ebd., S. 36. **I 20** Ebd., S. 25–31, Nr. 1.1, Fozi 2021, S. 90–103, Peter 2009. **I 21** Böhm 1993., S. 26. **I 22** Ebd., S. 28. **I 23** Die Kirche des Benediktinerkonvents auf der Iburg wurde 1120 geweiht und in den folgenden Jahren ausgeschmückt. Die Entstehung des Grabmals für Bischof Gottschalk könnte Teil dieser Kampagne gewesen sein. **I 24** Fozi 2021, S. 93, Marx 2006, S. 259—264, mit Literatur von Robert Suckale. **I 25** Fozi 2021, S. 2. **I 26** Ebd., S. 100. **I 27** Zuletzt ebd., S. 96. **I 28** Vgl. Böhm 1993, S. 40–47, Nr. 1.3 und Fozi 2015. **I 29** Die Übersetzung der Inschrift nach Reinhildis nach Heimatverein Riesenbeck 2020, S. 26. **I 30** Zur ähnlichen Kleidung einer mutmaßlichen Äbtissin in Münster Böhm 1993, S. 48–50, Kat. 1.4, Abb. 8. **I 31** Fozi 2015, S. 171. **I 32** Zu diesen Zusammenhängen und der wichtigen Rolle der Stuckplastik als „Vermittlerin" Marx 2006, S. 222–259. **I 33** Böhm 1993, S. 77–83, Nr. 3.5, Abb. 24, 25. **I 34** Gesta Friderici, nach Schmale 1965, S. 142 f. **I 35** Hinz 1996, S. 22. **I 36** Görich 2014.

Katalog

1. Die Stiftskirche

Das bis heute wichtigste Denkmal der Stiftsgründung ist die Kirche, die den archäologischen Forschungen von 1992/93 zufolge mitten auf dem früheren Burgplatz steht. Nach dem Gründungsakt am 31. Mai 1122 erfolgte die Weihe durch den Bischof von Münster an einem 15. August – vielleicht erst um 1130/32: Der Bau, eine auch außen sehr schlicht gehaltene romanische Pfeilerbasilika aus dem in Cappenberg anstehenden gelbbraunen Sandstein, erhielt den Dachstuhl nach dendrochronologischer Untersuchung bald nach 1130. Nachdem Graf Otto von Cappenberg 1148 aus Ilbenstadt die Hälfte der Gebeine seines Bruders geholt hatte, wurde dafür der Hochchor um eine Apsis erweitert und am 16. September 1149 geweiht.

Auf programmatisch kreuzförmigem Grundriss besaß die Kirche eine hölzerne Flachdecke. Den heutigen Raum bestimmen die nach 1387 eingezogenen Gewölbe, die das Langhaus in drei Joche, die Seitenschiffe in sieben Joche teilen. Das Chorquadrat erhielt zwei Joche und einen gotischen 5/8-Abschluss, der Obergaden und die Querhäuser haben noch Rundbogenfenster, Seitenschiff und Chor große gotische Spitzbogenfenster, sodass der Innenraum karg, aber lichtdurchflutet wirkt.

Im Zentrum der Kirche und damit der ganzen Stiftsanlage, in der Vierung von Lang- und Querhaus, steht das Chorgestühl von 1509 (Nordseite) und 1520 (Südseite), das schönste Westfalens, das den Gottesdiensten und dem Stundengebet der Stiftsherren diente und quasi als Klangkörper ihren Gesang verstärkte. Hier wurde im Wochenrhythmus der Psalter mit seinen 150 Psalmen zum Lobe Gottes gebetet und gesungen und das Fürbittengebet für das Seelenheil der Stifter, der Stiftsherren und Wohltäter gehalten, immer mit dem Blick auf das ab 1320/30 von der Doppelgrabplatte bedeckte Stiftergrab im Hochchor, das erst 1704 an die Chorsüdwand gestellt wurde, und in das Gewölbe, wo das Jüngste Gericht die Stiftsherren vor Verfehlungen warnte. Dem Stiftspatron Johannes Evangelist schrieb man ja auch die Vision des Jüngsten Gerichts in seinem Buch der Apokalypse zu.

Die Kirche verfügte neben dem Hochaltar im Hochchor und dem Kreuzaltar im Langhaus über mindestens sechs weitere Altäre. Einige erhielten im Zuge der barocken Neuausstattung ab 1696 neue Altarretabel, von denen der Augustinus-Altar und die Altarbilder des Kreuz-, Nikolaus- und Johann-Baptist-Altars erhalten sind, ebenso wie das Altarbild des Hochaltars.

Die Kirche besaß auch einen Westbau, aber wohl keine Doppelturmfassade wie die Cappenberger Parallelgründung in Ilbenstadt, die insgesamt aufwendiger dekoriert und – wie anfangs auch Cappenberg – der Gottesmutter Maria und den Apostelfürsten Peter und Paul geweiht war. Vielleicht hielt im Westbau der ursprünglich angeschlossene Frauenkonvent sein Chorgebet, der um 1150 nach Oberndorf bei Wesel ausquartiert wurde. Später, vielleicht erst in der Frühen Neuzeit wohl aus statischen Gründen abgebrochen, ist hier heute der Haupteingang.

Gerd Dethlefs

Kat.-Nr. 3

Kat.-Nr. 1 (S. 20, Abb. 2)
KÖLNER WERKSTATT
Doppelgrabplatte der Stifter Gottfried und Otto von Cappenberg, um 1320/30
Sandstein, H. 241,0 cm, B. 148,0 cm I Selm-Cappenberg, Stiftskirche
St. Johannes Evangelist

Die im Zuge einer Barockisierung der Kirche 1704 an der Südwand
des Hochchores in einer skulpturalen Rahmung aufgestellte Doppelgrabplatte bedeckte ursprünglich die Tumba über dem Grab
der Stifter mitten im Hochchor. Die Figuren stammen aus derselben
Werkstatt, die auch Teile des Chorgestühls im Kölner Dom schuf sowie Grabplatten hessischer Landgrafen in der Elisabethkirche Marburg und des Grafen Otto III. von Ravensberg (gest. um 1305/06)
und seiner Frau Hedwig zur Lippe (gest. um 1320) in der Neustädter
Marienkirche zu Bielefeld. Der Rahmen aus grünlichem Anröchter
Sandstein und auch das Kirchenmodell, das die Figuren halten,
stammen dagegen aus einer einheimischen Werkstatt.

Die Grafen tragen weltliche Kleidung, sind mit Schwertern ge-
gürtet, ihre Füße auf Löwen gestellt, als Symbole für das über-
wundene Böse, vielleicht auch gräflicher Gerichtsbarkeit. Die Wap-
penschilde sind frühe Belege für den Balkenschild der münsterischen Bischöfe. Es ist vielleicht möglich, dass diese auf die Fahnen
der nach 1122 dem Bischof überlassenen 105 gräflichen Ministerialen zurückgehen. I GD

Literatur: Bergmann 1987, S. 142–153 I Engel 2021, S. 321–323 I Veddeler 1991/93, S. 15–23.

Kat.-Nr. 2 (s. auch Abb. S. 253)
Grabplatte des Grafen Gottfried von Cappenberg, um 1300/20
Sandstein, H. 222,0 cm, B. 109,0 cm I Selm-Cappenberg, Stiftskirche
St. Johannes Evangelist

Nicht nur der Wappenschild, auch die Krönung durch Engel, wie sie
die Gottfriedsvita als Vision seiner Tante und Äbtissin Gerberga
von Überwasser überliefert, sichern die Identifikation. Der auf dem
den Kopf einfassenden Dreipass dargestellte, seine Jungen aus
seinem Blut nährende Phönix – meist als Symbol für Christus und
die Eucharistie zu verstehen – dürfte hier das Nähren des Konvents
durch seine Stiftung meinen.

Der kreuzförmige Sockel in seiner Rechten war zunächst als
Sockel für ein Kirchenmodell verstanden worden, wie es bei
Stifterfiguren üblich ist, auch auf der Doppelgrabplatte und auf
den Siegeln von 1259 und 1329. 1973 hat Horst Appuhn aber vor-
geschlagen, diesen als Sockel für das damals als Barbarossakopf
betrachtete Reliquiar zu deuten.

Die Platte wurde von der älteren Forschung als Wiederholung
einer Platte des mittleren 13. Jahrhunderts im frühen 14. Jahrhundert angesprochen, zumal der älteste Bildbeleg für den als Ac-
cessoire neben dem Schwert getragenen Dolch von 1318 stammt.
Die Platte war am Torhaus angebracht gewesen, zerbrach beim
Abbruch der Torhäuser um 1830/40 und wurde 1865 nach der
Restaurierung in der Stiftskirche aufgestellt. I GD

Literatur: Appuhn 1973, S. 157–163 I Engel 2021, S. 321–323 I Fritz
1961, S. 2–7.

Kat.-Nr. 3
Reliquienhaus, um 1520

Sandstein, H. 310,0 cm, B. 237,0 cm, T. 66,0 cm | Selm-Cappenberg,
Stiftskirche St. Johannes Evangelist

Auf der Nordseite des Hochchores steht das um 1520 als Stiftung
des von 1512 bis 1528 als Küster bezeugten Stiftsherrn Hermann
von Büren (gest. um 1569/70) angefertigte Reliquienhaus mit
der Vier-Ahnen-Probe seiner Großeltern auf dem Kranzgesims. Die
Schauseite ist in zwei Ebenen mit Figuren geschmückt: oben in der
Mitte die Gottesmutter Maria und der heilige Johannes Evangelist,

außen der Apostel Jakobus der Ältere und Johannes der Täufer;
unten in der Mitte die Stifter Gottfried und Otto mit Kirchenmodel-
len, außen die heilige Anna Selbdritt und Katharina. In dem Reliquienschrein waren bzw. sind wahrscheinlich die Vasa Sacra (Kelche,
Patenen, Monstranz) sowie sicherlich das goldene Reliquienkreuz
bis nach 1734 und auch das Johannes-Reliquiar (Kat.-Nr. 126) bis
ins 20. Jahrhundert, ab 1705 und bis heute auch die Gebeine von
Gottfried und Otto von Cappenberg eingeschlossen und durch die
Gitter zu sehen. | GD

Literatur: Dethlefs 2009, S. 157, 159, 175–177.

Kat.-Nr. 4

KÖLN (?)

Triumphkreuz, um 1200

Pappelholz, originale Farbfassung, Kreuz H. 206 cm, B. 126,0 cm, Corpus
H. 128,0 cm, B. 115,5 cm (Spannweite der erneuerten Arme) I Selm-Cappenberg, Stiftskirche St. Johannes Evangelist

Mit dem in seiner weitgehend originalen Farbfassung wie Email
schimmernden Kruzifixus am Cappenberger Triumphkreuz hat sich
eines der herausragenden Bildwerke der Zeit um 1200 in Westfalen
erhalten. Der Ort der heutigen Aufhängung entspricht vermutlich
ziemlich genau der Präsentation über dem Lettner im romanischen
Neubau der Stiftskirche (s. Abb. S. 100). Hier befand sich der Kreuzaltar, an dem die Messfeier für Laien begangen wurde und der,
neben einem eigenen Altaraufsatz, mit dem monumentalen Bildnis
des gekreuzigten Erlösers ausgezeichnet war. Im Unterschied
zu vergleichbaren Triumphkreuzen dieser Zeit, wie z. B. dem Bock-
horster Triumphkreuz in der Sammlung des LWL-Museums für

Kunst und Kultur, ist Christus nicht als über den Tod triumphieren-
der König mit goldener Krone dargestellt – woher auch der Name
dieser Bildwerke rührt –, sondern als still sein Schicksal Erdulden-
der. Zu schön fast erscheint der ebenmäßige Leib mit dem kunstvoll geknoteten Lendentuch und den mühelos aufgesetzten Beinen
(das Suppedaneum ist verloren). Die Arme wurden später erneuert
und unterstreichen den Eindruck des scheinbaren Schwebens vor
dem Kreuz, vergleichbar einer ungefähr zeitgleichen Miniatur aus
Helmarshausen (Kat.-Nr. 142). Besonders eindrucksvoll ist der im
Sterben nach rechts geneigte Kopf mit den langen, auf die Schultern
herabfallenden Haarsträhnen: Der Blick scheint gebrochen; wie im
letzten Aufbäumen vor dem erlösenden Tod und der Aufnahme bei
seinem himmlischen Vater sind die Stirn Christi zusammengezo-
gen und die Augen mit tiefen Ringen hervorgehoben. Damit zählt
die Skulptur auch zu den frühen Beispielen der mittelalterlichen
Kunst, die Schmerz und Leid zum Ausdruck bringen. I PM

Literatur: Beer 2005 I Lutz 2004 I Lutz 2015.

Kat.-Nr. 2

2. Die Stiftsgründung zu Cappenberg 1122

Gründer des Stiftes Cappenberg war Graf Gottfried von Cappenberg, der die für seine Familie namengebende Stammburg und „all das Seine" dem heiligen Norbert schenkte. Gottfried war mit einem besonderen Gerechtigkeitsgefühl gesegnet und auch für religiöse Fragen sensibilisiert – so schildert ihn seine Vita.

Die Stiftsgründung war mit erheblichen Machtverschiebungen verbunden und kann so beispielhaft zeigen, wie Politik im 12. Jahrhundert funktionierte, im Mit- und Gegeneinander von Akteuren mit ganz unterschiedlichen Interessen, Herzog und Bischof, Papst und Kaiser, die Grafen, Ritter und Bauern und zwischen ihnen ein religiöser Eiferer, Weltverbesserer, Friedensbringer und schließlich Kirchenfürst: Norbert von Xanten.

Im Streit zwischen Kaiser und Papst um die Besetzung kirchlicher Ämter (Investiturstreit) stand Gottfried von Cappenberg mit den sächsischen Großen unter Führung des Herzogs Lothar auf der kirchlichen Seite und gegen seinen kaisertreuen Schwiegervater Friedrich von Arnsberg. Gottfried hatte sich an der Rückeroberung der Stadt Münster für den gewählten, päpstlich gesinnten Bischof Dietrich durch Herzog Lothar beteiligt, die am Festtag Mariä Lichtmess, den 2. Februar 1121 erfolgt war, wobei die Stadt und auch der gerade dreißig Jahre alte neue Dombau in Flammen aufgingen. Damit hatte Gottfried gegen den noch 1119 auf dem Konzil von Reims eingeschärften Gottesfrieden verstoßen, der Fehden und Gewalt an Marienfesten streng verboten hatte. Norbert von Xanten zeigte ihm den Ausweg, sein Seelenheil zu retten: durch radikale

Christusnachfolge und Armut, indem er seine Burg Cappenberg in ein Chorherrenstift verwandelte, wo man nach der Augustinusregel leben sollte, die in den Fasten- und Schweigegeboten strenger als die Benediktsregel war.

Seine Verwandten und Ritter waren zunächst strikt dagegen. Selbst Bischof Dietrich wollte lieber die Burg übernehmen und meinte, man könne das Stift auch anderswo bauen. Ihm schwebte wohl Iburg als Modell vor, wo die Burg des Osnabrücker Bischofs mit dem 1080 von Bischof Benno gestifteten Benediktinerkloster auf einem Berg zusammenlag. Gottfried aber weigerte sich standhaft: Er verstand seine Gründung auch als Beitrag zur Herstellung des Friedens im Lande.

Gottfried vermochte alle Gegner nach und nach zu überzeugen – bis auf seinen Schwiegervater. Nachdem Gottfried wohl auf dem Hoftag Kaiser Heinrichs V. in Utrecht im April/Mai 1122 dessen Zustimmung und die Vergebung für den Aufstand erhalten hatte, mit Unterstützung von dessen Neffen, des mächtigen Herzogs von Schwaben, Friedrich II. von Staufen (1090–1147), erfolgte am 31. Mai 1122 die Stiftsgründung in der Burg. Im September bestätigte Kaiser Heinrich V. die Gründung, während er mit den päpstlichen Gesandten in Worms ein Konkordat verhandelte, das den seit etwa 1070 tobenden Streit um die Einsetzung der Bischöfe beendete. Die Stiftsgründung lässt sich in den Friedensprozess einordnen, der einen fast fünfzigjährigen Kampf beendete.

Gerd Dethlefs

Lothar von Süpplingenburg (um 1075–1137)

Kat.-Nr. 5

WERKSTATT DES FRECKENHORSTER TAUFSTEINS

Kopf eines Königs, wohl Lothar III., um 1126/30

Sandstein, H. 25,0 cm, B. 20,0 cm, T. 20,0 cm I Freckenhorst, Katholische
Pfarrgemeinde St. Bonifatius

Kat.-Nr. 6 (ohne Abb.)

**Grabplatte des Sachsenherzogs Widukind (gest. nach 785),
1671**

Kupferstich, Neuabzug von alter Platte, H. 39,1 cm, B. 28,0 cm (Blatt),
H. 18,4 cm, B. 13,6 cm (Platte) I Münster, LWL-Museum für Kunst und
Kultur, Inv.-Nr. K 66-361,12.01 LM

Der Kopf, dessen Krone durch den Perlenbesatz und die seitlichen
Pendilien als Königskrone gedeutet werden kann, ist ein archäologischer Fund von 1959, der stilistisch dem zur Kirchweihe von 1129
entstandenen Taufstein entspricht. Als Kopf des damaligen Königs
würde er indes mit Lothar III. demjenigen gelten, der 1116 als
Herzog den Vorgängerbau der jetzigen Basilika zerstören ließ, um
den kaisertreuen Klostervogt Friedrich von Arnsberg zu schädigen.
Wie man sich einen Sachsenherzog vorstellte, zeigt die Grabplatte
für den *Dux Saxonum* Widukind, der sich 785 Karl dem Großen
unterwarf; fast alle sächsischen Hochadelsfamilien – nach der Gottfriedsvita auch die Grafen von Cappenberg! – verstanden sich als
seine Nachkommen; Ämter wurden durch Blutsverwandtschaft
vererbt. Die Platte in der Stiftskirche zu Enger entstand wohl erst
um 1120/30 und zeigt Widukind königsgleich mit Krone und Lehns-
zepter (vgl. S. 91, Abb. 6).

Die Cappenberger Stiftsgründung erfolgte nach einem seit 1114
tobenden Krieg der sächsischen Großen einschließlich der Grafen
von Cappenberg unter Führung des Herzogs Lothar gegen den
Kaiser. Lothar hatte 1100 Richenza, Erbin der Grafen von Northeim,
geheiratet (vgl. Kat.-Nr. 18). Nach dem Tod des Herzogs Magnus
Billung 1106 war nicht dessen Schwiegersohn, der Welfe Heinrich
der Schwarze, Herzog von Bayern, sondern Lothar von Heinrich V.
zum Herzog eingesetzt worden.

Im Zusammenwirken mit den Cappenberger Grafen eroberte
der tatkräftige und geschickte Feldherr Lothar 1121 das bis dahin
kaisertreue Münster und setzte den 1118 gewählten, nach Parteinahme gegen Heinrich V. aber geflohenen Bischof Dietrich wieder
als Bischof ein. 1125 als Lothar III. zum König gewählt, statt des
Neffen des Kaisers, Friedrich von Staufen, agierte er geschickt gegen die Opposition der Staufer und gewann Norbert von Xanten,
seit 1126 Erzbischof von Magdeburg, als wichtigen Berater. Die sächsische Annalistik rühmt seine Regentschaft als Friedenszeit. I GD

Literatur: Althoff 2003 I Ausst.-Kat. Münster 1993, Bd. 2, S. 365, Nr. A 8.4 I
Ausst.-Kat. Speyer 2011, Bd. 1, S. 346 f., Kat.-Nr. 371 (Reinhard Karrenbrock).

Graf Gottfried II. von Cappenberg (um 1097–1127)

Kat.-Nr. 7 (Abb. auf S. 106)

ANONYM NACH THEODOR GALLE

Gottfried von Cappenberg schenkt dem heiligen Norbert von Xanten seinen Besitz, um 1700

Gemälde, Öl auf Leinwand, H. 172,0 cm, B. 132,0 cm | Abtei Hamborn, Duisburg

Kat.-Nr. 8

MICHAEL NATALIS NACH ABRAHAM VAN DIEPENBEKE

Ganzfigurenbildnis des Gottfried von Cappenberg als Heiliger, um 1640/60

Kupferstich, H. 25,2 cm, B. 13,1 cm (Blatt, beschnitten) | LWL-Museum für Kunst und Kultur, Inv.-Nr. K 65-510 LM

Als Graf von Cappenberg aus einer Nachfolgefamilie der westfälischen Billunger stammend, war Gottfried Vogt reicher Klöster. Nach seiner Verwicklung in die Zerstörung Münsters 1121 entschloss er sich, billungischen Traditionen von Stiftsgründungen wie der Frauenstifte Borghorst und Überwasser folgend, gegen den Willen seiner Familie, Dienstleute und Ritter, seinen Besitz an Norbert von Xanten für die Gründung der Prämonstratenserstifte in Cappenberg und Ilbenstadt zu schenken.

Erst nach dem Tod seines Schwiegervaters ließ er sich 1125 in Prémontré weihen und trat in seine Gründung Cappenberg ein. Gott-fried musste erst seine Ämter – etwa als Stiftsvogt zu Überwasser – in gute Hände geben und Verwandte abfinden. In strenger Bußge-sinnung, die die spätere Erzählung beglaubigt, Reue über die Dom-zerstörung habe ihn zu seinem Entschluss bewogen, vollzog er die niedersten Arbeiten, bei denen er sich eine Syphilis zuzog, sodass er etwa dreißigjährig am 13. Januar 1127 in Ilbenstadt starb. Nachdem sein Bruder Otto die Hälfte seiner Gebeine 1148 nach Cappenberg überführt hatte, setzte dort eine Verehrung ein (vgl. Kat.-Nr. 3). Man schrieb seine Vita, setzte ihn vor 1259 auf das Siegel und errichtete eine Tumba mit einer Grabplatte (vgl. Kat.-Nr. 2).

Die Gottfriedsverehrung des 17. Jahrhunderts ging wesentlich vom Kloster Ilbenstadt aus, wo 1611/15 die lokale Verehrung des Stifters genehmigt wurde. Dort befand sich die älteste Vita Gott-frieds, die seit 1581 mehrfach, 1609 in einer deutschen gereimten Übersetzung und 1643 noch einmal in Antwerpen gedruckt wurde, ergänzt um Informationen aus Cappenberg selbst. In Antwerpen erschien parallel dieser Stich, der Gottfried im Chorherrenhabit der Prämonstratenser zeigt, mit dem Totenschädel als Symbol seiner Weltflucht. Das Wappen folgt dem in Ilbenstadt bekannten Schild mit zwei roten Balken in goldenem Feld, nach einem Bild Gottfrieds als Stiftsgründer auf einem Fresko des 14. Jahrhunderts. | GD

Literatur: Dethlefs 2022, S. 31 | Leben des Heiligen Godefridi 1609 | Niemeyer/Ehlers-Kissler 2005, S. 3–4, 63–65, 77.

Kat.-Nr. 9

Kat.-Nr. 10

Graf Otto von Cappenberg (um 1100–1171)

Kat.-Nr. 9
Siegel des Grafen Otto von Cappenberg, um 1156/71

Foto des Wachssiegels, Detail aus der Schenkungsurkunde | Cappenberg, Archiv Graf von Kanitz, Stiftsarchiv, Sign. Urk. 13

Kat.-Nr. 10
Die ersten drei Stiftssiegel, erstmals gebraucht 1209/1259/1329

Fotoreproduktion aus: Theodor Ilgen, Die westfälischen Siegel des Mittelalters, Bd. 3, Münster 1889, Tafel 104 | Münster, LWL-Museum für Kunst und Kultur, D 8555-5,3 2° AV

OTTO IOHANNIS AP(ostoli) SERVUS – Otto, Diener des Apostels Johannes: Die Umschrift seines Siegels, das ihn als Kleriker mit Tonsur und Chorhemd zeigt, in seiner Rechten das byzantinische „Kreuz des heiligen Johannes", in seiner Linken ein Buch haltend, offenbart das Selbstverständnis des jüngeren Bruders Gottfrieds von Cappenberg. 1121 noch gegen dessen Rückzug aus der Welt, stimmte er 1122 doch zu und unterstützte den Bruder nach Kräften, ohne indes dessen asketischen Neigungen zu folgen. War er an der Domzerstörung unbeteiligt geblieben? Die fast ein Jahrhundert

später geschriebene Kölner Königschronik nennt beide Brüder verantwortlich.

So stimmte Otto den Wünschen Gottfrieds zu, gründete auf seinem Erbteil das Stift Varlar und überließ für 400 Mark Silber und ein byzantinisches Reliquienkreuz die schwäbischen Güter und Burgen aus dem mütterlichen Erbe dem Staufer Herzog Friedrich von Schwaben. Er ließ sich zum Paten zur Taufe von dessen ältestem Sohn Friedrich berufen. Der Tauftag am Fest des heiligen Johannes Evangelist verband den ehrgeizigen Kleriker Otto mit der seit 1138 in Konrad III. und ab 1152 in seinem Patenkind Friedrich I. regierenden Königsfamilie. Die Geldsumme dürfte dem Kirchbau gedient haben, der bald nach 1130 bereits fertiggestellt war, und wohl auch für die Gebühren der päpstlichen Bestätigung (Kat.-Nr. 13).

Als Otto später, ab 1156, als Propst dem Stift Cappenberg vorstand, gelang es ihm, seinen „Spezialpatron" Johannes Evangelist neben der Gottesmutter Maria an Stelle der bisherigen Kompatrone Peter und Paul als Stiftspatron zu etablieren (Kat.-Nr. 29, 138) und sein eigenes Andenken als Mitstifter so zu verankern, dass er auf den Siegeln des Stiftes ab 1259 und auf der Grabplatte (Kat.-Nr. 1) ebenbürtig erscheint. | GD

Literatur: Opll 2022 | Philippi 1882, Taf. V, Nr. 3–4.

Kat.-Nr. 11

Norbert von Xanten (vor 1085–1134)

Kat.-Nr. 11

HELMARSHAUSEN

Vortragekreuz aus Stift Cappenberg, um 1120/30

Bronzeguss, H. 18,5 cm, B. 15,8 cm | Dortmund, Museum für Kunst und Kulturgeschichte, Inv.-Nr. B 166

Kat.-Nr. 12

ANONYM NACH THEODOR GALLE

Päpstliche Privilegierung für Norbert 1118 und 1126, um 1650/80

Reproduktion nach: Johannes Chrysostomus van der Sterre, Vita S. Norberti ..., Antwerpen 1622, Blatt 13, 23 | Radierung, je H. 10,7 cm, B. 5,9 cm (Blatt, beschnitten) | Münster, Diözesanbibliothek, Rara 77

Das der Überlieferung nach aus Cappenberg stammende Vortragekreuz, das dem zelebrierenden Priester vorangetragen wird, steht für das Lebensprogramm Norberts: die Verchristlichung der Welt. Aus vornehmer niederrheinischer Adelsfamilie stammend, hatte er als Stiftsherr von Xanten um 1115 ein Bekehrungserlebnis, lebte als Einsiedler und dann als Wanderprediger in radikaler Christus-Nachfolge in Armut, um die Menschen zu Christus und zum Frieden zu führen, was ihm der Papst 1118 genehmigte. Mit der Gründung von Prémontré in Nordfrankreich 1120/21 konnte er seine

Anhängerinnen und Anhänger in seinen Stiften sammeln – Norberts Doppelklöster boten ganzen Familien die Chance, geistlich zu werden. Auch daher vertraute Graf Gottfried ihm seine Stiftsgründung an.

Allerdings wurde Norbert von den Bischöfen angefeindet, die für die kirchliche Verkündigung und für die Friedensstiftung amtlich zuständig waren. Norbert wollte sich seine selbständige Stellung gegenüber den Bischöfen bei einem Besuch in Rom 1126 persönlich bestätigen lassen: Niemand, auch kein Bischof und Stiftsvorsteher, dürfe die Lebensregeln verändern – dennoch wurde er zur Beachtung bischöflicher Aufsichtsrechte verpflichtet. Noch 1126 entschloss sich Norbert, nun selbst ein Bischofsamt zu übernehmen, das des Erzbischofs von Magdeburg, wo man im Streit zweier Parteien um die Bischofswahl in der Tat eines Versöhners bedurfte. Norbert konnte nun im eigenen Sprengel seine religiösen Ideale verwirklichen. Mit seiner Politik der Befriedung und Verchristlichung, auch der Einziehung von entfremdetem Kirchenvermögen, erfuhr er aber heftige Ablehnung, sodass er viel am Kaiserhof Lothars III. wirkte. Sein Anhänger Gottfried war bei einem Besuch von der Pracht des erzbischöflichen Hofes entsetzt. Norbert wurde erst 1585 heiliggesprochen. | GD

Literatur: Ausst.-Kat. Paderborn 2006, Bd. 2, S. 423/426, Kat-Nr. 511 (Regine Marth) | Elm 1984 | Freund 2021 | Grauwen 1986, S. 71, 98–106, 109–128, 189–243, 250–265 | Hasse u. a. 2021, S. 53.

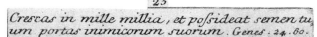

Approbat Honorius, multisque favoribus ornat
Præmonstratensis germina prima domus.
Honorius der Zwelf Norberti Orden Ziert
mit privilegien, und selben confirmirt.

Kat.-Nr. 12

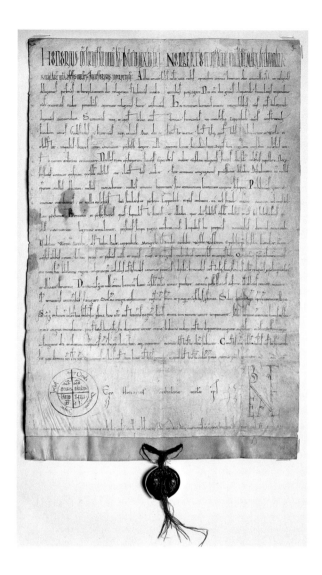

Papst Honorius II. (um 1060–1130)

Kat.-Nr. 13
Päpstliche Bestätigung der Stifte Cappenberg, Varlar und Ilbenstadt, 27. Februar 1126

Tinte auf Pergament mit Bleibulle, H. 50,3 cm, B. 31,5 cm | Selm-Cappenberg, Archiv Graf von Kanitz, Stiftsarchiv, Sign. Urk. Nr. 2

Die höchste, auch Recht setzende Instanz der Kirche war der Papst. Er konnte von kirchlichen Regeln dispensieren; so erhielt Norbert von Xanten – obwohl eigentlich die Bischöfe für die kirchliche Verkündigung in ihrem Sprengel zuständig sind – 1118 von Papst Gelasius II. (um 1060/64–1119), der ab Januar 1118 ein Jahr die Kirche lenkte, im November 1118 das Recht zu predigen (s. Kat.-Nr. 12). Wanderprediger wie Norbert gab es im damaligen Frankreich viele; oft warf man ihnen Verbreitung von Irrlehren und Ketzerei vor.

Der nächste Papst, Calixt II. (um 1060–1124), verwies Norbert auf der Synode von Reims 1119 an Bischof Bartholomäus von Laon,

der Norbert die Realisierung einer idealen christlichen Lebensweise durch die Gründung von Prémontré 1120/21 ermöglichte. Calixt II. beendete 1122 mit dem Wormser Konkordat den Konflikt (Investiturstreit) mit Kaiser Heinrich V.: Die Domkapitel wählten, der Papst bestätigte und verlieh die kirchlichen Befugnisse, der Kaiser belehnte den Gewählten mit den Herrschaftsrechten.

Sein Nachfolger Honorius II., ein enger Mitarbeiter seiner Vorgänger, hatte als Legat das Konkordat mit dem Kaiser ausgehandelt und kannte Norbert. Dieser reiste 1125/26 nach Rom, um seine Freiheit von bischöflicher Aufsicht durchzusetzen, und erhielt am 16. Februar die päpstliche Bestätigung seiner Gründungen, des Prämonstratenserordens und elf Tage später diese Urkunde, die die Stiftsgründungen der Grafen von Cappenberg kirchenrechtlich absicherte und die Unveränderlichkeit der Statuten festlegte; allerdings vorbehaltlich der bischöflichen Aufsichtsrechte. | GD

Literatur: Bockhorst/Niklowitz 1991, S. 23–24, Nr. 3 | Leistikow 2000, S. 58–60 | Weinfurter 1989, S. 70–77.

Graf Friedrich von Arnsberg (um 1072–1124) Gräfin Jutta/Ida von Cappenberg geb. von Arnsberg (um 1106/08 – nach 1154)

Kat.-Nr. 14 (S. 43, Abb. 3)
MITTELRHEIN ODER RHEINLAND/WESTFALEN
Wappenscheibe der Grafen von Arnsberg und Ravensberg um 1255/75
Fotoreproduktion, Original: Weißglas, gelbes und rotes Farbglas, mit Schwarzlot bemalt, in Bleinetz, je H. 28,0 cm, B. 23,0 cm ▎ Darmstadt, Hessisches Landesmuseum, Inv.-Nr. Kg 31:27a/b

Kat.-Nr. 15 (S. 47, Abb. 7)
Grabtumba des Grafen Heinrich II. von Arnsberg (um 1165 – um 1217/37) und seiner Frau, um 1330
Foto, Original: Sandstein, Figuren je H. 185,0 cm ▎ Münster, LWL-Archäologie für Westfalen, Aufnahme Wolfram Essling-Wintzer

Kat.-Nr. 16 (vgl. auch S. 45, Abb. 5)
FRANZ HOGENBERG (UM 1535–1590)
Ansicht von Schloss und Stadt Arnsberg von Westen, um 1594/1617
Kolorierte Radierung mit Kupferstich, H. 37,0 cm, B. 49,0 cm (Blatt), H. 32,2 cm, B. 43,3 cm (Platte) ▎ Münster, LWL-Museum für Kunst und Kultur, Inv.-Nr. K 66-350 AV (Leihgabe des Vereins für Geschichte und Altertumskunde Westfalens Abt. Münster)

Das erste Arnsberger Adlersiegel datiert von 1181, die ersten farbigen Darstellungen der gräflichen Wappen von Arnsberg und Ravensberg sind diese Stifterscheiben des nicht regierenden Grafen Gottfried (um 1234–1276/79), Ururenkel der Jutta von Arnsberg, und seiner Frau Hedwig geb. Gräfin von Ravensberg (um 1237/40–1265).

Graf Friedrich entstammte dem bedeutendsten westfälischen Adelsgeschlecht des 11. Jahrhunderts, den Grafen von Werl-Arnsberg, das über ausgedehnten Besitz sowie Grafen- und Vogteirechte zwischen dem Sauerland und der Nordsee verfügte. Kaisertreu,

hatte sein Vater Graf Konrad wohl 1075 als Führer des westfälischen Aufgebots gegen die aufständischen Sachsen das Recht des „Vorstreits zwischen Rhein und Weser" erhalten, also ein herzogliches Recht. 1119 war Friedrich Bannerträger des kaiserlichen Heeres. Wahrscheinlich rührt von den Feldzeichen das kaiserliche Adlerwappen, nach dem auch die an einer Ruhrschleife erbaute Burg „Arnsberg" (Aar = Adler) benannt ist.

Allerdings hatte sein Onkel Liupold um 1102 nach Erbstreitigkeiten einen bedeutenden Teil des Familienbesitzes mit der Stammburg Werl dem Kölner Erzbischof, dem größten Konkurrenten der Arnsberger, übertragen. Da Friedrich, der vornehmste Graf in Westfalen, keinen Sohn hatte, sollte die Ehe seiner Erbtochter Jutta mit dem Grafen Gottfried II. von Cappenberg den Verlust kompensieren und eine starke westfälische Dynastie schaffen. Den Entschluss seines Schwiegersohns, all seinen Besitz dem heiligen Norbert zu schenken, bekämpfte er vergeblich.

Jutta hatte nach der Eheschließung mit ihrem angeheirateten Vetter Gottfried II. von Cappenberg die Chance, Stammmutter der dann maßgeblichen westfälischen Dynastie zu werden. Sie beugte sich zwar dem Willen des Ehemanns, in Cappenberg einzutreten, heiratete nach dessen Tod aber um 1128/30 Graf Gottfried von Cuyk (um 1100–1157/68) und gründete mit ihm die jüngere Linie der Grafen von Arnsberg.

Ihr Sohn Graf Heinrich I. von Arnsberg (um 1130–1200), der um 1164/66 bei einem Erbstreit seinen jüngeren Bruder Friedrich (um 1132–1164/66) im Kerker verhungern ließ, wurde vom Kölner Erzbischof gezwungen, gegenüber seiner Grafenburg das Prämonstratenserstift Wedinghausen zu gründen, in das er später auch eintrat. Das Stift wurde aber nicht von Cappenberg, sondern vom Familienstift Marienweerd bei Cuyk besiedelt. Um 1330 entstand diese Doppelgrabplatte, die seinen jüngeren Sohn Heinrich II. und dessen Frau Ermengard zeigt. ▎ GD

Literatur: Essling-Wintzer/Strohmann 2019, S. 118–123 ▎ Gosmann 2009, S. 171–173 ▎ Leidinger 2009, S. 151–152 ▎ Luckhardt 1987, S. 41–43 ▎ vgl. den Beitrag von Hedwig Röckelein in diesem Band.

Kat.-Nr. 18

Kaiser Heinrich V. (um 1081/86–1125)

Kat.-Nr. 17 (ohne Abb.)
Bestätigungsurkunde für das Stift Cappenberg 1123
(Fälschung um 1200/1215)

Tinte auf Pergament, mit aufgedrücktem Wachssiegel, H. 54,5 cm,
B. 44,0 cm I Selm-Cappenberg, Archiv Graf von Kanitz, Stiftsarchiv,
Sign. Urk. Nr. 1

Kat.-Nr. 18
SPEYER
Grabkrone aus dem Grab der Kaiserin Richenza, um 1141

Blei, H. 11,3 cm, Dm. 19,5 cm I Wolfenbüttel, Braunschweigisches Landesmuseum, Inv.-Nr. 78:7/270

Der deutsche König war nach der Krönung durch den Papst als
Kaiser die höchste weltliche Autorität in Mitteleuropa, ranghöher
als alle Könige und gleichrangig zum Kaiser von Byzanz in Konstantinopel. Seine Rechtssetzungen waren unumstößlich, auch wenn
Reichsgesetze der Zustimmung der Reichsfürsten und der Reichs-
bischöfe bedurften.

Kaiserurkunden waren daher höchst wichtig, um Rechtsansprü-
che auch durchsetzen zu können (vgl. Kat.-Nr. 30). Die Urkunde,
die einen – nach Ausweis der Zeugenliste – parallel zum Wormser
Konkordat im September 1122 auf den Lobwiesen bei Worms erfolgten Rechtsakt beglaubigt, wurde aber erst 1123 ausgestellt
und nach 1200 neu geschrieben, um die freie Vogtswahl des Stiftes

abzusichern; offenbar gab es Konflikte mit den Grafen von Berg-
Altena, die die Erblichkeit des Amtes beanspruchten. Dafür übertrug man das originale Siegel auf die ergänzte Abschrift. Das Siegel zeigt das Bild des Kaisers mit seinen Insignien: Krone, Lilienzepter und Reichsapfel als Symbol der christlichen Herrschaft
über den Kosmos, die ganze Welt. Als Beispiel für eine Krone – die
deutsche Reichskrone Konrads II. (gest. 1039) befindet sich heute
in der Schatzkammer in Wien – kann hier die Grabkrone aus dem
Grab der Kaiserin Richenza (um 1087/89–1141) gezeigt werden,
Ehefrau des seit 1125 regierenden Lothar III. (um 1075–1137)
(vgl. Kat.-Nr. 5).

Heinrich V., seit 1106 regierend und 1111 in Rom zum Kaiser
gekrönt, vermochte weder den Konflikt mit dem Papst um die Einsetzung der Bischöfe noch die Aufstände des sächsischen Hochadels militärisch zu gewinnen. Im Zuge einer Versöhnung mit den
Sachsen und parallel zum Frieden mit dem Papst im Wormser
Konkordat bestätigte er die Stiftsgründung Cappenbergs; auf Bitten
Norberts verzieh er den Grafen Gottfried und Otto den Aufstand,
bestätigte die Besitzungen gegen Erbansprüche Fremder und verbot, dass ein Bischof oder Stiftsvorsteher die eingeführten Regeln
änderte. Die Stiftsgründung lässt sich in den 1121/22 laufenden
Friedensprozess einordnen, der einen fast fünfzigjährigen Kampf
beendete. I GD

Literatur: Ausst.-Kat. Speyer 2011, Bd. 1, S. 350 f., Kat.-Nr. 377 (Hans-
Jürgen Derda) I Bockhorst/Niklowitz 1991, S. 22–23 Nr. 2 I Leistikow
2000, S. 38–50 I Petry 1972/73, S. 240–249.

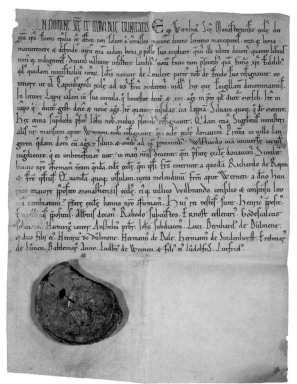

Kat.-Nr. 20

Kat.-Nr. 21

Der Bischof von Münster

Kat.-Nr. 19 (S. 24, Abb. 7)
Fragment der Grabplatte des Bischofs Dietrich II. im Dom zu Münster, um 1265
Fotografie 1937, Original: Steinrelief (im Zweiten Weltkrieg zerstört),
H. 74,0 cm, B. 60,0 cm ❘ aus: Max Geisberg, Der Dom zu Münster, Münster
1937, S. 65 ❘ Münster, LWL-Museum für Kunst und Kultur, E 3490-5

Kat.-Nr. 20
Bischof Werner beurkundet Schenkungen von Ministerialen an das Stift Cappenberg, um 1150/51
Tinte auf Pergament mit Wachssiegel des Bischofs, H. 37,0 cm, B. 27,0 cm ❘
Cappenberg, Archiv Graf von Kanitz, Stiftsarchiv, Sign. Urk. Nr. 6

Kat.-Nr. 21
Siegel des Bischofs Werner von Münster, um 1150
Kreidelithografie, H. 9,0 cm, B. 9,0 cm (Bild), Reproduktion aus: Heinrich
August Erhard, Regesta Historiae Westfaliae, Bd. 2, Münster 1851, Abb. 2 ❘
Münster, LWL-Museum für Kunst und Kultur, D 8555-I,1-2 AV

Dietrich von Winzenburg (um 1084–1127), ein Verwandter Lothars
von Sachsen, wurde 1118 von päpstlich-sächsisch gesinnten
Domherren zum Bischof gewählt, aber 1119 von Kaiser Heinrich V.
vertrieben. 1121 eroberte Lothar die Stadt zurück, wobei der Dom

verbrannte, und setzte Dietrich wieder ein. Die anschließende Stiftsgründung von Cappenberg als Schenkung an Norbert von Xanten
lehnte der Bischof in dieser Form ab, da dies sein Aufsichtsrecht
aushebelte. Dietrich hätte zudem lieber die Burg Cappenberg übernommen, vielleicht nach dem Modell des Benediktinerklosters
Iburg, das 1080 Bischof Benno von Osnabrück in seiner Burg gestiftet hatte – das lehnte der Stifter Graf Gottfried aber strikt ab.
Auf Anweisung des Kölner Erzbischofs, eines Förderers Norberts,
vollzog er am 31. Mai 1122 die Stiftsgründung und erhielt zur Kompensation 105 gräfliche Ritter mit ihren Dienstgütern. Um 1265
wurde ihm das von den Täufern 1534 beschädigte Epitaph gewidmet.

Seine Nachfolger Egbert von Meißen (um 1085/90–1132),
der ab 1127 amtierte, und Werner von Steußlingen (vor 1100–1151)
waren ebenfalls Parteigänger Lothars III., aber nach Anerkennung
ihrer Aufsichtsrechte Förderer der Stifte Cappenberg und Varlar.
Bischof Werner schenkte wohl 1139 die Pfarrkirche in Werne. Die
Seelsorge war den Prämonstratensern sehr wichtig, zumal Pfarrei-
en die Einnahmen vermehrten. Auch unterstützte Werner Schenkungen seiner Ministerialen – wie die des Ludolf von Lenklar um
1150. 1149 weihte Bischof Werner den wegen der Grablege für Graf
Gottfried um eine Apsis vergrößerten Chor und ließ sich 1151 in
Cappenberg vor dem Kreuzaltar des Langhauses bestatten. ❘ GD

Literatur: Bockhorst/Niklowitz 1991, S. 27–28 Nr. 7 ❘ Kohl 1999, Bd. 1,
S. 93–100 ❘ Kohl 1999, Bd. 3, S. 181–212 ❘ Leistikow 2000, S. 38–50.

Der Stiftsherr Hermann Judaeus
(um 1107/08 – nach 1181)

Kat.-Nr. 22
Fragment des Gebetes *Schma Jisrael*, wohl um 1300/50
Fotoreproduktion, Original: Handschrift auf Pergament, H. 51,0 cm,
B. 30,0 cm I Münster, Stadtarchiv, Handschrift Nr. 220

Kat.-Nr. 23 (ohne Abb.)
Hermann Iudaeus, Opusculum de conversione sua,
um 1190/1200
Fotoreproduktion, Original: Handschrift auf Pergament, H. 24,1 cm,
B. 16,8 cm I Città del Vaticano, Biblioteca Apostolica Vaticana,
Vat. lat. 504, fol. 77v

Ein jüdischer Kaufmann in Köln hatte dem Bischof Egbert von Münster (reg. 1127–1132) ein großes Darlehen gewährt. Um es zurück-
zuerhalten, schloss sich sein zwanzigjähriger Sohn Juda ben David
ha-Levi um 1128/29 in Mainz dem Gefolge des Bischofs an. Nach
theologischen Diskussionen mit dem Bischof besuchte er das Stift
Cappenberg. Das Leben dort beeindruckte ihn stark. Am Ende
konvertierte er und trat in Cappenberg ein, lernte Latein und empfing als 30-Jähriger die Priesterweihe; darüber schrieb er um

1144/70 eine Autobiografie. Die älteste bekannte Handschrift befindet sich heute im Vatikan.

Die Bekehrungsgeschichte gibt Aufschluss über die Vernetzung
der jüdischen Gemeinschaften von Köln, Mainz, Worms und Speyer,
aber auch darüber, dass in Münster damals wohl noch keine Juden
lebten. Nach der Zerstörung Münsters im Jahre 1121 dürfte aber
wohl noch im 12. Jahrhundert östlich des Prinzipalmarktes hinter
dem heutigen Stadtweinhaus, also gegenüber dem 1112 bezeugten
Michaelistor und dem bischöflichen Palast in der Domburg, wo
heute das Regierungspräsidium steht, eine jüdische, vom Bischof
privilegierte Ansiedlung entstanden sein, die aber erst nach 1273
belegt ist. Diese mit Synagoge und Mikwe versehene Gemeinde
wurde im Pestpogrom des Jahres 1350 von den münsterischen
Bürgern vernichtet. Neben sekundär verwendeten Grabsteinen und
einem 1950 aus dem Stadtweinhaus geborgenen Schatzfund ist
das einzige Erinnerungsstück das Fragment einer liturgischen
Handschrift des frühen 14. Jahrhunderts mit dem Gebet *Schma
Jisrael* (Dtn. 6,4–9), eines der wichtigsten jüdischen Gebete. Das
Fragment überlebte im Kloster Ringe in Münster als Umschlag
einer Rechnung. I GD

Literatur: Freund u. a. 2008, S. 487–488 I Kohl 1999, Bd. 1, S. 96 I
Scholz 2018.

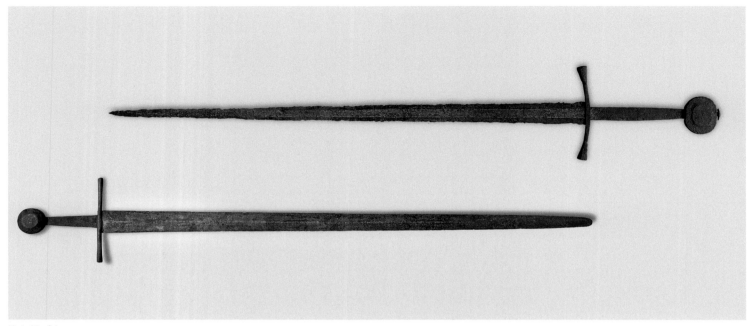

Kat.-Nr. 24

Die Ritter des Grafen

Kat.-Nr. 24
Schwerter, eines bez. „Gicelin me fecit", 13./14. Jahrhundert
Eisen, L. 105/117 cm I Münster, LWL-Museum für Kunst und Kultur,
Inv.-Nr. S-1021 LM, S-1023 LM

Kat.-Nr. 25 (S. 25, Abb. 8)
Ritter in Turnierrüstung, um 1250
Ton, gebrannt, H. 8,0 cm I Münster, LWL-Museum für Kunst und Kultur,
Inv.-Nr. F-1040 LM

Kat.-Nr. 26
OBERRHEIN
Minnekästchen von Adelsfamilien aus dem südlichen und
westlichen Münsterland, Anfang 14. Jahrhundert
Tempera auf Ahornholz, H. 6,8 cm, B. 18,8 cm, T. 10,2 cm, aufgeklappt
H. 17,0 cm I Münster, LWL-Museum für Kunst und Kultur, Inv.-Nr. BM 317
(Leihgabe des Bistums Münster)

Kat.-Nr. 27
Hinrichtungsnägel von Fehderäubern 1421, 1880
Eisennägel, L. 19–23 cm, auf beschriftetem Karton montiert, H. 30,0 cm,
B. 14,0 cm I Münster, LWL-Museum für Kunst und Kultur, Inv.-Nr. S-1064
AV (Leihgabe des Vereins für Geschichte und Altertumskunde Westfalens
Abt. Münster)

Die Grafen von Cappenberg verfügten über eine große Dienstmann-
schaft. Die Gottfriedsvita schildert sie als überaus gewaltbereit
und beutegierig. Graf Gottfrieds Ritter dürften den Dombrand 1121

mitverursacht haben. Nach der Stiftsgründung traten 105 Dienstleute in bischöfliche Dienste über. Ihre jüngeren Söhne konnten
in das Stift Cappenberg (s. Kat.-Nr. 20) oder in das Domkapitel
eintreten; das 1122 geschlossene Wormser Konkordat zwischen
Kaiser und Papst sah vor, dass die Domherren quasi als Repräsentanten der regionalen Eliten den Bischof wählten – bis 1801!

Für die Streitbarkeit der Ritter stehen die beiden Schwerter,
im 19. Jahrhundert irgendwo in Westfalen ausgegraben, sowie die
Hinrichtungsnägel, die man 1880 an der Gerichtsstätte auf der Hohen Ward bei Hiltrup fand. Dort wurden 1421 im Auftrag des münsterischen Bischofs dreizehn Knechte der Herren von Sobbe und von
Aschebrock hingerichtet, die das Stift Cappenberg befehdet hatten.

Beleg für eine Adelskultur, in der die massive Gewaltbereitschaft
im ritterlichen Zweikampf kulturell gebändigt erscheint, ist die
Figur eines Turnierritters, die vor 1973 (1961?) bei der um 1150 von
den Grafen von Schwalenberg erbauten Burg Sternberg in Exter-
tal-Dörentrup gefunden wurde. Sie ist der älteste Bildbeleg aus Westfalen für ritterliches Turnierwesen. Auch das „Minnekästchen",
das im Innendeckel die Übergabe eines Helmes durch eine junge
Frau an einen knienden Ritter zeigt, belegt den Versuch, Gewalt
ethisch einzuhegen. Die Szene dürfte sich auf die Ehe zwischen
zwei niederadeligen Familien beziehen. Die außen angebrachten
Wappen identifizieren sie: Der gegitterte Schild gehört einem Fami-
lienverband aus Merfeld bei Dülmen, die drei balkenweise gestellten
Vögel der Familie von Velen zu Velen. Ob die beiden Familien der
Cappenberger Ministerialität entstammten, ist noch ungeklärt. I GD

Literatur: Ausst.-Kat. Essen 2021, S. 74, Kat.-Nr. 2. 3. 1 (Reinhild Stephan-
Maaser), S. 83, Kat.-Nr. 2. 3. 21 (Reinhild Stephan-Maaser) I Ausst.-Kat.
Münster 2020, S. 194 f., Kat.-Nr. 69 (Petra Marx) I Salesch 2002.

Kat.-Nr. 26

Kat.-Nr. 28

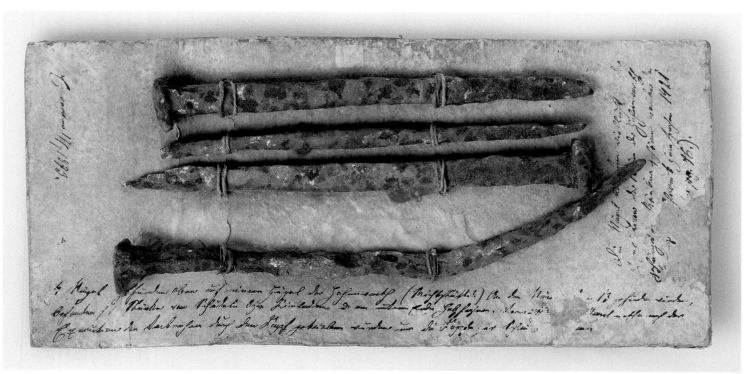

Kat.-Nr. 27

Bauern

Kat.-Nr. 28

MÜNSTER

Szenen zum Ackerbau im Paradies des Doms zu Münster, um 1230/50

Abguss vom Fries im Domparadies, Gips, H. 23,0 cm, B. 108,0 cm, T. 9,5 cm I Münster, LWL-Museum für Kunst und Kultur, Inv.-Nr. Z-1034 LM

Betroffene der Stiftsgründung waren die abhängigen Bauern; sie waren oft auch Opfer von Fehden, wenn ihre Höfe geplündert oder abgebrannt wurden (s. Kat.-Nr. 27). Sie produzierten die Lebensmittel, die erst das Leben der Adeligen und Geistlichen möglich machten. Mit dem Übergang der Oberhöfe zu Werne, Nette, Alstedde

Heil und Cappenberg mit den zugehörigen Hofstellen, die bisher ihre Abgaben dem Grafen gezahlt hatten, an das neue Stift wurden sie Abhängige des Prämonstratenserstifts – bis zu dessen Aufhebung 1803. Als „Eigenbehörige" des Stifts waren sie unfrei, doch gilt die klösterliche Grundherrschaft als insgesamt milder als die der adeligen Grundherren.

Im Figurenfries, der in der Paradies-Vorhalle des münsterischen Paulusdomes unter den Apostel- und Heiligenfiguren umläuft und wohl in die Jahre um 1230/50 zu datieren ist, sind als Teil eines Monatszyklus auch Szenen landwirtschaftlicher Arbeit dargestellt: ein pflügender Bauer, ein Sämann und Erntehelfer bei der Arbeit. I GD

Literatur: Kreuzkamp 2003, S. 5–13, 22–45 I Thomas 1934, S. 9–10.

3. Das Vermächtnis des Grafen Otto

Fast 34 Jahre nach der Stiftsgründung wurde Graf Otto der dritte Propst von Cappenberg, nach dem Tode des zweiten Propstes Otto Magister am 30. März 1156. Otto Magister und Graf Otto hatten vor 1137 entschieden, dass sich das Stift dem Bischof von Münster unterstellt – was Otto für sein Stift Varlar schon 1129 getan hatte.

Unmittelbar nach seinem Aufstieg zum Propst erhielt Graf Otto am Osterfest, dem 15. April 1156, Besuch von seinem Patensohn Friedrich Barbarossa, der 1152 zum König gewählt und 1155 in Rom zum Kaiser gekrönt worden war. War es die Feier eines Taufjubiläums? Friedrich war als 33-Jähriger in dem „vollkommenen Alter Christi" (nach Eph 4,13). Damals oder bald darauf schenkte der Kaiser seinem Paten die erst später gravierte silberne Schale (Kat.-Nr. 135) und ein verlorenes silbernes Gießgefäß (*Aquamanile*) in Form eines Kaiserkopfes – der sogenannte „Barbarossakopf" ist oft für dieses Stück gehalten worden (Kat.-Nr. 126).

Pate und Patensohn verband zunächst aber das goldene Reliquienkreuz (Kat.-Nr. 31), das Barbarossas Vater Herzog Friedrich II. von Schwaben (1090–1147) vor oder nach der Taufe 1122 dem Grafen Otto von Cappenberg überlassen hatte, als er die schwäbischen Besitzungen der Cappenberger kaufte: die Burgen Hildrizhausen bei Herrenberg und Kräheneck bei Pforzheim mit vielen Ministerialen und Bauernhöfen. Der geringe Kaufpreis betrug 500 Mark Silber, von denen 100 Mark auf das Reliquienkreuz angerechnet wurden. Vielleicht überließen die Grafen den Staufern auch die Ministerialen in der Wetterau um Ilbenstadt, die der Erzbischof von Mainz 1123 ausdrücklich nicht erhielt.

Friedrich von Schwaben hatte beim Hoftag von Utrecht im April/Mai 1122 offen die Partei Gottfrieds gegen dessen Schwiegervater ergriffen und im September die kaiserliche Bestätigung beglaubigt (s. Kat.-Nr. 77). Als Neffe des kinderlosen Kaisers galt er sogar als dessen künftiger Nachfolger, sodass die Grafen mit dem Verkauf auf dauerhafte Nähe zum Kaiser hoffen durften. Da aber Herzog Lothar von Sachsen zum König erhoben wurde, erfüllten sich Ottos Hoffnungen erst, als 1138 der Frankenherzog als Konrad III. König wurde, und erst recht mit der Königswahl seines Patensohns Friedrich 1152.

Pate und Patensohn verband zudem der heilige Evangelist Johannes, der auch als Verfasser der Apokalypse, des letzten prophetischen Buches des Neuen Testamentes, galt. Er war Tagesheiliger des Tauftages am 27. Dezember 1122 gewesen und erfreute sich als Lieblingsjünger Jesu ohnehin breiter Verehrung, auch bei den Prämonstratensern.

Graf Otto schenkte vermutlich bald nach seinem Amtsantritt als Propst dem Stift (Kat.-Nr. 29) das Reliquienkreuz (Kat.-Nr. 31), das lange als „Barbarossakopf" (s. Kat.-Nr. 126) geltende Kopf-Aquamanile mit seiner Silberschale (Kat.-Nr. 135) sowie den „Kelch, den ihm der Bischof von Troyes geschickt hatte" (vgl. Kat.-Nr. 34), um seinen persönlichen Patron Johannes Evangelist zum Stiftspatron zu machen.

Gerd Dethlefs

Kat.-Nr. 29 (S. 51, Abb. 2)
Schenkungsurkunde des Propstes Otto von Cappenberg, o. J., um 1160/70

Handschrift auf Pergament mit Wachssiegel, H. 46,5 cm, B. 36,5 cm |
| Cappenberg, Archiv Graf von Kanitz, Stiftsarchiv, Urk. Nr. 13

Die von Graf Otto als dritter Propst an „alle meine Nachfolger auf
ewig" gerichtete Urkunde, die daher als sein „Testament" gilt, be-
zweckte die Aufwertung der beiden Feste des heiligen Johannes
Evangelist, den Otto sich zu seinem höchsten Patron erkoren hatte –
„so wie man sich Spezialpatrone aus der Zahl der Heiligen aus-
wählt". Damit zitiert er die Vita des Osnabrücker Bischofs Benno
(um 1020/25–1088), der den Tagespatron seiner Bischofsweihe
1068, den heiligen Clemens, „zum Spezialpatron vor den übrigen
Heiligen […] auswählte" und daher ihm 1080 das Benediktinerkloster Iburg weihte. Wie Benno wollte Otto das Patrozinium seines
Stiftes neu bestimmen.

Ottos Nachfolger sollten an den Johannesfesten am 27. Dezember und 6. Mai besonders festliche Mahlzeiten ausrichten; er
stiftete Geld für die Beleuchtung der Kirche, Wein und Einkünfte
aus den Weinbergen in Ingelheim und Remagen, insgesamt neun-
zehn Schillinge und vier Scheffel Getreide. Den weiblichen Konvent, der um 1145/50 nach Oberndorf bei Wesel verlegt worden
war, bedachte er mit fünf Schillingen und drei Scheffel Weizen in
der Oktav (Woche) nach dem Johannesfest am 27. Dezember.

Außerdem hatte er seinen Nachfolgern und dem ganzen Konvent „zum ewigen Schmuck der Kirche […] das goldene Kreuz, das
ich das des Heiligen Johannes zu nennen pflege, mit Edelsteinen
und goldenen Kettchen wie auch den silbernen, nach dem Bild
des/eines Kaisers gemachten Kopf mit seiner nicht weniger silbernen Schale, und auch den Kelch, den mir der Bischof von Troyes
geschickt hat", geschenkt und vertraute alles seinen Nachfolgern
und dem Konvent ebenso an wie Christus am Kreuze hängend dem
Johannes die Sorge für seine Mutter Maria. Den Übertretern droht
er ewige Verdammnis an, den Bewahrern der Stiftung wünscht er
Frieden und Gnade.

Die Schenkung war wohl schon bald nach Ottos Amtsantritt
erfolgt und wird hier nur schriftlich als unveränderlicher Auftrag
bekräftigt. Dem Schriftduktus zufolge ist die Urkunde in den 1160er-
Jahren geschrieben. Das Ziel, Johannes Evangelist zum Stiftspatron zu machen, ist in der Urkunde Friedrich Barbarossas von 1161
(Kat.-Nr. 30) schon erreicht.

Das goldene Kreuz befand sich bis 1803 im Stift (s. Kat.-Nr. 31);
statt des silbernen ist ein „vergoldeter Kopf" (s. Kat.-Nr. 126) in
Cappenberger Zusätzen zur Gottfriedvita von 1150/58 bezeugt,
die der Chronist Johannes Stadtmann (gest. 1635) 1622 zitiert:

Graf Otto habe die Reliquien des Apostels Johannes aus dem Reliquienkreuz „unserer Kirche zugebracht und in den vergoldeten
Kopf gelegt". Da in diesem Text anschließend die Sonderspeisung
zu den Johannesfesten nach Ottos Schenkungsurkunde erwähnt
wird, hat man sehr lange den silbernen der Urkunde für den vergoldeten Kopf gehalten. In den *Acta Sanctorum* von 1643 findet
sich zum vergoldeten Kopf der Zusatz: „von dem seine Nachfolger
(die Reliquien) mit dem Kreuz trennten". Die Johannesreliquien
konnten nun in der heute von hinten sichtbaren „Laterne" im Sockel
(s. Abb. auf S. 238) gezeigt werden.

Kreuz und Kopf gehörten also zusammen: War der Kopf erst die
Halterung für das Kreuz, die man für eine personengelöste liturgi-
sche Verehrung brauchte? Dann war Otto Auftraggeber, und der
Kopf datiert wohl in die Zeit der Schenkung an das Stift, nach 1156.
Die Inschriften am Hals sind ursprünglich. Sie machen auch Sinn,
wenn das Kreuz mit den Johannes-Reliquien am Kopf hängt. Meinte der Kopf zeitweise den auf dem Zinnenkranz genannten „Ottoni
datori", den Schenker Otto? Darauf deutet vielleicht die niellierte
Inschrift der Rückseite: „OTTO". Die Zapfen an der Bodenplatte des
Kopfes sind aus einer anderen Bronzelegierung als der Kopf gefertigt – um den Kopf auf dem Sockel (gedreht?) zu befestigen?

Dass die sogenannte „Taufschale" (s. Kat.-Nr. 135) in der
Schenkungsurkunde des Grafen Otto angesprochen ist, gilt als
sicher. Dem Wortlaut nach gehörte sie zu einem silbernen Kopf,
der als Gießgefäß in Kopfform zu verstehen ist. Es handelt sich
also um ein Lavabobecken, dafür bestimmt, bei der liturgischen
Handwaschung während einer Messfeier das reinigende Wasser
aufzufangen und so an den Reinigungsakt der Taufe zu erinnern.

In den Schalengrund hat man später die Taufszene des späteren Kaisers eingraviert: von dem Taufpaten OTTO links und dem
Bischof rechts gehalten, erhält das Kind gerade den Chrysam-Bal-
sam auf die Stirn – als Vorzeichen der späteren Königssalbung.
Hinter dem Taufpaten stehen die Eltern, also der Staufer Herzog
Friedrich II. von Schwaben und seine Frau Judith aus dem bayerischen Herzogshaus der Welfen. Den Bischof rechts und den assistierenden tonsurierten Kleriker hat Edeltraud Balzer mit dem Re-
gensburger Bischof Hartwig von Sponheim (amt. 1098–1126) und
dessen Neffen identifiziert, Heinrich von Sponheim (um 1105/08–
1169), seit 1145 Bischof von Troyes, der aber noch sehr jung gewesen sein muss und von dem der an Graf Otto gegebene Kelch
(s. Kat.-Nr. 34) stammte. | GD

Literatur: Balzer 2015, S. 15–18 | Bockhorst/Niklowitz 1991, S. 32–33,
Nr. 10 | Dethlefs 2015, S. 37–40 | Gamans 1643, S. 844 | Kallfelz 1973,
S. 392, 32–35 | Keupp 2022 | Lambacher 2022 S. 197–224 | Lambacher/
Bornkessel/Paz 2022, S. 324–327.

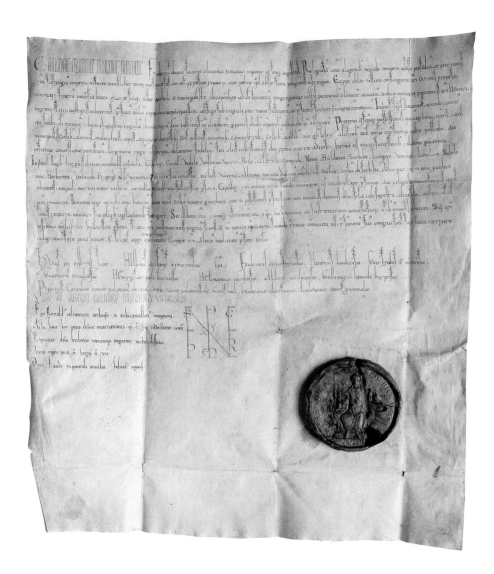

Kat.-Nr. 30
Privilegienbestätigung Kaiser Friedrich Barbarossas für das Stift Cappenberg, 1161

Handschrift auf Pergament mit Wachssiegel, H. 51,0 cm, B. 45,0 cm | Cappenberg, Archiv Graf von Kanitz, Stiftsarchiv, Urk. Nr. 16

Fünf Jahre nach seinem Besuch in Münster, auf einer in Lodi vom 19.–22. Juni 1161 gehaltenen Synode, stellte Friedrich Barbarossa dem Stift Cappenberg die erste von zwei Privilegienbestätigungen aus; die zweite folgte 1187. Die Urkunde gibt sich zwar als Bestätigung der Urkunde Kaiser Heinrichs V. (s. Kat.-Nr. 17), folgt aber dem Wortlaut einer Urkunde des Papstes Eugen III. für Cappenberg 1152 und ist an einigen Stellen aktualisiert; so waren inzwischen die Aufsicht (*decania*) über die Kirche in Ahlen sowie die Kirche in Saerbeck dem Stift übertragen und Güter in Herbern und Lenklar bei Cappenberg (vgl. Kat.-Nr. 20) geschenkt worden. Die Initiative zur Urkunde war also wohl von Cappenberg ausgegangen. Da der Bischof Friedrich von Münster an erster Stelle der acht Bischöfe in der Zeugenreihe steht und ein besonderer Gönner des Stiftes war – er hatte erst 1160 das Dekanat in Ahlen geschenkt –, wird er Cappenbergs Interessen vertreten haben.

Einleitend wird gesagt, der Kaiser erfülle „milde die berechtigten Bitten unseres hochgeliebten Verwandten, des Propstes Otto und der übrigen, zum Dienst für Gott versammelten Brüder in der Kirche der Seligen Maria und des heiligen Apostels und Evangelisten Johannes zu Cappenberg". Damit zeigt sich der Kaiser vertraut mit den Verhältnissen in Cappenberg und akzeptiert offiziell, dass der heilige Johannes Evangelist, der ihn mit seinem Taufpaten verbindet, zum Mitpatron des Stiftes wird.

Die Urkunde wurde in Cappenberg selbst oft abgeschrieben; im ältesten Kopiar aus dem 15. Jahrhundert (Bl. 13) nach den Urkunden der Päpste 1126–1155 (Bl. 5–10) und Heinrichs V. (Bl. 11–12), auch mit der Barbarossa-Urkunde von 1187 (Bl. 43–44) und den Urkunden Heinrichs VI. 1189/93 (Bl. 45/48). Der Urkundenanhang der Chronik Johannes Stadtmanns 1622 bot wohl die Vorlage für den Erstdruck in den *Ordinis Praemonstratensis Annales* 1734. | GD

Literatur: Bockhorst/Niklowitz 1991, S. 30–31, Nr. 9 | Opll 2022, S. 169–170 | Röckelein 2022, S. 247.

Kat.-Nr. 31 (vgl. auch Abb. S. 122)

FRIEDRICH CARL D'HOSSON

Brustbildnis des Cappenberger Propstes Ferdinand Mauritz Goswin von Ketteler (1699–1784) mit Reliquien-Pektorale, 1751

Öl auf Leinwand, in Originalrahmen H. 109,0 cm, B. 91,0 cm I Warstein-Belecke, Katholische Pfarrgemeinde St. Pankratius Warstein-Belecke

In der Schenkungsurkunde Ottos (Kat.-Nr. 29) steht an erster Stelle „das goldene Kreuz, das ich das des heiligen Johannes zu nennen pflege, mit Edelsteinen und goldenen Kettchen". Das seinen Nachfolgern ausdrücklich zur Verehrung anvertraute Kreuz wurde noch 1705/34 im Stiftsschatz genannt; der Propst Ketteler nutzte es als Pektorale. Sein Nachfolger ließ es 1785 reparieren, und das Inventar des Stiftes 1803 nennt „Ein goldenes mit großen blauen und sonstigen kleinen weißen Edelgesteinen besetztes Ordens Kreuz an einer von Gold durchwirkten Schnur", das man gnadenhalber dem letzten Propst überließ. Es ist seitdem verschollen.

„Ordenskreuz" meint ein Kreuz mit geschweiften Enden. Da das Inventar noch zwei mit „Brillanten" besetzte Ringe mit blauem und rotem Stein nennt, waren die Edelsteine wohl ungeschliffen. Ein zweites „goldenes Ordenskreuz mit einer Bourle an einer von Gold durchwirkten Schnur, schwer 6 5/16 Loth a 9 ½ R. pro Loth" wog also 92,3 g und könnte das auf dem zweiten Bildnisgemälde Kettelers (s. Abb. S. 21) gezeigte Kreuz mit roten Steinen sein.

Byzantinische Enkolpien mit nur gering verbreiterten Enden und langem unteren Kreuzarm datieren in das 11. oder frühe 12. Jahrhundert. Originale europäische Gemmenkreuze haben auch ungeschliffene Steine oft unterschiedlicher Farben; die „kleinen weißen Edelsteine" dürften die neben den blauen Hauptsteinen sein.

Nach der Gottfriedsvita stammte das Kreuz von dem Staufer Herzog Friedrich II. von Schwaben, dessen Frau Judith es von ihrer Mutter Wulfhild und diese aus Byzanz erhalten hatte. Die *Annales Cappenbergenses* 1622 nennen den Inhalt, alles christusnahe Reliquien: „Natürliches Blut vom Leib Christi in drei Läppchen, auch Haare von demselben und ein Teil des heilbringen Kreuzes, ebenso ein Partikel vom Gewand des Herrn, Tränen, Haare und Blüten welche die Jungfrau Maria in den Händen hatte als der Engel ihr die Geburt des Herrn ankündigte. Ebenso von ihrem Gewand. Härchen, Haupthaar und Bart des heiligen Johannes Evangelist in drei Läppchen, reichlich vom Blut des seligen Johannes Baptist. Und Reliquien des heiligen Augustinus und der heiligen Katharina."

Der Schwabenherzog „trug es in allen Kämpfen um seinen Hals, wegen einiger Siege, die daraus folgten". Sehr ungern gab er es den Cappenberger Grafen, als er deren mütterliches Erbe in Schwaben, zwei Burgen, viele Ritter und Bauernhöfe für den relativ geringen Preis von 500 Mark Silber (à 234 g = 117 kg oder 72 000 westfälische Pfennige à 1,4 g, also gut 100 kg) ankaufte und das Kreuz für 100 Mark Silber in Zahlung gab. Politisch virulent war der Kreuzpartikel (s. Kat.-Nr. 33). Für Otto war die Johannes-Reliquie viel wichtiger, da die Taufe Barbarossas wohl am 27. Dezember, dem Tage des Evangelisten Johannes, stattfand. Der Tauftag änderte sein Leben wie der Tag der Bischofsweihe das des Osnabrücker Bischofs Benno (s. Kat.-Nr. 29). I GD

Literatur: Kühnemund 2019, Nr. 98, 105, 112 I NRW Landesarchiv Westfalen, KDK Münster, Fach 19 Nr. 19, Bl. 64r I Röckelein 2022, S. 234–239 I Stiftsarchiv Cappenberg, Rechnung 1784/85.

Kat.-Nr. 32

Enkolpion (Kapselkreuz), um 950/1100

Bronzeguss, H. 8,2 cm (mit Halterung), H. 5,4 cm (nur Kreuz), B. 3,3 cm, T. 1,3 cm, aufgeklappt L. 12,2 cm | Leihgabe aus Privatbesitz

Im byzantinischen Kulturraum zwischen Syrien, dem Balkan und der Kiewer Rus waren aufklappbare Kapselkreuze wie dieses zur Bergung von Reliquien (oft von mehreren Heiligen) weit verbreitet. Besonders beliebt bei Soldaten waren Sieg verheißende Kreuzpartikel. Man trug sie zur Gefahrenabwehr und als Glücksbringer. Oft zeigten sie figürlichen Dekor, Kruzifixe oder Heiligenbilder als

Hinweise auf den Inhalt. Die Form des vorliegenden, undekorierten Kreuzes lässt sich in das 11. Jahrhundert datieren. Typisch sind die sich nach außen hin verbreiternden Kreuzarme, der untere ein wenig länger als die übrigen. Inschriften sind oft ähnlich formuliert wie der Hilferuf auf dem Halsband des Cappenberger Kopfes, etwa: „Kreuz, ehrwürdiges Holz, geheiligtes, als Waffe gegen Feinde, unsichtbare, sichtbare, trage ich dich [...]". | GD

Literatur: Kühnemund 2019, S. 74–77, Kat.-Nr. 56–68, 76–81, 87–93, 100–102, 107–125 | Pitarakis 2006, S. 139–143, Kat.-Nr. 435–436, 528–529, 575, 625–635.

Kat.-Nr. 33

ITALIEN

Croce del Campo (Schlachtfeldkreuz) der Stadt Brescia, um 1100

Fotografie, Original: Silber vergoldet mit Edelsteinen, emailliert, H. 42,0 cm, Br. 28,5 cm | Brescia, Tesoro del Duomo, cat.nr. 57

Unter den Reliquien des byzantinischen Kapselkreuzes war vor allem der Kreuzpartikel politisch wirksam, der an die siegverheißende Kreuzerscheinung Konstantins „In diesem Zeichen wirst Du siegen!" anknüpfen konnte und daher als Schlachtenhelfer beliebt war. Partikel vom Holzkreuz Christi waren eines der wichtigsten Souvenirs von Pilgerreisen nach Jerusalem. In Nordwestdeutschland bezeugen dies die Kapitelkreuze in Münster, Osnabrück und Hildesheim (vgl. Kat.-Nr. 88), die Altar- und/oder Vortragekreuze im Damenstift Borghorst (um 1046/50), in Enger (1120/30), Fritzlar (1130/50), im Stift St. Mauritz in Münster sowie in Kloster Abdinghof zu Paderborn. Gemmenkreuze mit Kreuzpartikeln besaßen auch politische Führer wie Heinrich der Löwe in Braunschweig; das Reichskreuz unter den kaiserlichen Reichsinsignien befindet sich heute in der Wiener Schatzkammer.

Die älteren wie das Borghorster Kreuz enthielten dabei neben dem Kreuzpartikel auch zahlreiche andere Reliquien, die dann Heil und Segen quasi im „Breitbandspektrum" versprachen. In der byzantinischen Praxis galten die Kreuzreliquien vor allem als Schlachtenhelfer gegen muslimische „Ungläubige", die Hauptfeinde der Kaiser von Byzanz. Im Westen setzte man sie auch gegen Glaubensbrüder ein. Das gilt etwa für das Kreuz im Domschatz der italienischen Stadt Brescia. Datiert in die Jahre um 1100, zeigt es die typisch byzantinische Form mit geschweiften Kreuzarmen. Es wurde den Truppen der Stadt im Kampf vorangetragen, etwa in der Schlacht bei Legnano 1176.

Die Vita des Trierer Erzbischofs Albero (um 1080–1152), der ab 1132 regierte, als Freund Norberts von Xanten die Reformorden förderte, aber auch eine aggressive Territorialpolitik betrieb, berichtet, wie Albero 1148 die vom Pfalzgrafen Hermann besetzte Burg Treis an der Mosel belagerte. Als der Pfalzgraf mit seinen Leuten zum Entsatz heranzog, hielt Albero an seine Truppen eine Ansprache, „das erzbischöfliche Kreuz in den Händen", auf das ihm Hermann Treue geschworen hatte, und das Kreuzpartikel und weitere Reliquien enthielt. Der Pfalzgraf zog sich daraufhin zurück. | GD

Literatur: Ausst.-Kat. Mannheim 2010, Bd. 2, S. 138 f., Kat.-Nr. IV.B.2.3 | Ausst.-Kat. Paderborn 2006, Bd. 2, Nr. 80, 138, 362, 401, 437, 441, 510, 522, 527–529 | Dethlefs 2015, S. 44–46 | Kallfelz 1973, S. 598–602.

Kat.-Nr. 34

THEODOR HERMANN CRATER

**Ziborium, umgearbeitet aus einem Kelch,
Ende 13. Jahrhundert, 1731/55**

Silber, teilvergoldet, H. 18,0 cm, Dm. Fuß 14,6 cm, Dm. Kuppa 12,0 cm I
Selm-Cappenberg, Katholische Pfarrgemeinde St. Johannes Evangelist

Das Ziborium wurde von dem münsterischen Goldschmied Theodor
Hermann Crater, der von 1731 bis 1755 arbeitete, aus einem mittelalterlichen Kelch umgearbeitet und mit einem (nicht abgebildeten) Deckel versehen. Mit seiner großen, breiten Kuppa war er als
Messkelch im Barock zu groß, behielt jedoch noch in etwa seine
ältere Form. Die auf dem Fuß aufgelötete Kreuzigungsgruppe dürfte
von dem alten Kelch stammen und wird in das späte 13. Jahrhundert datiert.

Der Kelch vertritt hier den leider verlorenen Kelch, den Graf
Otto dem Stift schenkte und der ihm der Schenkungsurkunde zufolge (s. Kat.-Nr. 29) vom „Bischof von Troyes geschickt" worden
war. Es handelte sich um den dort seit 1145 regierenden Heinrich
(um 1103/08–1169) aus der Familie der Grafen von Sponheim, dessen Schwester Mathilde 1123 unter Vermittlung des Norbert von
Xanten an den Grafen Theobald II. von Champagne (1093–1152)
verheiratet worden war. Obwohl noch sehr jung, könnte er vielleicht der bei der Taufe 1122 assistierende Kleriker gewesen sein,
der taufende Bischof vielleicht sein Onkel Hartwig, der 1102 bis
1126 Bischof von Regensburg war. Dann wäre auch der Kelch ein
Zeugnis der Taufe. Diese Annahme von Edeltraud Balzer scheint
plausibel, ist aber wohl nicht beweisbar. I GD

Literatur: Balzer 2015, S. 14–15 I Fritz 1964, S. 364–373.

Kat.-Nr. 35

Kat.-Nr. 36

Kat.-Nr. 35

SÜDLICHES MÜNSTERLAND

Taufstein Bentheimer Typus, um 1200

Bentheimer Sandstein, H. 95,0 cm, Dm. 95,0 cm, Gewicht ca. 500 kg | Münster, LWL-Museum für Kunst und Kultur, Inv.-Nr. D-1004 LM (Schenkung der Freunde des Museums für Kunst und Kultur e.V.)

Kat.-Nr. 36

SKRIPTORIUM DES KLOSTERS ST. AMAND (?)

Der heilige Amandus tauft den Sohn König Dagoberts, 2. Hälfte 12. Jahrhundert

Foto nach einer Miniatur in einer Handschrift der Amandus-Vita (Ausschnitt) | Valenciennes, Bibliothèque municipale, Sign. Ms. 502, fol. 60v

Der 1978 aus Österreich erworbene Taufstein soll aus der Gegend von Nordkirchen stammen, wo auch die Cappenberger Grafen begütert gewesen waren. Wie viele ähnliche Taufsteine Nordwestdeutschlands entstand er in den Sandsteinbrüchen bei Bentheim und diente für die Ganzkörpertaufe eines Kindes, eine „Immersionstaufe", wie sie auf der sogenannten Taufschale Barbarossas (Kat.-Nr. 135) und auch in der Vita des heiligen Amandus dargestellt ist. Die Schale wird von vier Löwen als Symbolen für das unterworfene Böse gehalten. Der an pflanzliche Formen angelehnte Dekor dagegen steht für die Wiedergeburt des sündigen Menschen durch die Taufe und die Verheißung des Reichs Gottes (nach Joh 3,3–5). | GD

Literatur: Ausst.-Kat. Münster 1993, S. 370–371, Kat.-Nr. A 8.9 (Géza Jászai).

Kat.-Nr. 37

BENEVENT

Die Taufe in einem Benediktionale, nach 969

Foto einer Miniatur, Sezione 6, H. 60,7 cm/61,5 cm | Fotoreproduktion aus: Exultet. Rotoli liturgici del medioevo meridionale, Ausst.-Kat. Abbazia di Montecassino, Rom 1994, S. 96 | Rom, Bibliotheca Casanatense, Sign. Cas. 724 (B I 13) Sez. 6, 8

Die Miniatur illustriert eine süditalienische Handschrift, die liturgische Segnungen beschreibt. Oben wird der Ursprung der Taufe gezeigt: Zu Beginn der Tätigkeit von Jesus als Wanderprediger tauft der Bußprediger Johannes der Täufer Jesus im Jordan; auf den Getauften kommt der Heilige Geist in Gestalt einer Taube hinab (Mk 1,9–11; Mt 3,13–17; Lk 3,21–22; Joh 1,29–34), während Engel ihm die Taufkleider bringen. Die mittlere Szene zeigt die Kreuzi-

gung: Jesus stirbt am Kreuz; mit seinem Blut erlöst er die sündige Menschheit. Ganz unten erscheint der auferstandene Christus den Jüngern und erteilt den Taufbefehl (Mt 28,19), den seine Jünger rechts an den „Völkern", einem Erwachsenen und einem Kind, ausführen.

Mit der Taufe wird ein Mensch, der nach christlicher Lehre durch die „Erbsünde" von Adam und Eva belastet ist, durch dreimaliges Untertauchen bei der Anrufung der Dreifaltigkeit (Gott, Vater und Heiliger Geist) von dieser reingewaschen. Der Täufling wird dann durch die Salbung mit Chrisam (Taföl) auf der Stirn und die segnende Handauflegung ein Mitglied der Kirche. Mit dem Paten, der das Kind aus der Taufe hebt, begründen die Eltern lebenslange Freundschaft mit Fürsorgepflichten für das Kind. | GD

Literatur: Ausst.-Kat. Montecassino 1994, S. 86–89.

4. Barbarossa und der deutsche Nationalismus

Mehr als 700 Jahre nach seiner Geburt tritt Barbarossa auf Schloss Cappenberg erneut in Erscheinung: Der Freiherr vom Stein, preußischer Politiker und neuer Besitzer des Schlosses, lässt zwischen 1823 und 1830 einen Festsaal errichten, in dem zwei großformatige Gemälde die nationale Größe Deutschlands historisch legitimieren sollen. Als Motive werden die Ungarnschlacht Kaiser Ottos I. 955 und der Tod Barbarossas 1190 ausgewählt. Beide historischen Ereignisse sind für Stein und viele seiner Zeitgenoss:innen Höhe- und Wendepunkte der deutschen Geschichte.

Mit der Französischen Revolution und dem Zerfall des Heiligen Römischen Reiches 1806 war die Sehnsucht nach nationaler Einheit in Deutschland erwacht. Die Hoffnung auf ein Wiederaufleben vergangenen Ruhms führt zu einer Rückkehr zu mittelalterlichen Vorbildern. Barbarossa wird zum Symbol für die deutsche Einheit.

Für das Bild *Der Tod Friedrich Barbarossas 1190* (s. Abb. S. 132) orientiert sich der Münchner Maler Julius Schnorr von Carolsfeld an Raffaels *Grablegung Christi* (1507). Dieses Vorbild verdeutlicht die Rolle, die Barbarossa im 19. Jahrhundert zugeschrieben wird: Er wird zum nationalen Helden instrumentalisiert, der auferstehen und das deutsche Volk erlösen wird.

Der Mythos eines schlafenden Barbarossas im Berg Kyffhäuser wurde erstmals von den Gebrüdern Grimm in der Sage *Friedrich Rotbart auf dem Kyffhäuser* von 1816 schriftlich festgehalten. Mit dem Gedicht *Barbarossa* von Friedrich Rückert im Jahr 1817 findet die Geschichte weite Verbreitung und in Wilhelm I., dem ersten Deutschen Kaiser nach der Reichsgründung von 1871, wird später die Wiedergeburt Barbarossas erkannt. Die erfüllte Sage wird schließlich mit dem Kyffhäuser-Denkmal 1896 in Stein gemeißelt: Am Fuße des Reiterdenkmals von Kaiser Wilhelm I. sitzt der erwachende Barbarossa.

Dieses Narrativ begründet eine Erinnerungskultur, auf die nationalsozialistische Propaganda aufbauen kann. So wird beispielsweise der Angriff auf die Sowjetunion 1941 von Adolf Hitler unter dem Decknamen „Unternehmen Barbarossa" geführt.

Die Genese des deutschen Nationalmythos um Barbarossa wird in der Ausstellung durch zwei Werke der Gegenwart kommentiert und problematisiert: das Gedicht über die „deutsche Sch-Einheit" (1992) von May Ayim und die Videoarbeit *flags* (2011) von Johanna Reich. Beide Künstlerinnen stellen Fragen nach Identitätsbildung, Grenzziehungen und -überschreitungen aus heutiger Sicht.

Flora Tesch

Kat.-Nr. 39

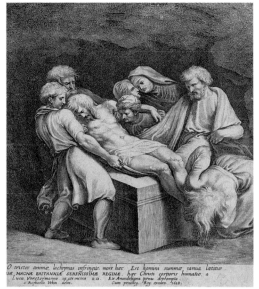

Kat.-Nr. 40

Kat.-Nr. 38 (Abb. auf S. 132)

JULIUS SCHNORR VON CAROLSFELD (1794–1872)

Der Tod Friedrich Barbarossas 1190, 1832

Öl auf Leinwand, H. 190,5 cm, B. 317,0 cm, in Originalrahmen ‖ Leihgabe
Graf von Kanitz, Selm-Cappenberg

Kat.-Nr. 39

JULIUS SCHNORR VON CAROLSFELD (1794–1872)

Vorzeichnung für das Gemälde *Der Tod Friedrich Barbarossas*
1190, 1830

Bleistift auf Papier, H. 36,3 cm, B. 57,0 cm, Reproduktion ‖ Akademie der
Künste Wien, Kupferstichkabinett

Kat.-Nr. 40

LUCAS VORSTERMAN (1595–1675) NACH RAFFAEL
(1483–1520)

Grablegung Christi, 1628

Kupferstich, H. 14,6 cm, B. 17,1 cm (Blatt, beschnitten) ‖ Münster, LWL-
Museum für Kunst und Kultur, Inv.-Nr. C-881 LM

Die Historienmalerei zeigt den Tod Barbarossas 1190 am Fluss
Saleph in der heutigen Türkei. Die Darstellung illustriert einen historischen Bericht, demzufolge Barbarossa beim morgendlichen
Baden in einen Strudel geriet und ertrank. Auf dem Gemälde ist
der tote Barbarossa dargestellt. Im Zentrum des Bildes leuchtet
die makellose, steinern wirkende Haut des Leichnams. Der Körper
ist muskulös und unversehrt, das Gesicht friedlich ruhend. Zum
Bildrand löst sich diese Konzentration in eine Szenerie der Ver-

zweiflung und Trauer auf. Von rechts eilt sein Sohn Friedrich VI.
herbei, während der Bischof neben ihm den Segen spricht. Der
Reiter mit wallendem Umhang, und die den Toten tragenden Figuren rahmen das Geschehen, der Mann im roten Hemd hält den
Leichnam wie Maria ihren Sohn bei der Beweinung (*Pietà*).

Die Komposition des Bildes erinnert an Raffaels *Grablegung
Christi* aus dem Jahr 1507. Es setzt die Hoffnung auf eine Auferstehung Barbarossas in Szene, die sich visuell in seinem strahlen-
den, unversehrten Körper manifestiert. Die Fahnen des Heeres sind
den Welfen (links) und den Staufern (rechts) zuzuordnen. Die Einig-
keit der zwei mächtigsten, schwäbischen Herrschergeschlechter
repräsentiert hier ein durch den Kreuzzug vereintes Reich, das durch
den Tod des Kaisers sowohl verbunden wie bedroht ist. Das Bild
inszeniert somit die Sehnsucht nach deutscher Einheit im 19. Jahrhundert.

Diese künstlerische Perspektive wird durch zwei literarische
Texte der Zeit gerahmt. Friedrich Rückerts Kultgedicht und Grund-
stein für die Verbreitung des Mythos über den schlafenden Barbarossa im Kyffhäuser (1817) wird das Versepos *Deutschland, ein
Wintermärchen* (1844) von Heinrich Heine entgegengesetzt. Der zu
seiner Zeit verschmähte Text des nach Frankreich emigrierten Juden wirft einen kritischen Blick auf Barbarossa und die Entwicklungen in Deutschland. ‖ FT

Literatur: Appuhn 1974 ‖ Ausst.-Kat. Stuttgart 1977, Bd. 1, S. 702–704,
746 (Hans Klaiber) ‖ Kaul 2009 ‖ Stein 1829.
Hörstücke: Heinrich Heine, *Deutschland, ein Wintermärchen*, 1843 ‖
Friedrich Rückert, *Barbarossa*, 1817.

Kat.-Nr. 41

Kat.-Nr. 42

Kat.-Nr. 41

JULIUS CAESAR THAETER (1804–1870) NACH JULIUS
SCHNORR VON CAROLSFELD (1794–1872)

Friedrich Barbarossas Einzug in Mailand 1162, 1842

Kupferstich auf Papier, H. 67,7 cm, B. 64,3 cm (Blatt), H. 63,3 cm,
B. 62,6 cm (Platte) I Münster, LWL-Museum für Kunst und Kultur,
Inv.-Nr. C-24777 LM

Kat.-Nr. 42

THEODOR LANGER (1819–1895) NACH JULIUS SCHNORR
VON CAROLSFELD (1794–1872)

Friedrich Barbarossas Reichsfest in Mainz 1184, 1862

Kupferstich auf Papier, H. 58,7 cm, B. 60,4 cm (Blatt), H. 53,0 cm, B. 56,7 cm
(Platte) I Münster, LWL-Museum für Kunst und Kultur, Inv.-Nr. C-24478 LM

Auch der bayerische König Ludwig I. beauftragt 1835 Julius Schnorr
von Carolsfeld mit Bildern des Kaisers. Für die Münchner Residenz
soll er einen der Kaisersäle mit Fresken ausstatten. Die gezeigten
Kupferstiche geben die Vorzeichnungen wieder. Dargestellt sind
die vermeintlich ruhmreichen Taten Barbarossas, wie sein Einzug in
Mailand 1162, die Versöhnung mit Papst Alexander III. 1177 und
das Mainzer Hoffest 1184.

Die Ambivalenz dieser historischen Szenen ist nicht abgebildet.
Der Kupferstich *Friedrich Barbarossas Einzug in Mailand 1162* zeigt

einen edelmütig aussehenden Barbarossa, der stolz in die Stadt
einreitet. Die Unterwerfung Mailands 1162 war das Ergebnis zahl-
reicher Konflikte und Demütigungen, durch die Barbarossa seitens
des Papstes unter Druck geraten war. Zwischen 1158 und 1162 trat
Friedrich I. deshalb schonungslos in Mailand auf, verwüstete landwirtschaftliche Flächen, belagerte die verbündete Stadt Crema und
ließ Gefangene in Sichtweite der Gegner öffentlich hinrichten.
Die Unterwerfung Mailands wurde schließlich öffentlich inszeniert.
Die damit einhergehende Entrechtung Mailands sorgte vermehrt
für Unzufriedenheit. So gründete sich 1167 der lombardische
Städtebund, gegen den Barbarossa bei der Schlacht von Legnano
1176 eine seiner schwersten Niederlagen erlitt.

Auch das Reichsfest in Mainz 1184 (Kat.-Nr. 42) zählt zu den
beliebten Motiven im 19. Jahrhundert. Der Stich zeigt Barbarossa
mit seiner Frau Beatrix thronend im Zentrum. Das über ein Jahr
lang geplante Fest zählte zu den berühmtesten des Mittelalters
und hatte einen politischen Hintergrund: Barbarossas Söhne, Heinrich und Friedrich, erhielten die Schwertleite und wurden dabei für
volljährig erklärt. Mit dieser Selbstinszenierung sicherte Barbarossa
das Überleben seines Herrscherhauses über Generationen. I FT

Literatur: Ausst.-Kat. Stuttgart 1977, Bd. 1, S. 743–745 I Görich 2011,
S. 325–387, 505–514.

Kat.-Nr. 43

JOHANNA REICH (GEB. 1977)

flags, 2011

Video, Farbe, Ton, 27 Min. | Dauerleihgabe der Kunstsammlung der Westfälischen Provinzial Versicherung Aktiengesellschaft, Inv.-Nr. AV-34 WPF

Als Gegenstück und Kommentar zur Entwicklung des deutschen Nationalismus entlang der Figur Barbarossa, zeigt die Ausstellung die Videoarbeit *flags* von Johanna Reich, welche Fragen nach Nationalitäten, Grenzen und Identität aus heutiger Perspektive reflektiert.

Das Video gibt eine Performance der Künstlerin für die Kamera wider. Sie bemalt darin eine weiße Wand großformatig mit Farben, die schließlich Nationalflaggen bilden. Dafür kleidet sie sich selbst in den jeweiligen Farben, steigt auf einen alten, flackernden Röhrenfernseher und malt die Farbstreifen so groß, dass der Fernseher und sie selbst darin verschwinden.

Die erste entstehende Nationalflagge ist die deutsche. Im Kontext des nationalen Mythos um Barbarossa und der nationalsozialistischen Vergangenheit Deutschlands sorgt bereits das beiläufige Zeigen der Nationalfarben für Irritation. Indem die Künstlerin jeweils eine der Farben stehen lässt, um von ihr ausgehend die nächste Flagge zu malen, verschmelzen die Grenzen zwischen ihnen. Was zunächst als deutsche Flagge erkennbar war, wird zur belgischen, dann zur französischen und beginnt schließlich, Fragen nach der Bedeutung dieser nationalen Repräsentation durch Farbe, aber auch nach Identität und Zugehörigkeit, zu generieren. Inwiefern repräsentiert eine Flagge einen Nationalstaat oder ein Territorium? Und wie fließend sind die Grenzen zwischen ihnen wirklich? Laut der Sozialwissenschaftlerin Mithu Sanyal haben „Grenzen [...] schon lange ihre Bedeutung für Waren, Geld, Daten und Informationen verloren. Sie alle überschreiten Grenzen ständig und ungehindert. Tatsächlich gelten Grenzen nur noch für Menschen, genauer: für bestimmte Menschen." Johanna Reich legt mit *flags* Widersprüchlichkeiten offen, stellt Grenzziehungen in Frage und untersucht die Bedeutung nationaler Symbolik.

Das Thema der Ausgrenzung durch Nationalismus wird durch das Gedicht *grenzenlos und unverschämt. ein gedicht gegen die deutsche sch-einheit* der afrodeutschen Dichterin May Ayim kommentiert. In Reaktion auf den Mauerfall stellt sie der Vorstellung einer deutschen Einheit ihre Position als Schwarze Frau in Deutschland entgegen. Als Aktivistin der afrodeutschen Bewegung der 80er Jahre trieb May Ayim die Rassismus-Debatte in Deutschland voran und problematisierte die deutsche Erinnerungskultur: Wer schreibt die Geschichte und was oder wer wird erinnert? | FT

Literatur: Sanyal 2019, S. 110.

Hörstücke: May Ayim, *grenzenlos und unverschämt. ein gedicht gegen die deutsche sch-einheit*, 1992, aus: May Ayim: *blues in schwarz weiss / nachtgesang*, Münster UNRAST Verlag 2021 © UNRAST Verlag.

1. Barbarossa-Bilder
Inszenierungen zwischen Ideal und Wirklichkeit

Das beeindruckende Panorama von Kunstproduktion und Kulturentwicklung, das die legendäre Stuttgarter Stauferausstellung des Jahres 1977 um Herrscherpersönlichkeit und Lebenszeit Friedrich Barbarossas herum entfaltet hatte, konnte seither um zusätzliche Perspektiven bereichert werden. Unter dem Schlagwort *Die Staufer und Italien* rückten 2010 in Mannheim die kulturellen Dynamiken der Zentralregionen des hochmittelalterlichen Reiches in den Fokus, während zuletzt die Mainzer Landesausstellung *Die Kaiser und die Säulen ihrer Macht* Einblicke in das komplexe Kräftegefüge der Epoche gewährte.

Als Spross des schwäbischen Herzoghauses spielte Friedrich I. Barbarossa, seit 1152 König und seit 1155 Kaiser des römisch-deutschen Reiches, im Mächtekonzert des hochmittelalterlichen Europa eine prägende Rolle. Die schillernde und oft widersprüchliche Figur des Kaisers „Rotbart" steht im Zentrum des ersten Ausstellungskapitels: Im Licht der erhaltenen Quellen erscheint der Staufer als ehrfurchtgebietender Monarch an der Spitze der weltlichen Rangordnung ebenso wie als stets um Ausgleich bemühter Moderator unter Standesgleichen. Er tritt als eifrig bemühter Wahrer von Frieden und Gerechtigkeit hervor, begegnet aber auch als machtbewusster Vorkämpfer für die Gerechtsame des Reiches, als ein auf sein Seelenheil bedachter Christ und pflichtbewusster Beschützer der Kirchen, als streitbarer Ritter, furchterregender Kriegsherr, Städtezerstörer und Kreuzfahrer und schließlich als frommer Stifter und potenter Förderer von Kunst und Kultur.

Die Kunst des hohen Mittelalters kennt keine individuellen Porträts. In den zeitgenössischen Zeugnissen wird der Kaiser und König als stattlicher Mann von würdevoller Erscheinung präsentiert (Kat.-Nr. 46, 47). Sein auffälliges rotblondes Haupt- und Barthaar hat Friedrich I. seit dem 13. Jahrhundert den italienischen Beinamen Barbarossa (Rotbart) eingebracht. Bedeutsamer für ein vertieftes Verständnis seiner Stellung sind jedoch andere Kennzeichen, die dieses Kapitel in den Blick nimmt: die materiellen Abzeichen seines Amtes und die historischen Kontexte seiner Abbilder (s. Kat.-Nr. 48, 49, 60, 61). Die Forschung deutet die auf uns gekommenen Barbarossa-Bilder heute weniger als Ausdrucksmittel eines auf Machtentfaltung und Eroberung zielenden Monarchen. Vielmehr zeigen sie einen Fürsten unter Seinesgleichen, der politischen und moralischen Zwängen seiner Zeit ebenso unterworfen ist wie den Regeln der symbolischen Kommunikation. Diese Erkenntnis zur Herrschergestalt Barbarossa transportiert die Ausstellung durch die Bandbreite ihrer Exponate und eine ausdrucksstarke Dramaturgie: In der Vielgestalt der versammelten Objekte – in den Siegeln, Skulpturen, Münzbildern, Goldschmiedearbeiten und den Erzeugnissen mittelalterlicher Buchkunst – spiegeln sich die unterschiedlichen Facetten dieses bedeutenden Herrschers. Sichtbar werden aber zugleich die vielfältigen Wertmaßstäbe und Erwartungen, die sich an Amt und Person des Reichsoberhauptes richteten. Sie in angemessener Weise zu verkörpern, zählte ohne Zweifel zur Kunst der Herrschaft in einer kulturell dynamischen Epoche.

Jan Keupp/Petra Marx

Kat.-Nr. 44
NIEDERSACHSEN, WOHL GOSLAR
Goslarer Kaiserstuhl-Lehnen, um 1060/80
Bronze, gegossen und ziseliert (Original); Replik Epoxidharz-Abgüsse | Rückenlehne: H. 83 cm, B. 67 cm; Seitenlehnen: H. 61,5 cm, B. 60,5 cm | Goslar, Weltkulturerbe Rammelsberg, Museum & Besucherbergwerk, Inv. Nr. 2002-0001.00

Der ursprüngliche Standort des mutmaßlichen Throns des Saliers Heinrich IV. (1050—1106) ist unbekannt, wie auch sein ehemaliges Aussehen. Vermutlich waren die innen geglätteten Rücken- und Seitenlehnen aus Bronze mit einem Thronsitz aus Stein verbunden und die Sitzfläche mit Polstern oder Tüchern ausgeschlagen. Er könnte sich in der Kaiserpfalz selbst oder, was wahrscheinlicher ist, im Obergeschoss der nicht mehr existierenden Liebfrauenkirche, der Goslarer Pfalzkapelle, befunden haben. Von dort gelangte er wohl in die Stiftskirche St. Simon und Juda und wurde im 13. Jahrhundert mit einem steinernen Unterbau und skulptural geschmückten Schranken neu in Szene gesetzt.

Die Bronzelehnen mit ihrem üppigen ornamentalen Rankenwerk zählen zu den herausragenden Kunstwerken des 11. Jahrhunderts. Das kostbare Material stammt mit großer Wahrschein-

lichkeit aus dem nahegelegenen Erzbergwerk Rammelsberg, wo seit ottonischer Zeit Buntmetalle abgebaut wurden, die als Rohstoff für die großen Bronze- und Goldschmiedewerkstätten des 11. und 12. Jahrhunderts dienten. Nicht zuletzt aufgrund dieser reichen Bodenschätze war Goslar für die deutschen Herrscher von großem machtpolitischen und wirtschaftlichem Interesse.

Auch der Stauferkaiser Friedrich I. hat in seiner langen Amtszeit hier mehrfach Hof gehalten und womöglich selbst auf dem Goslarer Thron Platz genommen. Dessen Form mit der trapezförmig abgeschlossenen Rückenlehne ähnelt dem ursprünglichen Erscheinungsbild des marmornen Throns Karls des Großen in Aachen – ein wichtiger symbolischer Bezugspunkt für die hochmittelalterlichen Regenten. Herrschersitze, die den König oder Kaiser räumlich über die anderen Fürsten erheben, sind ein starkes Sinnbild für deren Rang und Status. Die Goslarer Lehnen wurden bei der Eröffnung des ersten deutschen Reichstages in Berlin für den Thron Kaiser Wilhelms I. verwendet, um eine angebliche Kontinuität zwischen dem Deutschen Kaiserreich und dem Heiligen Römischen Reich zu suggerieren. | PM

Literatur: Ausst.-Kat. Paderborn 2006, Bd. 2, S. 19–21 f., Kat.-Nr. 9 (Rainer Kahsnitz) | Jordan 1963, S. 49–77.

Vorderseite

Rückseite

Kat.-Nr. 45

KÖLN ODER LÜTTICH (?)

Doppelkamm, 3. Viertel 12. Jahrhundert

Elfenbein, H. 6,3 cm, B. 7,1 cm, ursprünglich ca. H. 8,5 cm | Münster, LWL-Archäologie für Westfalen

Der Doppelkamm aus Elfenbein wurde 2017 bei den Ausgrabungen auf der Holsterburg bei Warburg im Kreis Höxter entdeckt. Er weist einen rechteckigen Mittelteil und zwei unterschiedlich feine Zahnreihen auf. Der Mittelteil zeigt beidseitig ausgesprochen kunstvoll gearbeitete Bildmotive, eine Jagdszene und zwei Pfauen.

Durch seine Machart und Gestaltung lässt sich der Kamm einer Gruppe von ca. 60 sogenannten liturgischen Kämmen aus der Zeit zwischen 800 und 1200 zuordnen. Die meisten dieser Kämme befinden sich im Bestand von Kirchenschätzen und sind zweifelsohne dem sakralen Milieu zuzuweisen. Sie werden häufig mit Heiligen, Königen und auch Kaisern in Verbindung gebracht und gelangten eigentlich nie in den Boden. Der Gebrauch dieser Kämme ist durch Schriftquellen seit dem 10. Jahrhundert belegt, etwa bei der

Weihe von Bischöfen und Priestern oder auch zum Kämmen nach dem Anlegen des Gewandes und gleichzeitig auch als symbolische Handlung zur Ordnung der Gedanken.

Da der Kamm von der Holsterburg im Gegensatz zu den anderen bekannten Stücken aus einer Ausgrabung stammt, wurde er nachweislich nicht sakral genutzt. Er dürfte sich im Besitz eines Adligen, nämlich dem Edelherren von Holthusen, dem Bauherrn der Holsterburg, befunden haben. Durch den seltenen Umstand, ein solches Stück auf einer Ausgrabung zu bergen, lässt sich der Kamm gut datieren: Er stammt aus dem 3. Viertel des 12. Jahrhunderts.

Wo das Stück hergestellt wurde, ließ sich bislang allerdings nicht klären. Denkbar wäre, dass er aus einer Werkstatt nördlich der Alpen wie Metz, Lüttich oder Köln stammt, aber auch eine Herkunft aus dem Byzantinischen Reich ist bislang nicht ausgeschlossen. | AT

Literatur: Peine/Wegener 2017, S. 111–115 | Peine/Wegener 2020 | Peine/Wolpert 2018, S. 174–191.

Kat.-Nr. 46

ZISTERZIENSERKLOSTER SITTICH, SLOWENIEN
Otto von Freising und Rahewin, Taten Kaiser Friedrichs I.
(Gesta Friderici I imperatoris), Abschrift 1180/82 I Pergament, II, 189 Bl.,
H. 31,0 cm, B. 19,5 cm I Wolfenbüttel, Herzog August Bibliothek,
Cod. Guelf. 206 Helmst.

Bischof Otto von Freising war ein Sohn des Markgrafen Leopold III.
von Österreich und der Salierin Agnes, somit ein Halbbruder König
Konrads III. Von diesem wurde er 1138 auf den Freisinger Bischofs-
stuhl berufen und gehörte in den folgenden Jahren zu den engeren
Vertrauten des Königs, geriet jedoch nach dessen Tod 1152 politisch ins Abseits. Denn der neue König Friedrich I. unterstützte im
Streit um das Herzogtum Bayern lieber seinen Cousin, den Welfen
Heinrich den Löwen, gegen Ottos Familie, die Babenberger. Zu den
größten politischen Leistungen Friedrichs zu Beginn seiner Herr-
schaft gehört es, dass er 1156 einen Ausgleich zwischen den beiden
Streitparteien vermittelte und somit nach Jahren der Kämpfe end-
lich für Frieden im Land sorgte. Um diese Leistung zu würdigen
und um den jungen Kaiser zugleich auf eine Fortsetzung dieses Kur-
ses zu verpflichten, bot Otto ihm an, „die ruhmvolle Reihe eurer
Taten der Nachwelt zum Gedächtnis dem Griffel anzuvertrauen".
Die Arbeit an dieser Chronik – der geläufige Titel *Gesta Friderici*
(„Die Taten Friedrichs") wurde ihr erst viel später gegeben – nahm
Otto umgehend auf, starb jedoch im September 1158, noch ehe
das Werk vollendet war. Die Fortführung übernahm sein persönli-
cher Sekretär Rahewin, ein Freisinger Domkanoniker, der den von
Otto hinterlassenen Text um eine ausführliche Schilderung der
Jahre 1159/60 ergänzte und das fertige Werk dann dem Kaiserhof
zukommen ließ.

An den Schluss seiner Darstellung setzte Rahewin eine einge-
hende Beschreibung von Friedrichs Aussehen und Charakter (s. dazu S. 29). Diese ist patchworkartig zusammengesetzt aus älteren
literarischen Darstellungen zum Westgotenkönig Theoderich, zum
Hunnenkönig Attila und zu Karl dem Großen, die aber nicht blind
übernommen, sondern den aktuellen Gegebenheiten angepasst
und um eigene Beobachtungen ergänzt werden. Betont wird damit
eher das Typische an Friedrichs Erscheinung, weniger das Indivi-
duelle.

Die vorliegende Handschrift der *Gesta Friderici*, angefertigt um
1180 im slowenischen Zisterzienserkloster Stična/Sittich, gehört
zu den wenigen, die noch im 12. Jahrhundert geschrieben wurden;
die meisten Abschriften entstanden erst im Humanismus. Mut-
maßliche Vorlage war ein heute verlorenes Exemplar aus dem Kloster Heiligenkreuz bei Wien, das seinerseits auf Rahewins eigene
Reinschrift, nicht auf das an den Hof gesandte Widmungsexemplar
zurückging. Später wurde der Codex von Matthias Flacius Illyricus
(1520–1575) erworben und gelangte aus seinem Nachlass in die
Helmstedter Universitätsbibliothek. I RD

Literatur: Deutinger 1999 I Golob 1992, S. 98–103 I Schmitz-Esser 2014 a,
S. 297–324, URL: http://www.geschichtsquellen.de/werk/3859.

Kat.-Nr. 47 (S. 31, Abb. 3; S. 138)

KONVENTE MARBACH/SCHWARZENTHANN (OBERELSASS)

Herrscherbild Kaiser Friedrichs I. Barbarossa, um 1180

Miniaturenhandschrift, Pergament, 146 Bl., H. 24,0 cm, B. 17,5 cm | Freiburg, Universitätsbibliothek, Hs. 367, fol. 4v

Die qualitätsvolle Deckfarbeninitiale bietet den Blick auf eine unmittelbar zeitgenössische Herrscherdarstellung Kaiser Friedrichs I. Da im Überlieferungszusammenhang nicht eigens gekennzeichnet, blieb sie lange Zeit unerkannt und somit bis vor zwei Jahrzehnten unveröffentlicht. Dennoch erlauben text- und kunstgeschichtliche wie prosopografische Befunde eine klare Rückbindung: Die Handschrift mit den *opuscula sacra*, d. h. den theologischen Traktaten des Boëthius samt den Kommentaren des Gilbert von Poitiers, entstand ziemlich genau 1180 im elsässischen Augustinerchorherrenstift Marbach, und zwar bemerkenswerterweise offenbar in Kooperation mit Kanonissen von dessen Schwesternkonvent in Schwarzenthann.

Das Textensemble umfasst ein in den Christologiedebatten der Frühscholastik heftig umkämpftes Schriftenkorpus. Im Reich Kaiser Friedrichs I. war es weitaus weniger öffentlichkeitswirksam als in Frankreich, wo es im Zusammenhang mit den Häresievorwürfen gegen Gilbert von Poitiers schon um die Mitte des 12. Jahrhunderts eine bedeutsame Rolle gespielt hatte. Doch wirkte im engsten Umfeld Barbarossas ein leidenschaftlicher Anhänger und Propaga-

tor der Werke Gilberts, der von 1170 bis 1183 nachweisbare Pfalzdiakon Hugo von Honau. Er gehörte als Kanoniker dem Augustinerchorherrenstift Marbach an und wirkte von hier aus wie am Kaiserhof als maßgeblicher Akteur eines Intellektuellennetzwerkes, das sich nicht nur über die abendländisch-lateinische Kirche erstreckte, sondern sogar bis nach Konstantinopel reichte, wohin Hugo von Honau in den 1170er-Jahren wiederholt reiste.

Das Kaiserbild in der Freiburger Handschrift ist nur vor dem Hintergrund der Protektion verständlich, die Barbarossa den Anhängern des immerhin von Bernhard von Clairvaux (1173 kanonisiert!) der Häresie bezichtigten Gilbert sicherte. Zugleich spiegelt es die Herrschernähe eines dem Monarchen eng verbundenen Hofgeistlichen. Es kursierte nur im unmittelbaren Wirkungsraum von Marbach/Schwarzenthann, wo man über diese Miniatur im handschriftlichen Kontext die vertrauensvoll empfundene Dankbarkeit und Verehrung gegenüber dem kaiserlichen Schutzherrn sinnfällig verschlüsselt festhielt: mit einem ambitioniert gestalteten Bild des Herrschers, das ihn mit charakteristischer rotblonder Haar- und Barttracht zeigt, in vollem Ornat mitsamt den Reichsinsignien auf Goldgrund hineingemalt in eine langgestreckte I-Initiale (9,5 x 2,5 x 3,0 cm). Mit ihr stieg man also buchstäblich in die Lektüre des ebenso anspruchsvollen wie konfliktträchtigen Textensembles ein. | VH

Literatur: Ausst.-Kat. Mainz 2020, S. 395 f., Kat.-Nr. IV.07 (Volkhard Huth) | Hagenmaier 1980, S. 103 f. | Huth 2014, S. 188–205, bes. S. 190–197.

Kat.-Nr. 48

Kat.-Nr. 48

SIZILIEN

Albe Kaiser Friedrichs I. Barbarossa, 12. Jahrhundert

Leinen, Goldborten, H. 180,0 cm, B. 173,0 cm I Utrecht, Museum Catharijneconvent, Inv.-Nr. OKM t91

Das fußlange, in der Taille gegürtete Gewand lässt sich von der langärmeligen Untertunika herleiten, die seit dem 3. Jahrhundert zum alltäglichen Kleidungsstück gehörte. Durch die Übernahme römischer Traditionen in den Bekleidungsbereich weltlicher wie auch klerikaler Würdenträger ist zu erkennen, dass sich die deutschen Herrscher seit Karl dem Großen als Nachfolger der römischen Kaiser sahen. Deswegen spielte die Albe eine herausragende Rolle in der symbolischen Kommunikation des Mittelalters.

Das Gewand ist aus einer 95 cm breiten, leinenen Mittelbahn gefertigt. Durch die beidseitigen Einsätze wird die Albe zum Saum hin erweitert, während ihre gerade angesetzten Ärmel sich zu den Handgelenken hin verengen. Diese Form des Gewandes entspricht den bereits aus der Mitte des 11. Jahrhunderts bekannten Alben, sie ist am Halsausschnitt, am unteren Saum, an den Manschetten, Schulter- und Ärmelnähten bis zum Ansatz der seitlichen Giren mit goldenen Borten verschiedener Breite geschmückt. Diese sind mit pflanzlichen Ornamenten sowie Tiermotiven verziert, deren Stil auf das 12. Jahrhundert hindeutet. Zudem weisen zwei Bortenstücke des rechten Ärmels technische sowie gestalterische Ähnlichkeiten mit sizilischen Brokaten auf (Kat.-Nr. 75).

Seit dem Spätmittelalter galt dieses Gewand als Albe des heiligen Bernulf (gest. um 1054), der Bischof von Utrecht war. Laut jüngster Forschung gehörte es jedoch dem Kaiser Friedrich I. Barbarossa. Viele bildliche Darstellungen wie das *Thronbild* aus der Weingartner Welfenchronik oder *Kaiser Friedrich I. Barbarossa als Kreuzfahrer* aus der Vatikanischen Handschrift zeigen den Kaiser in einem solchen weißen Untergewand. Es lässt sich annehmen, dass Barbarossa bei einem seiner Besuche die Tunika der St. Utrechter Janskirche schenkte, was damals keine unübliche Geste für einen Monarchen auf Besuch war. I ED

Literatur: URL: https://adlib.catharijneconvent.nl/Details/collect/42150 (zuletzt aufgerufen am 7.8.2022).

Kat.-Nr. 49 (S. 82, Abb. 8)

RHEIN-MAAS-GEBIET

Armilla (Armspange) mit der Auferstehung Christi, um 1170/80

Kupfer, Grubenschmelz, vergoldet, H. 11,8 cm, L. 14,7 cm I Paris, Musée du Louvre, Département des Objets d'art, Inv.-Nr. OA 8261

Zu den wenigen erhaltenen Werken der Schatzkunst, die möglicherweise in einem direkten Bezug zu Kaiser Friedrich I. Barbarossa stehen, zählen die beiden prachtvollen Armillae (Armspangen) in Emailtechnik, die sich heute im Germanischen Nationalmuseum in Nürnberg (S. 82, Abb. 7) und im Musée du Louvre in Paris befinden. Vermutlich schon seit dem 10. Jahrhundert zählen solche kostbaren Herrschafts- und Standeszeichen zum Krönungsornat und werden bei der Einkleidung neben Mantel und Ring an den zukünftigen Regenten verliehen, um auf seine besondere Nähe zu Christus zu verweisen. Sie sind in der Regierungszeit des Staufers und vielleicht auf seinen Auftrag hin entstanden und könnten als royales Geschenk nach Russland gelangt sein, wo sie allerdings an zwei verschiedenen Orten wiedergefunden wurden.

Die bislang angenommene Zusammengehörigkeit der Spangen in Nürnberg (mit der Kreuzigung Christi) und im Louvre (mit der Auferstehung Christi), die sich scheinbar auch durch die zeitliche Abfolge der dargestellten Szenen ergibt, wird neuerdings in Frage gestellt. So sieht Jannic Durand im Nürnberger Exemplar noch mehr romanische (und damit ältere) Merkmale, im Unterschied zum Pariser Stück, das er aufgrund seiner ausgeprägten Bezugnahme auf Byzanz und die Antike eher dem bahnbrechenden künstlerischen Umfeld des bedeutendsten maasländischen Goldschmieds der Zeit, Nikolaus von Verdun, zuordnet. Die Datierung der Pariser Armilla orientiert sich daher eher am Klosterneuburger Ambo (1181) aus der Werkstatt des Nikolaus. Hier entstand nach der Wende zum 13. Jahrhundert auch der Kölner Dreikönigenschrein (s. Kat.-Nr. 77).

Die Spange präsentiert den dem Sarkophag entsteigenden Erlöser, zwei Engel mit Lilienzeptern wohnen dem Ereignis bei, während die gerüsteten Wächter schlafend oder geblendet auf dem Boden liegen. Die Armillae, die – nach Jannic also möglicherweise nicht als ein Paar, sondern als je ein Stück von zwei Paaren – von Barbarossa nach Russland verschenkt wurden, sind die einzigen erhaltenen Exemplare dieser Art. Eine Zeichnung des 18. Jahrhunderts bezeugt, dass ein ähnliches Paar einmal Teil der damals in Nürnberg verwahrten Reichskleinodien war (S. 83, Abb. 9). Die beiden gewölbten Kupferplatten in trapezoider Form zählen zu den bedeutendsten Denkmälern der hochmittelalterlichen Emailkunst im Rhein-Maas-Gebiet. I PM

Literatur: Ausst.-Kat. Paris 2013, S. 142, Kat.-Nr. 73 (Jannic Durand) I Ausst.-Kat. Stuttgart 1977, Bd. 1, S. 401–404, Kat.-Nr. 540, 541 I Kahsnitz 1979, S. 10–13, Abb. 8.

Kat.-Nr. 50

MEISTER DER BARBARA-LEGENDE, BRÜSSEL

**„Heinrichstafel", dreiteilige Tafel mit Krönung Heinrichs II.
durch Papst Benedikt VIII., Übergabe des Heiligen Schwertes,
Kreuzvision und Feldzug des kaiserlichen Heeres gegen
Polen, um 1484 oder 1494**

Eichenholz, Tempera, H. 73,2 cm, B. 174,0 cm ∣ Münster, LWL-Museum für
Kunst und Kultur, Inv.-Nr. 1573 LG (Krönung: Leihgabe des Germanischen
Nationalmuseums Nürnberg), 1529 LM, 239 WKV (Schlacht: Leihgabe des
Westfälischen Kunstvereins)

Der Bamberger Dom mit dem Grabmal Kaiser Heinrichs II. und
seiner Gemahlin Kunigunde war für Barbarossa vor seiner Königskrönung ein wichtiger Ort, da er sich mit dem Bamberger Bischof
Eberhard III., dem er eng verbunden war, 1152 darauf verständigen
konnte, hier für seinen Onkel Konrad III. eine letzte Ruhestätte
zu finden. Heinrich war kurz zuvor u. a. durch den besagten Bischof
heiliggesprochen worden (s. Kat.-Nr. 52). Dieser Vorgang hat möglicherweise auch die Heiligsprechung Kaiser Karls des Großen unter
der Mitwirkung von Barbarossa beschleunigt (s. Kat.-Nr. 59). Im
Kontext der Sakralität des mittelalterlichen Herrschertums zeigen

wir dieses einzigartige Tafelbild aus den eigenen Sammlungsbestän-
den, die „Heinrichstafel", die erst 1977 in Münster wieder zusam-
mengeführt und entschlüsselt werden konnte.

Zu sehen sind Stationen aus dem Leben Kaiser Heinrichs, allerdings in chronologisch vertauschter Reihenfolge: Der Feldzug gegen die „ungläubigen" Polen fand bereits 1004 statt, die Kaiserkrönung in Rom erst 1014. Der Auftraggeber der Tafel zielte damit
auf folgende Botschaft: Der Kreuzzug gegen die Feinde der Christenheit wird als Erfüllung des sakralen Kaisertums gedeutet. Auch
wenn sich diese Aussage ganz konkret auf den damaligen Herrscher Maximilian von Habsburg bezog und der Propaganda für seinen Kampf gegen die Türken dienen sollte, lässt sie sich auch auf
das ausgehende 12. Jahrhundert und auf den Dritten Kreuzzug
Barbarossas (vgl. Kat.-Nr. 122) übertragen: Die irdische und himmlische Krone, die der Papst als Stellvertreter Gottes auf Erden dem
demütig knienden Kaiser verleiht, ziert sinnfälligerweise auch sein
Haupt, als er, begleitet von einer Heerschar von Schutzheiligen,
in die Schlacht zieht. ∣ PM

Literatur: Ausst.-Kat. Magdeburg 2008, S. 110 f., Kat.-Nr. I.58 (Petra Marx).

Kat.-Nr. 51

KÖLN

Emailtafel mit Investiturdarstellung, um 1160/70

Kupfer, vergoldet, Grubenschmelz, H. 10,2 cm, B. 7,7 cm | Hamburg,
Museum für Kunst und Gewerbe, Inv.-Nr. 1877.155

Die emaillierte Kupfertafel mit vergoldeten Figuren vor einem kräf-
tig blauen Untergrund zeigt die Investitur (lat. Einkleidung, Einset-
zung) eines Geistlichen durch einen thronenden König oder Kaiser.
Unter einer palmettengeschmückten Arkade überreicht der an der
Bügelkrone und dem Reichsapfel erkennbare weltliche Herrscher
einen Kreuzstab mit einer Fahne an sein Gegenüber. Die lateinische
Inschrift erläutert die Darstellung mit den Worten „E(PISCO)P(VS)
FIT", d. h. „Er wird zum Bischof gemacht". Die Identifizierung des
Amtsanwärters, eines Mönchs im Habit mit Tonsur und Nimbus,
als heiliger Erzbischof Anno II. von Köln – und des Herrschers als
Salier Heinrich III., der Anno 1056 in Köln investierte – schien

lange klar auf der Hand zu liegen, wurde jedoch 2020 von Esther-
Luisa Schuster in Zweifel gezogen.

In unserem Zusammenhang ist die Darstellung auch ohne die
eindeutige Benennung der Akteure von besonderem Interesse.
Ähnlich wie die Krönung Kaiser Heinrichs II. durch Papst Benedikt VIII. in der museumseigenen „Heinrichstafel" des ausgehenden 15. Jahrhunderts (Kat.-Nr. 50) ist diese Amtseinsetzung auf
die Hauptpersonen reduziert und tritt als eine „zeichenhafte öffent-
liche Zeremonie innerhalb der Herrschaftsrepräsentation und
Amtslegitimation vor Augen" (Franz Niehoff 1995). Der im 11. Jahrhundert ausgebrochene „Investiturstreit" um die Gewaltenteilung
zwischen Regnum und Sacerdotium schwelte auch zu Lebzeiten
Kaiser Friedrichs I. Barbarossa weiter (Kat.-Nr. 53). | PM

Literatur: Ausst.-Kat. Braunschweig 1995, Bd. 1, S. 47 f., Kat.-Nr. A 9 (Franz
Niehoff) | Ausst.-Kat. Mainz 2020, S. 224, Kat.-Nr. II.22 (Esther-Luisa
Schuster) | Ausst.-Kat. Speyer 2011, Bd. 1, S. 39 f., Kat.-Nr. 39 (Birgit Kita).

Kat.-Nr. 52

HILDESHEIM

Welandus-Reliquiar für Kaiser Heinrich II., letztes Viertel 12. Jahrhundert

Holzkern, Grubenschmelz, Bronze, gegossen, vergoldet, Silber, geprägt, Bergkristall, Reliquien, H. 23,4 cm, B. 11,0 cm | Paris, Musée du Louvre, Département des Objets d'art, Inv.-Nr. OA 49

Das sogenannte Welandus-Reliquiar besteht aus einem hölzernen, vierpassförmigen und beidseitig mit Emailplatten besetzten Reliquienbehältnis, das durch ein kupfervergoldetes Verbindungsstück über einer emaillierten Standkalotte montiert ist. Bergkristallknäufe erweitern die Schaufläche zu einem Kreuz, an den Schmalseiten ist geprägtes Kupferblech angebracht.

Die Vierpassflächen zeigen jeweils eine in Stil und Typus ähnlich dargestellte, zentral thronende Herrschergestalt, Christus (mit Kreuznimbus) und den 1146 in Bamberg heiliggesprochenen Kaiser Heinrich II. (973–1024) (vgl. Kat.-Nr. 50), beide begleitet von kleineren Figuren. Inschriften bezeichnen das dargestellte Personal und die im Inneren geborgenen Reliquien Heinrichs II. Zur Rechten des Kaisers ist dessen Gemahlin Kunigunde (1200 heiliggesprochen) dargestellt, zur Linken überreicht der Stiftermönch Welandus kniefällig das Vierpass-Reliquiar. Seitlich des auf der Gegenseite thronenden Christus (*Rex Regum*) vertreten drei kleine Büsten, bezeichnet als Oswald, Sigismund und Eugeus, das irdische Königtum (Kat.-Nr. 87). An der Kalotte verweisen vier im

12. Jahrhundert besonders verehrte Soldatenheilige auf geistlichwehrhafte Tugenden.

Das Reliquiar kann nicht nur aus stilistischen Gründen, sondern auch durch den in Hildesheimer Nekrologien nachgewiesenen Welandus als Hildesheimer Werk des 12. Jahrhunderts identifiziert werden (Kat.-Nr. 131 bis 134): Der vor dem 14. Januar 1194 verstorbene Mönch des Michaelsklosters stiftete das Reliquiar wohl um 1181/86.

Mit dieser Reliquiarstiftung sorgte der Mönch Welandus einerseits für sein eigenes Seelenheil, für seine eigene Memoria; zugleich erfüllte er eine dem Kloster auferlegte Verpflichtung zum „ewigen Gedenken" an denjenigen heiligen Herrscher, der seinem Kloster im 11. Jahrhundert bedeutende, existenzsichernde Stiftungen zugewiesen hatte. Die Reliquiarstiftung fällt in einen Zeitraum, in dem das Michaelskloster im Zuge der bevorstehenden Heiligsprechung Bernwards von Hildesheim (um 950/60 bis 1022, 1192 heiliggesprochen) kostspielige und langjährige Umbau- und Ausstattungsmaßnahmen finanzieren musste. So konnte diese bildliche und kultische Inszenierung des christusgleich präsentierten, bereits kanonisierten Stifters Heinrich auch als Anreiz für mögliche weitere noch zu gewinnende Stifter und Förderer verstanden worden sein – gerade im Kontext der ebenfalls dort dargestellten Königsbüsten. | DK

Literatur: Bayer 2000, S. 599–603 | Beuckers/Kemper 2018 | Kemper 2020, S. 429–453.

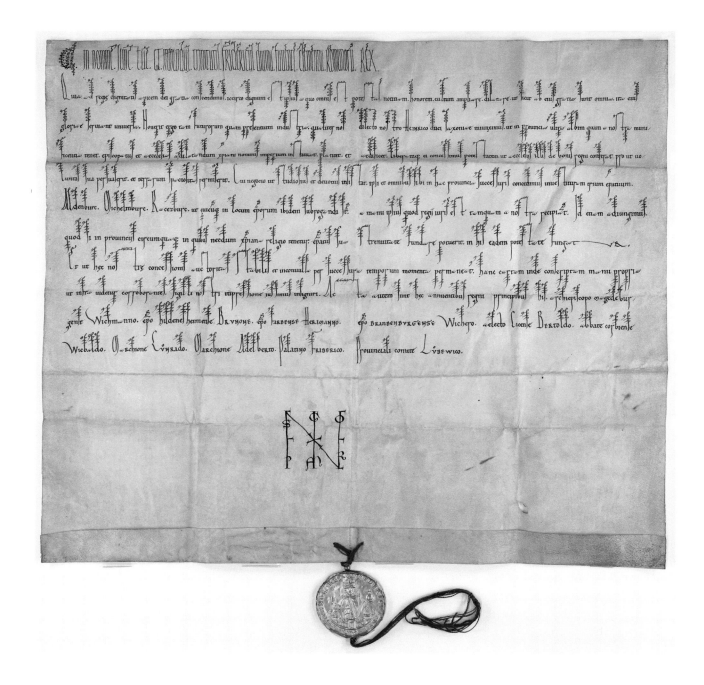

Kat.-Nr. 53

GOSLAR/MAASGEBIET

Privileg König Friedrich Barbarossas für den Sachsenherzog Heinrich den Löwen 1154, mit Goldbulle (Typar 1152)

Pergament mit angehängter Goldbulle, Goldblech und Füllmasse, rote Seidenfäden, Urkunde, H. 47,0 cm, B. 53,5 cm, Bulle Dm. 5,9 cm | Wolfenbüttel, Niedersächsisches Landesarchiv, Sign. 1 Urk 1

Etwas verloren wirkt das Monogramm König Friedrichs I. im unteren Drittel des Urkundenpergaments, traditionelle Elemente hochmittelalterlicher Herrscherdiplome wie die Angabe des Ausstellungsdatums fehlen hier. Hingegen entschloss sich die Kanzlei offenbar kurzfristig, eine Besiegelung mit der königlichen Goldbulle vorzunehmen, während der Text ein aufgedrücktes Wachssiegel

ankündigt. Diese Unsicherheiten bei der Ausfertigung sind nachvollziehbar, denn die Vergünstigungen, die Friedrich I. seinem Vetter Heinrich dem Löwen anlässlich eines Hoftags im sächsischen Goslar gewährte, waren in der Tat außergewöhnlich: Sie gestatteten dem Sachsenherzog nicht nur, in den Slawenlanden rechts der Elbe neue Bistümer einzurichten. Als Ansporn für seine Anstrengungen zur Verbreitung des Christentums übertrug der König ihm auch das Vorrecht, die Investitur der Bischöfe von Oldenburg, Mecklenburg und Ratzeburg vorzunehmen. Dieses Zugeständnis war insofern brisant, als es seitens des Reichsepiskopats als Eingriff in die Selbständigkeit der Kirche gedeutet werden konnte. Um die Frage der Verfügungsgewalt des Königtums über geistliche Institutionen war in Zeiten des Investiturstreits erbittert gerungen worden. Friedrich Barbarossa bewegte sich mit seiner Bestimmung

Vorderseite

Rückseite

noch auf dem Boden des Wormser Konkordats von 1122, signalisierte aber zugleich, dass er die verbliebenen Rechte des Reiches konsequent als Herrschaftsmittel einzusetzen beabsichtigte. In der Situation des Frühjahrs 1154 nutzte er sie, um sich die militärische Unterstützung des Herzogs für den bevorstehenden Krönungszug nach Rom zu sichern. Vor seinem Aufbruch zum zweiten Italienzug 1158 stattete er im Gegenzug das Erzbistum Hamburg-Bremen mit umfangreichen Privilegien aus. Dadurch stiftete er den Konsens, der die effektive herrschaftliche und kirchliche Neuorganisation der nordelbischen Gebiete erst ermöglichte. | JK

Literatur: Appelt 1975, Nr. 80, S. 132–134 | Ausst.-Kat. Magdeburg 2006, Bd. 1, S. 236, Kat.-Nr. IV.42 (Knut Görich) | Ehlers 2008, S. 87 f., 149–157 | Petersohn 2003, S. 239–279.

Royale Bullen waren im Gegensatz zu den in Wachs ausgegossenen Siegeln in Metall ausgefertigt und doppelseitig mit Vorder- und Rückseite (Avers und Revers) geprägt. Goldbullen blieben selbstverständlich für hochrangige Beurkundungen reserviert. So verwundert es nicht, dass König Friedrich I. 1154 auf dem Reichstag zu Goslar das vorliegende Schriftstück mit einer Goldenen Bulle besiegeln ließ. Nur dieses einzige Exemplar einer Königsbulle Barbarossas hat sich erhalten, an der ersten herzoglichen Hausurkunde.

Die Anfertigung der beiden Prägestempel von Avers und Revers kann dank des Briefwechsels von Abt Wibald von Stablo recht genau auf den Monat März des Krönungsjahres 1152 eingegrenzt und in die damals für Goldschmiedearbeiten hoch spezialisierte Maasregion um das Hochstift Lüttich lokalisiert werden (vgl. Kat.-Nr. 71). Der ikonografische Entwurf zeugt von hoher Ambition. Auf der Vorderseite erhebt sich die Halbfigur des Königs „+ FREDERICVS DEI Gr(ati)A ROMANOR(um) REX" gewissermaßen monumental über den mit drei kräftigen Rundtürmen bewehrten und mit Zinnen bestückten Mauerring von Rom, in den Händen ein Lilienzepter und eine kräftig hervortretende Sphaera. In der Tradition der imperialen Goldbullen wurde die Stadt seit den Saliern durch eine architektonische Chiffre symbolisiert.

Als Schöpfer dieser Komposition kann ebenfalls der schon damals in Reichsdiensten aktive Abt Wibald gelten. Auch für die Rückseite von Barbarossas Bulle mit der Architekturszenerie fand Wibald eine außerordentliche Lösung. In den Mauerring der ewigen Stadt Rom ließ er klar erkennbar das antike Kolosseum einfügen, als Monument antiker Imperatorenherrlichkeit, wie er es selbst von mehreren Romreisen anschaulich kannte. Diesen Stempel behielt Barbarossa auch als Kaiser zeitlebens bei. | BKL

Literatur: Fees 2015, S. 95–132 | Hartmann 2012, Bd. 2, Nr. 730, Bd. 3, Nr. 731 | Klössel-Luckhardt 2020.

Kat.-Nr. 54

NORDDEUTSCHLAND

Kaiser Friedrich I. Barbarossa ertrinkt im Fluss Saleph, in: Sächsische Weltchronik, 1. Viertel 14. Jahrhundert

Pergament, Buchmalerei in Deckfarben, 124 Bl., H. 30,0 cm, B. 22,0 cm | Berlin, Staatsbibliothek zu Berlin, Preußischer Kulturbesitz, Abt. Handschriften und historische Drucke, Ms. germ. fol. 129, fol. 113v/114r

Die *Sächsische Weltchronik*, deren älteste Versionen zwischen 1230 und 1270 entstanden, ist die erste Universalchronik, die in deutscher Sprache in Prosa verfasst wurde. Unter den über vierzig bekannten Textzeugen sind auch drei illustrierte in Gotha, Bremen und Berlin zu finden, deren Bildmotive sich teilweise überschneiden. Alle drei Handschriften beenden den Abschnitt zur Regierungszeit Barbarossas mit einer Verbildlichung seines Todes, den er 1190 auf dem Kreuzzug bei der Überquerung des Flusses Saleph fand. Sie zeigt entweder den noch schwimmenden oder den bereits untergehenden Kaiser. Die Berliner Handschrift enthält außer der bekannten Darstellung des Mainzer Hoffestes von 1184 eine auf Goldgrund gemalte und gerahmte Miniatur, die den bis auf die Krone nackten Kaiser beim Ertrinken im Wasser vor Augen führt. Dass

er schon in den Fluten versunken ist, verdeutlichen die blauen Wellenlinien, die nicht nur über den Körper, sondern auch über das Gesicht des Herrschers verlaufen. Seine Arme reckt er hilfesuchend nach oben. Sowohl sein Herrschaftszeichen, die Krone, als auch der Chroniktext über dem Bild identifizieren den Kaiser als solchen: „dar wolde de keiser swemmen over en water unde irdrank". Die drei rechts mit Trauer- und Fürbitt-Gestus stehenden Figuren finden ihre Erklärung in den zwei Zeilen darunter: „Dar wart grot iamer in der christenheit". Die Umstände, unter denen Barbarossa auf dem Kreuzzug ums Leben kam, verunsicherten die Zeitgenossen stark. War er einen „guten" oder einen „schlimmen" Tod gestorben? Schon die ersten der zahlreich erhaltenen Quellenberichte versuchten daher, die Ereignisse so umzudeuten, dass der Kaiser trotz seines unrühmlichen und plötzlichen Todes noch die Sterbesakramente empfangen hatte. Dem Miniaturenmaler der Berliner Handschrift galt Barbarossa hingegen offenbar als Sünder. Daher stellte er ihn nackt dar, denn Nacktheit und Blöße standen in der mittelalterlichen Kunst für die Sündhaftigkeit des Fleisches. | WEW

Literatur: Manuwald 2016, S. 68–90 | Wegener 1928, S. 123–125 | Wolf 1997.

Kat.-Nr. 55 (ohne Abb.)

ABSCHRIFT FÜR STABLO, ST. REMAKLUS, NACH 1190

Archipoeta, Kaiserhymnus, 1162/63

Pergament, 12 Bl., H. 23,0 cm, B. 16,0 cm | Brüssel, Bibliothèque Royale
de Belgique, Ms. 2067-2073, fol. 104v–105r

Hatte das 1842 auszugsweise gedruckte Inventar der Königlichen
Bibliothek Belgiens unter der Ordnungsnummer 2071 noch ein
lateinisches Lobgedicht auf Kaiser Friedrich II. verzeichnet, so stellte der dortige Konservator Frédéric de Reiffenberg noch im gleichen Jahr den Bezug zu Friedrich I. Barbarossa her. Sein Abdruck
des Textes wurde 1844 von Jacob Grimm abermals publiziert, der
zugleich die Verbindung zu den in einer Göttinger Handschrift unter
dem Pseudonym „Archipoeta" überlieferten Gedichten erkannte.
Die hohe Kunstfertigkeit der insgesamt zehn bekannten Verskom-
positionen dieses Dichters hat zu intensiven Forschungsbemühun-
gen um Werk und Person geführt. Versuche, ihn mit dem kaiserlichen Kanzleischreiber Rainald H oder dem Schulmeister Gottfried
des Kölner Kanonikerstifts St. Andreas zu identifizieren, bleiben
letztlich ungesichert, gewährten aber vertiefte Einblicke in das intellektuelle Milieu des 12. Jahrhunderts. Der Archipoeta selbst
bezeichnet sich als Spross einer ritterlichen Familie aus dem nord-
alpinen Raum, der als junger Kleriker ein Studium in Paris aufgenommen und später einige Zeit die medizinische Schule im süditalienischen Salerno besucht habe. Er tritt in der Mehrzahl der Texte in der Rolle eines vagabundierenden Scholaren am Rande des
Bettlerdaseins auf, der sich mit bemerkenswertem Selbstbewusstsein zu einem sündenbeladenen Lebenswandel bekennt. Zumal
der Dichter zugleich als Protegé des mächtigen Kölner Elekten
Rainald von Dassel erscheint, hat man in dieser Selbststilisierung
freilich einen literarischen Kunstgriff vermutet.

Der Kaiserhymnus offenbart einmal mehr die exzeptionelle
Gelehrsamkeit und stilistische Eleganz des Archipoeta, sein Text
ist durchsetzt von biblischen und historischen Anspielungen und
Zitaten. Die in die Jahre 1162/63 zu datierenden Verse stellen den
Staufer an die Spitze einer gottgewollten, die gesamte Schöpfung
umfassenden Weltordnung. Diese im Sinne der traditionellen Herrscherpflicht zur Friedens- und Rechtswahrung zu stützen, wird
damit als legitimes Kernanliegen des Kaisers markiert. Indem er
konsequent die früheren Reichsrechte in Italien einfordere, handle
Friedrich Barbarossa für das Gemeinwohl, das freilich durch den
Freiheitsdrang der lombardischen Städte selbstsüchtig gemindert
werde. Der Dichter zieht hier Vergleiche zum Turmbau zu Babel
und dem Untergang Trojas: So wie jene mächtige Stadt ihr Auf-
begehren gegen den Götterwillen mit der Zerstörung bezahlt habe,
so habe nun auch das rebellische Mailand dafür büßen müssen,
dass es entgegen dem Christuswort dem Kaiser nicht gewähren
wollte, was einem Kaiser von Rechts wegen gebühre. Der Archipoeta spart nicht an martialischem Ausdruck, der Sieg der kaiserlichen Waffen solle künftigen Gegnern zum Schrecken gereichen.
Indem er das Nahen des Staufers mit dem Brausen des kalten
Nordwinds vergleicht, sendet er der Welt eine Botschaft, die man
heutzutage wohl treffend unter dem populären Slogan der Fern-
sehserie *Game of Thrones* zusammenfassen könnte: „Winter is
coming!" Der Kollaps der staufischen Italienherrschaft wenige
Jahre darauf belegt indes zugleich die Schwäche eines maßgeblich
auf militärische Gewaltandrohung gegründeten Weltgeltungsan-
spruchs. | JK

Literatur: Fried 1991, S. 85–90 | Godman 2011, S. 31–58 | Godman
2014 | Grimm 1844 | Landau 2011 | Reiffenberg 1842, S. 475–496 |
Schieffer 1990, S. 59–79 | Zapf 2012, S. 64–69.

Kat.-Nr. 56 (ohne Abb.)

MARIA LAACH

**Brief Saladins an Kaiser Friedrich I. Barbarossa,
2. Hälfte 12. Jahrhundert**

Pergament, H. 26,5 cm, B. 15,0 cm | Berlin, Staatsbibliothek zu Berlin,
Preußischer Kulturbesitz, Abt. Handschriften und historische Drucke,
Ms. theol. lat. qu. 190, fol. 77 r

Der Brief des Sultans Ṣalāḥ ad-Dīn an Friedrich I. Barbarossa gilt
als ältestes bekanntes Schriftzeugnis des diplomatischen Austausches zwischen dem ayyubischen Herrscher und dem Stauferkaiser. Das Original des wahrscheinlich im Sommer des Jahres
1172 verfassten Schreibens ist nicht erhalten und nur in einer lateinischen, möglicherweise in Siegburg angefertigten Übersetzung

überliefert. Dem Text zufolge handelt es sich bei diesem Brief um
die Antwort des Sultans auf ein vorangegangenes, heute verschol-
lenes Gesuch des staufischen Kaisers, das durch einen Genuesen
namens Albericus überbracht worden war. Ṣalāḥ ad-Dīn erklärt
sich in seinem Antwortscheiben bereit, einem nicht näher benannten kaiserlichen Wunsch nachzukommen. Der Wortlaut belegt,
dass der ayyubische Herrscher Zweifel hatte, ob Albericus tatsächlich als Gesandter Barbarossas oder lediglich des Erzbischofs und
Kanzlers Christian von Mainz wirkte. Deshalb beauftragte Ṣalāḥ
ad-Dīn den Rechtsgelehrten Abū Ṭāhir als seinen Legaten (arab.:
qāḍī), um diesen Sachverhalt zu klären. | KPJ

Literatur: Möhring 2005 | Thomsen 2018, S. 346–360 | Wagendorfer
2009, S. 565–584.

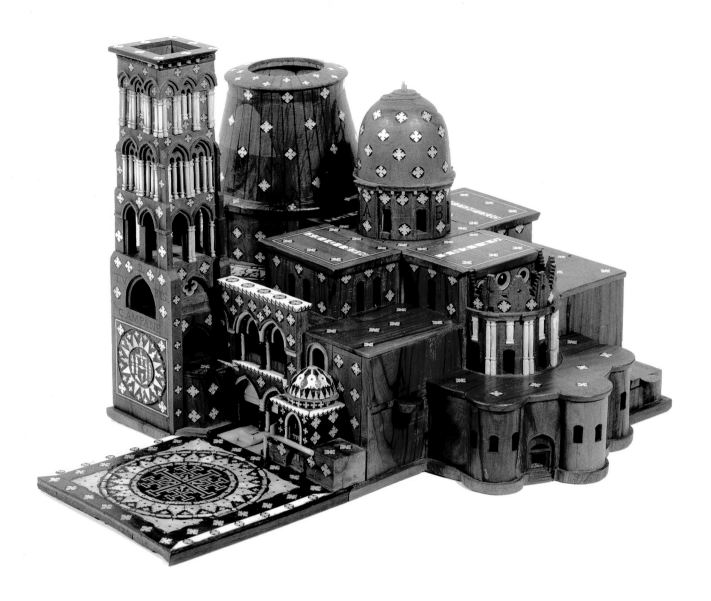

Kat.-Nr. 57

JERUSALEM

Mehrteiliges Modell der Grabeskirche in Bethlehem, um 1675

Olivenholz, Zedernholz, Perlmutt, Elfenbein, H. 22,5 cm, B. 39,0 cm,
T. 34,5 cm | Utrecht, Museum Catharijneconvent, Inv.-Nr. BMH v1575a

Die Grabeskirche in Jerusalem ist bis heute das zentrale Pilgerziel
der Christenheit. Dies galt im Mittelalter auch für die Kreuzfahrer,
die sich als Pilger „unter Waffen" verstanden, mit dem Ziel, das
Heilige Land aus den Händen der „Ungläubigen" zu befreien (vgl.
Kat.-Nr. 121). Seit der Einweihung im Jahre 330 n. Chr. erlitt das
Gebäude mehrfach schwere Beschädigungen und Zerstörungen.
Dieses mehrteilige Architekturmodell der Grabeskirche stellt im
Wesentlichen den Zustand aus der Kreuzfahrerzeit dar, als König
Amalrich I. (1136–1174) das Gotteshaus nach der schweren Zer-
störung um 1160 wiederaufgebaut hatte und erneut weihen ließ.

Das Modell besteht aus dunklem rotbraunem Holz, die Rand-
leisten aus Bein (Knochen), es ist mit reichlichen Verzierungen

durch Perlmutt-Intarsien versehen. Es umfasst den Vorhof, den
Glockenturm sowie den Hauptbau mit der großen Rotunde und der
charakteristischen kegelförmigen Kuppel. Der Hauptaltar mit der
kleineren gerundeten Kuppel sowie der anschließende Chorum-
gang sind ebenfalls dargestellt. Auf dem Vorplatz ist das Wappen
mit dem fünffachen Jerusalem-Kreuz eingelegt, das auf die Kreuzfahrer hinweist. Zudem trägt der Glockenturm das Emblem der
Jesuiten und das Dach der Lateinerkapelle zeigt das Wappen des
Franziskanerordens. In seiner prächtigen und detailreichen Gestaltung vermittelt das nachmittelalterliche Modell einen guten visu-
ellen Eindruck von der alten, baulich immer wieder erweiterten
und veränderten Grablege Christi. | ED

Literatur: Ausst.-Kat. Mainz 2004, S. 343, Kat.-Nr. 26 (Karl Schmitt-Korte) |
Schmitt-Korte 2011, S. 345–357.

Kat.-Nr. 58 (S. 33, Abb. 5)

GIRARDUS ODER UMKREIS

Sogenanntes Barbarossa-Relief von der Porta Romana in Mailand, um 1171

Weißer Marmor, H. 116,0 cm, B. 48,0 cm, T. 23,0 cm | Mailand, Castello Sforzesco – Museo d'Arte Antica, Inv.-Nr. 776

Im Jahr 1162 wurde Mailand von den Truppen des Kaisers Friedrich I. Hohenstaufen belagert, eingenommen und völlig zerstört. Erst 1171 war es der verbannten Bevölkerung erlaubt, in die Stadt zurückzukehren, sie wiederaufzubauen und mit einer neuen Ringmauer zu befestigen.

Das hier beschriebene Relief schmückte ursprünglich die Außenfront der mittelalterlichen Porta Romana. Zwar ist dieses Stadttor heute nicht mehr vorhanden, jedoch kennen wir es aus architektonischen Vermessungen und dank eines Stiches aus dem 18. Jahrhundert. Das aus Steinblöcken errichtete Bauwerk bestand aus zwei Bögen, über welchen sich ein hoher Turm befand. Neben dem trapezförmigen Relief einer männlichen Gestalt waren eine Erklärungstafel und weitere Reliefs am Sockel der Arkaden vorhanden. Diese Werke sind einerseits wichtige Zeitzeugen der Geschichte Mailands, da sie die Rückkehr der stolzen Bewohner zelebrieren; andererseits haben sie eine große künstlerische Bedeutung, weil sie von den Künstlern Anselmus und Girardus signiert wurden.

1793 hat man im Zuge städtebaulicher Umwandlungen die festungsartige Porta Romana abgerissen. Fast alle plastischen Ornamente wurden zum Verzieren der Fassaden der Ersatzbauten wiederverwendet und schließlich im späten 19. Jahrhundert ins Museo d'Arte Antica im Castello Sforzesco umgelagert.

Die Reliefgestalt auf der Marmorplatte wurde zuerst von Giovio, dann von Torre und anschließend von Giulini als eine Karikatur des Kaisers Barbarossa gedeutet. Allerdings wurde schon in der ersten Hälfte des 14. Jahrhunderts behauptet, es handele sich um eine Darstellung des byzantinischen Kaisers Manuel I. Komnenos, welcher den Wiederaufbau Mailands finanzierte, während später die These vertreten wurde, der abgebildete Mann sei der römische Kaiser Maximian, der Mailand zu seiner Hauptstadt gewählt hatte. Obwohl das Relief typische mittelalterliche Symbole der Amtsgewalt, wie gekreuzte Beine und Blumenzepter, aufweist, wird heute allgemein angenommen, dass es sich um eine apotropäische Darstellung eines Herrschers handelt, welcher das unter ihm liegende zweischwänzige Monster besiegt.

Ähnliche Reliefs wurden außerhalb der Stadtmauer mit prophylaktischer Schutzfunktion aufgestellt. Aufgrund der Stilähnlichkeit mit den von Girardus signierten Torreliefs, die ebenfalls durch ihre Massivität und einen ausgeprägten Archaismus gekennzeichnet sind, wurde das Werk jenem Bildhauer oder seinem engeren Kreis zugeschrieben.

Dieses Relief wird oft zusammen mit dem Werk *Bild einer unkeuschen Frau* von der Porta Tosa gezeigt (heute im Museo d'Arte Antica im Castello Sforzesco, Inv.-Nr. 528). Im Kontext der Geschichte Mailands ist das „Barbarossa-Relief" ein Unikat, indem es die Bedeutung der Bilder und deren Botschaften im Mittelalter dokumentiert. | LT

Literatur: Giovio 1551, S. 32 | Giulini 1760 | Torre 1714, S. 19.

Kat.-Nr. 59 (s. S. 35, Abb. 7; S. 69, Abb. 7, Abb. S. 162)

MAASGEBIET

Armreliquiar für Karl den Großen, 1165/73

Eichenholzkern, getriebenes, punziertes und vergoldetes Silberblech,
Bronze gegossen, graviert, ziseliert und vergoldet, Grubenschmelzemails,
H. 13,6 cm, B. 54,8 cm, T. 13,5 cm I Paris, Musée du Louvre, Département
des Objets d'art, Inv.-Nr. D 712 (MR 347)

Im Zusammenhang mit der Heiligsprechung Karls des Großen hatte
Kaiser Friedrich I. Barbarossa am 29. Dezember 1165 dessen Gebeine aus der Grablege in der Aachener Pfalzkapelle erheben lassen. Schon bald muss es zu einer Teilung der Reliquien des kanoni-
sierten Kaisers gekommen sein, denn für einen seiner Armknochen
wurde ein kastenförmiges Reliquiar mit Klappdeckel geschaffen,
an dessen Innenseite eine in Silber getriebene Inschrift bezeugt:
„· BRACHIVM · S(AN)C(T)I · (ET) · GLORIOSISSIMI · INPERA-

TORIS · KAROLI ·" ("Der Arm des heiligen und sehr ruhmreichen
Kaisers Karl") (S. 35, Abb. 7). Der Stil dieser kostbaren Goldschmiedearbeit verweist auf eine Entstehung im Maasland gegen
1170. Der monumentale Karlsschrein dagegen, in dem ein Großteil
der sterblichen Überreste des Kaisers bis heute im Aachener Dom
ruht, wurde erst nach 1182 begonnen und 1215 fertiggestellt.

Das wohl 1804 nach Paris verbrachte Armreliquiar zeigt an
seinen Wandungen zwölf in Silber getriebene und durch Beischriften bezeichnete Halbfigurenreliefs unter weiten Arkaden, deren
Zwickelfelder mehrfarbige Grubenschmelzornamente zieren. An
der Vorderseite erscheinen neben Christus die Apostel Petrus und
Paulus sowie links außen Barbarossas Onkel König Konrad III.
und rechts vermutlich sein Vater Herzog Friedrich II. von Schwaben. An der anderen Seite ist in der Mitte Maria mit dem Kind
zwischen den Erzengeln Michael und Gabriel dargestellt, seitlich
erscheinen links Kaiser Friedrich I. (S. 69, Abb. 7) und rechts seine

Gemahlin Beatrix. Die Schmalseiten des Kastens zeigen die Kaiser Ludwig den Frommen und Otto III.

Sämtliche figürlichen Darstellungen am Deckel fehlen leider, an ihrer Stelle befinden sich seit 1936/37 schlichte Messingplatten. Das längliche Mittelfeld muss, wie Befestigungsspuren am Holzkern und andere Indizien belegen, ursprünglich mit einem getriebenen, wohl ebenfalls vergoldeten Silberblech bedeckt gewesen sein. Ob es Reliefs oder Inschriften zeigte, ist unbekannt. An den vier Ecken des Deckels befanden sich einst Personifikationen der Kardinaltugenden, die beiden von der rechten Seite sind erhalten: Eine Grubenschmelzplatte mit der Temperantia im Kölner Museum Schnütgen befand sich an der oberen, die jetzt am Fuß eines Scheibenreliquiars im Aachener Domschatz angebrachte Platte mit der Justitia an der unteren Ecke.

Die Deutung des Bildprogramms am Armreliquiar Karls des Großen ist Gegenstand einer kontroversen Forschungsdebatte, bei der bislang zumeist davon ausgegangen wurde, dass Barbarossa selbst der Stifter war. Einen Beweis für diese Annahme gibt es freilich nicht. Sicher lag es vor allem auch im Interesse der Aachener Stiftskleriker, schon vor der Herstellung eines aufwendigen Schreins ein repräsentatives Reliquiar ihres berühmten Heiligen vorweisen zu können. | LL

Literatur: Ausst-Kat. Mainz 2020, S. 385–387, Nr. IV.02 (Hanna Christine Jacobs) | Belghaus 2014 | Kötzsche 2010 | Lambacher 2010.

Kat.-Nr. 60

BOYNEBURG / MAASGEBIET

Urkunde Kaiser Friedrichs I. Barbarossa für das Stift Hilwartshausen, 1156, mit Kaisersiegel (Typar 1152)

Pergament mit aufgedrücktem Wachssiegel, Urkunde
H. 62,0 cm, B. 42,3, Siegel Dm. 8,5 cm | Hannover, Niedersächsisches Landesarchiv, HA Cal. Or. 100, Hiltwartshausen Nr. 16

Als Friedrich I. nur gut zwei Wochen nach dem vorzeitigen Tod seines Onkels Konrad III. am 4. März 1152 in Frankfurt zum König gewählt und bereits fünf Tage später am 9. März in Aachen gekrönt worden war, bedurfte es umgehend aktueller Autoritäts- und Repräsentationsinstrumente. Das königliche wie das kaiserliche Thron- bzw. Majestätssiegel Friedrich Barbarossas beeindrucken durch eine bis ins Detail organisierte Darstellung weltlicher Macht: Der imperiale Thron ist durch eine reich verzierte, leicht räumlich aufgefasste Lehne sowie durch eine ansatzweise perspektivische Auffassung der Sitzposition in besonderer Weise betont, das Abbild des Herrschers wird durch prachtvollen Ornat in neuartiger Präzisierung erhöht. Die Fertigung aller Siegel- und Bullenstempel Barbarossas blieb ganz außergewöhnlich genau durch die Korrespondenz des Abtes Wibald von Stablo dokumentiert (s. Kat.-Nr. 71) und erlaubt die Rekonstruktion einer ganzen politischen wie künstlerischen Handlungskette.

Kurz nach der Krönung mahnte der königliche Notar Heinrich bei dem Abt die Übersendung der bereits in Auftrag gegebenen Stempel für die Siegel und Bullen an, da dringend für die Legation an die Kurie in Rom benötigt. Dem Antwortschreiben lässt sich entnehmen, dass der aus Silber gefertigte Prägestempel für die Wachssiegel und die aus Eisen gearbeiteten Typare für Vorder- und Rückseite der Goldbullen bereits mit Boten nach Aachen und an die Kanzlei versandt worden waren.

Aus den chronologischen Daten ergibt sich eine erstaunlich kurze Herstellungszeit von etwa drei, maximal fünf Wochen im März des Jahres 1152. Die später, im Juni 1155, anstehende Kaiserkrönung in Rom erforderte natürlich eine Neuanfertigung von Typaren für Thronsiegel und Goldbulle, freilich bei ausreichend Vorbereitungszeit. Beim kaiserlichen Siegel wurde vor allem die Titulatur aktualisiert „+ FREDERIC(us) DEI GR(ati)A ROMANOR(um) IMPERATOR AVG(ustu)S – Friedrich, von Gottes Gnaden, Kaiser der Römer". Das Thronbild selbst greift mit Krone, Zepter und Fußbank räumlich beherrschend in die Umschrift aus. Durch die effektvolle Platzierung der Sphaera und den angewachsenen Juwelenschmuck des Ornats gelingt eine weitere Steigerung der hierarchischen Wirkung dieses Majestätsbildes.

Der Siegelabdruck stammt aus der Zeit kurz nach dem Romzug und einer Phase engsten Zusammenwirkens mit Herzog Heinrich dem Löwen. In der Urkunde unterstellt Friedrich dem Chorfrauenstift Hilwartshausen im Solling vormalige sächsische Ministerialen, womit Heinrich seinen Einfluss an der Südflanke des sächsischen Herzogtums zweifellos stärken konnte. | BKL

Literatur: Fees 2015, S. 95–132 | Hartmann 2012, Bd. 2, Nr. 730, Bd. 3, Nr. 731 | Klössel-Luckhardt 2020.

Kat.-Nr. 61

STRASSBURG / MAASGEBIET

Freiheitsprivileg Kaiser Friedrichs I. Barbarossa für die Bürgerschaft von Worms 1184, mit Goldbulle (Typar 1154/52)

Pergament mit angehängter Goldbulle, Goldblech und Füllmasse, rote Seidenfäden, Befestigung nachträglich, Urkunde H. 53,0 cm, B. 47,4 cm, Bulle Dm. 5,8 cm | Worms, Stadtarchiv, Abt. 1 A I Nr. 7

Das 1184 von Friedrich Barbarossa für die Bürgerschaft von Worms ausgestellte Freiheitsprivileg bietet einen Beleg für die kontinuierliche Nutzung der bei Regierungsantritt geschaffenen kaiserlichen Bullenstempel. Die für die frühere römische *civitas vangionum* durch die Anhängung einer Goldenen Bulle nobilitierte Urkunde hat die Stadt wohl ihrer wirtschaftlichen Bedeutung für die Versorgung des kaiserlichen Hofes zu verdanken. Der zeitgenössische Chronist Otto von Freising pries den Bezirk des heutigen Wonnegaus: „Diese Region [Wormatie], reich an Getreide und Wein, besitzt eine Fülle von jagdbarem Wild und Fischen [...] und kann daher die Fürsten [..] am reichhaltigsten versorgen." (*Gesta* II, 46).

Die Komposition mit dem sich über die Fortifikationsarchitektur erhebenden *Augustus* „+ FREDERIC(us) DEI GR(ati)A ROMAN-ORV(m) IMPERATOR AVG(ustu)S" entspricht sehr weitgehend derjenigen der Königsbulle. Eine Umdeutung erfuhr nur der mittlere Wachtturm, hin zu einem offenstehenden Torbau als Motiv für den Empfang in Rom. Die Rückseite mit der auf eigener Anschauung

basierenden Romansicht blieb hingegen gänzlich unverändert. In ihrem Zentrum steht gut identifizierbar das Abbild des antiken *Theatrum Flavium*, des berühmten Kolosseums.

Eingeschrieben in das offene Oval der klassischen *Cavea* sowie in die zentrale *Porta* der Stadtbefestigung erscheinen die Schriftzüge des traditionsreichen Stadttitels „AVREA / ROMA – goldenes Rom". Diese Titulatur geht auf ein Siegel Kaiser Ottos III. zurück, wurde in der zweiten Hälfte des 12. Jahrhunderts auch bei päpstlichen Bleibullen adaptiert und übernimmt letztlich einen Topos aus der *Aeneis* von Vergil (Lib. 8, V. 347 f.). Die Umschrift mit dem Vergleich „+ ROMA CAPVT MUNDI REGIT ORBIS FRENA ROTVNDI – Rom, das Haupt der Welt, lenkt die Zügel des Erdkreises" fand ab 1030 nachhaltig Eingang in die herrscherliche Siegelikonografie. Der Dichter Ovid verknüpfte in seiner *Ars Amatoria* (Lib. III, V. 113–117) das goldene Rom mit dem Kapitol als Sitz der Senatsversammlung. Diese literarische Tradition war um die Mitte des 12. Jahrhunderts durchaus lebendig. Das mit erstaunlicher Konkretheit sowohl in topografischen wie literarischen Termini auf Barbarossas Bullen formulierte Rombild visualisierte bereits ab 1152 in ebenso komprimierter wie anschaulicher Weise die politische Zielrichtung des neuen Herrschers. | BKL

Literatur: Fees 2015, S. 95–132 | Hartmann 2012, Bd. 2, Nr. 730, Bd. 3, Nr. 731 | Klinkenberg 2011, S. 365–382 | Klössel-Luckhardt 2020.

Kat.-Nr. 62a

Kat.-Nr. 62b

Kat.-Nr. 62c

Kat.-Nr. 62d

Kat.-Nr. 62e

Kaiser Friedrich I. Barbarossa im Münzbild

Kat.-Nr. 62a
MÜHLHAUSEN
Pfennig (Brakteat), um 1155/60
Silber, geprägt (einseitig), Gewicht 0,87 g, Dm. 47 mm I Berlin, Staatliche
Museen zu Berlin, Münzkabinett, Obj.-Nr. 18205025

Kat.-Nr. 62b
SAALFELD
Pfennig (Brakteat), um 1180/90
Silber, geprägt (einseitig), Gewicht 0,964 g, Dm. 32,5 mm I Münster,
LWL-Museum für Kunst und Kultur, Inv.-Nr. 33327 Mz (Leihgabe der Lüffe-
Stiftung, Dülmen)

Kat.-Nr. 62c
MAGDEBURG/HALLE
Pfennig (Brakteat), um 1180/90
Silber, geprägt (einseitig), Gewicht 0,825 g, Dm. 29,1 mm I Münster,
LWL-Museum für Kunst und Kultur, Inv.-Nr. 15189 Mz

Kat.-Nr. 62d
FRANKFURT
Pfennig (Brakteat), um 1165/80
Silber, geprägt (einseitig), Gewicht 0,68 g, Dm. 27 mm I Berlin, Staatliche
Museen zu Berlin, Münzkabinett, Obj.-Nr. 18217708

Kat.-Nr. 62e
ULM
Pfennig (Brakteat), um 1180/90
Silber, geprägt (einseitig), Gewicht 0,466 g, Dm. 24,3 mm I Münster,
LWL-Museum für Kunst und Kultur, Inv.-Nr. 20065 Mz

Kat.-Nr. 62f
ANNWEILER
Pfennig (Dünnpfennig), um 1160/80
Silber, geprägt, Gewicht 0,92 g, Dm. 25 mm I Berlin, Staatliche Museen
zu Berlin, Münzkabinett, Obj.-Nr. 18219011

Kat.-Nr. 62g
MAASTRICHT
Pfennig (Denar), um 1155/75
Silber, geprägt, Gewicht 0,84 g, Dm. 15 mm I Berlin, Staatliche Museen
zu Berlin, Münzkabinett, Obj.-Nr. 18219077

Kat.-Nr. 62h
DUISBURG/ESSEN/AACHEN (?)
Pfennig (Denar), um 1180/85
Silber, geprägt, Gewicht 1,431 g, Dm. 19,0 mm I Münster, LWL-Museum
für Kunst und Kultur, Inv.-Nr. 19641 Mz

Kat.-Nr. 62i
LÜBECK
Pfennig (Dünnpfennig), um 1181/90
Silber, geprägt, Gewicht 0,534 g, Dm. 18,3 mm I Münster, LWL-Museum
für Kunst und Kultur, Inv.-Nr. 15057 Mz

Kat.-Nr. 62f

Kat.-Nr. 62g

Kat.-Nr. 62h

Kat.-Nr. 62i

Die Münze, vieltausendfach geprägt, war zweifellos der zahlenmäßig häufigste Bildträger nicht nur im Mittelalter – und somit auch Träger des Bildes des Herrschers, auch Friedrichs I. Barbarossa. „Bild" ist hier freilich nicht im Sinne von Abbild oder Porträt zu verstehen, sondern als Chiffre für den Münzherrn mit seinen Amtsinsignien und Attributen. Unter Barbarossa, der der königlichen Münzprägung in den verschiedensten Reichsteilen, durch verschiedenste herrschaftspolitische Maßnahmen und in verschiedenster monetärer Gestalt einen starken Impuls verlieh, erfuhr die Münzikonografie eine entscheidende Neuerung. Der Herrscher – und ihm folgend andere Münzherren (Kat.-Nr. 63 bis 65, 80, 94) – stellte sich nun, manchmal auf Kopf bzw. Büste reduziert, vorwiegend als Ganzfigur, frontal thronend, dar. Von Siegeln war dieser Majestas-Typus – parallelisiert mit der *Majestas Domini*, dem thronenden Christus – seit dem 10. Jahrhundert bekannt, jetzt brachte er auch auf Münzen die christusähnliche Würde des Herrschers zum Ausdruck. Eine interessante Abweichung, typologisch aber angelehnt an regionale Bildtraditionen, ist der Kaiser zu Pferd in Mühlhausen – ein Meisterwerk spätromanischer Stempelschneidekunst. Der Herrscher, der nur teils Bart, Zeichen auch von Königlichkeit, trägt, ist nicht immer erkennbar spezifisch gekleidet. Der Mantel jedoch nimmt Bezug auf den römischen Feldherrenmantel (*Paluda-*

mentum) und so auf die jahrhundertelange Tradition des abendländischen Kaisertums. Zentrale Insignie ist die Krone; sie war, nach der Heiligen Lanze, die wichtigste Reichsinsignie, ein hochtheologisches Symbol für die Sakralität und Imperialität des Herrschers. Das Zepter in der Rechten, mal ein langer, mal kurzer Stab, der in einer Kugel oder einem Kreuz, jetzt aber meist in einer Lilie endet, findet sich fast immer. Es ist Zeichen jedweder übergeordneter weltlicher und/oder religiöser Gewalt, und speziell die Lilie könnte als Symbol des Friedens, für dessen reichsweite Durchsetzung Barbarossa stand, zu deuten sein. Ebenso konstitutiv erscheint in der Linken der kreuzbesetzte Reichsapfel, die kugelförmige *Sphaira*, Zeichen für den universalen, letztlich welt(-kugel-)umfassenden Herrschaftsanspruch des Kaisers. Sonstige Attribute wie die Fahnenlanze oder gar ein Beizvogel, der auf die hochadlige Lebensführung verweist, sind selten. Die Rückseiten, falls vorhanden, bleiben oft unspezifisch, in Maastricht allerdings kommt ganz früh auf Münzen der Adler, bezeichnet als SCVTVM IMPERATORIS, als „Schild des Kaisers", vor, der gerade unter Barbarossa zum Wappenzeichen des Reiches wurde. | SK

Literatur: Berghaus 1983, S. 128–130, 261–270, Abb. S. 458–480 | Kamp 2006, bes. S. 1–87, 349–377, 389–397, 398–403 | Matzke 2014, S. 90–115.

Alle Abbildungen im Maßstab 1,25:1

Kat.-Nr. 63

Kat.-Nr. 64

Kat.-Nr. 65

Die Frauen Kaiser Friedrichs I. Barbarossa im Münzbild

Kat.-Nr. 63
ERFURT/TILLEDA ODER MÜHLHAUSEN (?)
Friedrich I. Barbarossa und Adela?, Pfennig (Brakteat), 1152/53 oder um 1156/60
Silber, geprägt (einseitig), Gewicht 0,80 g, Dm. 41 mm I Berlin, Staatliche Museen zu Berlin, Münzkabinett, Obj.-Nr. 18289370

Kat.-Nr. 64
GELNHAUSEN
Beatrix, Pfennig (Brakteat), um 1170/84
Silber, geprägt (einseitig), Gewicht 0,73 g, Dm. 27 mm I Berlin, Staatliche Museen zu Berlin, Münzkabinett, Obj.-Nr. 18201204

Kat.-Nr. 65
GELNHAUSEN
Friedrich I. Barbarossa und Beatrix, Pfennig (Brakteat), um 1170/84
Silber, geprägt (einseitig), Gewicht 0,69 g, Dm. 27 mm I Berlin, Staatliche Museen zu Berlin, Münzkabinett, Obj.-Nr. 18217710

Dass Frauen, auch im abendländischen Mittelalter die Hälfte der Bevölkerung, auf Münzen erscheinen, ist nach der Antike und vor der Frühen Neuzeit ziemlich selten. Eine Ausnahme sind Heilige, allen voran Maria, die als Patronin bestimmter Bischofskirchen schon im späteren 10. Jahrhundert den Münzherrn vertreten konnte. In der Regel aber war dieser männlich, und nur bei Frauenklöstern bzw. -stiften konnten die Vorsteherinnen ihr Bild auf die Münzen setzen – in Westfalen etwa in Herford und Essen. Wenn Friedrich I. Barbarossa explizit auch seine Frau(en) im Münzbild präsentierte, so ist dies – vor allem als Doppelbildnis – eine absolute Neuerung. Doch muss hier jeweils nach dem Rechtshintergrund gefragt werden, denn im Siegelbild tauchen die Frauen nicht auf, und auf Mün-

zen auch nur an wenigen Orten. Ob ein früher thüringischer Brakteat, dessen Verortung zwischen dem Wirtschaftszentrum Erfurt bzw. der Pfalz Tilleda unterhalb des Kyffhäusers sowie Mühlhausen strittig ist, tatsächlich auf Barbarossas erste Frau, Adela von Vohburg (vor 1127–1187), zu beziehen ist, ist numismatisch nicht ganz klar. Auf jeden Fall sind unter dem Architektur-Dreibogen neben dem Hüftbild des „Königs" (REX) mit den Amtsinsignien (Kat.-Nr. 62) zu seiner Rechten ein barhäuptiger Weltlicher mit geschultertem Schwert, hier vielleicht Zeichen des Vogtes, und zu seiner Linken eine gekrönte Frau zu sehen. Von Adela hatte sich Barbarossa, König seit 1152, die Hochzeit war 1147, bereits 1153 mit päpstlichem Dispens scheiden lassen; Kaiser wurde er 1155. Es könnte jedoch auch Beatrix von Burgund (um 1140/44–1184), die Barbarossa 1156 heiratete, sein, und für Mühlhausen spricht, dass der dortige Reichsgutkomplex seit dem späteren 10. bis ins frühere 14. Jahrhundert ausdrücklich der Königin zur Nutznießung überlassen war. Eindeutig Beatrix ist es dagegen auf einem Brakteaten aus der Wetterau, der Region nördlich um Frankfurt, die Barbarossa seit den 1160er-Jahren zum staufischen Reichsland ausbaute, in der er Städte gründete und nicht zuletzt Münzstätten eröffnete. Auf dem Typ aus Gelnhausen, 1170 von Barbarossa als Pfalz, Stadt und Münzstätte neben Frankfurt – dieses seit Barbarossa Ort der deutschen Königswahl – errichtet, erscheint BEATRIX G-EILENHVS als Ganzfigur, frontal thronend, mit Schleier und Krone, Lilienzepter und erhobener Rechten. Exzeptionell ist in Gelnhausen, wo Beatrix, Mitkaiserin seit 1167, wie in Mühlhausen offenbar bestimmte Rechte zustanden, zudem das Doppelbrustbild des Kaiserpaares um ein Lilienzepter, auf dem Bogen steht aber nur FRIDERIC. I SK

Literatur: Berghaus 1983, S. 128–130, 261–270, Abb. S. 458–480 I Fößel 2000, S. 67–80 I Matzke 2014, S. 90–115.

Alle Abbildungen im Maßstab 1,25:1

Kat.-Nr. 59, Kaiserin Beatrix

R·ISTO REX·PIVS·S·OSWA

.S·OSWALD· STS·ÆDWARD·

poliiiiii domine

2. Netzwerke der Macht – Zentren der Kunst

Im zweiten Kapitel weitet sich der Blick von der Herrschergestalt Friedrich Barbarossas zum dichten Beziehungsgeflecht seines Regiments. In seinen ersten Regierungsjahren bestand ein enges Vertrauensverhältnis Friedrichs I. zu Wibald, dem hochgebildeten und diplomatisch versierten Abt der Benediktinerklöster Stablo im heutigen Belgien und Corvey in Westfalen, der schon Barbarossas Amtsvorgängern als Berater diente. Mit seinen herausragenden Stiftungen gelangten maasländische Goldschmiedearbeiten auch nach Westfalen (Kat.-Nr. 70). Der Kunstmäzen Wibald stand persönlich in Briefkontakt mit dem Goldschmied, der die Goldbullen des Königs kreierte – ein Vorgang am Schnittpunkt von Kunstproduktion und Politik, wie er nur selten dokumentiert ist (Kat.-Nr. 71, 73).

Über lange Jahre engster Vertrauter des Staufers war der streitbare Reichskanzler und spätere Kölner Erzbischof Rainald von Dassel. Als Geistlicher und Feldherr begleitete er ihn mehrfach auf seinen Kriegszügen nach Italien. Nach der Zerstörung Mailands 1162 ließ Rainald die vermeintlichen Reliquien der Heiligen Drei Könige an den Rhein bringen. Damit gab er den Anstoß zur Herstellung eines der prächtigsten Reliquienschreine des Mittelalters, des Dreikönigenschreins im Kölner Dom (s. Kat.-Nr. 77, 79). Rainalds Nachfolger als Erzbischof, Philipp von Heinsberg, sorgte im westfälischen Soest für die künstlerische Ausstattung des Frauenstifts St. Walburgis. In Westfalen oder in Köln ließ er das *Soester Antependium* anfertigen, die älteste erhaltene Altartafel nördlich der Alpen (Kat.-Nr. 84 bis 86).

Freundschaft und Verwandtschaft, im Hochmittelalter maßgebliche Parameter eines gemeinsamen Handlungshorizonts, verbanden Friedrich I. mit seinem welfischen Vetter, Heinrich dem Löwen. Als Herzog von Sachsen und Bayern stellte er im Dienst des Reiches seine Treue und Tapferkeit zunächst mehrfach unter Beweis. Doch Heinrichs rigoroser Ausbau seiner Machtposition und sein geradezu königsgleiches Selbstverständnis führten letztlich zum Bruch und zu seiner Vertreibung ins englische Exil. Der seit 1180 auf seine Erbgüter in Sachsen beschränkte Welfe ließ gleichfalls hochrangige Werke der Buchmalerei und Schatzkunst zu seinem liturgischen Andenken anfertigen, etwa in der Werkstatt des Benediktinerklosters Helmarshausen an der Weser und im niedersächsischen Kunstzentrum Hildesheim (Kat.-Nr. 87 bis 89).

Der von 1174 bis 1203 in Münster amtierende Bischof Hermann II. von Katzenelnbogen stand an der Spitze einer Gesandtschaft, die Friedrich I. zur Vorbereitung seines Orientzuges an den byzantinischen Kaiserhof richtete. In den Jahren 1189 bis 1192 begegnet Hermann II. selbst als Teilnehmer des Dritten Kreuzzugs.

Neben die Kunsterzeugnisse aus dem Umfeld des Kaisers gestellt, zeugt die hohe Qualität fürstlicher Schau- und Stiftungsobjekte von einem Reich, das keineswegs auf die Reichsspitze allein ausgerichtet war. Die gezeigten Exponate offenbaren die Vielfalt der kulturellen, wirtschaftlichen und politischen Zentren, die gleichwohl durch einen stetigen Austausch materieller Güter und Ideen miteinander verbunden waren.

Jan Keupp/Petra Marx

Kat.-Nr. 66

KLOSTER RUPERTSBERG

Antependium (Altarbehang), um 1220

Purpurfarbene byzantinische Köper-Seide | Stickerei in farbigen Seiden
sowie Gold- und Silberbrokat (oxydiert), H. 96,5 cm, B. 235 cm | Brüssel,
Musées royaux d'Art et d'Histoire, Inv.-Nr. 1784

Zum geistlichen Netzwerk Friedrichs I. Barbarossa zählte auch
die berühmte Äbtissin Hildegard von Bingen (1098–1179). Ob sich
die beiden jemals persönlich begegneten, ist unklar. Überliefert
sind ein Briefwechsel kurz nach der Königskrönung 1152 (Kat.-Nr. 67)
und ein Schutzprivileg des Kaisers für den Benediktinerinnenkon-
vent Hildegards (Kat.-Nr. 68). Neben den bekannten Handschriften,
die der Feder der Mystikerin entflossen und die im 13. Jahrhundert
reich illuminiert wurden, zählt das Rupertsberger Antependium zu
den herausragenden Kunstwerken aus ihrem engeren Umfeld. In
die Zeit um 1220 lässt es sich aufgrund der dargestellten Äbtissin
Elisa, die 1210 ihr Amt antritt, und aufgrund stilistischer Merkmale
einordnen. Die Mensa des Hochaltars, für den das kostbare und
monumentale Textil geschaffen worden war, wurde 1632 mit dem
Abbruch der Abtei auf dem Rupertsberg zerstört.

Die vielen Heiligen- und Stifterfiguren, die den Behang schmücken, sind aufgrund der verschwärzten Silberfäden teilweise schwer
zu erkennen. Der thronende Christus als Weltenrichter wird zu
beiden Seiten, heraldisch rechts beginnend, von S. MARIA als Kaiserin mit Bügelkrone und S. RUPERTUS als Kaiser mit Zepter, dem
Apostel Petrus und der heiligen Hildegard selbst (mit einem Modell ihrer Stiftung) flankiert. In den durch eine Borte abgesetzten
Seitenfeldern stehen rechts Johannes der Täufer und links der
heilige Martin von Tours, der Patron von Bingen, als Erzbischof

gekleidet und damit auf das Erzbistum Mainz verweisend. In Pro-
skynese, also auf dem Boden liegend, bitten rechts der Mainzer
Erzbischof Siegfried II. von Eppstein und gegenüber vermutlich
Herzogin Agnes von Lothingen um Gnade beim Himmelsfürsten.
Am unteren Bildrand sind zehn fürbittende und namentlich bezeichnete Nonnen und auf dem Ehrenplatz besagte Äbtissin Elisa zu
sehen; bei ihnen wird es sich um die ausführenden Künstlerinnen
im Konvent handeln. Damit belegt das Antependium einmal mehr
die herausragende Rolle von Frauen als Kunstschaffende im Mittelalter. Im Moment der Messfeier am Hochaltar wurden sie und
alle anderen aufgestickten Figuren der Memoria teilhaftig.

Obwohl nicht mehr zu Lebzeiten Hildegards entstanden, scheint
die Kombination des prunkvollen Seidenstoffs mit den einer Feder-
zeichnung nahen, schlichteren Seidenstickereien typisch für den
Hildegardiskonvent: zum einen auf die Einhaltung strengerer Klos-
terreformen bedacht und zum anderen für die Prachtentfaltung
zu Lebzeiten der Äbtissin (durch Tengswich von Andernach) geta-
delt. Dieser Tadel bezog sich insbesondere auf den Kopfschmuck
der Konventualinnen, die aber wie Hildegard auf dem Antependium
mit dem üblichen Nonnenschleier verhüllt sind – und eben keine
goldbestickte textile Krone tragen (S. 48, Abb. 8). Stefanie Seeberg
hat zuletzt nochmals betont, dass ein Zusammenhang zwischen
der Anfertigung des Altarbehangs und den letztlich damals ge-
scheiterten Versuchen der Kanonisierung Hildegards im 13. Jahrhundert besteht – sind dort doch einige der maßgeblich an diesem
Prozess Beteiligten dargestellt. Hildegard selbst wird hier erst-
mals als Heilige wiedergegeben. | PM

Literatur: Ausst.-Kat. Bonn/Essen 2005, S. 313, Kat.-Nr. 202 (Robert
Suckale) | Seeberg 2012, S. 355–391.

Kat.-Nr. 68

Kat.-Nr. 68

Kat.-Nr. 67 (ohne Abb.)

BURGUND (MAZIÈRES ?)

Briefe der Hildegard von Bingen an Kaiser Friedrich I. Barbarossa, Abschrift, zweite Hälfte 12. Jahrhundert

Pergament, 112 Bl., H. 27,0 cm, B. 16,5 cm | Berlin, Staatsbibliothek zu Berlin, Preußischer Kulturbesitz, Abt. Handschriften und historische Drucke, Ms. theol. lat. fol. 699, fol. 54v ff., hier fol. 60v und fol. 61r.

Die Sammelhandschrift enthält zwei Briefe Hildegards von Bingen an Kaiser Friedrich I. Barbarossa. Zwei Besitzvermerke aus dem 12. oder 13. Jahrhundert (fol. 112v) und dem 17. oder 18. Jahrhundert (fol. 1v) verweisen auf eine mögliche Herkunft aus der Zisterzienserabei Notre Dame in Mazières. Sie gelangte 1824 von der Pariser Sammlung Chardin in die Sammlung Sir Thomas Phillipps und wurde schließlich 1908 im Londoner Auktionshaus Sotheby's für die Königliche Bibliothek in Berlin ersteigert. In der von mehreren Händen in frühgotischer Buchschrift verfassten Handschrift kommentieren Randnotizen aus dem 18. Jahrhundert die Hildegard-Briefe (54v–85r), die sich neben Schriften des Bernhard von Clairvaux, mit dem die Äbtissin ebenfalls in Briefkontakt stand, und einer Kurzauswahl der augustinischen Predigten zu den Paulusbriefen und der Apostelgeschichte (111v–112v) im Kodex befinden.

Hildegard, aufgrund ihrer hochadeligen Abstammung mit den sozialen Codes ihrer Zeit vertraut, korrespondierte sowohl mit hochrangigen Geistlichen als auch mit Adeligen und Herrschern. Ihre Briefe wurden bereits zu ihren Lebzeiten gesammelt, teilweise überarbeitet und zumeist ohne Orts- oder Datumsangabe, aber vielfach mit Hinweis auf ihre göttlichen Visionen (hier: „video [...] te in mistica visione", „ich sehe dich in der geheimen Gottesschau") angeordnet. Sie dokumentieren in erster Linie das große Selbstbewusstsein, mit dem die Äbtissin ihren Korrespondenzpartnerinnen und Korrespondenzpartnern begegnete.

Im ersten Brief, der auf fol. 60v beginnt, ermahnt Hildegard Friedrich I. Barbarossa in einer Art Fürstenspiegel, sich als König mit ruhmreichem Namen mit dem Zepter der Barmherzigkeit gegen die schlechten Sitten zu stellen und wie ein bewaffneter Ritter („armatus miles") den Glauben zu verteidigen. Hildegard segnet Barbarossa und scheint ihm wohlgesonnen. Womöglich wurde der Brief zum Herrschaftsbeginn des Königs im März 1152 verfasst, als die Äbtissin dessen Politik noch guthieß. Auch Barbarossa war Hildegard freundlich zugetan, erkannte die geistige Autorität der Äbtissin, sofern einem weiteren, nicht genau datierbaren Brief Glauben geschenkt werden kann, demütig an und versprach, seine Urteile mit Blick auf die Gerechtigkeit fällen zu wollen. Indes wählt Hildegard im zweiten Brief auf fol. 61r scharfe Worte, indem sie das Verhalten des Herrschers als kindisch und unsinnig bezeichnet und ihn dazu ermahnt, so zu regieren, dass die Gnade Gottes nicht in ihm erlösche. Der Brief könnte eine Reaktion auf den von Barbarossa ernannten Gegenpapst Paschalis III. (amt. 1164–1168) darstellen. | AMP

Literatur: Ausst.-Kat. Mainz 2020, S. 426–427, Kat.-Nr. IV.32 (Olivia Mayer) | Fingernagel 1999, S. 110 f. | Führkötter 1965, S. 79–86 | Ortúzar Escudero 2016, S. 324–327.

Kat.-Nr. 68

Schutzprivileg Kaiser Friedrichs I. für das Benediktinerinnenkloster Rupertsberg, Mainz 18. April 1163

Pergament, aufgedrücktes Wachssiegel, H. 68,0 cm, B. 55,0 cm | Koblenz, Landesarchivverwaltung Rheinland-Pfalz, Landeshauptarchiv Koblenz | Bestand 164, Nr. 3

Kaiser Friedrich I. Barbarossa kommt mit seiner Urkunde der am Mainzer Hoftag (1163) vorgetragenen Bitte Hildegards von Bingen nach und stellt das Benediktinerinnenkloster auf dem Rupertsberg unter seinen Schutz. Der Kaiser bestätigt das bereits im Mai des Jahres 1158 in einer Besitz- und einer Schutzurkunde vom Mainzer Erzbischof Arnold von Selenhofen (amt. 1153–1160) garantierte uneingeschränkte Eigentumsrecht des Konvents an verschiedenen durch Stiftungen erworbenen Besitzungen – darunter diejenige des Pfalzgrafen Hermann von Stahleck. Für die 1147 auf den Rupertsberg gezogenen Nonnen bedeutete dies die wirtschaftliche Unabhängigkeit vom Kloster Disibodenberg, das sie unter Verzicht auf ihren gesamten in die Klostergemeinschaft eingebrachten Besitz im Tausch gegen acht Hofstellen verlassen hatten. Einzig die geistige Betreuung der Ordensfrauen und die Durchführung von klösterlichen Weihen oblag noch dem Disibodenberger Abt, während die Wahl der Klostervorsteherin einzig dem Konvent zugestanden wurde. Des Weiteren wurde den Schwestern die freie Wahl des Vogtes sowie die Befreiung von jeglichen Abgaben an das Reich verbrieft. Dieses kaiserliche Schutzprivileg zeigte bereits 1165 seine Wirkung, als plündernde kaiserliche Truppen das Kloster verschonten. Im Jahr 1184 (also bereits nach Hildegards Tod) erfuhr der erzbischöfliche und kaiserliche Schutz noch eine weitere Ergänzung durch ein päpstliches Privileg. Das Ansehen des Klosters am Rupertsberg wurde durch all diese Schutzurkunden ebenso hervorgehoben wie auch die besondere Autorität Hildegards von Bingen. | AMP

Literatur: Appelt 1979, Nr. 398 | Ausst.-Kat. Mainz 1998, S. 94–101, Kat.-Nr. IV. 32 (Winfried Wilhelmy) | Führkötter 1998, S. 31–54 | Schrader/Führkötter 1956, S. 125 f.

Kat.-Nr. 66

Kat.-Nr. 69

STABLO/HELMARSHAUSEN

**Sakramentar Abt Wibalds von Stablo und Corvey,
11./12. Jahrhundert**

Pergament, 164 Blätter, H. 23,5 cm, B. 16,5 cm | Brüssel, Bibliothèque
Royale de Belgique, Ms. 2034-2035, fol. 28v/29r

Sakramentare (vom lat. Begriff *sacramentum* für Heilszeichen,
Heilsmittel, Heilsweg) sind Gebetssammlungen für den Vorsteher
der Messfeier und anderer gottesdienstlicher Handlungen. Als
heilige Bücher sind sie oft mit reichen Buchmalereien (Illuminatio-
nen) ausgeschmückt. Die Ausstattung des vorliegenden Exemplars
aus dem Besitz Abt Wibalds von Stablo und Corvey beschränkt
sich auf zwei Miniaturen: eine Kreuzigung auf fol. 25v und die hier
gezeigte *Majestas Domini*. Christus thront als Herrscher des Himmels vor entsprechend blauem Hintergrund in einer roten Mandorla.
Seine rechte Hand ist zum Segensgestus erhoben, im aufgeschlagenen Buch in seiner linken sind (in deutscher Übersetzung) die
Worte „Ich bin das Licht der Welt" zu lesen. Im entsprechend weiß

und grün erstrahlenden Gewand des Erlösers sind kunstvolle Falten
im „parzellierenden" Reformstil des 11. Jahrhunderts angelegt.
Stilistisch ist diese Miniatur der Buchmalerei aus dem Diemelklos-
ter Helmarshausen zuzuordnen (vgl. Kat.-Nr. 70, 89).

Das Manuskript trägt auf fol. 2v den Besitzeintrag des Klosters
Stablo. Es umfasst verschiedene ältere, von Wibald zusammen-
gestellte patristische, theologische und liturgische Texte, die der
geistliche Gelehrte mit eigenen Kommentaren und Exzerpten ergänzt hat – eine für ihn typische Arbeitsweise. In einem Kalendari-
um von fol. 18r bis 24r sind ebenfalls zahlreiche persönliche Noti-
zen Wibalds zu lesen, unter anderem zu seiner Einsetzung als Abt
von Corvey im Jahr 1147. Nach Lesungen zu den Sonntagen des
Kirchenjahres und anderen liturgischen Anweisungen beschließen
Rechtsformeln zur Aufnahme von Jungen (*pueri oblati*) in den
Konvent und die Mönchsprofess dieses herausragende Zeugnis des
Wirkens dieses engen Vertrauten Kaiser Friedrich Barbarossas. | PM

Literatur: Ausst.-Kat. Magdeburg 2006, Bd. 1, S. 196, Kat.-Nr. IV.14 (Marti-
na Hartmann) | Wittekind 2004, S. 353–369.

Kat.-Nr. 70

CORVEY UND HELMARSHAUSEN

Liber Vitae aus dem Kloster Corvey, 1158

Pergament, Malereien und Zeichnungen in Deck- und Wasserfarben,
H. 28,5, B. 23,0 cm | Münster, Landesarchiv NRW Abteilung Westfalen,
Sign. W 001/Msc. I Nr. 133

Das bedeutende sächsische Reichskloster Corvey hatte eine Zeit
des Niedergangs erlebt, bevor Abt Wibald 1146 eingesetzt wurde.
Trotz seiner Aktivitäten in der Reichspolitik begriff Wibald sich zuerst als Abt von Stablo und Corvey. Seit 1150/51 zog er Corvey vor.
Er stellte wirtschaftliche Grundlagen und monastisches Gemein-
schaftsleben wieder her. Der *Liber Vitae* sollte die Rückbesinnung
der Mönche auf ihre Geschichte und Verwurzelung in ihrer Klosterlandschaft bekräftigen. Wibald bediente sich dabei einer unüblich
gewordenen Form des Gedenkens. Vermutlich hat Wibald die Anlage
1154 anlässlich seiner Rangerhöhung (er erhielt einen Bischofsring
und das Recht des Tragens bischöflicher Insignien bei der Liturgie)
durch den Papst veranlasst. In seinen letzten Jahren befand
Wibald sich u. a. mit Friedrich Barbarossa in Italien. In dieser Zeit
spielte Propst Adalbert eine führende Rolle.

Der Codex besteht aus drei sich ergänzenden Teilen, der Liste
von Mönchen des Klosters Corvey seit dessen Gründung 822 bis
1147, dem eigentlichen Verbrüderungsbuch – eingeleitet durch ein
künstlerisch aufwendiges Widmungsbild, dem die Namen weiterer
Corveyer Mönche und Namen von 78 mit Corvey verbrüderten geistlichen Gemeinschaften folgen – und einem Pontifikale. Das Widmungsbild zeigt den heiligen Stephanus, den ersten Patron des
Klosters, der von Abt Warin von Corvey (amt. 831–856) und Abt Hil-
duin von St. Denis (amt. 814–840) eingerahmt wird, ein Verweis
auf die Anfänge des Klosters. Am unteren Bildrand überreicht Propst
Adalbert den Codex dem heiligen Stephanus. Alle folgenden Seiten
sind gleich aufgebaut: Auf drei Säulen liegen Doppelbögen mit
Überfangbogen, in deren Tympana die Patrone der geistlichen
Gemeinschaften dargestellt sind. Jeder Gemeinschaft ist eine Seite
zugewiesen, allein Corvey erhielt fünf, auf denen die Mönchsliste
fortgesetzt wird. Hervorgehoben ist die Seite für Helmarshausen.
Helmarshausener Spezialisten begannen wohl in Corvey mit der
Anlage, die von Corveyer Mönchen fortgesetzt wurde. Der bekannte Schreiber-Maler Hermann aus Helmarshausen könnte mit einem
von mehreren *Herimannus* auf der Seite der Helmarshausener
Mönche identisch sein. Der Codex wurde nicht vollendet, die Pflege
des Netzes der Verbrüderungen blieb weit hinter den Plänen zu-
rück. | MBV

Literatur: Schmid/Wollasch 1983/89.

Kat.-Nr. 71 (S. 44. Abb. 4)

STABLO UND CORVEY

Briefbuch Abt Wibalds von Stablo und Corvey, Ende 1146 bis Mitte 1157

Pergament, 161 Blätter; H. 22,5 cm, B. 14,0 cm | Lüttich, Archives de l'Ètat en Belgique, Ms. I 341, fol. 141v/142r

1146/47 wurde der Stabloer Abt Wibald vom staufischen König Konrad III. zum Konventsvorsteher der westfälischen Reichsabtei Corvey erhoben. Seit 1139 leitete Wibald bereits die Hofkanzlei Konrads und war dessen engster Ratgeber; seine Einsetzung fand vermutlich vor dem Hintergrund des Erstarkens und als machtpolitischer Schachzug gegenüber dem Sachsenherzog Heinrich dem Löwen statt. Ab diesem Zeitpunkt und abgesehen von anderen diplomatischen Reisen musste Wibald die etwa 370 Kilometer weite Distanz zwischen den beiden Benediktinerabteien öfters zurücklegen und erstellte hierfür eine Art tragbares Archiv. Darin ließ er durch seine vermutlich aus Stablo stammenden Schreiber, die ihn unterwegs begleiteten, seine ein- und ausgehende Korrespondenz kopieren und ordnen, und zwar nicht chronologisch, sondern nach den Anlässen.

Der Kodex enthält 450 Schreiben aus der Regierungszeit Konrads III. und Kaiser Friedrich Barbarossas und ist für die frühe Stauferzeit eine unschätzbar wertvolle Quelle. Einzigartig in seiner Aussagekraft für die staufische Genealogie ist der von Wibald skizzierte Stammbaum Barbarossas auf fol. 140v, der wegen vermeintlich zu naher Blutsverwandtschaft die Scheidung von seiner ersten Frau Adela von Vohburg rechtfertigte (S. 44, Abb. 4). Gezeigt wird hier die Öffnung auf fol. 141v/142r, wo sich der lebhafte Briefwechsel zwischen Wibald und dem bis heute namenlosen Aurifaber (Goldschmied) „G" ablesen lässt (in Auszügen auf S. 78). Es ist denkbar, dass derselbe anonyme Goldschmied um 1148/50 den verlorenen Remaklussschrein für Corvey anfertigte (Kat.-Nr. 72). Wibald wurde wenige Jahre später, nach der eiligen Königskrönung Friedrichs I. 1152, mit der Anfertigung der königlichen Siegel und Bullen beauftragt und wählte hierfür einen ihm bereits vertrauten Künstler aus seinem näheren Umfeld. | PM

Literatur: Ausst.-Kat. Magdeburg 2006, Bd. 1, S. 195, Kat.-Nr. IV.13 (Martina Hartmann) | Hoffmann 2007, S. 41–69.

Kat.-Nr. 72 (S. 79, Abb. 4, die Medaillons S. 78, Abb. 3)

STABLO

Zeichnung des Remaklus-Retabels aus Kloster Stablo, 1666

Papier, H. 89,0 cm, B. 87,0 cm | Lüttich, Archives de l'Ètat en Belgique, Tribunal de la chambre impérial de Wetzlar, Nr. 1148

Der mächtige und gelehrte Abt Wibald von Stablo und Corvey, enger Vertrauter und Berater zweier Stauferkönige, hat die Spuren seiner politischen und geistlichen Aktivitäten in Gestalt herausragender sakraler Kunststiftungen hinterlassen. Für die Abteikirche in Stablo beauftragte er während seines Abbatiats von 1130 bis 1158 nicht nur ein Kopfreliquiar für den Papst Alexander (S. 70, Abb. 9), ein Kreuzreliquiar-Triptychon, einen Tragaltar und ein nicht mehr erhaltenes Passionsretabel. Vermutlich um 1148/50 entstand unter seiner programmatischen Leitung (vielleicht in der Werkstatt des „Aurifaber G", s. Kat.-Nr. 71) auch ein monumentaler goldener Altaraufsatz (Retabel) zu Ehren des Klosterpatrons Remaklus. Diese glänzende Schauwand aus einer zweiteiligen Sockelzone und einem halbkreisförmigen Bogenfeld barg unter einer Ädikula den Reliquienschrein des Heiligen. Inschriftlich ist Wibald als Stifter der Goldschmiedearbeit genannt, für die Nachwelt verzeichnet wurde auch der enorme Wert von „60 Marken reinen Silbers". Die materielle Kostbarkeit wurde dem Werk zum

Verhängnis, man schmolz das Retabel nach einem verheerenden Brand der Klosterkirche im Jahr 1701 bis auf zwei Medaillons ein.

Ganz verloren ist der Ausdruck der Frömmigkeit und Prachtentfaltung der Stabloer Mönchsgemeinschaft jedoch nicht. Im 19. Jahrhundert tauchte eine Nachzeichnung des Kunstwerkes auf, die anlässlich eines Rechtsstreites 1666 die Besitzansprüche der Abtei dokumentieren sollte. Das Blatt gibt das komplexe Bildprogramm in verkleinertem Maßstab (das Original war 311 cm breit und 278 cm hoch) und vor allem die justiziablen Inschriften genau wieder. In der Sockelzone erscheint unten das Leben des heiligen Remaklus, darüber die Gründungsgeschichte von Stablo-Malmedy; das Bogenfeld ist paradiesischen Szenen vorbehalten und der Verherrlichung Gottes durch die Engel. Insgesamt werden hier „die Grundlagen der Heiligenverehrung ebenso wie die Bedingungen zur Erlangung der Seligkeit" (Wittekind 2006) verhandelt. Vermutlich weil sie gewinnbringend verkauft wurden, überstanden zwei emaillierte Tugend-Medaillons vom Giebel der Ädikula, die *Fides Babtismus* (Glaube und Taufe, heute in Berlin, Kunstgewerbemuseum) und die *Operatio* (Fleiß, in Frankfurt am Main, Museum Angewandte Kunst), die Zerstörung des Aufsatzes (S. 78, Abb.). | PM

Literatur: Ausst.-Kat. Magdeburg 2006, Bd. 1, S. 205, Kat.-Nr. IV.19 (Susanne Wittekind) | Wittekind 2004, S. 225—301.

Kat.-Nr. 73
Zwei Goldbullen Friedrichs I. Barbarossa als Kaiser

Lose, ohne Provenienz- und Datumsangaben (Abdrücke), Maasgebiet, wohl
Mitte 1154 (Typar Avers), Maasgebiet, März 1152 (Typar Revers) | Gold,
geprägt, Dm. 5,9 cm | Berlin, Staatliche Museen zu Berlin, Münzkabinett,
a) Obj.-Nr. 18225152, b) Obj.-Nr. 18225154

Die in einem Briefbuch tradierte Korrespondenz des Abtes Wibald
der Reichsabteien von Stablo und Corvey gibt in dreifacher Hinsicht
Auskunft über den Prozess der gesamten Siegelherstellung für
Friedrich I. Barbarossa (Kat.-Nr. 71).

Zum Ersten lässt sie die Effizienz erkennen, mit der Wibald im
März 1152 dieses Auftragsvolumen bewältigen konnte. Zum Zweiten ist aus einem Briefwechsel von 1148 herauszulesen, dass der
Abt einen solchen Zeitdruck unvermindert an den ausführenden
Künstler und sein Atelier weitergegeben hat. In dem an den Goldschmied G *(aurifaber G)* gerichteten Brief lobte Wibald zunächst
dessen Kunstfertigkeit mit den „eifrigen und berühmten Händen",
forderte für seine Aufträge aber auch umgehende Ausführung:
„was wir wollen, das wollen wir sofort." Der Goldschmied versprach
eine ergebene Ausführung, wenn nur die materielle Entlohnung
endlich erfolgen sollte, „unsere Geldbeutel sind nämlich leer."

Zum Dritten würdigte Barbarossa in einem späteren Brief die
Siegelkonzeption des Abtes, als er 1157 für seine zweite Gattin,
Beatrix von Burgund, eine Nachbestellung aufgab: „Wir ersuchen

Dich, der du unser Siegel in passender Anordnung (*convenienti
dispositione*) nach Deinem Ermessen (*de tuo arbitio ordinasti*) geregelt hast, dass Du Dich bemühst, auch ein Siegel Deiner Herrin
ohne Verzögerung zu entwerfen (*informare*) und es uns gestochen
und wohl geglättet nach Aachen bringst."

Die Einzelmotive in der Bildformel für die Stadt Rom verdichten
sich zu hochpolitischer Aussagekraft: dominierend das flavische
Amphitheater im Zentrum, exakt mit seinen drei Galerien wiedergegeben, scheinbar von einem Zinnenkranz abgeschlossen, der
sich aber als Rekonstruktion des Kreises der antiken Trägermasten
für das Sonnensegel erklärt. Der bewehrte Torbogen im Befesti-
gungsring war für den mittelalterlichen Rom-Reisenden realiter erlebbar, wenn er seinen Blick vom kapitolinischen Hügel herab über
die Achse der *Via Sacra* und den damals in einen langen Mauerzug
eingebauten Titusbogen hinweg auf das Kolosseum richtete. Das
sorgfältige Zitat des Monuments, das weiterhin als Inbegriff römischer Weltmacht galt, bietet eine offensive Antwort auf ein imagi-
niertes Kapitol als ideologisches Zentrum der seit 1143 brodelnden
stadtrömischen Revolte. 1151/52, auf der fünften seiner insgesamt
sieben Italienreisen, gehörte Wibald zur Delegation, die die Kaiserkrönung Konrads III. vorbereiten sollte und für die Stadtvertreter
eine ablehnende Antwort bereithielt. | BKL

Literatur: Fees 2015, S. 95–132 | Hartmann 2012, Bd. 1, Nr. 96 f., Bd. 3,
Nr. 429 | Klössel-Luckhardt 2020.

Kat.-Nr. 74

Kat.-Nr. 75

Kat.-Nr. 74

KÖLN

Heiliger Nikolaus aus Füssenich, um 1170/90

Lindenholz, originale Farbfassung, H. 40,1 cm, B. 15,7 cm, T. 14,4 cm |
Bonn, LVR-LandesMuseum, Inv.-Nr. 39.78

Die Thronfigur des heiligen Bischofs Nikolaus von Myra zählt zu
einer Gruppe von Kölner Bildwerken mit höchstem künstlerischen
Anspruch. Die Skulptur beeindruckt durch die fast vollständig
erhaltene und überaus prächtige Bemalung. Die Vergoldung der
Gewänder und der Besatz mit Edelsteinschmuck imitierenden
Applikationen in Pastigliatechnik verweist auf ihre Ableitung aus
der Goldschmiedekunst.

Der Geistliche ist mit Albe, Dalmatik und Glockenkasel bekleidet. Auf seinen Schultern liegt das Pallium, das eigentlich dem

Papst vorbehalten ist, aber im 12. Jahrhunderts auch für Heilige
und die Kölner Erzbischöfe verwendet wird, wie ein Vergleich mit
den Siegeln der Erzbischöfe Rainald von Dassel oder Philipp von
Heinsberg (Kat.-Nr. 86) zeigt. Die Mitra mit den langen Infuln entspricht ebenfalls dem zeitgenössischen Typus (vgl. Kat.-Nr. 75).
Die farbliche Gestaltung des Pfostenthrons ist abgeleitet von römischen Kaisersitzen; seine teilweise rosafarbene Bemalung ahmt
das herrschaftliche Material Porphyr nach. Alle Details des Bild-
werks heben den Anspruch und die Würde des (von Gott verliehe-
nen) bischöflichen bzw. erzbischöflichen Amtes hervor. | PM

Literatur: Lang 2016, S. 201–214 | Liebetrau 2016, S. 215–232.

Kat.-Nr. 76

Kat.-Nr. 75
DEUTSCHLAND (GOLDBORTEN: ITALIEN? SIZILIEN?)
Mitra, 2. Hälfte 12. Jahrhundert
Halbseidengewebe mit Goldborten, ehemals vielfarbige Seide, Goldfäden,
H. 27,0 cm, B. 28,5 cm, mit Fanones H. 63 cm I Mainz, Bischöfliches Dom-
und Diözesanmuseum, Inv.-Nr. T 00482

Kat.-Nr. 76
DEUTSCHLAND
Pontifikalschuhe, Mitte 12. Jahrhundert
Dunkelrot gefärbtes Leder, Goldblechstreifen, weißes Leinen, H. 11,0 cm,
L. 27,5 cm I Hildesheim, Dommuseum, Inv.-Nr. DS 87

Pontifikalschuhe gehören zur liturgischen Fußbekleidung, die seit
der Spätantike von Bischöfen während der Messe getragen wurde.
Das Hildesheimer Schuhpaar wird Bischof Bernhard I. (gest. 1154),
dem Gründer des Benediktinerklosters St. Godehard in Hildesheim,
zugeschrieben, da es in seiner aus dem 15. Jahrhundert stammenden Lebensbeschreibung erwähnt wird. Es ist gut denkbar, dass die
Schuhe, die zudem auch Gebrauchsspuren aufweisen, aus seinem

Besitz kommen und zu seinen Schenkungen an seine Klostergründung zählen.

Die Pontifikalschuhe bestehen aus dunkelrot gefärbtem Leder,
dessen Farbigkeit fast völlig vergangen ist. Eine zusätzliche Bemalung im 19. Jahrhundert diente vermutlich zur Auffrischung der
Schuhe. Ihre Verzierung besteht aus runden bzw. zungenförmigen
Ausschnitten, die durch Goldpünktchen und Goldkordeln einge-
fasst sind. Diese Ausschnitte und die zum Knöchel führenden
Laschen sind charakteristisch für liturgische Schuhe des 11. und
12. Jahrhunderts. Mittels der Schnürung wurden sie über den
Knöcheln zusammengebunden.

Anhand dieser Schuhe und weiterer Bestandteile bischöflicher
Messornate werden die kirchlichen Würdenträger im Netzwerk
Barbarossas als handelnde Menschen mit der Kleidung, die sie genutzt haben, in Szene gesetzt. Herrschaft wird auch im Mittelalter
nicht zuletzt durch Zeichen und Symbole wie Kleidung und Insignien ausgeübt. I ED

Literatur: Ausst.-Kat. Hildesheim 2001, S. 182, Kat.-Nr. 4.2 I Brandt u. a.
2015, S. 87, Nr. 39 I Elbern/Reuther 1969, S. 70 f., Nr. 28.

Kat.-Nr. 77

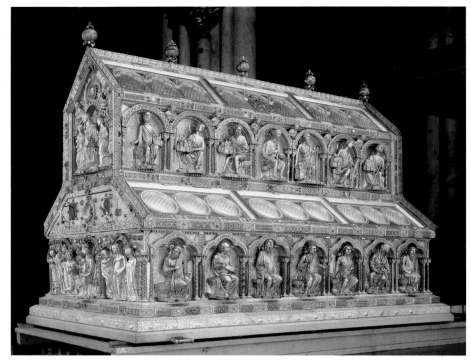

Nikolaus von Verdun, Dreikönigenschrein im Kölner Dom, Ansicht von rechts

Kat.-Nr. 77 (s. auch S. 34, Abb. 6)

NIKOLAUS VON VERDUN (NACHBILDUNGEN)

Halbfigur des Erzbischofs Rainald von Dassel von der hinteren Schmalseite des Dreikönigenschreins (Kopie) und Nachbildung eines Propheten von Fritz Zehgruber

a) Silber, vergoldet, H. 21,5 cm, B. 11,6 cm; b) Silbervergoldete Probefigur, Silber, getrieben, ziseliert, feuervergoldet, H. 28,3 cm, B. 21,4 cm, T. max. 8,5 cm, Gewicht knapp 500 g | Köln, Domschatzkammer

Der erwählte Kölner Erzbischof und Erzkanzler Rainald von Dassel (um 1114/20–1167), mächtiger Vertrauter von Kaiser Barbarossa, brachte 1162 auf dem Rückweg von dessen zweitem Italienzug als Kriegsbeute aus Mailand (vgl. Kat.-Nr. 58) Gebeine mit, die sich als hochrangige Reliquien der biblischen Heiligen Drei Könige künftig in der Kölner Domkirche großer Verehrung erfreuen sollten. Etwa zwanzig Jahre später konnte zu ihren Ehren mit dem Bau des größten und prachtvollsten Reliquienschreins des Abendlandes begonnen werden, unter maßgeblicher Beteiligung eines der besten Goldschmiede der Zeit, Nikolaus von Verdun. Die hier ausgestellten Figuren lassen die veristisch-antikische Formensprache und die technisch-künstlerische Ausführungsqualität der Originalfigu-

ren erkennen. Die mit Mitra liturgisch gekleidete Figur des Erzbischofs befindet sich an der hinteren Schmalseite des Schreins, oberhalb von Szenen der Leidensgeschichte Christi. Diese Position (entfernt von der Darstellung der Dreikönige auf der Schrein-Gegenseite) ist ebenso auffällig wie der Umstand, dass die Figur – nach technischem Befund schon herstellungszeitlich – ohne Arme, also gerade nicht in handelnder Funktion dargestellt ist. An der entgegengesetzten, prominenten vorderen Stirnseite des Schreins wiederum ist, im Gefolge der Dreikönigenfiguren, ein damals noch lebender Stifter eingesetzt, der mutmaßlich die Herstellung des Schreins maßgeblich finanziell unterstützte: Der als Otto Rex, also König Otto (IV. von Braunschweig, 1175/76–1218) Bezeichnete reiht sich damit ideell in die an den Stirn- und Langseiten platzierten Königs- und Prophetenfiguren ein, von denen hier (in Kopie) ein Beispiel in antikischer Gewandung ausgestellt ist.

Die am Schrein angebrachte Beischrift zur Figur Rainalds von Dassel dagegen benennt ihn als Erzbischof und *Regum Translator*, also Überbringer der (Heiligen Drei) Könige. | DK

Literatur: Bayer 2009, S. 101–122 | Kemper 2014, Bd. 3, S. 291 f., Kat.-Nr. 1703–1712, Bd. 2, Taf. 88.

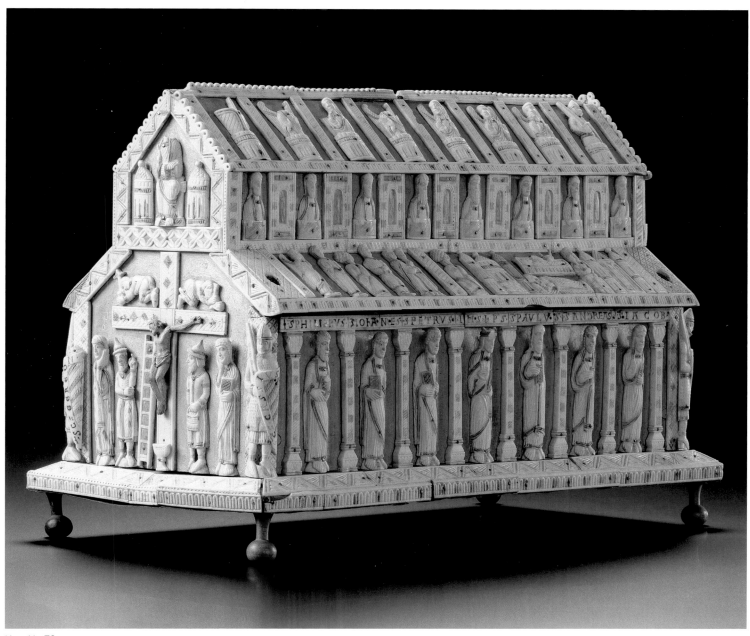

Kat.-Nr. 78

Kat.-Nr. 78

KÖLNER WERKSTATT

Reliquienschrein in Form einer Basilika, um 1200

Holz, Bein mit Fassungsresten, Kupferguss vergoldet, Braunfirnisplatte, H. 33,5 cm, B. 53,8 cm, T. 27,0 cm | Stuttgart, Landesmuseum Württemberg, Inv.-Nr. KK blau 125

Die Wirkung des in Form einer dreischiffigen Basilika gestalteten Reliquienschreins ist maßgeblich von Knochenschnitzereien geprägt, durch die ein umfangreiches Bildprogramm aus christologischen Szenen sowie Heiligendarstellungen vorgebracht wird. Die durch Pilaster gegliederten Längsseiten der Erdgeschosszone zeigen Christus im Kreis der Apostel. Auf den darüber liegenden Pultdachflächen sind Szenen aus der Kindheit Jesu zu sehen. An den Wandflächen des Mittelschiffs befinden sich Brustbilder von Propheten, während die Dachschrägen Halbfiguren von Engeln, flankiert von Gerüsteten, präsentieren. Die Schmalseiten widmen sich dem Erlösungstod Christi und seiner Überwindung des Todes. Die Ecken des Schreinkastens sind vier Rittern mit erhobenen Schwertern vorbehalten, die durch Inschriften als Märtyrer der Thebäischen Legion – Gereon, Mauritius, Viktor und Cassius – zu identifizieren sind.

Die formale Gestaltung des Reliquienbehältnisses zeigt markante Übereinstimmungen mit dem um 1190–1220 entstandenen Dreikönigenschrein (Kat.-Nr. 77). Es weckte so Assoziationen an die (vermeintlichen) Gebeine der Heiligen Drei Könige, die 1164 im Auftrag des Kaisers durch Erzbischof Rainald von Dassel nach Köln transferiert worden waren, und verband diese zudem mit den in Köln und im Rheinland besonders verehrten Märtyrern an den Schreinecken. Etwa zeitgleich mit dem Dreikönigenschrein gefertigt, ist das Basilikareliquiar eine der frühesten künstlerischen Reaktionen auf das anspruchsvolle Werk der Goldschmiedekunst, das Heilsgeschichte und Reichspolitik miteinander verschränkte. Die Adaption durch die seriell arbeitende, äußerst produktive Beinschnitzwerkstatt (Kat.-Nr. 105) zeugt sowohl von der Entwicklung Kölns zu einem der bedeutendsten christlichen Pilgerziele als auch von der damit verbundenen wirtschaftlichen und künstlerischen Blüte der Stadt. | ISH

Literatur: Ausst.-Kat. Darmstadt/Köln 1997, S. 72–75, S. 137–144, Kat.-Nr. 17 (Markus Miller) | Ausst.-Kat. Mainz 2020, S. 388 f., Kat.-Nr. IV.03 A (Ingrid-Sibylle Hoffmann) | Fey 2017, S. 794–795, Kat.-Nr. 252.

Kat.-Nr. 79

NIEDERSACHSEN (HILDESHEIM?)

Reliquienmonstranz der Heiligen Drei Könige, Mitte 14. Jahrhundert

Silber, gegossen, getrieben, graviert, vergoldet, Glasflüsse, Glas, H. 60,5 cm, Dm. 21,3 cm | Hildesheim, Dommuseum, Inv.-Nr. DS 43

Das Schaugefäß (Monstranz von lat. *monstrare*, zeigen) in Gestalt einer spätgotischen Mikro-Architektur enthält in einem Bergkristallzylinder angeblich einige Knochen der Heiligen Drei Könige. Nach der grausamen Zerstörung Mailands durch Friedrich I. Barbarossa im Jahr 1162 (vgl. Kat.-Nr. 58) hatte dieser seinen Reichskanzler, den Kölner Erzbischof Rainald von Dassel, mit der Überführung der dort in der Kirche Sant'Eustorgio verwahrten Gebeine nach Köln beauftragt (vgl. Kat.-Nr. 82), wo er den bis heute größten rheinländischen Reliquienschrein in der Werkstatt des maasländischen Meisters Nikolaus von Verdun in Auftrag gab (Kat.-Nr. 77). Aus alter Verbundenheit mit dem Hildesheimer Domstift (er amtierte dort von 1149 bis 1159 als Propst) soll Rainald diesem drei Fingerknochen als Geschenk überreicht haben. Hildesheim wurde damit nach Köln einer der wichtigsten Orte der sekundären Dreikönigenverehrung. Der Besitz der/des Finger(s), mit dem/denen die orientalischen Könige auf den Stern von Bethlehem gedeutet haben könnten, hätte einen besonders großen Schatz dargestellt; womöglich handelt es sich aber „nur" um Daumenpartikel. | PM

Literatur: Ausst. Kat. Köln 1982, S. 159, Kat.-Nr. 24 (Frank Günther Zehnder) | Ausst.-Kat. Hildesheim 2000, S. 501, Kat.-Nr. D 17 (Ulrich Knapp).

Kat.-Nr. 80a

Kat.-Nr. 80c

Kat.-Nr. 80d

Kat.-Nr. 80b

Die Kölner Erzbischöfe Rainald von Dassel und Philipp von Heinsberg im Münzbild

Kat.-Nr. 80a
KÖLN
Rainald von Dassel, Halbpfennig (zum Denar), um 1159/67
Silber, geprägt, Gewicht 0,528 g, Dm. 13,5 mm I Münster, LWL-Museum
für Kunst und Kultur, Inv.-Nr. 11684 Mz

Kat.-Nr. 80b
KÖLN
Philipp von Heinsberg, Pfennig (Denar), um 1168/77
Silber, geprägt, Gewicht 1,336 g, Dm. 17,3 mm I Münster, LWL-Museum
für Kunst und Kultur, Inv.-Nr. 11691 Mz

Kat.-Nr. 80c
KÖLN
Philipp von Heinsberg, Pfennig (Denar), um 1185/91
Silber, geprägt, Gewicht 1,325 g, Dm. 19 mm I Münster, LWL-Museum
für Kunst und Kultur, Inv.-Nr. 11707 Mz (Leihgabe des Vereins für
Geschichte und Altertumskunde Westfalens, Abt. Münster)

Kat.-Nr. 80d
SAALFELD
**Rainald von Dassel und Abt Engilrich, Pfennig (Brakteat),
vor August 1167**
Silber, geprägt (einseitig), Gewicht 0,521 g (stark ausgebrochen), Dm. ca.
40 mm I Münster, LWL-Museum für Kunst und Kultur, Inv.-Nr. 19952 Mz

Wie Friedrich I. Barbarossa selbst (Kat.-Nr. 62) präsentierten sich
auch die Kölner Erzbischöfe seiner Zeit auf ihren Münzen in Bild
und Schrift. Wichtigste Amtsinsignie ist der Krummstab (*Pedum*),
der auf den antiken Hirtenstab zurückgeht und die Jurisdiktionsge-
walt des Geistlichen über die Herde seiner Gläubigen versinnbild-
licht; das Buch ist Hinweis auf die Verwaltung des Predigtamts.
Der Bischof erscheint zudem in spezifischer Kleidung: der Kasel als
liturgischem Obergewand des Priesters, der Albe als Untergewand.

Der Y- bzw. T-förmige Stoffstreifen darauf ist das Pallium, das Erz-
bischöfen vom Papst als besonderes Ehrenzeichen verliehen wurde. Die Mitra, ebenfalls Mitte des 11. Jahrhunderts erstmals verliehen, setzte sich als Kopfbedeckung in der zweiten Hälfte des
12. Jahrhunderts durch. Und so ist auf den Kölner Münzen der Erzbischof, stets mit Kasel und Pallium, Krummstab und Buch, unter
Rainald (1159–1167) noch barhäuptig, die Tonsur als klerikales
Standesattribut; unter Philipp (1167–1191) zunächst ebenso, dann –
der Wechsel erfolgte um 1177 – mitriert. Auch sitzt der Erzbischof
hier seit den 1150er-Jahren auf einem Faltstuhl (*Faldistorium*),
was dem kaiserlichen Majestas-Typus entspricht, wodurch er sich
als Reichsfürst darstellte. Die Rückseiten sind in Köln immer ver-
schieden variierte Konstrukte aus Mauer und Türmen, die aber
nicht Köln oder gar den Kölner Dom abbilden, sondern abbreviatur-
haft für Stadt und Kirche stehen. Die Umschrift der Vorderseite
nennt den Münzherrn, die der Rückseite betitelt Köln als „heiliges
Köln" (SANCTA COLONIA), teils zusätzlich als „Mutter des Friedens" (PACIS MATER). Im Gegensatz zu den kleinen, zweiseitigen
Denaren, wie sie im Rheinland üblich waren, boten die einseitigen,
großformatigen Brakteate, etwa in Thüringen, mehr Platz. Das
Stück, trotz Fragmentierung ein Meisterwerk der Stempelschneidekunst, hat sogar eine gut lesbare Umschrift: + REINA[LT o
A]RCI o EP + ENGI[LR' o SALV]ELT o AB. Die Hüftbilder sind also
rechts Erzbischof Rainald in Albe und Kasel sowie mit Pallium,
Mitra und Buch, links der Saalfelder Abt Engilrich (1167–1185) in
gleicher Ausstattung, doch ohne Pallium. Offensichtlich überreicht
der Erzbischof dem Abt den Stab, setzt ihn also durch Aushändi-
gung der Insignie in dessen Amt ein. Es kommt hier die Stellung
Saalfelds, von Köln 1063/71 auf früherem Reichsgut errichtet, als
kölnischem Eigenkloster klar zum Ausdruck. Um 1180 ertauschte
sich Barbarossa die Besitzungen Kölns und gründete die Reichs-
stadt Saalfeld, in der sogleich umfangreich gemünzt wurde. I SK

Literatur: Buchenau/Pick 1928, S. 93–96 I Hävernick 1935, S. 111–132.

Alle Abbildungen im Maßstab 1,25:1

Kat.-Nr. 81a

Kat.-Nr. 81b

Kat.-Nr. 81a

KÖLN

Pilgerzeichen der Heiligen Drei Könige, letztes Drittel 13. Jahrhundert/um 1300 (Einzelfund aus Welver)

Blei-Zinn-Legierung, Bildfeld: H. 22,0 mm, B. 30,0 mm I Münster, LWL-Archäologie für Westfalen

Kat.-Nr. 81b

KÖLN

Pilgerzeichen der Heiligen Drei Könige, 13. Jahrhundert (Einzelfund auf Wüstung Volkesmere bei Geseke, 1999)

Blei-Zinn-Legierung, H. 22,3 mm, B. 29,8 mm, stark gewellt I Münster, LWL-Museum für Kunst und Kultur, Inv.-Nr. 29393 Mz

Das erste Pilgerzeichen der Heiligen Drei Könige ist ein querrechteckiges Zeichen aus einer Blei-Zinn-Legierung. Das Bildfeld des Flachgusses ist 2,0 cm x 3,0 cm groß und zeigt die Heiligen Drei Könige im Huldigungsritus. Auf der linken Seite des Bildfeldes stehen die Heiligen mit angewinkelten Armen und halten ihre Gaben. Die rechte Seite des Pilgerzeichens zeigt das Jesuskind und die bekrönte Jungfrau Maria. Der obere Teil zeigt in der Mitte einen großen Turm, der zu beiden Seiten von je einem kleineren Turm flankiert wird. Diese Türme stellen die Silhouette des Kölner Doms dar. Anhand dieser Gestaltung lässt sich das Pilgerzeichen aus Welver

in die Zeit um 1300 datieren. Die Translation der Gebeine der Heiligen Drei Könige von Mailand nach Köln durch Rainald von Dassel im Jahr 1164 vergrößerte die Anzahl an Reliquien in Köln und bescherte der Stadt einen regelrechten Andrang an Wallfahrern. Auch die Bewohner des Hofes aus Welver brachten einen sichtbaren Beweis für ihre Pilgerreise nach Köln mit.

Ein weiteres Pilgerzeichen der Heiligen Drei Könige befindet sich im Bestand des LWL-Museums für Kunst und Kultur. Bei diesem Stück handelt es sich um ein stark beschädigtes Exemplar, welches mit der Sonde im Bereich der Wüstung Volkesmere bei Geseke gefunden wurde. Es zeigt ebenfalls die thronende Muttergottes mit dem Jesuskind und die Heiligen im Huldigungsritus, jeweils eine Kugel haltend. Die Anordnung der Figuren ist, im Vergleich zu dem Stück aus Welver, andersherum: die Muttergottes mit dem Jesuskind links, die drei Könige rechts. Beide Pilgerzeichen lassen sich dem Köln-Typus A II nach Haasis-Berner/Poettgen zuordnen. Dieser Typus ist mit ca. 39 Exemplaren vor allem in Nordwesteuropa (Norddeutschland, Niederlande, Dänemark und England) verbreitet. In Westfalen sind die beiden nicht modelgleichen Stücke dieses Typus jedoch die einzigen. I AT

Literatur: Cichy 2016, S. 136–139 I Haasis-Berner/Poettgen 2002, S. 173–202.

Kat.-Nr. 82a, b

AUGUSTIN BRAUN (UM 1570 – UM 1622)

a) Die Einbringung der Gebeine der Heiligen Drei Könige nach Köln im Jahr 1164, 1619

b) Huldigung Kaiser Maximilians auf dem Domhof 1494, 1622

Federzeichnungen, braun laviert, a) H. 25,0 cm, B. 41,0 cm; b) H. 24,0 cm, B. 40,5 cm ∣ Köln, Kölnisches Stadtmuseum, a) Inv.-Nr. A I 2/33; b) Inv.-Nr. A I 3/298

Zu den wichtigsten Kunstwerken Augustin Brauns für die Stadt Köln gehören sieben lavierte Federzeichnungen auf weißem Papier. Sie geben wichtige Ereignisse aus der mittelalterlichen Geschichte wieder. Sechs Blätter, von denen hier zwei zu sehen sind, befinden sich im Kölnischen Stadtmuseum, das siebte im Germanischen Nationalmuseum in Nürnberg.

Die erste Zeichnung, mit der auch die Reihe beginnt, zeigt die Einbringung der Gebeine der Heiligen Drei Könige von Mailand nach Köln durch Rainald von Dassel (um 1120–1167) im Jahr 1164. Vor dem im Bau befindlichen Bayenturm (ca. 1220/50) ziehen die Bürger den von links herangetragenen drei Sarkophagen entgegen. Der Domtorso im Hintergrund dient zur Identifizierung des Ortes Köln, auch wenn die Grundsteinlegung erst 74 Jahre später stattfand. Zudem ist die Stadt bereits von der großen Mauer umgeben, mit deren Bau man ebenfalls erst später, unter dem Erzbischof Philipp von Heinsberg (um 1130–1191) (Kat.-Nr. 85, 86), begann. Der halbrunde Abschluss des Bildes zeigt, dass die Zeichnung – wie die übrigen – die Vorlage für ein Wandbild sein sollte. Vermutlich war ein Historienzyklus zur Geschichte Kölns geplant, der jedoch nicht ausgeführt wurde.

Die zweite Zeichnung stellt die Huldigung Kaiser Maximilians (1459–1519) auf dem Domhof vor dem erzbischöflichen Palais im Jahre 1494 dar. Sie zeigt die Ankunft des Kaisers und seiner zweiten Gemahlin mit dem Schiff. Sie werden am Trankgassentor feierlich zur herkömmlichen Huldigung abgeholt. Für die Topografie Kölns ist besonders die Abbildung des im Jahre 1674 abgerissenen romanischen Erzbischofspalastes wichtig. Dieser wurde von dem Kölner Erzbischof Rainald von Dassel, der als Reichskanzler einer der engsten Vertrauten Barbarossas war (s. Kat.-Nr. 77), errichtet. Es lässt sich vermuten, dass auch der Staufer hier Hof hielt. Das hier dokumentierte Aussehen des Palastes zeigt ein herausragendes Beispiel für die staufische Baukunst in Köln. ∣ ED

Literatur: Ausst.-Kat. Köln 2014, S. 173, Kat.-Nr. 62 (Rita Wagner) ∣ Vey 1964, S. 107–111.

Kat.-Nr. 82a

Kat.-Nr. 82b

Kat.-Nr. 83

MEISTER DES GREGORIUS-TRAGALTARS AUS SIEGBURG,
KÖLN

Darmstädter Turmreliquiar, 1190/1210

Email, vergoldetes Kupfer, Eichenholz, Messing, H. 31,0 cm, Dm. 29,6 cm |
Darmstadt, Hessisches Landesmuseum, Inv.-Nr. Kg 54:239

Im Jahr 1805 kam das Turmreliquiar mit der Kölner Sammlung
des Barons von Hüpsch nach Darmstadt. Bereits 1818 wird es als
„kleines Capellchen" im ersten Museumsführer hervorgehoben.

Der zwölfseitige Zentralbau mit kegelförmigem Dach und Arkaden auf Säulen zeigt vor durchgehendem Goldgrund vegetabile
Grubenschmelz-Spiralranken, deren grüne und blaue Stengel mehr-
farbiges Blattwerk mit markanten, scharf gezackten, gefiederten
und gelappten Blättern tragen. Es fehlen ein bekrönender Knauf,
Blendbögen, einige Säulen und Leistenstücke sowie fünf emaillierte
Prophetenplatten, von denen nur zwei im Kölner Museum Schnütgen (Nahum) sowie im Londoner Victoria and Albert Museum
(Jona) erhalten sind. Die sieben Propheten Abdias, Amos, Malachias,
Aggeus, Sophonias, Osee und Zacharias gehören zu den zwölf
sogenannten Kleinen Propheten, deren einzelne Bücher als *ein* Zwölf-
prophetenbuch angesehen wurden. Als gravierte Figuren treten sie
gleichsam aus dem goldenen Kern hervor und durch den Ranken-
schleier hindurch auf die Betrachter zu. Frontal präsentieren sie ihre
Spruchband-Aussagen, die sich typologisch auf Jesus Christus
(und die zwölf Apostel) deuten lassen, unter anderem auf seinen
Leidensweg, sein Sterben, seine Auferstehung und Himmelfahrt sowie endzeitliche Wiederkunft.

Um 1210 wurde unter dem Zentralbau eine ältere Bodenplatte
aus Messing (ohne Füße) angefügt. Eine lateinische Inschrift auf
der Bodenplatte zählt Reliquien auf (Übersetzung): „vom Grabe
des Herrn, vom Kreuzesholz des Herrn, vom Gewand der Heiligen
Jungfrau, Reliquien der Thebäischen Märtyrer und der 11000
Jungfrauen". Die beiden letzteren Gruppen waren die Kölner Stadt-
patrone, sodass das Objekt spätestens zum Zeitpunkt der Anbrin-
gung der Inschrift als Reliquiar diente. Weder die ursprüngliche
Funktion, für die das Bildprogramm konzipiert worden war (mobi-
les Tabernakel?), noch die Herkunft (wohl ein Kölner Kirchenschatz?)
sind bekannt.

Der gesamte Emailschmuck ist der Gruppe von Goldschmiedearbeiten um den Gregorius-Tragaltar in Siegburg zugehörig. Kontro-
vers diskutiert wird jedoch, in welcher Beziehung der Goldschmied
des Darmstädter Turmreliquiars zur mutmaßlichen Kölner Werkstatt des Meisters des Gregorius-Tragaltares stand – vermutlich
ging er als jüngerer, innovativer Mitarbeiter aus ihr hervor. | TF

Literatur: Bayer 2011 | Kahsnitz 2019, S. 69–91, bes. S. 86–89 | Lamba-
cher 2011, S. 90–111, bes. S. 98 und S. 103 f.

Kat.-Nr. 84 (ausgestellt in der Mittelalter-Sammlung)
WESTFALEN ODER KÖLN (?)
Hochaltarretabel der St.-Walburgis-Kirche in Soest
(„Soester Antependium"), um 1170/80
Lindenholz (Bildfeld), Eichenholz (Rahmen), Tempera, H. 99,0 cm,
B. 195,5 cm, T. 7,0 cm I Münster, LWL-Museum für Kunst und Kultur,
Inv.-Nr. 1 WKV (Leihgabe des Westfälischen Kunstvereins)

Das älteste erhaltene Tafelbild nördlich der Alpen stammt aus der
zerstörten ersten Kirche des St.-Walburgis-Augustinerinnenstifts
in Soest und zählt zum ältesten Kunstbesitz des Museums. Im
Zentrum der Tafel erscheint Christus als endzeitlicher Weltenherr-
scher, begleitet von den vier Evangelistensymbolen. Zuseiten seines
Regenbogenthrones stehen Maria und die heilige Walburga, die
Patronin der Frauengemeinschaft, Johannes der Täufer und der
heilige Kirchenvater Augustinus. Der Goldgrund und die Miniatur-
architekturen in den Arkadenzwickeln zeigen an, dass sich der Got-
tessohn und sein heiliger Hofstaat im goldstrahlenden Himmlischen
Jerusalem versammelt haben.

Einige der Inschriften und Details des Bildprogramms machen
deutlich, dass es sich bei dem Gemälde nicht um ein Antependium
(vgl. Kat.-Nr. 66) handelt, sondern um eine Altartafel auf dem Altar-
tisch, ein sogenanntes Retabel. Im aufgeschlagenen Buch Christi ist
zu lesen (in deutscher Übersetzung): „Ich bin das lebendige Brot,
der ich vom Himmel herabgekommen bin" (Joh 6,51). Damit wird
auf die Eucharistie, das Gedenkmahl zum Kreuzestod Christi mit
dem mystischen Moment der Wandlung von Hostie und Wein zu Leib
und Blut des Erlösers, verwiesen. Auch der sogenannte Septenar

Marias (die Sieben Gaben des Heiligen Geistes) und das Johannes-
lamm, das für die Christenheit geopferte Lamm Gottes, stehen in
direktem Bezug zum Höhepunkt jeder Messfeier.

Das 1166 erstmals erwähnte Walburgis-Stift war eine Grün-
dung des Kölner Erzbischofs Rainald von Dassel, des engsten Be-
raters Kaiser Friedrich Barbarossas, für die Töchter der erzbischöf-
lichen Dienstleute und ihre Klientel in der Salz- und Handelsstadt
Soest. Bis zum Beginn der Soester Fehde im Jahr 1444 war die
Hansestadt der Mittelpunkt des kölnischen Einflusses in Westfalen.
Man kann vermuten, dass der Nachfolger Rainalds, Philipp von
Heinsberg (Kat.-Nr. 85, 86), die materiell und künstlerisch kostbare
Altartafel für das ihm unterstellte Frauenstift anfertigen ließ.
Als mutmaßliches Hochaltarretabel wäre die Betrachtung nicht
nur den Chorfrauen vorbehalten geblieben, sondern auch bei Gottesdiensten mit der Gemeinde gewährleistet gewesen und hätte
damit zur politischen Selbstdarstellung des Erzbistums beitragen
können. Der Stil der byzantinisch beeinflussten, in Licht- und
Schattenbildung und der farbigen Anlage der Gesichter herausragenden Malereien steht sowohl der Kölner als auch der westfälischen Glas-, Wand- und Buchmalerei, insbesondere Werken aus
der Helmarshausener Klosterwerkstatt nahe. Aber auch Soest
selbst, das neben Köln bedeutendste Kunstzentrum in der Region,
kommt als Herstellungsort für diesen Altarschmuck in Frage
(s. Kat.-Nr. 153). I PM

Literatur: Arnhold 2014, S. 60 f. (Petra Marx, Lit.) I Kemperdick 2009,
S. 65–90, bes. S. 83 f.

Kat.-Nr. 85

MÜNSTER

Erwerbsliste Erzbischof Philipps von Heinsberg, Ende 12. Jahrhundert

Pergamentrolle, 1 Bl., 20,5 x 69,0 cm I Münster, Landesarchiv Nordrhein-Westfalen, Abteilung Westfalen, Sign. A003u, Herzogtum Westfalen, Lehen, Generalia/Urkunden, Nr. 1

Bei dem beidseitig beschriebenen Rotulus handelt es sich um eine von drei erhaltenen Listen derjenigen Güter, die der Kölner Erzbischof Philipp von Heinsberg während seines Pontifikats (1167–1191) erworben hat. Erzbischof Philipp baute im Gegensatz zu seinem Amtsvorgänger Rainald von Dassel (amt. 1159–1167), der sich auf die Reichspolitik konzentriert hatte, seine Landesherrschaft im heutigen Nordwestdeutschland aus und konsolidierte diese durch die enge Bindung seiner Lehensleute an das Erzstift: Er kaufte Burgen, Erbgüter und Nutzungsrechte und gab diese teilweise sogleich wieder als Lehensbesitz an die Verkäufer zurück. Der Erzbischof selbst behielt sich indes bestimmte Befugnisse vor, im Fall befestigter Anlagen beispielsweise das Öffnungsrecht. Er konnte sie im Fall militärischer Aktionen als Stützpunkte nutzen, trat in Friedenszeiten aber nicht als Rivale, sondern als Kooperationspartner des regionalen Adels auf. Die Käufe sollten den Einflussbereich des Erzbistums Köln gegenüber seinen Konkurrenten, vor allem dem Hochstift Münster und dem Erzstift Mainz, landrechtlich absichern. Auf der Liste ist dies erkennbar: Sie umfasst 97 Positionen, wobei sich 82 davon auf der Vorder- und 15 auf der Rückseite befinden. Neben den am Hellweg gelegenen Allodien Störmede und Hustede oder vereinzelten Gütern nördlich von Münster (etwa Ahaus, Bentheim und Tecklenburg) erwarb er insbesondere zahlreiche Besitzungen im Gebiet rund um Dortmund und Soest (vgl. Kat.-Nr. 84), wie Volmarstein, Altena, Arnsberg oder das spätere Rüthen (im Rotulus als Brunwardinhausen bezeichnet). Dafür soll er laut Zeitgenossen etwa 40.700 Mark Silber gezahlt haben – eine teure Investition, die zwar ein großes Loch ins Stiftsbudget riss, aber letztlich den Kölner Erzbischof zum mächtigsten Lehensherrn Westfalens machte. I AP

Literatur: Bauermann 1971, S. 228–252 I Berghaus 1981, S. 13–27 I Leidinger 1981, S. 42–57.

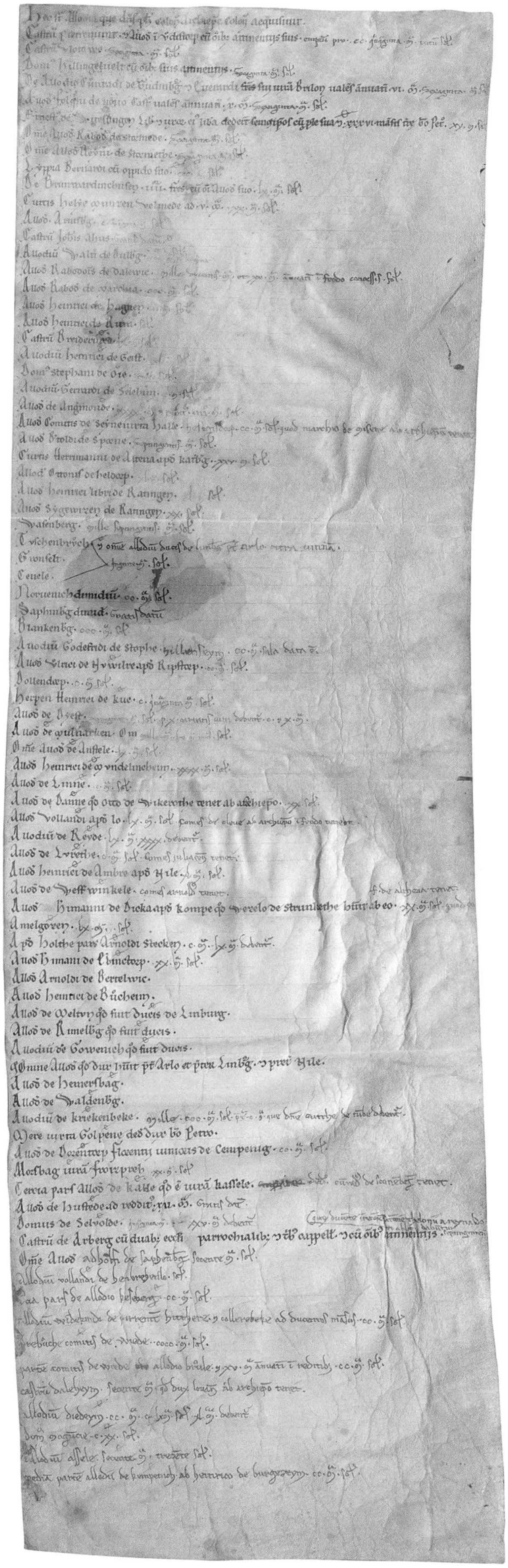

Kat.-Nr. 86

Urkunde des Kölner Erzbischofs Philipp von Heinsberg mit Siegel, 1181 (Typar 1174)

Pergament, Wachs, Seidenschnur, H. des Siegels 9,0 cm, B. 6,9 cm | Köln, Historisches Archiv, Best. 239 (Kunibert) U 3/14

Nach dem überraschenden Tod Rainald von Dassels, dem engen Vertrauten und Kanzler Barbarossas, während des kaiserlichen Romzugs 1167, trat Philipp von Heinsberg, ein direkter Verwandter Heinrichs des Löwen, noch im gleichen Jahr seine Nachfolge an. Wie eine in Münster verwahrte Erwerbsliste (s. Kat.-Nr. 85) zeigt, trieb er den Ausbau seiner territorialen Herrschaft in Nordwestdeutschland vehement voran. In Westfalen wurde Philipp wegen dieses Interessenskonflikts mit dem sächsischen Herzog zu des-

sen bedeutendstem Gegner; er profitierte nach dessen Sturz 1180 am meisten von den Verlusten des Welfen. Das Siegelbild zeigt den machtbewussten Metropolitan in detaillierter Ausarbeitung, einer Kleinplastik nicht unähnlich (vgl. Kat.-Nr. 74), in vollständigem erzbischöflichen Ornat, das heißt den Pontifikalgewändern mit Mitra, Schuhen und Handschuhen (die er auf dem Thronsitz, einem Faldistorium mit Tierköpfen, abgelegt hat) und einem nach innen gedrehten Hirtenstab, mit seiner Linken die Heilige Schrift erhebend. Die Inschrift lautet in der deutschen Übersetzung: „Philipp von Gottes Gnaden Erzbischof von Köln". | PM

Literatur: Ausst.-Kat. Braunschweig 1995, S. 270 f., Kat.-Nr. D 78 (Claus Peter Hasse).

Kat.-Nr. 87

HILDESHEIM

Kopfreliquiar des heiligen Oswald, um 1185/89

Holzkern, Silberblech, teilweise vergoldet, getrieben, graviert, Niello, zwei Kronenglieder aus Gold, Zellenschmelz, Filigran, Edelsteine, Perlen, H. 47,5 cm, B. 27,0 cm | Hildesheim, Dommuseum, Inv.-Nr. DS 23

Das Reliquiar hat die Form eines überkuppelten Zentralbaus und zitiert von daher vielleicht ein antikes Mausoleum. Wie ein solches Bauwerk ist die Miniaturarchitektur ebenfalls eine Art Grabgehäuse, dazu bestimmt, den Schädel des in England wie auf dem Kontinent hochverehrten heiligen Oswald aufzunehmen. Auf diesen Verwendungszweck deutet das unterhalb der schirmförmigen Kuppel umlaufende Schriftband mit folgenden Worten hin: + REX PIVS OSWALDVS SESE DEDIT ET SVA CHR(IST)O LICTORI Q(VE) CAPVD QVOD I(N) AURO CONDITVR ISTO (Der fromme König Oswald gab sich selbst und seine Habe Christus und dem Henker das Haupt, das in diesem Gold[gefäß] eingeschlossen ist). Hinweisenden Charakter hat auch das gekrönte Köpfchen auf der Kuppel, das Oswald als einen von Gott mit der Krone des Lebens ausgezeichneten Heiligen kenntlich macht (Apk 2,10). In seiner Körperlosigkeit erinnert das goldene Kopfbild an einen für Hildesheim gut beglaubigten Typus von Kopfreliquiaren, dem letztlich auch der Cappenberger Johanneskopf (Kat.-Nr. 126) verpflichtet bleibt. Hildesheimisch geprägt ist auch die stilisierte Gestaltung des Schindelwerkes auf dem Kuppeldach des Oswaldreliquiars, die an die gleichartig gestalteten Dachflächen auf dem zweiten in der Werkstatt des Godehardschreines entstandenen Reliquienschrein denken lässt, den für die Hildesheimer Bischofskirche bestimmten Schrein der Dompatrone.

Beiderseits der ehemals durch einen Saphir ausgezeichneten Stirnplatte der Oswald-Krone sind zwei kostbare Votivgaben in das oktogonale Herrschaftszeichen eingearbeitet. Vermutlich handelt es sich um die Besatzstücke von Fanonen, von jenen breiten Bändern also, wie sie etwa die Kronenhaube des von Engeln gekrönten Märtyrerkönigs Edmund in einer englischen Handschrift des 12. Jahrhunderts zeigt (New York, Pierpont Morgan Library MS 736, fol. 22v). Ein so außergewöhnliches Schmuckstück wird man deshalb am ehesten mit einer Stifterpersönlichkeit in Verbindung bringen wollen, die in engstem Kontakt mit einem König gestanden hat. Bei Mathilde ist das der Fall. Auf sie als Stifterin deutet auch die für ein kontinentales Goldschmiedewerk singuläre Reihe englischer Königsheiliger, die am Reliquiar dargestellt sind. Von daher liegt es nahe, dass es sich beim Oswaldreliquiar um eines jener beiden *scrinia* handelt, die Mathilde gemäß einer Nachricht im Gedenkbuch des Hildesheimer Domkapitels zusammen mit ihrem herzoglichen Gemahl der Kathedralkirche von Hildesheim geschenkt hat. | MichB

Literatur: Ausst.-Kat. Hildesheim 1989, S. 135–160, Kat.-Nr. 9 (Michael Brandt) | Stratford 1998, S. 243–257 | Vogtherr 2017, S. 195–210.

Kat.-Nr. 88

HILDESHEIM

Sogenanntes Kreuz Heinrichs des Löwen, um 1180/90

Holz, Silber, vergoldet, Filigran, Perlen, Stein, H. 68,5 cm, B. 40,5 cm | Hildesheim, Dommuseum, Inv.-Nr. DS L 112 (Leihgabe der katholischen Pfarrgemeinde St. Godehard)

Es sind die beiden unscheinbaren Hölzchen im Mittelpunkt der Kreuzvierung, deretwegen das Kreuz so reich verziert ist, gelten sie doch als Späne des vom Blut Christi geheiligten und zur Zeit Konstantins in Jerusalem wieder aufgefundenen „Wahren Kreuzes". Für die Geistlichkeit des Hildesheimer Kreuzstiftes, aus deren Obhut das Prunkkreuz nach der Säkularisation in den Besitz der heute dort ansässigen Pfarrgemeinde überging, war es über Jahrhunderte ein zentraler Kultgegenstand. Den Anstoß dazu hatte Heinrich der Löwe gegeben, bezeugt durch eine vermutlich kurz nach seiner 1172 unternommenen Pilgerfahrt ins Heilige Land ausgestellte Schenkungsurkunde. Dass sie sich nicht nur an das Hildesheimer Stiftskapitel richtet, sondern zuallererst an die gesamte *sancte Hildensemensis ecclesie,* verdeutlicht, wie bedeutsam diese ausdrücklich als Memorialstiftung apostrophierte Schenkung für den Welfenherzog gewesen ist. Und wenn Heinrich seine Gabe dann noch dem Stiftskapitel von Heilig Kreuz anvertraut, kann man daraus folgern, dass die Kreuzkirche der zentrale Ort der Kreuzverehrung im Bistum Hildesheim war – oder werden sollte. Im Gegensatz zu einer früher geäußerten Vermutung ergibt sich deshalb, dass mit der Formulierung *dominici ligni substantia crvx* nicht bloß ein schlichtes Pilgerandenken gemeint ist, sondern das bis heute erhaltene Prunkkreuz. In stilistischer Hinsicht spricht nichts dagegen, zumal, wenn man davon ausgeht, dass in dieser Zeit auch das Oswaldreliquiar entstanden sein dürfte. Gerade dessen Darstellungen bieten gute Vergleichsmöglichkeiten zur flüssigen Modellierung der Engelmedaillons auf der Rückseite des Kreuzes. Hier fügen sich die Himmelswesen zu einem Bild der Engelwache, wie man es so eigentlich nur von den Rückseiten der vielen damals in Jerusalem gefertigten Staurotheken kennt, die sich in europäischen Kirchenschätzen erhalten haben. An solche offenbar in Serie hergestellten und entsprechend flüchtig ausgeführten Reliquienkreuze lässt auch die ungewöhnlich reiche Verwendung ornamentaler und figürlicher Stanzen am Hildesheimer Prunkkreuz denken, die partienweise ebenso sorglos zusammengefügt erscheinen. Sollte man in Hildesheim also Kenntnis von einem „Jerusalemkreuz" gehabt und bei der Gestaltung der herzoglichen Stiftung bewusst darauf angespielt haben? | MichB

Literatur: Brandt 1980 | Janicke 1965, S. 342, Nr. 359 | Peter 2007/08, S. 291–318.

Kat.-Nr. 88

Kat.-Nr. 87

Kat.-Nr. 89

HELMARSHAUSEN

Psalter Heinrichs des Löwen und Mathildes von England, zwischen 1168 und 1189

Pergament, Malerei in Deckfarben und Gold, 11 Bl., H. 21,0 cm, B. 13,0 cm |
London, British Library, Lansdowne MS 381, Teil 1

Im Skriptorium der Benediktinerabtei Helmarshausen entstand nicht nur das berühmte Evangeliar Heinrichs des Löwen und seiner Frau Mathilde, Tochter König Heinrichs II. von England (vgl. S. 36, Abb. 8). An das nordhessische Kloster hatte sich der welfische Herzog auch mit dem Auftrag für ein kostbar ausgestattetes Psalterium gewandt, jenen zunächst beim englisch-französischen Adel geschätzten, für die private Andacht bestimmten Buchtyp. Nur 11 Blätter der Handschrift blieben erhalten, die jedoch eine Vorstellung von der ursprünglichen Ausstattung und ihrer engen künstlerischen Verwandtschaft mit dem Evangeliar erlauben.

An den in Goldschrift auf Purpurgrund geschriebenen Kalender mit Tierkreiszeichen und Monatsarbeiten (fol. 1v–7r) schließen zwei ganzseitige Miniaturen an: die Verkündigung an Maria und die Darbringung Jesu im Tempel, beide durch alttestamentliche Gestalten typologisch gedeutet (fol. 7v–8r). Dazwischen fehlt wahrscheinlich ein Blatt mit Szenen aus Christi Kindheitsgeschichte. Den Beginn des weitgehend verlorenen Psalterteils betonen eine große B(eatus vir)-Initiale zu Psalm 1 und dessen in Gold auf gerahmten Purpurfeldern geschriebenen Verse (fol. 8v–9r). Die übrigen in Tinte geschriebenen Psalmen wurden durch goldene Versinitialen gegliedert (fol. 9v: Ps. 2; fol. 10r: Ps. 100). Miniaturen der Kreuzigung Christi und der Frauen am leeren Grab (fol. 10v–11r,

Abb. S. 194 f.) sowie eine Initialzierseite (fol. 11v) setzen zu Psalm 101 einen Akzent. Eine analoge Gestaltung gemäß der formalen Dreiteilung der 150 Psalmen ist auch für Psalm 51 zu rekonstruieren. Zudem mögen die Psalmen der liturgischen Achtteilung durch weitere Darstellungen eines Leben-Jesu-Zyklus hervorgehoben gewesen sein. Beschlossen wurde der Band wohl von den üblichen Anhängen: alt- und neutestamentliche Cantica, Glaubensbekenntnis, Allerheiligenlitanei und Totenoffizium.

Dem christlichen Bilderreigen, der für die Betenden die alttestamentlichen Psalmen in eine heilsgeschichtliche Perspektive rückte, findet sich das Herzogspaar vor dem Bitt- und Klagepsalm 101 eingefügt. Als *Heinricus dux* und *Mathilt ducissa* bezeichnet, erscheinen ihre Halbfiguren unter dem gekreuzigten Heiland, der von Maria und Johannes flankiert wird (fol. 10v) – gleichsam ein Reflex auf die Situation in der Braunschweiger Stiftskirche St. Blasius, wenn sie vor der von Heinrich in Auftrag gegebenen Triumphkreuzgruppe am Gottesdienst teilnahmen. Mit Worten der Liturgie zu Kreuzfesten auf ihren Spruchbändern wenden sie sich anbetend und um Erlösung bittend an Christus. Die Hoffnung auf das durch Jesu Tod und Auferstehung bewirkte Heil findet in der gegenüberstehenden Oster-Miniatur der Frauen am Grab (fol. 11r) ihren anschaulichen Ausdruck. | BBN

Literatur: Ausst.-Kat. Braunschweig 1995, S. 294–296, Kat.-Nr. D 93 (Janet Backhouse) | Digitalisat der Handschrift: URL: http://www.bl.uk/ manuscripts/Viewer.aspx?ref=lansdowne_ms_381!1_fs001r. | Schneidmüller/ Wolter-von dem Knesebeck 2018, S. 8, 21, 22 (Abb. 2), S. 39, 180, 181 (Abb. 53), S. 196, 202, 220, 222, 227.

Kat.-Nr. 90

NIEDERSACHSEN (HILDESHEIM?)

Altarleuchterpaar mit Drachen aus der Stiftskirche von Gandersheim, 2. Hälfte 12. Jahrhundert

Bronze, H. 29,5 cm, mit Dorn 38,0 cm, B. 21,5 cm | Braunschweig, Herzog Anton-Ulrich-Museum, Inv.-Nr. MA 91, MA 92

Selten haben sich Altarleuchter als Paar erhalten. Die beiden Exemplare sind weitgehend identisch und zeigen eine ihrer Funktion entsprechende Ikonografie. Über drei Drachen, die mit ihren auf den Boden gelegten Köpfen den Leuchter tragen und gleichzeitig Engeln mit aufgeschlagenen Büchern als Sitzplatz dienen, und über Rankenwerk erhebt sich der Schaft mit zwei Nodi (Knoten, Knäufe) bis zur Tropfschale; diese wird von wiederum drei Figuren mit Büchern gestützt. Am Fuß der Leuchter kriechen drei drachenartige Tierchen nach oben. In einer klaren Sinnsprache stellen die Leuchter dar, wie das Licht, die Botschaft Christi, die Finsternis und das Böse überwindet: Die Drachen sind zum Dienen gezwungen, die kleineren Drachen bemühen sich, wohl doch vergeblich, den

Bereich des Lichtes zu erreichen; die sitzenden Engel, die als Lektoren anzusprechen sind, verbreiten das Evangelium (vgl. Kat.-Nr. 154, 155).

Die Figuren der Leuchter sind reduziert gebildet, mit großen ovalen Köpfen, summarisch angegebenen Details der Gesichter und einer voluminös aufsitzenden Haarkalotte, während die Körper kaum ausgearbeitet und die Details an der Kleidung nicht modelliert, sondern eingeritzt sind. Das großflächig gelegte und durchbrochene Rankenwerk mit einzelnen Blattmotiven an Fuß, Schaft und Nodi zeigt ebenfalls eingeritzte Riefen. Das Leuchterpaar ist stilistisch vor allem aufgrund der Rankenbildung mit Hildesheimer Bronzen des 12. Jahrhunderts verbunden (vgl. u. a. Kat.-Nr. 87, 88), verweist aber auch auf die Ornamentik des hochberühmten Siebenarmigen Leuchters in Klosterneuburg und der damit zusammenhängenden Kunstwerke. | RM

Literatur: Ausst.-Kat. Bonn/Essen 2005, S. 214 f., Kat.-Nr. 62 (Ursula Mende) | Marth 2013, S. 135–146, hier S. 141, Fußnote 31, Taf. IX.3, 4 | Mende 1995, S. 427–439.

Kat.-Nr. 89

Kat.-Nr. 91
HILDESHEIM
Löwen-Aquamanile mit Krone, um 1220/30
Bronze, gegossen, graviert, ziseliert; H. 30,0 cm, L. 33,0 cm | Kopenhagen, National Museum of Denmark, Inv.-Nr. D 795

Die kräftige Statur dieses Löwen als Gießgefäß erinnert in seiner Monumentalität, aber auch in zahlreichen Details an das Löwenstandbild, das Herzog Heinrich von Sachsen, der sich selbst den Beinamen „der Löwe" verlieh, in seiner Pfalz in Braunschweig hatte errichten lassen – das erste freistehende Denkmal für einen weltlichen Herrscher nördlich der Alpen (S. 37, Abb. 9). Im Unterschied zu weiteren Löwen-Aquamanilien, die dem Standbild nahestehen, ist dieses Raubtier jedoch bekrönt. Aus seinem geöffneten Maul ragt das kopflose Fragment einer menschlichen Gestalt, die sich mit beiden Händen gegen die Schnauze stemmt, als Ausgusstülle. Die Einfüllöffnung ist in der Krone verborgen. Die plastische Ausbildung des Löwenkopfs mit den tief in den Höhlen liegenden Augen,

die besonders ausgeprägte untere Lidlinie und das Stirnbein verleihen „dem Löwen einen wehmütigen Ausdruck" (Olchawa 2019). Die menschliche Gießtülle ist ein Merkmal maasländischer und norddeutscher Löwen und wurde offenbar vom Hildesheimer Künstler übernommen.

Stilistisch steht dieser Löwe dem Taufbecken im Hildesheimer Dom nahe, was z. B. den ornamentalen Dekor der hiesigen und der dortigen Kronen (bei den Tugenden) angeht. Über eine solche verfügt nur noch ein verwandtes Werk in Hildesheim selbst. Die Krone ist nach Olchawa aber nicht als christologisches Zeichen zu deuten (etwa für die Auferstehung), sondern könnte sogar negativ besetzt sein. „Möglicherweise handelt es sich gar um die Darstellung der Personifikation der Superbia. Damit wäre das Aquamanile als eine Art Warnung von den Folgen dieses Lasters zu verstehen" (Olchawa 2019). | PM

Literatur: Ausst.-Kat. Hildesheim 2008, S. 367, Kat.-Nr. 48 (Ursula Mende) | Olchawa 2019, S. 504 f., Kat.-Nr. 141.

Kat.-Nr. 92 (S. 74, Abb. 1)
BRAUNSCHWEIG ODER HILDESHEIM
Löwen-Aquamanile, um 1200/50
Bronze, gegossen, graviert, ziseliert, vergoldet, H. 29,5 cm, L. 30,6 cm,
T. 12,4 cm | London, Victoria and Albert Museum, Given by Capt H. Reit-
linger, Inv. Nr. 560-1872

Der Londoner Löwe zählt unter den Aquamanilien bzw. Handwaschgefäßen (*aqua* – Wasser, *manus* – Hand) aus Niedersachsen zu
den künstlerisch besonders herausragenden Werken. Ähnlich wie
beim gekrönten Löwen aus Kopenhagen (Kat.-Nr. 91) ist auch dieses Raubtier in seiner aufrechten und gespannten Haltung, mit
vorgewölbter Brust, den kurzen Mähnenzotteln und der Bartwam-
me, einem um das Tiergesicht gelegten kragenartigen Streifen,
dem Braunschweiger Bronzedenkmal Heinrichs des Löwen recht
nahe. Dieser war bestrebt, in Braunschweig und in seinem Herzogtum ein königgleiches Ansehen zu erlangen. Der Löwe als Herrscher über die Tierwelt gilt als Symbol von Führung und Macht. Er
taucht in verschiedenen Varianten auf vielen Siegeln und Münzen
Heinrichs des Löwen und seiner Nachfolger bis in das 13. Jahrhundert auf (s. Kat.-Nr. 94). Es ist daher auch denkbar, dass der hier
behandelte Londoner Löwe in einer potenten Goldschmiedewerk-

statt in Braunschweig selbst angefertigt wurde. Der Rohstoff für
dieses herausragende Zentrum der Bronzekunst wurde vermutlich,
wie in Hildesheim, aus dem Rammelsberg in Goslar gewonnen (s.
Kat.-Nr. 44), wo Heinrich der Löwe mit zeitlichen Unterbrechungen
als Vogt amtierte.

Aquamanilien aus Metall oder Keramik und in Form von Drachen,
Löwen oder anderen Tieren und Fabelwesen kommen seit dem
12. Jahrhundert sowohl im Orient, woher sie – wie übrigens auch
die Technik des Bronzegusses – eigentlich stammen (vgl. Kat.-Nr. 95),
als auch im Westen im kirchlichen oder weltlichen Kontext zum
Einsatz. Auch der Londoner Löwe weist auf dem Kopf eine Einfüllöffnung für Wasser auf. Das knapp 3,5 kg schwere Behältnis (ohne
Wasser) konnte dann am Drachengriff angehoben und zur Handwaschung in einer zugehörigen Schale genutzt werden. Um eine
solche Handwaschschale handelt es sich bei der „Hanseschale" aus
Burg Horst in Gelsenkirchen (Kat.-Nr. 107). An höfischen Tafeln
wurde das Gefäß von Gast zu Gast weitergegeben und es war eine
Frage des jeweiligen Ranges, ob Mann oder Frau ihrem Sitznach-
barn „das Wasser reichen konnten". | PM

Literatur: Barnet/Dandridge 2006 | Olchawa 2019 | Mende 2013.

Kat.-Nr. 93 (ohne Abb.)
GITTELDE/BAYERN ODER BRAUNSCHWEIG
**Schutzprivileg des Herzogs Heinrichs des Löwen für das Klos-
ter Lamspringe, 1169, mit Reitersiegel (verwendet seit 1163)**
Pergament mit aufgedrücktem Wachssiegel, Urkunde H. 37,9 cm, B. 31,0 cm,
Siegel Dm. ursprünglich 8,0 cm | Hannover, Niedersächsisches Landes-
archiv, Sig. HA Hild. Or. 2 Lamspringe Nr. 5

Insgesamt acht Siegelstempel hat Herzog Heinrich der Löwe seit
1144 für seine Beurkundungen genutzt. Die sieben älteren Siegel-
typen zeigen ihn dabei in der damals für einen Reichsfürsten adä-
quaten Darstellungsform als gerüsteten Ritter zu Pferd mit Schild
und einer erhobenen Lanze mit daran befestigtem Fahnentuch,
dem *Gonfanon*.

Der vorliegende Abdruck stammt von einem besonders reprä-
sentativen Typar, bei dem Heinrich in detaillierter Ausstattung
einen spitz zulaufenden Nasalhelm und einen modernen, mit dem
heraldischen Glevenrad beschlagenen Dreiecksschild trägt. Die
Fahnenlanze durchstößt dabei dynamisch die Legende + HEIN-
RICVS D(e)I GR(ati)A DUX BA [WARIE ET SAX]ONIE. Das konzen-
trisch an das Siegelrund angepasste Fahnentuch hinterfängt ho-
heitsvoll das Haupt des Reiters. Auch das Ross ist prachtvoll auf-

gezäumt mit perlenförmigen Anhängern am Zügel. Die Satteldecke
mit aufwendigen Quasten korrespondiert mit den Lätzen der Fahne.

In all diesen Details antwortet das Siegel genau auf dasjenige,
das der seit 1141 mit dem Herzogtum Bayern belehnte Babenberger Heinrich II. Jasomirgott führte. 1156 kam es dann auf Initiative Friedrich Barbarossas zur Teilung des Territoriums, und der
Welfe Heinrich wurde als Erbe seines Vaters wieder zum Herzog
von Bayern erhoben. Die zweite Eheschließung von Heinrichs des
Löwen Mutter Gertrud von Sachsen mit Jasomirgott 1142 wird von
der Forschung mittlerweile als wichtiger strategischer Schritt für
die Wahrung der welfischen Ansprüche beurteilt.

Das vorliegende Schutzprivileg für das südniedersächsische Benediktinerinnenkloster Lamspringe verband Heinrich der Löwe mit
einer Stiftung für sein Anniversarium, das künftig mit einer Messe
und einer Almosenspende zu begehen sein sollte. Hier ist bereits
1169, kurz nach der aufwendigen Hochzeit mit Mathilde Plantage-
net, die Vorsorge für das eigene spirituelle Heil zu fassen. | BKL

Literatur: Ausst.-Kat. Braunschweig 1995, Kat.-Nr. D 15 (Claus Peter
Hasse), D 76 (Ulrich Simon) | Kahsnitz 1977, Bd. 1, Kat.-Nr. 65; Bd. 2,
Abb. 13 | Nieus 2017.

Herzog Heinrich der Löwe im Münzbild

Kat.-Nr. 94a

BRAUNSCHWEIG

Pfennig (Brakteat), um 1160/80

Silber, geprägt (einseitig), Gewicht 0,78 g, Dm. 33 mm ∣ Hannover, Museum August Kestner, Inv.-Nr. 1947.8

Kat.-Nr. 94b

BRAUNSCHWEIG

Pfennig (Brakteat), um 1160/80

Silber, geprägt (einseitig), Gewicht 0,585 g (ausgebrochen), Dm. 31,1 mm ∣ Münster, LWL-Museum für Kunst und Kultur, Inv.-Nr. 15094 Mz

Kat.-Nr. 94c

BRAUNSCHWEIG

Pfennig (Brakteat), um 1160/80

Silber, geprägt (einseitig), Gewicht 0,89 g (ausgebrochen), Dm. 34 mm ∣ Hannover, Museum August Kestner, Inv.-Nr. 2010.244

Kat.-Nr. 94d

BRAUNSCHWEIG

Pfennig (Brakteat), um 1170/90

Silber, geprägt (einseitig), Gewicht 0,68 g, Dm. 28 mm ∣ Hannover, Museum August Kestner, Inv.-Nr. 1959.77

Kat.-Nr. 94e

BRAUNSCHWEIG

Pfennig (Brakteat), um 1170/90

Silber, geprägt (einseitig), Gewicht 0,639 g, Dm. 29,9 mm ∣ Münster, LWL-Museum für Kunst und Kultur, Inv.-Nr. 33329 Mz (Leihgabe der Lüffe-Stiftung, Dülmen)

Als der wichtigste weltliche Große der zweiten Hälfte des 12. Jahrhunderts übte auch Herzog Heinrich der Löwe das Münzrecht aus. Er hat anfangs wohl auch in den Stammlanden der Welfen in Ober- und bayerisch Schwaben geprägt, vor allem aber wie sein Vater und Großvater in Sachsen, Herzog hier seit 1142; als bayerischer Herzog seit 1154/56 zudem in Regensburg, München und Freising. Zentrale Münzstätte war Braunschweig, das Heinrich seit den 1160er-Jahren mit der Burg Dankwarderode und der Stiftskirche St. Blasius samt bronzenem Löwenstandbild zur Residenz ausbaute (S. 37, Abb. 9). Bis zu seinem Sturz 1180 war auch der Handelsplatz Bardowick bei der Salzstadt Lüneburg Münzstätte, nach 1180 wurde in Lüneburg selbst geprägt; eine Nebenmünzstätte war Hannover. Seit um 1150 waren die Pfennige in Braunschweig Brakteaten, breite, einseitige Münzen und oft Meisterwerke der Stempelschneidekunst. Es gibt einerseits solche mit prächtigem Architekturrahmen – Abbreviatur für Burg und Stadt und somit für Wehrhaftigkeit, Macht –, andererseits solche mit einem Löwen allein. Doch auch in die Architektur eingefügt findet sich immer der Löwe, schreitend, auch sitzend über einem Turm oder gar stehend auf einem Sockel – vielleicht inspiriert vom Löwenstandbild? Für einige Typen wird ein spezieller Anlass diskutiert, so für den mit zwei kleinen, einander zugewandten Brustbildern über der Architektur, jeweils mit Lilienzepter, offenbar eine Frau links mit Schleier und ein Mann rechts mit langem Haar. Ihn deshalb als Gedenkprägung zur Hochzeit Heinrichs mit der englischen Königstochter Mathilde 1168 im Mindener Dom zu sehen, geht an der Funktion hochmittelalterlicher Münzen vorbei. Exzeptionell ist die Darstellung Heinrichs als Ganzfigur (Kat.-Nr. 62), frontal thronend, im Mantel, barhäuptig, mit Lilienzepter und Schwert, den Insignien seiner Herzogsherrschaft, in den Bögen unten je ein Löwenvorderteil. Die Löwen-Brakteaten liegen in großer Variationsfülle vor: Nur manchmal schaut einen der Löwe, sitzend, mit prachtvoller Mähne, direkt an, meistens schreitet er seitwärts. In der Umschrift fast aller seiner Münzen nennt sich, oft freilich verballhornt, nicht nur „Herzog Heinrich" (DVX HEINRICVS) selbst, teils mit Ortsbetreff „in Braunschweig" (IN BRVNSWIC), sondern er bezeichnet sich explizit als LEO, „Löwe", sagt zuweilen sogar SVM LEO: „Ich bin der Löwe!" Unmissverständlich brachte Heinrich hier seinen Herrschaftsanspruch zum Ausdruck, wie im Münzbild, dem welfischen Löwen als seinem redenden Wappenzeichen. ∣ SK

Literatur: Denicke 1983 ∣ Kühn 1995 a, Bd. 2, S. 401–407, Bd. 1, Kat.-Nr. B 9 II, S. 78–86, Kat.-Nr. F 8 a–f, S. 383–385 ∣ Kühn 1995 b.

Alle Abbildungen im Maßstab 2:1

Kat.-Nr. 94a

Kat.-Nr. 94b

Kat.-Nr. 94c

Kat.-Nr. 94d

Kat.-Nr. 94e

3. Neue Horizonte
Die weite Welt des 12. Jahrhunderts

D er Kaiser, so überliefert es der Chronist Sicard von Cremona, sei ein tapferer Ritter gewesen, aber zugleich von leutseliger und sanfter Wesensart. Und obgleich er die Kunst des Lesens als Grundlage der Gelehrsamkeit nicht erlernt habe, „so war er aufgrund seiner kulturellen Erfahrung gebildet, da er ja die Gebräuche und die Städte vieler Menschen gesehen hatte." Diese an ein antikes Odysseus-Porträt angelehnten Worte verweisen sicherlich zutreffend auf die Weltläufigkeit Friedrich Barbarossas, die er in 38 Jahren rastloser Regierungsführung erworben hatte. Immerhin sechsmal überquerte er die Alpen in Richtung Italien, reiste zweimal nach Byzanz und Kleinasien und korrespondierte mit den Mächtigen der Mittelmeerwelt. Doch auch der Geschichtsschreiber Sicard selbst mag mit seiner bewegten Biografie beispielhaft für die Mobilität und Wissbegierde vieler Zeitgenossen stehen: Er studierte an den hohen Schulen von Bologna und Paris, wirkte als Geistlicher in Mainz und an der päpstlichen Kurie, wurde 1185 zum Bischof seiner norditalienischen Heimatstadt Cremona gewählt und reiste als Kreuzfahrer nach Palästina und Konstantinopel.

Vor dem Hintergrund einer solch ausgeprägten Welterfahrung zeigten sich die geistlichen und weltlichen Eliten der Stauferzeit in bemerkenswerter Weise aufgeschlossen für den kulturellen Austausch auch und gerade über die Grenzen von Herkunft und Glauben hinweg: Kostbare Kunstgegenstände und hochwertige Luxuserzeugnisse aus Byzanz und dem persisch-arabischen Raum (vgl. Kat.-Nr. 95, 96)

fanden ebenso wie medizinisches und technologisches Spezialwissen ihren Weg nach Mitteleuropa (Kat.-Nr. 106). Als Zentren des raumübergreifenden Konsums und Wissenstransfers erwiesen sich in der zweiten Hälfte des 12. Jahrhunderts nicht zuletzt die Höfe der mächtigen Fürsten und Magnaten. Sie bildeten die Brennpunkte personaler Beziehungsnetzwerke und die Schaltstellen territorialer Verwaltung. Doch dienten sie gleichermaßen als Drehscheiben des kulturellen Austausches und als Schaubühnen ritterlich-adeliger Statusrepräsentation (Kat.-Nr. 112, 113). Die soziale Sphäre des Hofes ließ verfeinerte Spielarten des geselligen Miteinanders erblühen. Sie brachte eine raffinierte Tischkultur mit strikten Verhaltensregeln und eine extravagante Kleidermode hervor und bildete den Resonanzboden für das Entstehen neuer künstlerischer Ausdrucksformen wie etwa der Liebesdichtung der Minnesänger (Kat.-Nr. 108 bis 111). Hier pflegte man Spiele orientalischer Herkunft wie das Schach (Kat.-Nr. 97 bis 101), erfreute sich aber auch an Liedern und Romanen mit ausgesprochen exotischen Protagonisten. Die Begegnung mit dem Fremden war dabei gleichwohl nicht immer friedlicher Natur. Die Kreuzzüge Friedrich Barbarossas stehen stellvertretend für den blutigen Kampf um den „rechten" Glauben (Kat.-Nr. 114 bis 118). Gerade dieses Nebeneinander von religiös motivierter Gewalt und kultureller Weltoffenheit bildet die bis heute nachwirkende Epochensignatur der Stauferzeit.

Jan Keupp/Petra Marx

Kat.-Nr. 95

IRAN

Löwen-Aquamanile, 11./12. Jahrhundert

Bronze, gegossen, graviert und ziseliert, H. 32,0 cm, L. 34,5 cm | Kopenhagen, The National Museum of Denmark, Inv.-Nr. E 2360

Islamische Gießgefäße in Tiergestalt (als Pfauen, Greife, Hirsche etc., s. den Beitrag von Joanna Olchawa) wurden seit dem 11./12. Jahrhundert im Westen adaptiert, erst in Lothringen, später dann auch in Niedersachsen, in den Bronzeguss-Zentren Magdeburg, Braunschweig und Hildesheim (s. Kat.-Nr. 131 bis 134). Beim Kopenhagener Exemplar handelt es sich um das einzige erhaltene Aquamanile in Form eines Löwen (oder einer Löwin), das sich wie die anderen Tierbronzen aus dem Orient durch seine standfeste Monumentalität und plastische Strenge auszeichnet. Das Wasser wurde in eine Öffnung im Hinterteil des mähnenlosen Vierbeiners eingefüllt und trat aus dem kleinen Stierkopf in seinem Maul wieder aus; der Schwanz diente dabei als Griff.

Löwen als Todes- oder Herrschersymbole finden sich in der islamischen Kunst in vielerlei Formen, als Brunnenfiguren, Weihrauchfässer oder Grabwächter. In Europa steht der Löwe für königliche Tugenden wie Stärke oder Beständigkeit. Aufgrund ihrer Mobilität gelangten exotische Kunstwerke wie dieses Aquamanile schon früh z. B. bei Pilgerreisen auch nach Europa. Anhand der Ausprägung der reichen Ornamentik, die den voluminösen Tierkörper überzieht, ging Joanna Olchawa zuletzt von einer Entstehung im 11. oder 12. Jahrhundert im Iran aus. | PM

Literatur: Ausst.-Kat. Hildesheim 2008, S. 239, Kat.-Nr. 1 (Almut von Gladiss) | Ausst.-Kat. Oldenburg 2006, S. 366, Kat.-Nr. B 61 (Irmgard Siede) | Olchawa 2019, S. 238 f., Kat.-Nr. 17.

Kat.-Nr. 96

SÜDITALIEN, SIZILIEN ODER ÖSTLICHER MITTELMEERRAUM
Olifant („Borradaile Oliphant"), 10./11. Jahrhundert

Elfenbein, neuzeitliche Silberbänder, L. 54,8 cm, Dm. Schallöffnung 11,0 cm
bis 12,8 cm I London, The British Museum, Inv.-Nr. 1923,1205.3

Elfenbeinartefakte wie der berühmte „Borradaile Oliphant" zeugen
vom künstlerischen und kulturellen Austausch zwischen Orient
und Okzident. Die Bezeichnung Olifant für einen mit aufwendigen
Schnitzereien geschmückten Stoßzahn eines Elefanten leitet sich
etymologisch vom Tiernamen selbst ab (s. auch Kat.-Nr. 160). Als
Jagdhörner dienten Olifanten ursprünglich der akustischen Kommunikation auf dem Schlachtfeld. In dieser Funktion sind die Hörner in den Federzeichnungen des Heidelberger Rolandliedes dargestellt (Kat.-Nr. 114). Roland ist der christliche Held im blutigen
Kampf Karls des Großen gegen die Muslime, also die Ungläubigen;
das nach ihm auch Rolandshorn benannte Instrument erfährt so
eine Wandlung zum Symbol der Heidenbekehrung, weshalb es hier
auch im Kontext des Kreuzzuges Kaiser Friedrichs I. Barbarossa
gezeigt wird.

Die präzisen ornamentalen und figürlichen Schnitzereien des Londoner Olifanten entfalten ein Panorama der fantastischen und exotischen Tierwelt des Orients. Reale und fabelhafte Wesen wie Adler,
Löwen, Pfauen, Greife, Hähne und andere Vögel erscheinen einzeln
oder paarweise in geschlossenen Rankenmedaillons, die durch blatt-
und fruchtbesetzte Pflanzenstängel miteinander verbunden sind.
Abstrakt ornamentale Flechtbänder fassen die Silberbänder und die
Schallöffnung des Hornes ein. Ein auffälliges und sich oft wiederho-
lendes Motiv sind Zickzackbänder auf den Schwungfedern von Flügeln
oder als Halsbänder. Räumliche Tiefe entsteht z. B. bei den Perlbän-
dern der Medaillons in der obersten Reihe (unterhalb der Schallöffnung) durch runde Bohrungen. Motivisch und stilistisch ist die Entstehung des Olifanten „wohl am ehesten in einer Region denkbar, die vielfältigen kulturellen Einflüssen ausgesetzt war" (Shalem 2014). I PM

Literatur: Robinson 2008, S. 286 I Shalem 2014, S. 369–372, Kat.-Nr. D 2.

Kat.-Nr. 97, hier noch montiert in einem Reliquiar, Spanien, 16. Jahrhundert

Kat.-Nr. 98

Kat.-Nr. 97
ÄGYPTEN, SPANIEN (?)

Schachstein, Bauer, 10.–12. Jahrhundert

Bergkristall, H. 44,0 mm I Berlin, Staatliche Museen zu Berlin, Kunstgewerbemuseum, Inv.-Nr. 1937, 23

Kat.-Nr. 98a, b, c, d
NAHER OSTEN, SPANIEN (?)

**Vier Spielsteine (von links nach rechts): a) Turm, b) c) zwei
Läufer, d) Springer, aus dem sogenannten Schachspiel Karls
des Großen, 10.–12. Jahrhundert**

Geschnittener Bergkristall, verschiedene Größen I Osnabrück, Domschatzkammer, nach Pilz 2021 a) T 118, b) T 113, c) T 110, d) T 116

Kat.-Nr. 99
INDIEN

Schachfigur, König, um 1200

Walross-Bein, H. 10,0 cm, B. 7,0 cm I Kopenhagen, National Museum of
Denmark, Inv.-Nr. 12395

Kat.-Nr. 100
SKANDINAVIEN

Schachfigur, Königin, 13. Jahrhundert

Walross-Bein, H. 9,2 cm I Kopenhagen, National Museum of Denmark,
Inv.-Nr. D35

Kat.-Nr. 101
KÖLN

DETMOLD-BERLEBECK, FALKENBURG

**Schachfigur, Bischof, spätes 12. Jahrhundert bis 2. Viertel
13. Jahrhundert (Fund von der Falkenburg, Detmold-Berlebeck)**

Rinderknochen, H. 10,1 cm, B. 2,9 cm I Detmold, Lippisches Landesmuseum

Als herausragendes Fundstück der Ausgrabungen auf der 1194 erbauten Falkenburg bei Detmold-Berlebeck kann man das Fragment einer beinernen Statuette benennen. Obwohl Kopf, Teile der
Brust, die Mitra und die Hände fehlen, lässt sich das Fragment eindeutig als Sitzfigur eines Erzbischofs erkennen. Diese Identifizierung kann aufgrund des kunstvoll geschnitzten Ornats, bestehend
aus Albe, Dalmatik, Kasel, Pallium und Pontifikalschuhen, erfolgen
(vgl. Kat.-Nr. 102). Die Figur wurde aus dem Mittelfußknochen
(*Metapodium*) eines Rindes gefertigt, welcher hierfür die besten
Voraussetzungen bot. Die Seiten und die Rückseite des Röhren-
knochens wurden platt abgearbeitet, während die Front der Figur
kunstvoll aus dem Knochen herausgeschnitzt wurde. Der Bein-
schnitzer legte größten Wert darauf, den Ornat so detailliert wie
möglich wiederzugeben. Ungewöhnlich bei dieser als Läufer eines
Schachspiels anzusprechenden Kleinskulptur ist ihre Mehrteilig-
keit. Hochmittelalterliche Schachfiguren wurden üblicherweise aus
einem Rohling gefertigt. Die Produktionsstätten solcher gegen-
ständlichen Schachfiguren werden bislang in Trondheim (Norwegen)
und Amalfi (Italien) verortet, wobei der Fund von der Falkenburg
stilistisch keiner dieser Werkstätten zugeordnet werden kann.
Stilistische Vergleiche legen nahe, dass der Erzbischof von der
Falkenburg wohl einer Kölner Beinschnitzerwerkstatt entstammt
(vgl. Kat.-Nr. 78). Neben liturgisch genutzten Gegenständen wie
Kästchen und Reliquiaren wurden dort ab der 2. Hälfte des 12. Jahrhunderts auch Schachfiguren und Brettspielsteine geschnitzt. I AT

Literatur: Peine/Treude 2012 I Peine/Treude 2015, S. 164–167 I
Peine/Wolpert 2018.

Kat.-Nr. 99, 100

„Diese ganze Welt ist wahrlich ein Schachspiel", so verkündet es ein Moraltraktat der ersten Hälfte des 13. Jahrhunderts. Sein Figurensatz nämlich gleiche der auf Erden wandelnden Menschheit in ihrer Vielgestalt von Statusgruppen und Lebensweisen. Der Vergleich zwischen dem Schachbrett und dem Ordnungsgefüge der mittelalterlichen Sozialwelt ist seither immer wieder bemüht worden. Er gründet freilich auf einem mehrstufigen Prozess kultureller Aneignung. Was als spielerische Kriegssimulation im indisch-persischen Raum entstanden war, fand seinen Weg in den Westen und wurde seit dem 10. Jahrhundert über die Kontaktzonen zum arabischen Kulturkreis in Süditalien und Spanien nach Europa vermittelt. Mit dem Regelwerk gelangten Spielsteine von hoher Qualität in den Besitz der einheimischen Eliten, die sie nicht selten als erlesene Kostbarkeiten zur Ausstattung von Kirchen und Klöstern verwendeten. Auf diese Weise kamen die im arabischen Raum kunst-

voll aus Bergkristall geschnittenen Spielfiguren in den Schatz der Domkirche von Osnabrück (Kat.-Nr. 98), aus ägyptischer Werkstatt stammt vermutlich der nachträglich in ein Schaugefäß für Reliquien integrierte Schachstein (Kat.-Nr. 97). Die heimische Herstellung bezeugt der Bodenfund einer aus einem Pferdeknochen geschnitzten Schachdame aus dem westfälischen Dienstmannensitz Sendenhorst (Kat.-Nr. 103). Adaptiert wurde dabei nach arabischem Vorbild eine abstrakte Gestaltung der Spielfiguren. Sie erleichterte es, die militärische Spielformation des Orients den gesellschaftlichen Gegebenheiten des Gastlands anzupassen. Die Figur des Kriegselefanten (Läufer) mit ihren die Stoßzähne andeutenden Fortsätzen wurde hierbei mit den im christlichen Europa sehr viel vertrauteren Konturen eines Bischofs mit gehörnter Mitra gleichgesetzt. Ein Beispiel für die figürliche Ausarbeitung dieser kulturellen Bedeutungsverschiebung bietet eine geschnitzte Sta-

Aus dem „Libro de los Juegos" (Buch der Spiele) von 1283, Muslime aus Al-Andalus beim Schachspiel

tuette von der Falkenburg der Edelherren zur Lippe: Die aus einem Rinderknochen gefertigte Schachfigur entstammt einem Fundhorizont des 2. Viertels des 13. Jahrhunderts und bildet detailgetreu den geistlichen Ornat eines Erzbischofs nach (Kat.-Nr. 101). Ähnliche Transformationen erfuhren weitere Schachfiguren: Der im Europa des Hochmittelalters nicht gebräuchliche Streitwagen (Turm) wurde als Markgraf, Wächter oder Statthalter aufgefasst, den Ehrenplatz des arabischen Wesirs an der Seite des Königs (Kat.-Nr. 99) gestand man der Königin als der legitimen Gefährtin des Herrschers zu (Kat.-Nr. 100). Die Präsenz von Frauenfiguren und geistlichen Würdenträgern verwandelte das Schachspiel von einem Kriegsschauplatz in eine Schaubühne abendländischen Standes- und Ordnungsdenkens. Als solche wurde es nicht nur vom höfischen Adel geschätzt, sondern auch von den gekrönten Häuptern Europas betrieben: Es ist daher kein Wunder, wenn das Rolands-

lied (Kat.-Nr. 114) den Idealherrscher Karl den Großen mit leuchtenden Augen am Schachbrett sitzend imaginiert. Der Archipoeta (Kat.-Nr. 55) sieht auch in Friedrich Barbarossa einen versierten Schachspieler, der den Kampf um die lombardische Metropole Mailand mit einem kühnen Zug des *rocus* (Turm) für sich entschied. Dem Staufer mag es bei der Betrachtung des Spielbretts ähnlich ergangen sein, wie es später die Legendensammlung der *Gesta Romanorum* einem mächtigen König zuschreibt: „Er erkundete es mit solchem Eifer, dass er dadurch große Weisheit gewann". I JK

Literatur: Cordez 2015, S. 97–123 I Eismann 2005, S. 522–523 I Keupp 2021, S. 73–102 I Kluge-Pinsker 1991 I Moralitas de scaccario 1962, S. 559–561 I Müller 1997, S. 119–146 I Nedoma 2014, S. 29–85 I Oesterley 1872, N. 178, S. 580 I Peine/Treude 2011/12, S. 106–110 I Pilz 2021, S. 147–190 I Stieldorf 2020, S. 53–78 I Wichmann/Wichmann 1960.

Kat.-Nr. 101

Kat.-Nr. 102

Kat.-Nr. 102

HELMARSHAUSEN (?)

Heiliger Martin von Tours, Sulpicius Severus, Vita Sancti Martini, letztes Drittel 12. Jahrhundert

Pergament, Deckfarben, Leder (Einband), H. 25,5 cm, B. 17,6 cm I Münster, LWL-Museum für Kunst und Kultur, Inv.-Nr. BM 1756 (Leihgabe des Bistums Münster)

Der Adlige und spätere Mönch Sulpicius Severus verfasste um den Tod des Bischofs Martin von Tours im Jahr 397 herum die erste Lebensbeschreibung (lat. *vita*) des später so beliebten Heiligen. Die vorliegende Abschrift dieser Vita stammt aus Nottuln im Münsterland. Das Titelblatt (S. 2) zeigt die einzige ganzseitige Miniatur der Handschrift, deren Schmuck sich ansonsten auf zehn Rankeninitialen beschränkt.

Die Farben Hellrot, Hellgrün und Hellblau dominieren die prunkvolle Darstellung des auf seinem Thron (lat. *cathedra*) sitzenden

Martin. Der goldene Nimbus und der Goldhintergrund in der ihn rahmenden Architektur verweisen auf seinen himmlischen Aufenthaltsort. Ernst blickt der weißhaarige Würdenträger die Benutzer:innen des Buches an und segnet sie mit seiner Rechten. Er ist ausgestattet mit den Abzeichen seines Bischofsamtes, einer weißen Mitra mit rotem Zierstreifen, der sogenannten Albe, die bis auf seine bestickten Pontifikalschuhe fällt, einer Dalmatik mit hellgrünem Muster, einer roten Glockenkasel und dem über die Schulter gelegten und vorn lang herabfallenden Pallium. Die Miniatur soll hier einen Eindruck vermitteln vom ehemaligen Aussehen des benachbarten, stark beschädigten Schachsteins in Gestalt eines Erzbischofs (Kat.-Nr. 101). Künstlerisch weist sie eine gewisse Nähe zur Ausstattung des Corveyer *Liber Vitae* aus Helmarshausen auf (s. Kat.-Nr. 70). I PM

Literatur: Ausst.-Kat. Münster 1993, Bd. 2, S. 336, Kat.-Nr. A. 1.11 (Géza Jászai) I Meyer 1959, S. 77.

Kat.-Nr. 103

Kat.-Nr. 104

Kat.-Nr. 103 (Text S. 206)

WESTFALEN (?)

Schachsteine aus Sendenhorst, Bauer, Dame, 12. Jahrhundert

Tierknochen, Bronze, Eisen, Textilien, H. ca. 3,0 cm I Herne, LWL-Museum
für Archäologie

Kat.-Nr. 104

WESTFALEN (?)

Spielsteine aus Sendenhorst, 12. Jahrhundert

Tierknochen, Bronze, Eisen, Textilien, Dm. 4–4,5 cm I Herne, LWL-Museum
für Archäologie

Auf dem Adelshof in Sendenhorst wurden neben zwei Schachfiguren,
die einen Bauern und eine Dame zeigen (Kat.-Nr. 103, Abb. oben),
noch zwei weitere Spielsteine gefunden. Es handelt sich um zwei
runde Exemplare von aufwendiger Machart. Beide Steine bestehen
aus zwei zusammengenieteten Lagen Knochen und einer Zwischenlage. Der kleinere Stein misst 4 cm im Durchmesser und die beiden
Knochenplatten wurden mittels Bronzenieten verbunden. Bei diesem Stück besteht die Zwischenlage aus Bronzefolie, die ursprünglich goldfarben war und durch die durchbrochene und mit Kreis-
augen und geometrischen Mustern verzierte obere Lage hindurch-
schimmerte. Der zweite, größere Stein hat einen Durchmesser von
4,5 cm und ist nach dem gleichen Prinzip aufgebaut. Niete und
Zwischenlage bestehen allerdings aus Eisenblech und haben ursprünglich silbern geglänzt. Zudem wurde die eiserne Zwischenlage
noch mit Textil bezogen. Aus Westfalen sind noch weitere Back-
gammon-Steine bekannt, die beiden Sendenhorster Stücke sind
aber die wertvollsten und zu dem größeren Stück gibt es bislang in
Europa keine Vergleiche. I AT

Literatur: Eismann 2005 I Peine/Wolpert 2018.

Kat.-Nr. 105a
KÖLN
**Spielstein mit Samson und den Füchsen,
2. Hälfte 12. Jahrhundert**
Elfenbein, rot gefasst, Dm. 6,4 cm, H. 1,4 cm | Paris, Musée du Louvre,
Département des Objets d'art, Inv.-Nr. OA 10003

Kat.-Nr. 105b
KÖLN
Spielstein mit Herkules, 2. Hälfte 12. Jahrhundert
Elfenbein, H. 6,3 cm, B. 1,3 cm, Dm. 6,6 cm | London, Victoria and Albert
Museum, Inv.-Nr. 374-1871

Kat.-Nr. 105c
KÖLN
Spielstein mit Löwe und Drachen, 12. Jahrhundert
Elfenbein, Zahn, geschnitzt, Dm. 5,0 cm | Bonn, LVR-LandesMuseum,
Inv.-Nr. 00.15722,0-1

Kat.-Nr. 105d
KÖLN
Spielstein mit Samson und den Toren von Gaza, um 1125/75
Walrosszahn, Dm. 4,9 cm, H. 1,1 cm | London, The British Museum,
Inv.-Nr. 1857,0917.1

Kat.-Nr. 105e
KÖLN
**Spielstein mit einem Falkner, der auf einem Greif reitet,
1150/1200**
Walrosszahn, B. 1,3 cm, Dm. 5,6 cm, Gewicht 0,06 kg | London, Victoria
and Albert Museum, Inv.-Nr. 376-1871

Die fünf Spielsteine aus der 2. Hälfte des 12. Jahrhunderts stammen
aus dem Umfeld einer berühmten Kölner Beinwerkstatt (vgl. Kat.-
Nr. 78, 101). Zwei der Spielsteine (a, b) werden einem zusammen-
hängenden Set aus zehn Spielsteinen zugeordnet. Die fünf weißen
Steine dieses Sets zeigen heidnisch Motive, während die fünf
roten Steine Szenen der biblischen Taten von Samson darstellen.
Möglichweise kann ein jüdischer Mann aus Köln namens Samson
als Auftraggeber angesehen werden. Der rote Spielstein (a) führt
die biblische Szene aus Ri 15,4 vor: Aus Rache für seine Frau bin-
det Samson Füchse an den Schwänzen zusammen und jagt diese
in die Kornfelder der Philister, worauf deren Ernte verbrennt. Der
weiße Spielstein aus dem gleichen Set (b) zeigt Herkules bei der
Bewältigung seiner elften Aufgabe: Ihm wurde aufgetragen, Äpfel
aus dem Garten der Hesperiden zu stehlen, allerdings wurde der
Apfelbaum von einem Drachen bewacht. Die drei anderen weißen
Spielsteine verbildlichen exotische bzw. mystische Kreaturen. Auf
einem (c) erringt ein Löwe den Sieg über einen Drachen. Auf dem
nächsten (d) trägt Samson die Tore von Gaza, während auf dem

letzten Spielstein (e) eine durch Haar- und Barttracht an Christus
erinnernde Person auf einem Greifen reitet. In der linken Hand hält
der Mann einen Falken, wahrscheinlich zur Jagd, und in der rechten
ein Tuch. Der Greif selbst besitzt einen ungewöhnlich langen Bart.

Die Spielsteine wurden beim *Wurfzabel* verwendet, das ab dem
12. Jahrhundert im deutschen Sprachraum nachgewiesen werden
kann. Das altdeutsche Wort *Zabel* bedeutet Brett, während *Wurfzabel* auf den Umstand verweist, dass zusätzlich zu den Spielsteinen auch Würfel verwendet wurden. Die Regeln von *Wurfzabel*
ähneln stark dem heutigen Backgammon. Verschiedene Regelvari-
anten samt Abbildungen sind durch das *Buch der Spiele* (*Libro de
los juegos, ca. 1283*) von Alfons dem Weisen überliefert, auch im
berühmten *Codex Manesse* finden sich zeitgenössische Abbildungen
von Adeligen beim *Wurfzabelspiel*. *Wurfzabel* unterscheidet sich
von Backgammon durch das Einwürfeln der Spielsteine, ähnlich zum
heutigen *Mensch ärgere dich nicht!* Durch das Würfeln wird ebenfalls bestimmt, wie die Spielenden ihre Steine bewegen dürfen.
Wer zuerst alle seine Spielsteine vom Brett holen kann, gewinnt.

Wurfzabel war neben dem bekannten Schach vor allem an mittelalterlichen Höfen verbreitet. Aufgrund der Glückskomponente
und dem Umstand, dass man beim *Wurfzabel* häufig um Geld spielte, wurde das Spiel von der Kirche geächtet. In Klöstern war das
Wurfzabelspiel untersagt, moderne Funde von mittelalterlichen
Wurzabelbrettern in klösterlichen Umfeldern bezeugen allerdings,
dass das Verbot nicht konsequent umgesetzt werden konnte.

Für den herrschaftlichen Kontext der hier ausgestellten Steine
sprechen die aufwendigen Dekore und detaillierten Szenerien. Die
hohen Kosten, die mit einer solchen Auftragsarbeit verbunden sind,
wiesen die Spielsteine gleichzeitig als Statussymbole aus. Die ausgestellten Steine sind ein hervorragendes Beispiel für den Quellen-
wert von Brettspielen, da die Motivverzierungen der Steine auf
relevante Themen ihrer Entstehungskontexte verweisen. | LB

Literatur: Kluge-Pinsker 1991 | Mann 2005 | Meier 2006 | Schädler/
Calvo 2009 | Williamson/ Davies 2014.

Kat.-Nr. 112, Bl. 11v, Warnung vor dem Glücksspiel (Wurfzabel)

Kat.-Nr. 105a

Kat.-Nr. 105b

Kat.-Nr. 105c

Kat.-Nr. 105d

Kat.-Nr. 105e

Kat.-Nr. 106

CORVEY, BOLOGNA ODER FRANKREICH (?)

Medizinische Instrumente, mutmaßlich aus dem Besitz des „Chirurgen von der Weser", vor Juli 1265

a) Schabeisen: Stahl, Holz, Reste des Holzgriffes am Oxid, L. 12,7 cm ‖
b) Schneide: L. 4,4 cm; Bügelschere: Eisen z. H. erhalten, L. 18,5 cm ‖
c) Brenneisen: Eisen, verzinnt, Buntmetallstifte, L. 6,6 cm, B. 1,6 cm ‖
d) Bronzenadel mit Öhr: Bronze, fragmentiert, L. 7,0 cm ‖ e) Hohlnadel mit Klemm-Öse: Bronze, fragmentiert, L. 4,0 cm ‖ Stadt Höxter, Stadtarchäologie

Chirurgische Instrumente aus dem mittelalterlichen Europa sind sehr selten. Heilkundige ließen ihre medizinischen Gerätschaften von spezialisierten Handwerkern wie Gold- und Silberschmieden oder Gürtlern jeweils als Einzelstücke anfertigen und benutzten diese so lange wie möglich. Umso wertvoller für die Forschung erscheint deshalb der Fund mehrerer solcher Objekte, die im Jahre 1988 bei Grabungen in der mittelalterlichen Stadtwüstung Corvey zutage gefördert wurden. Der Fundzusammenhang deutet darauf hin, dass ein Heilkundiger die Arbeitsgeräte zurücklassen musste, als sein Haus westlich der einstigen Marktkirche und östlich des Kanonikerstifts Nova Ecclesia im Juli 1265 während eines Angriffs feindlicher Truppen auf die Stadt Corvey in Brand geriet. Neben einem Schabeisen, das unter anderem für chirurgische Behandlungen im Schädelbereich verwendet wurde, einem Brenneisen zum Kauterisieren und Nadeln zählen auch ein Teil einer Bügelschere sowie Messer zum Kreis der Instrumente. Diese weisen Ähnlichkeiten zu den Darstellungen der chirurgischen Werkzeuge in der medizinischen Schrift des andalusischen Arztes Abulcasis (arab.: Abū l-Qāsim Ḫalaf ibn ʿAbbās az-Zahrāwī) aus dem 11. Jahrhundert auf.

Die Güte der in Corvey gefundenen Instrumente, ihr einschlägiger Fundort und ihre Einordnung in die Zeit um 1265 legen die Vermutung nahe, dass es sich bei deren ursprünglichem Besitzer um den sogenannten „Chirurgen von der Weser" handeln könnte.

Dieser namentlich nicht bekannte Heilkundige studierte in der ersten Hälfte des 13. Jahrhunderts zunächst an der Medizinischen Fakultät im italienischen Bologna. Von dort wechselte er an die Universität von Montpellier in Südfrankreich, wo die Chirurgie in hoher Blüte stand. Nachdem er seine wundärztliche Kunst zunächst in Paris ausgeübt hatte, kehrte er wohl um die Mitte des 13. Jahrhunderts ins heimatliche Weserbergland zurück. Einblicke in seine chirurgische Kunstfertigkeit und sein medizinisches Wissen vermitteln seine Kommentare zum chirurgischen Werk des lombardischen Wundarztes Roger Frugardi. Darin beschreibt der „Chirurg von der Weser" unter anderem eine erfolgreiche Augenbehandlung des Kanonikers Magister Henrius vom Stift Nova Ecclesia. ‖ KPJ

Literatur: Ausst.-Kat. Speyer 2019, S. 187 (Hans-Georg Stephan) ‖ Keil 2005, S. 250–251 ‖ Stephan 1993, S. 174–192.

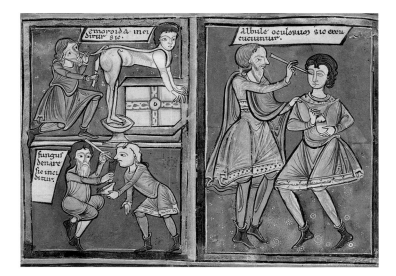

Aus einer medizinischen Handschrift, u. a. Entfernung von Hämorriden, Star-Operation, um 1195, London, British Library MS Sloane 1975, fol. 93

a)   b)   c)   d)   e)

RHEINLAND

Handwaschschale aus der Burg Horst in Gelsenkirchen („Hanseschale"), um 1200

Bronze, getrieben, graviert, H. 6,0 cm, Dm. 32,5 cm I Essen, Privatbesitz

Die sehr gut erhaltene Bronzeschüssel mit ihrem reichen Bildprogramm wurde in der Mitte des 19. Jahrhunderts bei Ausgrabungen im Gräftenbereich der Horster Vorburg gefunden. Aufgrund ihrer Verbreitung im Hanseraum werden Schalen wie diese auch „Hanseschalen" genannt. Das Horster Exemplar bezeugt den hohen Bildungsstand des damaligen Adels und kann auch als eine Art Lehrbuch zum wissenschaftlichen Weltbild des Mittelalters verstanden werden. Das Rittergeschlecht der Herren von Horst ist im Essener Stadtteil Steele seit dem 12. Jahrhundert nachweisbar. Ab etwa 1200, also der Entstehungszeit der Schale, bekleideten sie das Hofamt des Marschalls im Essener Frauenstift.

Im Zentrum des Schalenbodens thront, von einer Inschrift umfasst, als Königin und Urmutter der Wissenschaft die personifizierte Philosophie, aus deren Krone die Häupter der Teilbereiche Ethik, Physik und Logik entwachsen. Links und rechts stehen die Philosophen Sokrates und Platon als Begründer der systematischen Wissen-

schaft. Ringsum und bis zum Rand verlaufend sind sechs der Sieben Freien Künste (lat. *Artes Liberales*) als sitzende bärtige Männer in kreisrunden Inschriften (lat. *rota*) zu sehen, im Disput mit jeweils einem Schüler: Priscian mit der Grammatik, Cicero mit der Rhetorik, Aristoteles mit der Dialektik, Boethius mit der Arithmetik, Pythagoras mit der Musik und Euklid mit der Geometrie. Zusammen mit der nicht wiedergegebenen Astronomie bilden die *Artes* den mittelalterlichen Lehrkanon des 12. Jahrhunderts, der natürlich auch am Hofe Barbarossas geläufig war. In der irdischen Bildung spiegelte sich nach damaligem Verständnis die kosmische Ordnung als Teil der Schöpfung Gottes, die das ganze Leben durchdrang.

Wie auch im vorliegenden Fall, treten die hochmittelalterlichen „Hanseschüsseln" häufig in der Nähe von Gewässern zutage. Vielleicht wurden sie hier befüllt (und gingen dabei manchmal verloren), bevor sie beim höfischen Mahl als Handwaschgefäße zum Einsatz kamen. Ähnliche Schalen, auch aus kostbareren Materialien, kamen im kirchlichen Kontext für die liturgische Reinigung des Priesters zum Einsatz (s. Kat.-Nr. 135). I PM

Literatur: Ausst.-Kat. Essen 2021, S. 65, Kat.-Nr. 2.2.19 (Reinhild Stephan Maaser) I Ausst.-Kat. Herne 2010, S. 306, Kat.-Nr. B 17 (Alexandra Pesch) I Peine 1995, S. 264–266.

Gisela Helmich, Umzeichnung
der Horster Hanseschale
(ohne Datum)

Kat.-Nr. 108
LIMOGES
Kästchen mit Hof- und Liebesszenen, um 1180
Kupfer, vergoldet, Grubenschmelz, H. 11,6 cm, L. 21,7 cm, T. 16,5 cm **|**
London, The British Museum, Inv.-Nr. 1859,0110.1

Kat.-Nr. 109
LIMOGES
Medaillons mit höfischen Musik- und Tanzszenen,
spätes 12. Jahrhundert oder frühes 13. Jahrhundert
Grubenschmelz, Dm. je 7,3 cm **|** Kopenhagen, The National Museum of
Denmark, Inv.-Nr. VII, 3 E 32

Das golden und in kräftigen Blau- und Grüntönen erstrahlende
Kästchen und die beiden Medaillons mit goldenen Figuren auf sat-
tem blauen Grund sind typische Produkte der Limousiner Gold-

schmiedekunst des 12. Jahrhunderts. Das Londoner Exemplar ist
das älteste erhaltene Beispiel dieser Art mit einem höfischen Bildprogramm überhaupt. Es zeigt auf dem Deckel und den beiden
Seiten in kreisförmigen Medaillons verschiedene Minne- und Kampf-
szenen, darunter auch einen Löwen und einen Kopffüßler. Besonders prächtig ausgeführt ist die Vorderseite: Zwei Paare werden von
dem Schloss und dessen Hüter, einer rätselhaften Figur mit Schwert,
Jagdhorn und einem Schlüssel, voneinander getrennt. Es scheint,
als sei der junge Mann bereit, mit dem Horn Alarm zu blasen, falls
dem (unbekannten) Inhalt des Kästchens Gefahr drohe. Die beiden
Männer bzw. Frauen tragen die enganliegende, modische Kleidung
der Zeit, die Arme und Beine, bei den Frauen aber auch die Brüste,
besonders betont. Die erotische Aufladung ist offensichtlich und
wird durch die Farbe Grün in den Gewändern und die erblühende
Natur mit den umherflatternden Vögeln noch verstärkt. Links
spielt ein jugendlicher Höfling seiner Dame zum Tanz auf; rechts

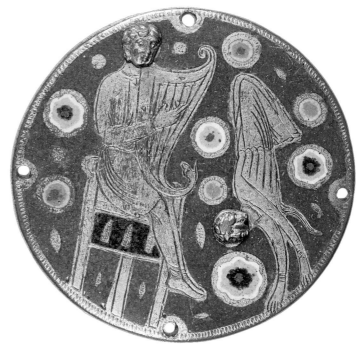

hat sich der Werbende niedergekniet und die Hände in einer typi-schen Minnegeste seiner Angebeteten entgegengestreckt. Sie hat ihn offenbar erhört und ihrerseits mit einem Lederband – wie den Falken, der auf ihrer linken Schulter sitzt – in ihre Liebesfesseln geschlagen.

Die beiden jüngeren Scheiben aus Kopenhagen stehen motivisch in der Nachfolge des Londoner Kästchens. Sie waren vermutlich durch die je vier Löcher ebenfalls an einer kleinen Truhe oder Ähnlichem befestigt. Die Köpfe der Musiker mit Fiedel und Harfe und der Tänzerin mit den Kastagnetten bzw. der Akrobatin sind als plastische Applikationen aufgesetzt, die Körper in den Goldgrund graviert; mehrfarbige Blumen schmücken den blau emaillierten

Hintergrund. Wie die Bilder am Kästchen vermitteln die Medaillons einen lebendigen Eindruck von den Tänzen, Festen und Lustbar-keiten am herrschaftlichen Hof. Musiker sowie Tänzerinnen und Tänzer waren gesellschaftlich nicht hoch angesehen, ihre Künste aber sehr gefragt. Die Figur des Handstands könnte als sündig ver-standen werden – oder als Ausdruck von Demut. Nach der zeitge-nössischen Definition handelt es sich bei den dargestellten Personen um *jongleresses* und *jongleurs* oder Troubadoure. | PM

Literatur: Ausst.-Kat. Braunschweig 1995, Bd. 1, S. 333 f., Kat.-Nr. E 4 (Markus Müller) I Ausst.-Kat. Speyer 2017, S. 87, Kat.-Nr. 19 (Poul Grin-der-Hansen) I Robinson 2008, S. 210 f.

Kat.-Nr. 110 (S. 46, Abb. 6; Abb. S. 200)

KÖLN

Kästchen mit Tristan-und-Isolde-Motiven, um 1200

Holz, Bein, geschnitzt, Bronze, vergoldet, Braunfirnisplatte, H. 9,9 cm,
B. 9,8 cm, L. 14,9 cm | London, The British Museum, Inv.-Nr. 1947,0706.1

Das Kästchen entstand wie der große Reliquienschrein aus dem
Stuttgarter Landesmuseum (Kat.-Nr. 78) in der berühmten Kölner
Beinschnitzwerkstatt des 12. Jahrhunderts. Es ist, neben einer Reihe
von Spielsteinen (Kat.-Nr. 105), das einzige profane Produkt dieser
Werkstatt. Der hölzerne Korpus des Kästchens ist rundum mit ca.
3 mm starken Knochenplatten beschlagen, die auf den fünf Schauseiten geschnitzte Szenen aus dem tragischen Liebesroman von
Tristan und Isolde zeigen. Auf eine verlorene Farbigkeit deuten Reste von Farbpasten z. B. in den Gravierungen der Bäume hin. Da die
Schnitzereien in die Zeit um 1200 datiert werden, kann der Künstler nicht auf den mittelhochdeutschen Versroman des Gottfried
von Straßburg zurückgegriffen haben, der erst um 1210 verfasst
wurde. Vielmehr schlägt Manuela Beer als literarische Vorlage das
gleichnamige Versepos von Eilhart von Oberg vor, eines der wichtigsten frühhöfischen Epen, das vermutlich um 1170/80 – und damit in der Lebenszeit von Kaiser Friedrich I. Barbarossa – entstanden ist. Man kann davon ausgehen, dass auch auf dem Mainzer
Hoffest von 1184 ähnliche Gedichte zum Vortrag kamen.

Es handelt sich um eines der frühesten bekannten Minnekästchen, deren Blütezeit erst einhundert Jahre später einsetzt (vgl.
Kat.-Nr. 26). Architektonische Motive wie Türme und Säulenarka-
den könnten eine Anspielung auf die prachtvollen Pfalzbauten als
Ort der fürstlichen Hofhaltung sein. Auf dem Deckel ist die Schlüs-
selszene der Erzählung zu sehen, die Verabreichung des Liebes-
tranks, der die unheilvolle Leidenschaft Tristans für Isolde ent-
facht (S. 200, Abb. Detail). Frühe erotische Darstellungen wie diese,
welche die Realität der gelebten Beziehungen zwischen Männern
und Frauen im 12. Jahrhundert reflektieren, sind überaus selten
(vgl. Kat.-Nr. 111). | PM

Literatur: Ausst.-Kat. Darmstadt/Köln 1997, S. 130–137, Kat.-Nr. 16 (Mar-
kus Miller) | Ausst.-Kat. Köln 2011, S. 261, Kat.-Nr. 18 (Manuela Beer) |
Robinson 2008, S. 209 f.

Kat.-Nr. 111

DEUTSCHLAND

**Handspiegel mit Liebespaaren/Minnedarstellungen,
Ende 12. Jahrhundert**

Bronze, gegossen, L. 8,7 cm, Dm. 3,5 cm | Frankfurt am Main, Museum
Angewandte Kunst, Inv.-Nr. 6744

„Ganz eng zog die Geliebte ihren Geliebten an sich. [...] Ihre Lippen
sagten zu ihm: ‚Zwei Herzen haben wir, doch nur einen Leib. Unzer-
trennlich vereint uns die Treue.'" Ausdrücklich hatte der Dichter
Wolfram von Eschenbach betont, dass keines Künstlers Hand es
vermöge, diese Vision sinnlicher Vereinigung bildnerisch umzuset-
zen. Ansonsten aber könnte man meinen, seine Verse hätten für
die Gestaltung der Griffpartie jenes Bronzespiegels Pate gestanden,
der 1900 auf dem oberschwäbischen Bussen gefunden wurde.
Gebildet wird sie durch die schlank aufstrebenden Leiber eines Liebespaars im Moment des innigen Kusses: Die Dame, der höfischen
Mode des ausgehenden 12. Jahrhunderts gemäß in einem eng-
anliegenden Kleid mit beinahe bodenlangen Hängeärmeln, um-
schlingt mit beiden Armen die Taille des bärtigen Geliebten mit
schulterlangem, schachbrettartig frisiertem Haupthaar. Seine Hand
ruht am Kinn der Partnerin, die andere umfasst zärtlich ihren Hinterkopf. In Referenz auf das biblische Hohelied (2,6) lässt sich
dieser Gestus als Inbegriff tief empfundener Zuneigung lesen.
Diese findet auf der rückseitigen Reliefdarstellung der Spiegelkap-
sel ihre erotische Erfüllung. Das Paar findet sich in liegender Position auf prachtvoller Bettstatt dargestellt, an deren Fußende lässt
ein Harfenspieler die Saiten erklingen. Die Forschung hat sich mit
der Deutung der Szene schwergetan und Bezüge zur ekklesio-
logischen Brautsymbolik gesucht. Der Fundort im Nahbereich einer
Burganlage und der profane Gebrauchskontext eines solchen
Handspiegels legen jedoch eine Einordnung in den Motivkreis der
weltlichen Minnedichtung nahe. Anklänge lassen sich insbesondere an die literarische Gattung des Tagelieds erkennen: In ihrem
Zentrum steht eine wechselseitig erwiderte und sinnlich erfüllte
Liebe. Besungen wird der schmerzvolle Moment, in dem eine in
körperlicher Intimität heimlich verlebte Liebesnacht durch das
Licht der heraufziehenden Morgendämmerung zu ihrem Ende
kommt. Verwandte Darstellungen auf geschnitzten Spiegelfassun-
gen aus dem archäologischen Fundgut zeitgenössischer Burgan-
lagen legen nahe, dass es sich um gemeinsames Gedankengut der
europäischen Adelsgesellschaft handelte. Der aus stilistischen
und motivischen Gründen auf das Ende des 12. Jahrhunderts zu
datierende Bronzespiegel mag als materieller Beleg dafür dienen,
dass dieses neue Minnedenken nicht nur ein wirklichkeitsfernes
Spiel höfischer Literaten blieb. Dass es den Menschen des Mittelalters vielmehr im Wortsinne naheging: Vermutlich mittels einer Kor-
del amulettartig am Gürtel der weiblichen Tracht befestigt, re-
flektierte der Metallspiegel womöglich die intimen Wünsche und
Sehnsüchte seiner Trägerin. | JK

Literatur: Dinzelbacher 1981 | Hoffman 1970, S. 105 f., Nr. 111 | Keupp
2016, S. 64–69 | Kohlhaussen 1959, S. 29–48 | Krueger 1990, S. 233–
313 | Krueger 1995, S. 209–248 | Marquart 2019, S. 2–5 | Meyer/
Schneider 2010, S. 9–23 | Runde 2020 | Wapnewski 1972, S. 15–40.

Kat.-Nr. 111

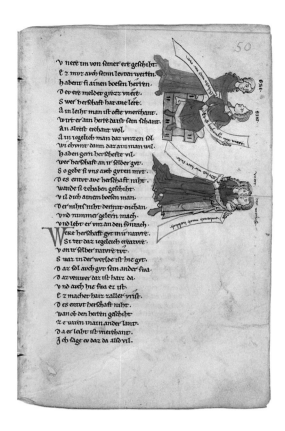

Kat.-Nr. 112

BAYERN (REGENSBURG?)

Thomasin von Zerklaere, Der welsche Gast, um 1256

Pergament, 225 Bl., H. 18,1 cm, B. 11,5 cm | Heidelberg, Universitäts-
bibliothek, Codex Palatinus germanicus 389, Bl. 11v und 50r

Das umfangreiche Lehrgedicht Thomasins vermittelt seinem adeligen Publikum eine auf ethischen und religiösen Grundsätzen
basierende höfische Verhaltenslehre in Text und Bild. Die wohl
ebenfalls durch den Autor konzipierten Illustrationen führen den
Inhalt der Dichtung in Szenen beispielhaft vor Augen, jeweils
begleitet von Personifikationen abstrakter Grundbegriffe und Eigen-
schaften. Die Verkörperung von Tugenden und Lastern als handelnde Personen war dem Publikum nicht neu, schon die spätantike *Psychomachia* des Prudentius hatte sich ihrer bedient und
reiche Nachfolge gefunden. Thomasin übernimmt aber nicht einfach das Schema der sieben Tugenden und sieben Laster, sondern
wählt aus und schafft neue Figuren.

Auf Bl. 50r etwa treten „Ere" und „Sin" auf den Plan: die Ehr-
haftigkeit entsprechend ethischer Normen und die Vernunft, die
Ratio, als führende Instanz in Fragen korrekten Verhaltens. Zwei
Paare stehen sich hier gegenüber: links „Ere" und „Sin", rechts ein
junges Paar, in enger Umarmung. „Sihestu waz der tut", fragt Ehre
die Vernunft und deutet auf das Liebespaar. Der „Sin" sitzt auf
einer Thronbank mit Kissen, wie der „Herre" auf der gegenüberlie-
genden Seite. Der Verstand soll regieren und dabei die Regeln der
Ehre beachten. Ihnen gegenüber steht ein Paar, das sich durchaus

nicht so benimmt, wie es der Anstand fordert. Die junge Frau trägt
ihr Haar offen, mit einem schmalen Reif, dem Schapel. Sie ist somit unverheiratet. Nach den Regeln der Zeit ist ihr Verhalten „Unere"
und was er tut „unerhaft". Auch wenn die sublimierte Erotik der
höfischen Minne als Ideal kultiviert wird, bleibt jede physische An-
näherung der Geschlechter außerhalb der Ehe völlig inakzeptabel.

Auf Bl. 11v wird das Glücksspiel thematisiert (vgl. Kat.-Nr. 105).
Die moralischen wie ökonomischen Gefahren des Spiels um Geld
und Gut waren ein häufig wiederkehrendes Sujet der Epoche, von
der Vagantendichtung bis zur Predigt. Thomasin führt die Problema-
tik konkret vor Augen. Zwischen dem Recht, links, mit Waage, und
dem Zorn, rechts, mit Schwert, sitzen die beiden Spieler und würfeln. Der Rechte hat schon seine Kleider verspielt und bedeckt nur
mühsam seine Blöße. Die Gier, im roten Kleid, stachelt ihn an weiter-
zuspielen. Der Zorn drängt zu aggressivem Verhalten. Thomasin
warnt eindrücklich vor dem Glücksspiel, das zu Hass und Zorn führt.
Wären alle Spieler, so schließt er, wären die Tugenden verloren.

Thomasin von Zerklaere stammte aus dem Friaul. Seine Mutter-
sprache war Romanisch. Sein Werk trat „als Gast aus dem welschen Land" vor sein deutschsprachiges Publikum. Verfasst wurde
es sehr wahrscheinlich am Hof des Patriarchen von Aquileja Wolf-
ger von Erla. Thomasin kannte die höfische Kultur auch von seinem
Aufenthalt am Hof des Welfenkaisers Otto IV. | WGM

Literatur: Schubert 2009, S. 269–272 | Wenzel/Lechtermann Bd. 15,
URL: https://digi.ub.uni-heidelberg.de/diglit/cpg389 | Ausst.-Kat. Mainz 2022,
S. 407–409, Kat.-Nr. IV.18 (Karin Zimmermann).

Kat.-Nr. 113

WESTFALEN

Zwei Ritterheilige vom älteren Mindener Retabel, um 1220

Eichenholz, originale Fassungsreste, H. je 24,5 cm | Hamburg, Museum für Kunst und Gewerbe, a) Inv.-Nr. 1899.180, b) Inv.-Nr. 1988.179

Die beiden zierlichen Ritterfiguren stammen von einem stauferzeitlichen Altaraufsatz aus dem Mindener Dom, der seit dem frühen 15. Jahrhundert, zu einer Predella umgebaut, als Sockel für ein wesentlich größeres Flügelretabel dient (beide in Berlin, Skulpturensammlung). Mit ihrer antikisierenden Tracht aus Schuppenpanzer und römischem Feldherrenmantel (Chlamys), ihrer schweren Bewaffnung mit langen Schwertern und einem Adlerschild und den jugendlichen Gesichtern mit blauen Augen und rosa Wangen, gerahmt von goldenen Locken, versinnbildlichen sie die Tapferkeit und Tugendhaftigkeit des edlen Rittertums dieser Zeit. Wahrscheinlich handelt es sich um zwei Heilige: links um den römischen Märtyrer Gorgonius, den Schutzpatron des Mindener Doms, und rechts um Mauritius, den Anführer der Thebäischen Legion und besonderen Beschützer des Heiligen Römischen Reiches. | PM

Literatur: Krohm/Suckale 1992, S. 117 f., Kat.-Nr. 2b (Anja Rasche).

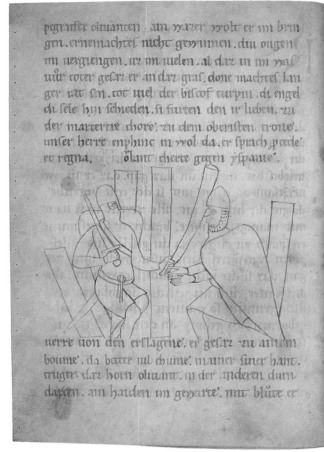

Bl. 57v

Bl. 93v

Kat.-Nr. 114
REGENSBURG/HESSEN-THÜRINGEN (?)
Das Rolandslied des Pfaffen Konrad, Ende 12. Jahrhundert

Pergament, Federzeichnungen, 123 Bl., H. 21,0 cm, B. 15,0 cm I Heidelberg, Universitätsbibliothek, Codex Palatinus germanicus 112, fol. 57v, 74v (Abb. S. 226), fol. 93v

Das Rolandslied ist die deutsche Adaption des französischen *Chanson de Roland*. Der „pfaffe Chunrad", wie der Autor sich selbst nennt, folgte dabei seinem Vorbild recht genau, betonte aber den religiösen Aspekt stärker als seine Vorlage. Der historische Kern des Rolandsliedes ist der Spanienfeldzug Karls des Großen im Jahr 778 und ein Überfall auf die Nachhut seines Heeres im Tal von Roncesvalles in den Pyrenäen, bei dem Karls Paladin Roland den Tod fand. Die zentrale Figur ist dabei nicht der namengebende Roland, sondern Kaiser Karl als christlicher Herrscher in seinem Kampf gegen die Sarazenen. Das Rolandslied ist ein bedeutendes frühes Zeugnis für das Mäzenatentum eines hohen weltlichen Fürsten im Bereich der volkssprachlichen Versepik in Deutschland. Wer jedoch die im Epilog genannten Gönner waren, für die der Geistliche Konrad das *Chanson de geste* um Kaiser Karl den Großen und seine Getreuen ins Mittelhochdeutsche übertrug, war lange umstritten. Heute geht man allgemein davon aus, dass sich hinter

dem Herzog Heinrich und seiner Ehefrau, Tochter eines mächtigen Königs, Heinrich der Löwe und seine zweite Frau Mathilde verbergen. Mathilde war die Tochter Heinrichs II. von England und Eleonores von Aquitanien und dürfte eine wesentliche Rolle bei der Vermittlung der damals in Südfrankreich aufblühenden ritterlichen Kultur in den deutschsprachigen Raum gespielt haben.

Die 39 Federzeichnungen der Heidelberger Handschrift veranschaulichen zunächst den Kriegszug Kaiser Karls mit seinen Kampfhandlungen. Dabei geben sie uns jedoch ein eindrucksvolles Bild der Reiterheere des 12. Jahrhunderts und des Dritten Kreuzzuges. Kleidung und Ausrüstung der Kämpfer entsprechen denen der Kriegszüge Barbarossas, von den hohen Sätteln, die die Hüften der Reiter eng umschließen, um ihnen im Kampf sicheren Halt zu bieten, bis hin zu den Helmen mit dem charakteristischen Nasensteg (vgl. Kat.-Nr. 116). Auch die Olifanten, Signalhörner und kostbare Statussymbole, sind mehrfach zu sehen. Kettenhemden (vgl. Kat.-Nr. 117) und große Schilde schützten den Reiter vor Hieben mit dem breitklingigen Schwert. In der Zeichnung auf Bl. 74v werden die Spuren, die der mächtige Schwertschlag des Helden hinterlässt, deutlich gezeigt (Abb. S. 226) I WGM

Literatur: Kartschoke 2003, S. 83–134 I Zimmermann 2003, S. 264 f., URL: https://digi.ub.uni-heidelberg.de/diglit/cpg112.

Kat.-Nr. 115

NORDDEUTSCHLAND, HILDESHEIM (?)

Fragment eines Ritter-Aquamaniles, Ende 12. Jahrhundert

Bronze, gegossen, ziseliert, H. 13,2 cm I Schleswig, Stiftung Schleswig-
Holsteinische Landesmuseen, Schloss Gottorf, Inv.-Nr. 1935/806

Neben Aquamanilien in Tierform entstehen seit dem 12. Jahrhundert vermehrt auch solche in Gestalt von Rittern hoch zu Ross. Der
nur als Fragment erhaltene Gerüstete kann beim Blick auf ein eng
verwandtes Stück in Privatbesitz (Kat. Hildesheim 2008) ergänzt
werden um Unterkörper und Schlachtross (als eigentliches Gießgefäß); nach Ursula Mende stammen beide Bronzegüsse aus einer
(vermutlich Hildesheimer) Werkstatt. Wie beim Gegenstück zu sehen, handelt es sich bei dem Riemen über der Brust um das Schild-
band. Die Datierung des Fragments ergibt sich aus der Nähe zu

Darstellungen kämpfender Ritter in hochgeschlossenen Kettenhemden (mit sogenannter Brünne) und spitz zulaufenden Nasal-
helmen (s. Kat.-Nr. 117) z. B. in der Weltchronik Ottos von Freising
(1157–1158) und im Rolandslied (Kat.-Nr. 114). Ritter-Aquamanilien
dienten bei höfischen Festen zur rituellen Reinigung der Hände und
wurden dadurch zu Symbolen für die Reinheit und Tugendhaftigkeit
der Ritterschaft selbst, die unter Kaiser Friedrich I. Barbarossa
zu großer Blüte kam. Man kann sich vorstellen, dass das Heer der
Krieger um den Staufer beim Dritten Kreuzzug sich in ähnlichem
Aufzug präsentierte. I PM

Literatur: Ausst.-Kat. Hildesheim 2008, S. 330 f., Kat.-Nr. 36 (Ursula
Mende) I Ausst.-Kat. Mainz 2004, S. 377 f., Kat.-Nr. 45 (Matthias Ohm) I
Ausst.-Kat. Mainz 2020, S. 401, Kat.-Nr. IV.13 (Ulrich Schneider).

Kat.-Nr. 116

SÜDDEUTSCHLAND (?)

Nasalhelm, um 1075/1125

H. 28,0 cm, Dm 20 cm | Augsburg, Kunstsammlungen & Museen Augsburg, Replik (Original: Inv.-Nr. 1998,5958)

Der Nasalhelm aus Augsburg entspricht einem mittelalterlichen Helmtypus, von dem nur fünf Originalhelme erhalten sind. Dieser Helmtyp entwickelte sich aus dem frühmittelalterlichen Spangenhelm. Typisch für den Nasalhelm ist ein Nasenstück, das sogenannte Nasal, welches dem Helm auch seinen Namen gibt. Der Augsburger Helm besitzt eine spitzkonische Helmkalotte und ein

sich nach unten verbreiterndes, dreieckiges Nasal mit einem kleinen Haken. Der untere Rand der Kalotte ist von mehreren Löchern durchbrochen. Vermutlich dienten diese Löcher und der Nasalhaken zur Anbringung eines Ringpanzergeflechtes (vgl. Kat.-Nr. 116) zum Schutz des Halses. Helme mit Haken werden als jüngere Form bezeichnet, wobei die genaue Datierung der wenigen Stücke schwierig ist und grob in das 11./12. Jahrhundert erfolgt. Nasalhelme sind auf zahlreichen Darstellungen mit Soldaten und Schlachten zu finden, wie z. B. auf dem Teppich von Bayeux (um 1070) oder im Heidelberger Rolandslied (Kat.-Nr. 114). | AT

Literatur: Blakker 2000, S. 103 | Breiding 2010.

Kat.-Nr. 117

EUROPÄISCH ODER INDOPERSISCH (?)

Ringpanzer, evtl. 14./15. Jahrhundert

Eisendraht, Lederkragen, Ärmelmanschetten und Schöße ergänzt, Länge 96 cm, Breite 106 cm | Stromersche Kulturgut- Denkmal- und Naturstiftung, Burg Grünsberg

Die Schlacht von Omdurman markiert einen Triumph modernster Kriegstechnologie. Augenzeugen berichteten, wie sich die Krieger des sudanesischen Mahdi-Kalifats 1898 mit „mittelalterlich" anmutender Ausrüstung dem Gewehr- und Geschützfeuer des britisch-ägyptischen Expeditionskorps unter Lord Kitchener entgegenwarfen. Als Kriegstrophäen und Kuriositäten gelangten in der Folge zahlreiche Helme und Panzerhemden der Gefallenen in europäische Sammlungen und Museen, darunter das heute im Besitz der Stromerschen Stiftung auf Burg Grünsberg befindliche Stück. Wenn diese mitunter als „Kreuzfahrerrüstungen" katalogisiert wurden, so steht hinter dieser meist irrtümlichen Bezeichnung eine zutreffende Beobachtung: Viele der Rüstungsteile weisen ein beträchtliches Alter auf, mitunter gelingt eine Zuweisung zu mamlukischen oder osmanischen Werkstätten. Auch der Grünsberger Ringpanzer kann als qualitätsvolles Importgut angesprochen werden. Vermutet wurde, dass es sich um ein Erzeugnis europäischer Schmiedekunst handelt, das sich ins 15. Jahrhundert oder weiter noch in die Epoche der Kreuzzüge zurückdatieren ließe. Dafür sprechen mit aller Vorsicht die keilförmigen Nieten seines Kernstücks, während Ärmelmanschetten, Schöße und die Befestigung des

Lederkragens aus dünneren Eisenringen mit kuppelförmigen Nietköpfen nachträglich angefügt wurden. Eine Reihe von Reparaturstellen zeugt zudem von einem langen militärischen Gebrauch.

Die aus 30 000–50 000 Ringen bestehenden Panzerhemden der europäischen Kreuzfahrer hatten bei den Chronisten des Orients Erstaunen und Entsetzen zugleich erregt: Als „erzbewehrte Standbilder" bezeichnete der Geschichtsschreiber Niketas Choniates die Ritter Friedrichs I. Barbarossa (vgl. Kat.-Nr. 115). Seinem jüngeren arabischen Zeitgenossen Abū Shāma erschienen die von Kopf bis Fuß mit Ringgeflecht bedeckten Panzerreiter gar „wie Eisenblöcke". Sein Bericht über die Niederlage der Kreuzfahrer an den Hörnern von Hattin 1187 offenbart indes die Schwächen der Rittertruppen, die von Hitze und Wassermangel erschöpft nach dem Verlust ihrer Pferde kaum mehr zur Gegenwehr in der Lage waren. Reich sei daher die Beute an Ringpanzern gewesen, die Saladins Streitkräfte vom Schlachtfeld bargen. Ob das Grünsberger Panzerhemd bei einer solchen Gelegenheit in den Besitz eines sudanesischen Kriegers aus dem Heer des Sultans gelangte, muss beim derzeitigen Kenntnisstand Spekulation bleiben, wahrscheinlicher ist eine Datierung ins ausgehende Mittelalter. Es steht in jedem Fall stellvertretend für eine Wehrtechnologie, welche den Orient im Zeitalter der Kreuzzüge und weit darüber hinaus prägte und die über alle Kulturgrenzen hinweg hohe Wertschätzung erfuhr. | JK

Literatur: Alexander 2015 | Arkell 1956, S. 83–85 | Bivar 1964 | Van Dieten 1975, S. 412 | Krabath 2002, S. 96–129 | Barbier de Meynard 1998, S. 3–522, hier S. 271 f. | Tapken 1998, S. 275 | Auskunft Erik Szameit.

Kat.-Nr. 116

Kat.-Nr. 117

werten . si uielen sam daz uihe zetal . si slugen

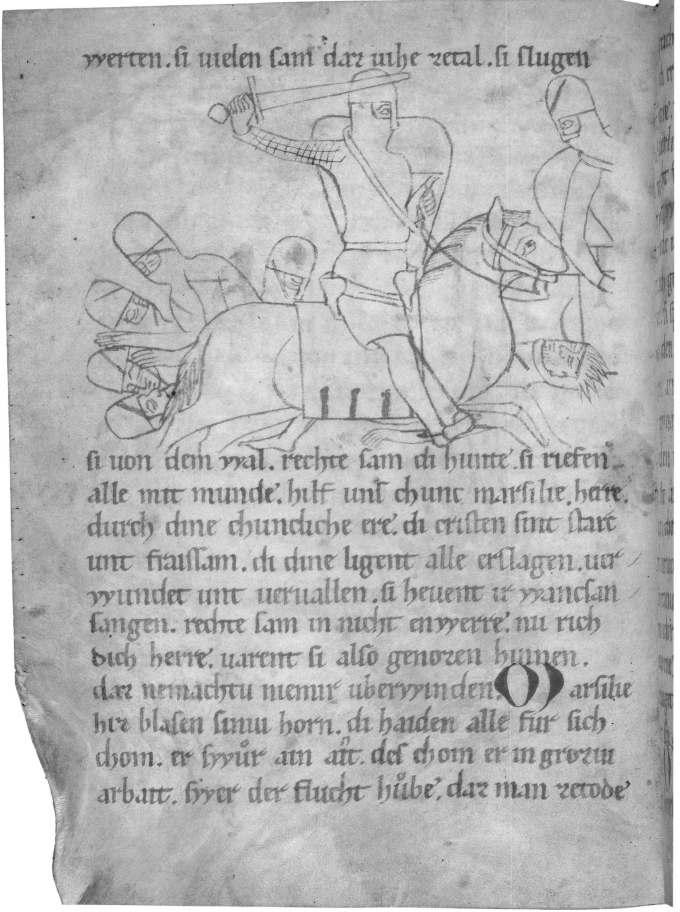

si uon dem wal . rechte sam di hunte. si riefen
alle mit munde. hilf uns chunc marsilie. hate.
durch dine chunuliche ere. di cristen sint starc
unt fraissam. di dine ligent alle erslagen . uer
wundet unt ueruallen . si heuent ir manesan
sangen. rechte sam in niht enwerre. nu rich
dich herre. uarent si also genozen hinnen.
daz nemahtu nimur uberwinden. Marsilie
hiz blasen sinu horn. di haiden alle fur sich
chom. er swur ain ait. des chom er in grozzu
arbait. swer der flucht hube. daz man zetode

Kat.-Nr. 118

DEUTSCHLAND (?)

Scheibenknaufschwert, 12. Jahrhundert (Fund aus Hävern, Kr. Minden-Lübbecke)

Hävern, Kr. Minden-Lübbecke | Eisen, Silber, Holz, L. 110,0 cm | Herne, LWL-Museum für Archäologie, ohne Inv.-Nr.

Das Schwert aus Hävern ist ein Scheibenknaufschwert, wie es ab dem 12. Jahrhundert bis zum Ende des 14. Jahrhunderts gebräuchlich war. Es besteht, wie für diesen Schwerttyp üblich, aus einer zweischneidigen Klinge, die sich zum Ende verjüngt, einer geraden Parierstange, einem kurzen Griff und dem namensgebenden flachen, scheibenförmigen Knauf.

Die Parierstange, der Griff und der Knauf gleichen das Gewicht der Klinge aus, sodass das Schwert gut in der Hand seines Trägers lag. Auf der Klinge befindet sich beidseitig eine Kehlung. Dieser Hohlschliff diente nicht, wie früher allgemein behauptet, als Blutrinne, sondern war dafür vorgesehen, das Gewicht des Schwertes zu reduzieren, ohne dabei seine Stabilität als Hieb- und Stoßwaffe zu verringern.

Schwerter wurden im Mittelalter nicht ausschließlich als Kriegswaffe genutzt, sondern waren auf Grund ihres hohen Wertes auch ein besonders wichtiges Statussymbol der Oberschicht und ein Zeichen von Herrschaft und Macht (vgl. Kat.-Nr. 113). Aber nicht nur Adlige und Ritter rüsteten sich mit derartigen Waffen aus, sondern auch Bürger.

Zahlreiche Schwerter dieses Typs weisen im oberen Drittel der Klinge eine Inschrift auf. Häufig verweist diese auf den Schmied (… *me fecit* = hat mich gemacht). Das Stück aus Hävern hingegen trägt die Inschrift „INOMINEDOMINI" („Im Namen des Herrn"). Diese kann sowohl als Anrufung Gottes als Beschützer im Kriegsgeschehen verstanden werden. Sie kann aber auch als Hinweis auf die von Gott gewollte Herrschaftsordnung und den Rang seines Trägers innerhalb dieser verstanden werden. | AT

Literatur: Kurzführer Herne 2010, S. 12 | Breiding 2010.

Kat.-Nr. 119b

Kat.-Nr. 119a (ohne Abb.)

NORDDEUTSCHLAND, HARZREGION (?)

Anhänger und Riemenverteiler von Pferdegeschirren

a) Durchbrochene Schmuckscheibe, 2. Hälfte 12. Jahrhundert I b) Massive Schmuckscheibe, Mitte 11. bis 3. Viertel 12. Jahrhundert I Wolfenbüttel, Braunschweigisches Landesmuseum, a) Inv.-Nr. 88:5/2080; b) Inv.-Nr. 88:5/687

Kat.-Nr. 119b

SCHWABEN

Fünf Schmuckelemente von Pferde-Zaumzeug, um 1200/ 13. Jahrhundert

Bronze, gegossen, vergoldet, verschiedene Maße I Stuttgart, Landesmuseum Württemberg, Inv.-Nr. WLM 1633, WLM 1951-1, WLM 1954-270, WLM 1962-32 und KK weiß 102

Kat.-Nr. 119c

Pferdezierrat, 2. Hälfte 12. Jahrhundert

Kupfer, gegossen, graviert, ziseliert und vergoldet, Silber plattiert, Dm. 7,4 cm I Nürnberg, Germanisches Nationalmuseum, Inv.-Nr. KG 1134

Die dekorativ verzierten Teile von Pferde-Geschirren, die alle aus Kupferlegierungen hergestellt und vergoldet sind, wurden an verschiedenen Orten gefunden. Die vierpassartige Zierscheibe aus Stuttgart ist durchbrochen gearbeitet und zeigt fünf geflügelte, langhalsige Fabelwesen. Auf dem Flügel des Tieres in der Mitte ist eine bärtige Maske dargestellt, ebenso an der oben mit einer Scheibe verdeckten Öse: Möglicherweise ist hier ein Kämpfer mit Nasalhelm zu sehen. Eine ähnliche Groteske zeigt auch der längliche Riemenhalter in Stuttgart: Die konvexe Scheibe mit Krieger-Maske geht in einen Steg mit Drachendarstellung über und endet in einer Palmette. Drei scheibenförmige Schmuckanhänger, davon einer mit Besatz aus blauem Glasfluss, zeigen ebenfalls Krieger-Masken und Fabelwesen. Die verbindende Motivik der Geschirrteile legt nahe, dass solchen Schmuckelementen eine Unheil abwehrende Wirkung zugeschrieben wurde.

Für einen Ritter der Stauferzeit war das Pferd Kriegs- und Repräsentationswerkzeug zugleich (vgl. Kat.-Nr. 120). Im 12. Jahrhundert widersprachen sich prunkvolle Ausstattung und Kriegseinsatz nicht. Vieles deutet daraufhin, dass auch bei höfischen Turnieren – zu dieser Zeit in erster Linie militärische Übungen – dieselbe Ausrüstung wie im Kampf verwendet wurde. Letztlich wird die imposante Erscheinung eines Ritters auf reich geschmücktem Schlachtross auch Teil einer psychologischen Kriegsführung im Kampfeinsatz gewesen sein. I JT

Literatur: Ausst.-Kat. Stuttgart 1977, Bd. 1, Kat.-Nr. 270–272, S. 219–220 I Groß 2022 I Hübner 2010, 269–282 I Pfaffenbichler 2017, S. 15–21.

Kat.-Nr. 119c

Kat.-Nr. 120

Kat.-Nr. 120

NIEDERSACHSEN

Ritter-Aquamanile, Mitte bis 2. Hälfte 13. Jahrhundert

Bronze, gegossen und ziseliert, H. 27,8 cm, L. 27,0 cm I Kopenhagen,
The National Museum of Denmark, Inv.-Nr. 9094

Dieses Gießgefäß zählt – bis auf die ergänzten Pferdebeine sowie
Lanze und Schild – zu den am besten erhaltenen und prächtigsten
Ritter-Aquamanilien des hohen Mittelalters. Früher nach Frankreich verortet, wird in jüngerer Zeit eine Herstellung in einem der
niedersächsischen Bronzezentren angenommen. Das Behältnis
zeigt in zierlichen Proportionen und mit lebendigem Ausdruck
einen Reiter mit Topfhelm, Kettenpanzer, Waffenrock, Kettenbein-
lingen und einer armierten Kniehose mit Kniekacheln auf einem
etwas gedrungenen Pferd mit gestutzter Mähne und spitz aufge-
stellten Ohren. Die Lebensnähe des Pferdes und die Formen der
Rüstung rücken das Kunstwerk eindeutig in die Mitte des 13. Jahrhunderts. Zu dieser Zeit hat, auch unter dem Eindruck der Kreuz-

züge, der massige Topfhelm mit den Sehschlitzen und Atemlöchern
den älteren konischen Nasalhelm abgelöst, wie ihn das Fragment
aus Schleswig (Kat-Nr. 115) vorführt. Der nicht erhaltene Deckel
des Helmes, vielleicht mit einer Helmzier geschmückt, verschloss
ehemals die Einfüllöffnung; der Ausguss ist ebenfalls verloren, hier
sitzt auf der Stirn des Pferdes eine Troddel. Auch kleine Details wie
die Steigbügel oder die Sporen sind minutiös ausgearbeitet. Mit durch-
gestreckten Beinen stemmt sich der Reiter in seinen Krippensattel,
der ihm einen sicheren Halt auch bei Ritten über lange Distanzen
ermöglicht. Gravierte Ornamentik ziert nicht nur den Sattel, sondern auch die Zügel und das Zaumzeug (s. Kat.-Nr. 119). Aquamanilien als Bronze-Hohlgüsse in Rittergestalt spielten wie Löwen,
Drachen oder Greifen eine wichtige Rolle im höfischen Zeremoniell
und dienten zugleich der adeligen Repräsentation. I PM

Literatur: Ausst.-Kat. Hildesheim 2008, S. 340–342, Kat.-Nr. 40 (Ursula
Mende) I Ausst.-Kat. Oldenburg 2006, S. 413 f., Kat.-Nr. C. 60 (Irmgard
Siede).

Kat.-Nr. 121

Kreuzfahrer-Paar, 2. Hälfte 12. Jahrhundert

Kalkstein, H. 111,0 cm, B. 40,0 cm, T. 30,0 cm I Nancy, Palais des Ducs
de Lorraine – Musée Lorrain, Inv.-Nr. D.2004.0.2, Monument Historique
(5/12/1908)

Ein einzigartiges künstlerisches Zeugnis der persönlichen Sorgen
und Ängste der Jerusalemfahrer des 12. Jahrhunderts und ihrer
Angehörigen stellt diese Figurengruppe dar, die aus dem Kreuzgang des Priorats von Belval in Lothringen stammt. Nach dem Ab-
riss des Klosters gelangte sie nach Nancy und wird dort heute in
der Franziskanerkirche ausgestellt.

Ein bärtiger Mann und eine Frau mit einem Gebende, unter
dem ein langer geflochtener Zopf hervorschaut, umarmen sich
innig, sowohl ihre Körper als auch ihre Köpfe sind aneinander-
geschmiegt, ihre Gesichter zeigen allerdings einen neutralen Ausdruck. Das Verzerren des Gesichts vor Schmerz (oder Freude) taucht
in der Kunst erst im 13. Jahrhundert auf. Bei dem Paar handelt
es sich mit großer Wahrscheinlichkeit um den Grafen Hugo I. von
Vaudémont (um 1115—1165) und seine Frau Anna oder Adeline,
die, und das ist nicht ganz klar, vor dem Aufbruch Hugos ins Heilige
Land zärtlich Abschied voneinander nehmen oder sich nach gesun-
der Heimkehr glücklich in die Arme schließen. Der Graf war 1147
in Metz zum Zweiten Kreuzzug aufgebrochen (an dem mit Konrad II.
auch der noch junge Friedrich I. teilnahm) und wird von Otto von
Freising in seinen *Gesta Friderici* (s. Kat.-Nr. 46) als einer der Heer-

führer genannt. Nach dem Scheitern des Kreuzzuges 1148 kehrten
1149 die Begleiter Hugos wieder nach Lothringen zurück. Er aber
blieb verschollen; seine Gemahlin ging eine neue Ehe ein und sein
Sohn regierte die Grafschaft. Doch dann kehrte der Totgeglaubte
1163 zurück zu seiner Familie – ein wahres Wunder. Es ist daher
wahrscheinlich, dass die Nachkommen Hugos eben dieses schier
unfassbare Ereignis in dieser Skulptur im Kreuzgang ihrer Grablege verewigen ließen.

Der Adelige ist nicht als gerüsteter Ritter (s. Kat.-Nr. 120) wiedergegeben, sondern in Pilgertracht, mit einem Beutel am Gürtel
und einem Stab in seiner Rechten. Das Kreuz als Abzeichen seiner
Mission ist auf die Brust geheftet (vgl. Kat.-Nr. 122). Die Darstellung des Kreuzfahrers als Pilger verweist auf die Idee, dass auch
der kriegerische Aufbruch nach Palästina als eine Wallfahrt zu den
heiligen Orten der Christenheit aufgefasst wurde. Die Gemahlinnen
der Kreuzritter blieben in der Regel in der Heimat zurück. Ihre Aufgaben waren der Schutz und die Verwaltung der Besitztümer, vor
allem aber die Verrichtung von Fürbitte-Gebeten für eine gesunde
Rückkehr ihrer Männer. Prominente Ausnahmen bestätigen diese
Regel: So begleitete Eleonore von Aquitanien (um 1124—1204),
die spätere Mutter von Mathilde von England (s. Kat.-Nr. 89), ihren
ersten Mann, König Ludwig VII. von Frankreich, im selben Jahr
(1147), in dem auch Hugo von Vaudémont aufbrach. I PM

Literatur: Hechelhammer 2004, S. 205–211 I Ausst.-Kat. Mainz 2004,
S. 324 f., Kat.-Nr. 9 (Brigitte Klein).

Kat.-Nr. 122

Kaiser Friedrich I. Barbarossa als Kreuzfahrer, in: Robert von Saint-Remi, Historia Hierosolymitana, 1188/89

Buchmalerei in Deckfarben, 68 Bl., H. 20,5 cm, B. 15,5 cm | Rom, Biblioteca Apostolica Vaticana, Cod. Vat. Lat. 2001, fol. 1r

Das sogenannte Dedikations- oder Widmungsbild auf der ersten Seite des Codex zeigt die Überreichung der Handschrift durch den Propst des bayerischen Prämonstratenserstiftes Schäftlarn, Heinrich (1162–1200), an Kaiser Friedrich I. Barbarossa (1152–1190). Letzterer ist mit Krone und Reichsapfel vor einem blauen Hintergrund in einem goldenen Rundbogen stehend und durch das Kreuz auf Mantel und Schild als Kreuzfahrer dargestellt. Von rechts „schwebt" in demütiger Haltung mit ausgestreckten Armen, in den Händen das Buch darbietend, der Propst heran, der durch die Tonsur als Kleriker zu erkennen ist. Beide Figuren werden durch kurze Beischriften näher bezeichnet: Barbarossa links und rechts neben seiner Krone als *Fridricus Romanorum imperator*, der Geistliche über seinem Rücken als *Heinricus praepositus*. Die Szene ist in roter Tinte erläuternd überschrieben: „Hic est depictus Rome cesar Fridericus, signifer invictus, celorum regis amicus" – „Hier ist Roms Kaiser Friedrich gemalt, der unbesiegbare Bannerträger und Freund des Königs der Himmel". Darüber hinaus verlaufen in und auf dem Rundbogen zwei weitere Umschriften. Die äußere, unten links mit einem Kreuz beginnende und sich rechts oben, über dem Reichs-apfel, fortsetzende lautet: „+ Cesar magnificus, pius, augustus Fridericus / de terra domini pellat gentem Saladini" – „Der großmächtige Kaiser, der fromme und erhabene Friedrich möge Saladins Sippschaft aus dem Lande des Herrn vertreiben". Die zweite Umschrift, im Rundbogen, lautet: „Nulli pacificum Sarraceno Fridericum + dirigat iste liber ubi sit locus a nece liber" – „Dieses Buch soll Friedrich, der keinem Sarazenen Frieden gewährt, dorthin lenken, wo es keinen Tod gibt". Gemeint war der Ort der Auferstehung Jesu: Jerusalem. Bei dem Manuskript, an dessen Beginn das Bild steht, handelt es sich um eine Abschrift der vor 1110 entstandenen *Historia Hierosolymitana* des Mönchs Robert von St. Remi, einer der populärsten Schilderungen des Ersten Kreuzzuges und der Eroberung Jerusalems (1099) durch die Kreuzfahrer unter Führung Herzog Gottfrieds von Bouillon (um 1060–1100). Nach dessen Beispiel sollte auch Barbarossa die Sarazenen unerschrocken angreifen und mit Gottes Hilfe einen großartigen Sieg bewirken. So gibt ein Widmungsgedicht in leoninischen Hexametern am Ende der Handschrift (fol. 68r) die Motive für die Gabe des Schäftlarner Propstes wieder. Während der Vorbereitungen zum Dritten Kreuzzug, also zwischen Friedrichs Kreuznahme (1188) und dem Aufbruch des Heeres im Frühjahr 1189, könnte sie dem Kaiser überbracht worden sein. | WEW

Literatur: Ausst.-Kat. Köln 1985, Bd. 3, S. 72 f., Kat.-Nr. H 1 (Franz Niehoff) | Bull/Kempf 2013 | Dendorfer 2014, S. 160–174.

Kat.-Nr. 123

SACHSEN/NIEDERSACHSEN

Heiliges Grab als liturgisches Gerät, Mitte (?) 12. Jahrhundert

Bronze, gegossen, graviert, ziseliert, H. 24,0 cm, B. 16,0 cm, T. 8,6 cm |
Nürnberg, Germanisches Nationalmuseum, Inv.-Nr. KG 159

Im Unterschied zu dem um 1675 als Pilgerandenken gefertigten
Modell der Grabeskirche, das mit Detailgenauigkeit darauf angelegt ist, den Besuch der heiligen Stätten in Erinnerung zu halten
(s. Kat.-Nr. 57), setzt das liturgische Gerät des 12. Jahrhunderts
mit seinem Bildprogramm ganz andere Akzente. Mit Kreuzabnahme, Grablegung, den auf der Pyxis abgebildeten Grabeswächtern
und dem auf das durchfensterte Grabgehäuse zeigenden Engel, als
dessen Gegenüber ursprünglich die das Grab Jesu am Ostermorgen
aufsuchenden Frauen dargestellt waren (der heute dort thronende
zweite Engel ist eine neuzeitliche Ergänzung), geht es vordringlich
um das in den Evangelien überlieferte Heilsgeschehen. Die konkrete
Gestalt der über den historischen Orten erbauten Kirche ist dafür
von nachrangiger Bedeutung. Erst ein Vergleich mit mittelalterlichen Darstellungen des Heiligen Grabes macht deutlich, dass mit
dem Miniaturgebäude auf der kastenartigen Pyxis die kleine, das
leere Grab umschließende Kapelle in der Anastasis-Rotunde der
Jerusalemer Grabeskirche gemeint ist.

Wie beim Kreuzfuß in Form eines Zentralbaus (Kat.-Nr. 131) und
beim Altarkreuz mit Kreuzfuß in Form einer Pyxis (Kat.-Nr. 132)
wird auch das von Kreuzabnahme und Heiligem Grab bekrönte liturgische Gerät mit seinem über zwei Scharniere beweglichen Kas-
tendeckel dazu bestimmt gewesen sein, konsekrierte Hostien aufzunehmen. Indem der Priester die Hostien in der Pyxis unter der
Grablegung deponierte, machte er damit kenntlich, dass sich das,
was sich in Jerusalem ereignet hat, unabhängig vom historischen
Ort im liturgischen Akt der Messfeier aufs Neue vergegenwärtigt.

Es ist bezeichnend, dass man ein derartiges Bildprogramm in
der Kreuzfahrerzeit erdachte, und dies nicht nur in Niedersachsen,
sondern auch in einem der westlichen Zentren der Metallkunst,
wie das Beispiel eines ganz ähnlich gestalteten liturgischen Gerätes zeigt, das möglicherweise in Trier entstanden ist (London, Victoria and Albert Museum, Inv.-Nr.7944/1862). Wie sehr man gerade
im 12.Jahrhundert darum bemüht war, das in der Grabeskirche von
Jerusalem so konkret fassbare Heilsgeschehen auch auf andere
Weise zugänglich zu machen, zeigt nicht zuletzt, etwa 150 Kilometer nordöstlich vom Münsteraner Ausstellungsort gelegen, der
monumentale „Nachbau" der heiligen Stätten mit Kreuzabnahme
und leerem Grab an den Externsteinen bei Horn, den vermutlich
der Paderborner Bischof Heinrich von Werl (amt. 1084–1127) ver-
anlasst hat. | MichB

Literatur: Kahsnitz 1982, S. 37–51 | Mende 2013, S. 134–139, Nr. 33 |
Springer 1981, S. 82–87, Nr. 7 und Abb. K55–K70.

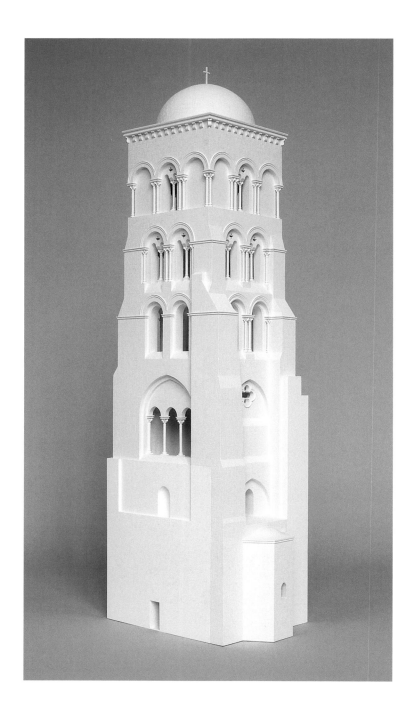

Kat.-Nr. 124

MODELLBAU GERHARD ROESE, DARMSTADT

Turm der Grabeskirche zu Jerusalem (Rekonstruktion), 2002

Kein Material?, H. 124,0 cm, B. 39,0 cm, T. 26,7 cm I Mainz, Bischöfliches
Dom- und Diözesanmuseum, Inv.-Nr. V 5870

Der wichtigste Anlass für das Reisen nach Jerusalem war die symbolische und sakrale Bedeutung des Heiliges Landes für die Christenheit. Deswegen wurde es einerseits durch die Pilger bevorzugt
aufgesucht, um auf den Spuren Christi zu wandeln. Andererseits
wurde das Heilige Land durch die Kreuzfahrer bereist, deren Ziel
die kriegerische Verteidigung bzw. die Ausbreitung des christlichen
Glaubens war. Auch Barbarossa beteiligte sich an zwei Kreuzzügen:

Am zweiten mit seinem königlichen Onkel Konrad III. (1093–1152),
den dritten hat er selbst angeführt. Eine vatikanische Handschrift
bezeugt ihn auch als Kreuzfahrer seiner Zeit (Kat.-Nr. 122).

Das Modell stellt den Turm der Grabeskirche in Jerusalem dar.
Seine vier Strebepfeiler verengen sich nach oben und bilden mit-
tels der Durchfensterung fünf Geschosse im Turm, die mit Spitz-
und Rundbogen, gekuppelten Fenstern, Säulchen, Kapitellen sowie
Ornamentik versehen sind. Einen ähnlichen Turm zeigt auch das
Modell der Grabeskirche um 1675 (Kat.-Nr. 57). I ED

Literatur: Ausst.-Kat. Berlin 2017, S. 35–39 (Simone Heimann) I Ausst.-
Kat. Mainz 2014, S. 340, Nr. 24 (Jürgen Krüger) I Herbers 1991, S 23.

Kat.-Nr. 125

STEFAN WILHELM

Modell eines hochmittelalterlichen Schiffes, 1950/65

Holz, Metall, Textil, H. 61,0 cm, B. 71,0 cm, T. 27,0 cm, Maßstab 1:50 |
Mannheim, TECHNOSEUM – Landesmuseum für Technik und Arbeit, Inv.-
Nr. EVZ: 1989/1499

Nicht nur in der Stauferzeit regierten die Herrscher aus dem Pferde-
sattel, da es noch keine Hauptstadt gab und sie kein festes Zuhause
hatten. Deshalb reisten sie ständig von Burg zu Burg und von Pfalz
zu Pfalz, um sich an möglichst vielen Orten zu zeigen. Auf den Reit-
tieren wurden Tausende von Kilometern zurückgelegt.

Die Schifffahrt spielte dabei, aber auch bei den Kreuzzügen eine
bedeutende Rolle. Um mit ihren Waffen und Rüstungen den Zielort
zu erreichen, nutzten die christlichen Truppen die Schiffe als Ver-
kehrsmittel. Kaiser Friedrich I. Barbarossa nahm an zwei Kreuzzügen teil (Kat.-Nr. 122), auf dem Dritten Kreuzzug ertrank er 1190
im Fluss Saleph (vgl. Kat.-Nr. 54).

Große Schiffe, wie dieser Nachbau es zeigt, sind unentbehrlich
für solche Reisen gewesen und zeugen heute von der erstaunlichen
Mobilität des 12. Jahrhunderts. Sie sind durch ein großes Rah-
segel, zwei Steuerruder und zwei aufgeständerte Kastelle, die zur
Verteidigung dienten, gekennzeichnet. Diese Vehikel sind breit und
hochwandig, dadurch zwar langsam, aber auch von hoher Trag-
fähigkeit. Sie waren sowohl auf den Flüssen als auch auf den Mee-
ren unterwegs. | ED

Literatur: Ausst.-Kat. Speyer 2017, S. 218, Kat.-Nr. 64 (Simone Heimann) |
Knittel 2016, S. 72–73, Nr. 6 | Schneidmüller 2014, S. 68–72.

4. Kirchliche Kunst – kaiserliche Gunst: Barbarossa und Cappenberg

Spätestens seit der legendären Stuttgarter Staufer-Ausstellung im Jahr 1977 galt der vergoldete Bronzekopf eines jungen gelockten Mannes mit kleinem Schnurr- und Kinnbart, mit dem scheinbar gebieterischen Blick und der herrschaftlichen Ausstrahlung als authentisches Bildnis Kaiser Friedrichs I. Barbarossa (Kat.-Nr. 126). Dieses historische Fehlurteil konnte in den letzten Jahren durch die Forschungen unterschiedlicher Fachdisziplinen korrigiert werden. Im Vorfeld unserer Ausstellung und teilweise unabhängig davon (s. die von Knut Görich organisierte große Tagung in Cappenberg im Jahr 2019 und, unter anderem, die technologische Untersuchung des Kopfes im Juli 2019 mit Unterstützung des LWL-Museums für Kunst und Kultur) verdichtete sich der Wunsch, den mit der herausragenden Goldschmiedearbeit verbundenen Fragen endlich auf den Grund zu gehen. Schritt für Schritt wurden alle Argumente, die bislang für die Identifizierung als einziges (!) Kaiserporträt des Hochmittelalters sprechen sollten, entkräftet: sei es durch die Tatsache, dass in der Urkunde (dem sogenannten Testament) Ottos von Cappenberg, dem Taufpaten Friedrichs, von einem silbernen Kopf die Rede war (Kat.-Nr. 137); sei es die These, der Kopf sei durch die erst später hinzugefügten Inschriften von einem Kaiserbild zu einem Reliquienhaupt umgewandelt worden. Ein tatsächlich vergoldeter (und damit dieser) Kopf findet in einer anderen Cappenberger Quelle aus der Zeit um 1150/58 Erwähnung (vgl. Kat.-Nr. 137), womit für den Bronzekopf ein auch kunsthistorisch naheliegender *terminus post quem* für seine Anfertigung vorliegt.

Im Rahmen der Ausstellung und im folgenden Kapitel ist es erstmals möglich, diese neuen Erkenntnisse einem breiten Publikum zu zeigen: durch die Gegenüberstellung des Cappenberger Kopfes mit dem offenbar eng verwandten Kopfreliquiar Johannes des Täufers aus dem Frauenstift Fischbeck (Kat.-Nr. 128; die Ausleihe eines ebenfalls eng verwandten Werkes aus dem Schatz der Düsseldorfer Lambertikirche war leider nicht möglich) und durch den Vergleich mit etwa zeitgleichen Hildesheimer Bronzearbeiten, anhand derer die Idee Michael Brandts, die Preziose sei in einer Hildesheimer Werkstatt angefertigt worden, kritisch geprüft werden kann (Kat.-Nr. 131 bis 134). Dass die antikisierenden Charakteristika der Plastik durchaus mit römischen Kaisermünzen (Kat.-Nr. 127) verwandt sind, kann ebenso vorgeführt werden wie einige Teile des ansonsten im Kopf verschlossenen Reliquienschatzes mit seinen teils kostbaren Stoffhüllen.

In einer von den Cappenberger Rotariern freundlicherweise zur Verfügung gestellten digitalen Animation können die Besucher:innen das Werk von allen Seiten virtuell umrunden. Die Medienstation präsentiert auch die spannenden Ergebnisse einer Untersuchung des Kopfes mit einem Digital-Mikroskop, die im Sommer 2021 (vgl. S. 68, Abb. 6) durch das Bistum Münster, die Cappenberger Kirchengemeinde als Eigentümerin, vor allem aber durch die Kolleg:innen vom Berliner Kunstgewerbemuseum möglich gemacht wurde.

Petra Marx

Kat.-Nr. 127a
Maßstab 3:1
alle anderen Maßstab 1,25:1

Kat.-Nr. 126 (s. Abb. 1, S. 62 Abb. 3, S. 64; Abb. auf S. 238)
WESTDEUTSCHLAND, HILDESHEIM (?)
Kopfreliquiar des heiligen Johannes der Evangelist (sogenannter Cappenberger Kopf), um 1160
Bronze, gegossen, vergoldet, graviert, Niello (Augen), H. 31,4 cm, B. 18,2 cm, T. 18,6 cm | Selm-Cappenberg, Katholische Pfarrgemeinde St. Johannes Evangelist

Streng richtet der junge Mann mit der ungewöhnlichen Barttracht seine großen Augen auf die Gläubigen, die ihn seit dem 12. Jahrhundert in der Cappenberger Stiftskirche zu Gesicht bekamen. Die dichten Schneckenlocken mit dem Überrest eines Diadem-Bandes (s. Kat.-Nr. 127) , die plastisch ausgeprägten Lider und Augenbrauen und die markante schmale Nase geben dem Kopf ein antikes Gepräge. Bedeutung und Funktion dieser herausragenden Goldschmiedearbeit erschließen sich auf den Inschriftenbändern am Hals und auf den Zinnen des Sockels, der offenbar passend zum Kopf angefertigt wurde. Von oben nach unten ist (in deutscher Übersetzung) zu lesen: „Was hier bewahrt wird, ist vom Haar des heiligen Johannes. Erhöre, O heiliger Johannes, die dich durch Gebet bedrängen" und an den Zinnen „Apocalista, nimm das Dir gegebene Geschenk als willkommen an und komme fromm durch Fürbitte dem Geber Otto zu Hilfe". Damit liegt der für das Mittelalter typische Fall einer Memorialstiftung Otto von Cappenbergs vor, der für den Patron seiner Stiftsgründung ein Kopfreliquiar (vielleicht in

Hildesheim) in Auftrag gab und dann dem Konvent überreichte (dem er selbst vorstand), in der Hoffnung, durch die Gebete der Gemeinschaft ewiges Leben bei Gott zu erlangen.

Bei den jüngsten technologischen Untersuchungen der Arbeit sind Unstimmigkeiten im Zusammenspiel von Kopf und Sockel zutage getreten, wobei es keinen Zweifel daran geben kann, dass die Sockelarchitektur aus von ehemals vier Engeln getragenen Zinnenkränzen mit Ecktürmchen und einem zentralen kleinen Tabernakel von Anfang an für das Johanneshaupt bestimmt war. Bekanntlich wird dem dargestellten Evangelisten Johannes in der Apokalypse das Weltenende und das Jüngste Gericht offenbart. Er selbst beschreibt das Himmlische Jerusalem als goldglänzende Stadt, als Heimstatt der Heiligen und Seligen, deren Mauer und Türme von Engeln und Aposteln bewacht werden. Nichts Anderes gibt das Bildwerk wieder. Ob man mit Susanne Wittekind so weit gehen sollte, das Reliquiar „als stellvertretendes, leuchtendes Bildnis Christi als rex regum (Apk 1,5) und imperator zu verstehen", sei hier offengelassen. Allerdings böte diese Interpretation eine geradezu salomonische Auflösung des Disputs um die für manche immer noch nicht abschließend diskutierte Frage „Herrscher – Barbarossa – Heiliger?". | PM

Literatur: Ausst.-Kat. Magdeburg 2009, S. 184, Kat.-Nr. IV.5 (Susanne Wittekind) | Görich 2022 a | siehe den Beitrag von Ulrich Rehm in diesem Band.

Kat.-Nr. 127b

Kat.-Nr. 127c

Kat.-Nr. 127d

Kat.-Nr. 127e

Diadem oder Lorbeerkranz? – Münzen und der Cappenberger Kopf

Kat.-Nr. 127a
RÖMISCHES REICH, ROM
Antoninus Pius (138–161 n. Chr.), Aureus, 155–156 n. Chr.
Gold, geprägt, Gewicht 7,342 g, Dm. 18,7 mm I Münster, LWL-Museum für Kunst und Kultur, Inv.-Nr. 33157 Mz (Leihgabe der Lüffe-Stiftung, Dülmen)

Kat.-Nr. 127b
RÖMISCHES REICH, ROM
Septimius Severus (193–211 n. Chr.), Aureus, 203 n. Chr.
Gold, geprägt, Gewicht 7,064 g, Dm. 20,5 mm I Münster, LWL-Museum für Kunst und Kultur, Inv.-Nr. 33166 Mz (Leihgabe der Lüffe-Stiftung, Dülmen)

Kat.-Nr. 127c
RÖMISCHES REICH, TICINUM (PAVIA)
Konstantin I. der Große (306–337 n. Chr.), Solidus, 313–324 n. Chr. (um 315 n. Chr.?), Einzelfund aus Erwitte-Bad Westernkotten, Kr. Soest
Gold, geprägt (gelocht), Gewicht 4,430 g, Dm. 18,8 mm I Münster, LWL-Museum für Kunst und Kultur, Inv.-Nr. 32502 Mz

Kat.-Nr. 127d
RÖMISCHES REICH, TRIER
Gratian (367/75–383 n. Chr.), Solidus, 367–375 n. Chr.
Gold, geprägt, Gewicht 4,395 g, Dm. 20,3 mm I Münster, LWL-Museum für Kunst und Kultur, Inv.-Nr. 33178 Mz (Leihgabe der Lüffe-Stiftung, Dülmen)

Kat.-Nr. 127e
RÖMISCHES REICH, MAILAND
Honorius (395–423), Solidus, 395–402 n. Chr.
Gold, geprägt, Gewicht 4,429 g, Dm. 21,0 mm I Münster, LWL-Museum für Kunst und Kultur, Inv.-Nr. 33182 Mz (Leihgabe der Lüffe-Stiftung, Dülmen)

Der Cappenberger Kopf (s. Kat.-Nr. 126) – welche ursprüngliche Funktion und Interpretation auch immer man ihm beilegt – ist ein Bildwerk, „gestaltet nach dem Bild des/eines Kaisers" (*ad imperatoris formatum effigiem*). Und auch wenn die Identifizierung des im „Testament" Propst Ottos (gest. 1171) von um 1160/70 (s. Kat.-

Nr. 137) so charakterisierten „silbernen Kopfes" (*capud argenteum*) damit gar nicht mehr so sicher ist, ist der ikonografische Befund selbst richtig. Der Kopf zeigt zweifellos kaiserlichen Gestus, es fehlt ihm jedoch die im Hochmittelalter konstitutive Krone; dass die zwei Inschriftenbänder um den Hals samt auffälligem Knoten den Mantel des römischen Feldherrn (*imperator*) andeuten, erscheint zumindest möglich. Der Gestus ist mithin antik, römisch-imperial, und er ergibt sich vor allem über das, was heute fehlt: den Kopfschmuck. Dieser befand sich in der Vertiefung, die sich rundherum durchs Haar zieht, und endete hinten in einem bereits mitgegossenen, flach anliegenden Knoten. Es ist *communis opinio*, dass hier ein Diadem, ein Metallreif oder eine Stoffbinde, eingelegt war, das seit Konstantin dem Großen (306–337) die Insignie des Kaisers bildete. Aber war es wirklich ein Diadem? Münzen könnten da weiterhelfen, denn in erster Linie waren sie es, die das Bild der römischen Kaiser ins Mittelalter tradierten. Das Diadem kam hier 324/25 auf, entweder ein Rosetten-Diadem wie bei Gratian oder ein Perl-Diadem wie bei Honorius; davor, wie bei Antoninus Pius, Septimius Severus und auch noch bei Konstantin, war der Kopfschmuck des Kaisers der Siegeskranz des Feldherrn, der Lorbeer, gewesen. Dieser jedoch hat hinten zwei Bänder, die stets verschleift sind – im Gegensatz zu den Diadembändern, die unverschleift flattern. Und eigentlich nur zu einem Lorbeerkranz passt die spezifische Haar- und Barttracht des Cappenberger Kopfes: das stark gelockte Haupthaar und der kurze, teils ebenfalls gelockte Schnauz-, Wangen- und Kinnbart. Die diademierten Kaiser der Spätantike, in Mantel und Harnisch wie auch Septimius Severus, sind fast immer bartlos, mit glattem Haar, ebenso Konstantin – die Kaiser des 2. und frühen 3. Jahrhunderts haben gewellt-lockiges Haar und ausgeprägte Krausbärte. Und sie tragen Lorbeer, sodass numismatischerseits die Insignie des Cappenberger Kopfes eher ein Lorbeerkranz gewesen sein könnte. Die Aussage freilich bleibt dieselbe: Es ist ein Bildwerk „nach dem Bild des/eines Kaisers", eines antik-römischen Kaisers – egal welcher und keiner konkret! Der postulierten „Konstantinität" des Kopfes – Barbarossa sah sich als neuer Konstantin, vertraute wie dieser auf die Kraft des Kreuzes und somit auf Christus als Ursprung seines Kaisertums – tut dies doch etwas Abbruch. I SK

Literatur: Balzer 2015, S. 5–36, bes. S. 25–32 I Dethlefs 2015, S. 37–46, bes. S. 37–40 I Horch 2013, bes. S. 18–22, 33–57, 83–86 I Olchawa 2022 I Rehm 2018, S. 117–153.

Kat.-Nr. 128 (S. 72, Abb. 11)

NIEDERSACHSEN, HILDESHEIM (?)

Kopfreliquiar des heiligen Johannes des Täufers, 2. Hälfte 12. Jahrhundert

Bronze, gegossen, vergoldet, Silber, Email (Augen), H. 31,0 cm | Hannover, Museum August Kestner, Inv.-Nr. 1903.37

Wie der bronzene Kopf aus Cappenberg (Kat.-Nr. 126) ist auch jener aus dem Frauenstift Fischbeck an der Weser als Reliquiar konzipiert. Letzterer barg vermutlich die in Fischbeck verehrte Zahnreliquie Johannes des Täufers, der Mitpatron des Stiftes war. Der Fischbecker Kopf ist mit dem Hals aus einem Stück im Hohlgussverfahren gefertigt. Der nahezu zylindrische Hals ruht auf einem runden Untersatz mit vier kreuzförmig angeordneten Klauenfüßen. Auch dieser Teil besteht aus einem Guss. Beide Teile waren mittels Stiften verbunden.

Die Untersatzplatte ist mit einer rundbogenförmigen Öffnung versehen, in die eine Art Kapsel eingefügt ist – wahrscheinlich eine spätere Zutat. Deren Deckel ließ sich nach innen klappen, kann heute jedoch nicht mehr geöffnet werden. In jedem Fall war die Reliquie im Halsbereich zu denken, da dieser vorne und hinten je eine rechteckige Öffnung aufweist, die als Sichtfenster gedient hat. Die abgeschrägte Wandung der vorderen Öffnung sowie ein noch vorhandener Krallenstift an der hinteren lassen auf eine (transparente?) Verschlussplatte schließen. Zwei nachträglich eingesetzten, rechteckigen Platten an beiden Seiten des Halses kann keine solche Funktion zugewiesen werden, da an dieser Stelle – sowie um die Öffnungen – ursprünglich ein Zierstreifen verlief, ähnlich den Inschriftenbändern am Hals des Cappenberger Kopfes.

Beide Reliquiare gleichen sich im Typus ohne Rumpf. Sie eint zudem die antikisch-stilisierte Anmutung der Gesichtszüge mit dem starren, nach oben gerichteten Blick. Dabei sind die Augen mit silberner Iris und nielierter Pupille farblich hervorgehoben. Auch die streng symmetrische Form der Augenpartie sowie die fein ziselierten Brauen zeigen eine gewisse Verwandtschaft. Im Unterschied zur Lockenpracht des Johannes Evangelista liegen die Haare des Fischbecker Johannes ausgehend von einem Wirbel am Hinterkopf eng an. Sie sind als einzelne Linien graviert, die in einen Kranz aus Strähnen mit plastischen, zapfenförmigen Enden auslaufen. Leichte Unebenheiten der Schädelkalotte mildern die Strenge der Komposition. Gänzlich naturalistisch muten hingegen die Ohren an – ein Alleinstellungsmerkmal des Fischbecker Kopfes.

Die Verwandtschaft beider Köpfe könnte auf die gleiche Werkstatt zurückzuführen oder durch die Übernahme des Stiftes Fischbeck durch Cappenberger Prämonstratenser um 1150 begründet sein. Ob einer der Köpfe unmittelbar als Vorbild für den anderen diente, lässt sich jedoch nicht mit Sicherheit sagen. | MirB

Literatur: Brandt 2022, S. 349–363 | Falk 1991/93, S. 99–238 | Stuttmann 1966, S. 27 f.

Kat.-Nr. 129 (S. 66, Abb. 5)

MAASGEBIET

Büsten-Aquamanile, um 1180

Kupferlegierung, graviert und ziseliert, vergoldet, Augen tauschiert, H. 18,3 cm, L. 13,5 cm | Aachen, Domschatzkammer, Inv.-Nr. Grimme 47

Die bärtige, mit einem Blattkranz bekrönte Büste gehört zum Altbestand des Aachener Schatzes. Als „der Reben umlaubte Bacchus" ist sie erstmals sicher in einem Schatzverzeichnis des Jahres 1848 fassbar. Bis auf die vielerorts abgegriffene Vergoldung ist sie exzellent erhalten. Sie wurde mit dem zylinderförmigen Ausguss an der Stirn aus einem Stück gegossen. Am Hinterkopf verdeckt ein runder Klappdeckel (ergänzt) an einem Scharnier die Eingießöffnung.

Das asymmetrische Gewand erinnert an eine Toga. Über der rechten Schulter verläuft ein geknotetes Band. Die rechte Hand lugt aus dem Ausschnitt des Gewandes heraus und ist im Begriff, den Knoten zu lösen. Die Funktion als Gießgefäß und die Form der Büste sind aufeinander abgestimmt: Aus dem Hinterkopf wachsen zwei Zweige, die – ineinander verdreht – zum Henkel des Gefäßes gebogen sind, der weiter oben am Kopf auftrifft. Dort trennen sich die Zweige und verlaufen zur Vorderseite des Kopfes, wobei sie Blätter und Blüten ausbilden und sich schließlich in Voluten endend um den Ausguss winden.

Die Flächigkeit und Scharfkantigkeit des Gesichtes, die nach unten weisenden äußeren Augenwinkel, der wie eine Haube aufgesetzte und gleichmäßig gravierte Haarschopf sowie die durch die Schwere der Haare nach außen gedrückten Ohren haben eine Parallele in den Büsten der Heiligen Monulphus und Gondulphus, den einzigen gegossenen Figuren an den vier zum Maastrichter Servatiusschrein gehörenden Reliquiaren. Eng verwandt und von derselben „eckigen Energie" (Renate Kroos) ist auch das Alexanderhaupt aus der Abtei Stavelot (alle heute Musées royaux d'Art et d'Histoire in Brüssel, vgl. S. 70, Abb. 8).

Der Cappenberger Kopf (Kat.-Nr. 126) hingegen steht dem Aachener Aquamanile nicht so nah. Man vergleiche die Plastizität der Wangenknochen und der Nasolabialfalten, die organische Einbettung der Augen am Aachener Stück mit denselben Elementen am Cappenberger Haupt. In der Zusammenschau mit den maasländischen Werken wird deutlich, dass der Reliquienkopf zwar antike Vorbilder zitiert, in deren Umsetzung hingegen weit von der Antike entfernt ist. Seine einzelnen Formen sind erstarrt und in Ornamente aufgelöst, besonders deutlich ist dies oberhalb der Augen, wo Lid, Falten und Braue als gebogene Stufen ausgeformt sind. | BF

Literatur: Kroos 1985, S. 126 f. | Lepie 2013/14, S. 159–262 | Olchawa 2019, S. 277–281.

Kat.-Nr. 130 (s. auch S. 55, Abb. 6)
Zwei Tableaus mit einer Auswahl von Reliquien und Reliquien-
hüllen aus dem Kopfreliquiar für Johannes den Evanglisten,
9. bis 14. Jahrhundert
Seidenstoffe, Seidenfaden, Bindfaden, Pergamentreste, Reliquien u. a. m. ǀ
Selm-Cappenberg, Katholische Pfarrgemeinde St. Johannes Evangelist,
Inv.-Nr. I.8, I.9, II.6, II.7, VII.2, VII.8; II.9, II.11, II.16, II.18, VI.1,
VII.11 (nach Michler 2014)

Das Cappenberger Kopfreliquiar für den Patron des ehemaligen
Prämonstratenser-Stifts, den Apostel und Evangelisten Johannes
(Kat.-Nr. 126), war vom Zeitpunkt seiner Herstellung an für den
Zweck bestimmt, den Reliquienschatz des Stifts zu verwahren und
zugleich nach außen zu präsentieren. Man kann insofern von einem
„redenden Reliquiar" sprechen, als bei der Gestaltung des Kopfes
besonderer Wert auf die dicht gelockten Haare und die eigentümli-
che Barttracht gelegt wurde, die in Bezug stehen zu den dort enthaltenen Haar- und Bart-Überbleibseln der beiden Johannes-Heili-
gen (vgl. auch den Beitrag von Ulrich Rehm).
Im Vorfeld der Ausstellung wurde das Reliquiar am 29. Juli 2019
durch den inzwischen verstorbenen Kölner Goldschmied Peter Bolg
geöffnet und gemeinsam mit weiteren Fachkolleg:innen untersucht

(S. 17, Abb. 2). Laut Hedwig Röckelein, die sich mit Annemarie
Stauffer den Reliquien und Cedulae widmete, hat sich der Bestand
während des Mittelalters und in der Neuzeit mehrfach geändert
und es sind auch nicht alle Reliquien, die jemals dort deponiert waren, auf uns gekommen. Die Frage, ob der Inhalt der *Crux Aurea*,
des Goldenen Kreuzes oder Johanneskreuzes Ottos von Cappenberg (vgl. Kat.-Nr. 31), die dieser laut der schriftlichen Quellen in
den Kopf gelegt haben soll, in Teilen erhalten oder ganz verloren
ist, lässt sich aber nach dieser Inspektion nicht sagen.

Neben dem Hohlraum des Kopfes bietet die kleine offene Laterne im Unterbau des Sockels Platz für die Zurschaustellung der
Fragmente heiliger Gebeine (vgl. Abb. auf S. 238); hierin passt ein
kleines mit Stoff bezogenes Kästchen (s. Abb., Rhein-Maas-Gebiet,
14. Jahrhundert) mit einer dort ehemals enthaltenen goldenen
eichelförmigen Kapsel. Von den teilweise aus dem 10. und 11. Jahrhundert stammenden kostbaren Beutelchen und den Textilfrag-
menten u. a. aus Byzanz, Spanien und dem Rhein-Maas-Gebiet, mit
denen die Reliquien geschützt und zugleich geschmückt wurden
(s. Kat.-Nr. 157), zeigen wir hier eine kleine Auswahl. ǀ PM

Literatur: Michler 2014 ǀ Stauffer 2014 ǀ Röckelein 2022.

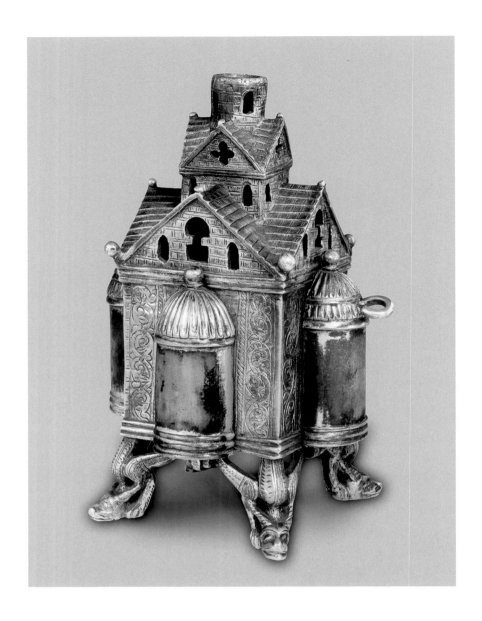

Kat.-Nr. 131

HILDESHEIM

Kreuzfuß in Form eines Zentralbaus, 3. Viertel 12. Jahrhundert

Bronze, vergoldet, H. 17,7 cm, B. 9,1 cm, T. 8,6 cm | Berlin, Staatliche
Museen zu Berlin, Kunstgewerbemuseum, Inv.-Nr. 1897, 4

Die Idee, einen Kreuzfuß als Zentralbau zu gestalten, verdankt
sich vermutlich dem Vorbild jener zur Kreuzfahrerzeit im östlichen
Mittelmeerraum verbreiteten bronzenen Kreuzständer mit bekrö-
nendem Kirchenmodell, die dazu dienten, Prozessionskreuze auf
einer Tragstange zu fixieren. Sosehr der Berliner Kreuzfuß sich
an derartigen Vorbildern orientiert, ist seine ursprüngliche Zweckbestimmung doch eine grundlegend andere. In seinem Bildprogramm, zu dem man sich das aufgesteckte, heute verlorene Kreuz
hinzuzudenken hat, wird nicht der triumphale Einzug Christi in die
Himmelsstadt beschworen, wie bei den byzantinischen Kreuzstän-
dern, sondern das siegbringende Kreuzesopfer Jesu, das sich im
eucharistischen Geschehen am Altar vergegenwärtigt. Von daher

erklärt sich dann auch die liturgische Aufwertung des Kreuzfußes,
der die im Kreuz aufgipfelnde Himmelsstadt nicht nur abbildhaft
vor Augen führt, sondern als Hostienbehälter selbst zum Himmlischen Jerusalem wird.

Dem in Hildesheim erhaltenen Kreuzfuß steht das Berliner
Altargerät nicht nur in funktionaler Hinsicht nahe, sondern ist ihm,
wie auch dem Cappenberger Kopfreliquiar, zudem in stilistischer
Hinsicht eng verwandt. Sollte es zutreffen, dass der Berliner Kreuzständer aus dem bayerischen Kloster Seeon stammt, wofür es
Anhaltspunkte gibt, dann spricht nicht zuletzt dieser Umstand dafür, dass wir es hier mit einer leistungsstarken Werkstatt zu tun
haben, die über den Eigenbedarf hinaus auch in der Lage war, aus-
wärtige Auftraggeber zu bedienen. | MichB

Literatur: Ausst.-Kat. Hildesheim/Berlin 2010, S. 83, Kat.-Nr. 35 | Brandt
2017, S. 45–72, hier: S. 64–66 | Springer 1981, S. 145–148, Kat.-Nr. 27 und
Abb. K 222–K 243.

Kat.-Nr. 132

HILDESHEIM

Kreuzfuß mit Engeln, 2. Viertel 12. Jahrhundert

Bronze, gegossen, ziseliert, H. 13,1 cm, B. 13,8 bis 14,7 cm | Berlin, Staatliche Museen zu Berlin, Kunstgewerbemuseum, Inv.-Nr. K 4165

Im Unterschied zu den beiden Pyxiden-Kreuzfüßen, war der dreiseitige Kreuzfuß des Berliner Kunstgewerbemuseums einzig dazu bestimmt, als Halterung für ein Altarkreuz zu dienen. Durch sein von drei Seiten aufsteigendes Rankenwerk lenkt er den Blick zum Bedeutungszentrum, dem ehemals aufgesteckten Kreuz. Mit den Worten „ECCE CRUCEM DOMINI+/ + FVGIANT PARTES INIMICI" („Siehe das Kreuz des Herrn, vor dem die Anhänger des Feindes fliehen sollen") verweist auch das den Nodus umspannende Schriftband auf das Kreuz und kennzeichnet es als Siegeszeichen über

Tod und Teufel. Die drei ursprünglich mit weit ausgespannten Flügeln über den mächtigen Tatzen des Kreuzständers thronenden Erzengel unterstreichen die Wirkmacht des am Kreuz dargestellten Geschehens.

Es spricht für den vielfältigen Austausch zwischen dem niedersächsischen Werkstattkreis und dem Maasgebiet, dass sich von dort ein ikonografisch verwandter Kreuzfuß erhalten hat (London, Victoria and Albert Museum, Inv.-Nr.7938-1862). Das durchbrochene Rankenwerk, wie es der Berliner Engel-Kreuzfuß in meisterhafter Ausführung zeigt, ist indessen ein charakteristisches Merkmal niedersächsischer, vor allem wohl Hildesheimer Bronzegüsse. | MichB

Literatur: Ausst.-Kat. Hildesheim 2001, S. 198–228 | Springer 1981, S. 124–130, Nr. 20 und Abb. K 167–K 173.

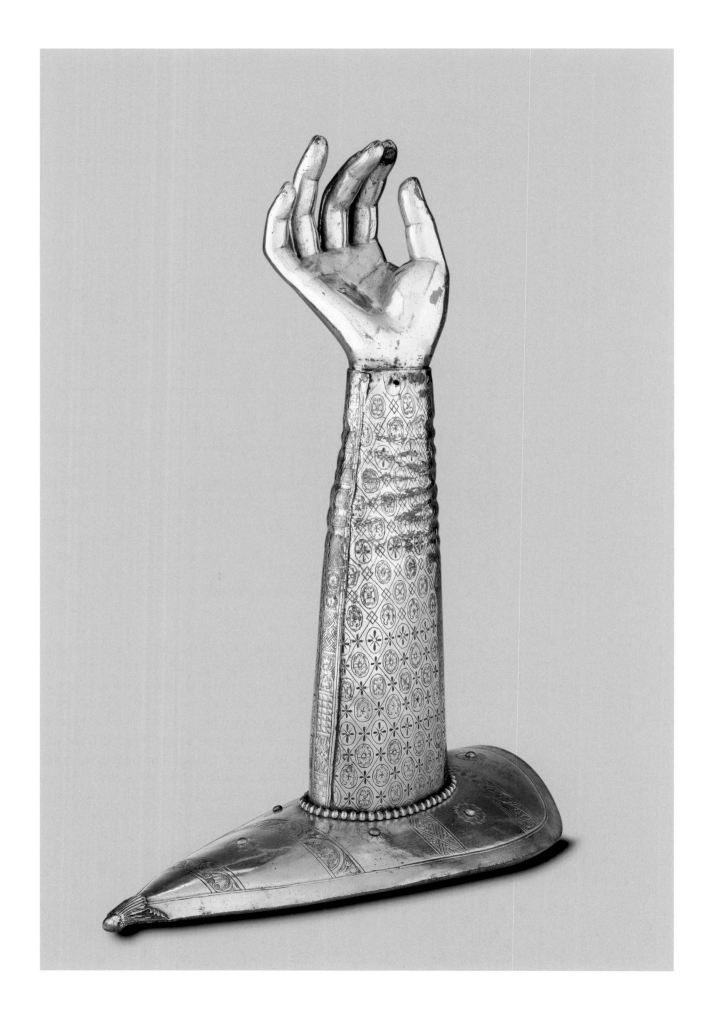

Kat.-Nr. 133

HILDESHEIM

Sogenanntes Armreliquiar des heiligen Gereon, um 1130/40

Kupfer, vergoldet, geschmiedet, graviert, punziert, Braunfirnis, Hand aus Messing, vergoldet, H. 48,0, cm, Standplatte B. 36,5 cm, T. 21,0 cm | Hildesheim, Dommuseum, Inv.-Nr. L 1994-2 (Dauerleihgabe der katholischen Pfarrgemeine St. Mauritius Hildesheim)

Das Armreliquiar stammt aus dem Hildesheimer Mauritiusstift. Von daher erklärt sich wohl auch die ungewöhnliche Gestaltung des auf einen Schild gestellten Armes. Vermutlich sollte sie darauf verweisen, dass der goldene Arm Reliquien eines Heiligen aus dem Gefolge des Mauritius, also eines Märtyrers der Thebäischen Legion enthält. Tatsächlich fanden sich im Innern des hohl gearbeiteten Armes Reliquien eines dieser Glaubenszeugen, nämlich solche des als Schutzpatron der Ritter verehrten heiligen Gereon.

Geschaffen wurde das Reliquiar in jener während des zweiten Drittels des 12.Jahrhunderts für das Hildesheimer Domkapitel tätigen Werkstatt, in der neben dem Reliquienschrein für die Gebeine des 1131 heiliggesprochenen Godehard unter anderem auch drei für den Dom bestimmte Scheibenkreuze entstanden (Dommuseum Hildesheim, Inv.-Nr DS 27 a-c). Ihnen lässt sich das Armreliquiar über seine Ornamentik unmittelbar anschließen. Unverkennbar stehen alle diese Arbeiten unter dem Einfluss einer zuvor schon in der Abtei Helmarshausen greifbaren Stilrichtung, für die der Name des dort nachweislich tätigen Konventualen Roger steht. Zwischen der niedersächsischen Bischofsstadt Hildesheim und dem im Weserraum gelegenen Benediktinerkonvent gab es vielfältige Kontakte.

Eine singuläre Leistung der Hildesheimer Werkstatt ist die separat gegossene, erstaunlich naturalistisch geformte Hand des Reliquiars aus St. Mauritius. Nachweislich ist sie aus dem gleichen Material gearbeitet wie Schild und Arm. Lötspuren an Daumen, Zeige- und Mittelfinger deuten darauf hin, dass diese Finger ursprünglich einen kugelförmigen Gegenstand in die Höhe hielten, jenen in das 6./7. Jahrhundert datierbaren bronzenen Votivhänden des Mittelmeerraumes vergleichbar, die einen vom Kreuz bekrönten Globus tragen. Vielleicht waren es auch Arbeiten dieser Art, die dem gelehrten Kompilator Theophilus Presbyter vor Augen standen, als er im Vorwort seines in Hildesheim bekannten Handbuches der künstlerischen Techniken das jenseits des Mittelmeeres gelegene *Arabia* für kunstvolle Gussarbeiten rühmte. | MichB

Literatur: Ausst.-Kat. Hildesheim 2001, S. 187, Kat.-Nr. 4.15 | Brandt 2022, S. 349–364 | zu den Votivhänden: Kötzsche 1986, Sp. 402–467, hier Sp. 465–467.

Kat.-Nr. 134

HILDESHEIM

Kreuz auf Provisurpyxis, um 1160

Bronze, gegossen, ziseliert, vergoldet, H. 36,8 cm, B. 15,7 cm, T. 14,9 cm |
Hildesheim, Dommuseum, Inv.-Nr. DS 17

Entgegen früher geäußerter Vermutungen gelangte die Pyxis mit
dem aufgesteckten Kreuz wohl nicht erst in neuerer Zeit in den
Hildesheimer Domschatz, sondern dürfte alter Dombesitz sein. Darauf deutet insbesondere ein entsprechender Eintrag im Domschatz-
verzeichnis von 1438 hin. Wenn es dazu heißt, der betreffende
„kupperen schryn vorghuldet myt eynem vorghuldeten crucifixus
kupperen" enthalte „manigerleye reliquien", so macht diese Umnutzung deutlich, dass die Kombination aus Hostiengefäß und
Altarkreuz mittlerweile als unpassend empfunden wurde. Zugleich
spricht aus der pietätvollen Umnutzung des nun zur Aufnahme von
Reliquien bestimmten Altargerätes aber auch eine Wertschätzung
des hochmittelalterlichen Gusswerkes, der wir zu verdanken haben,
dass es erhalten blieb.

Die passgenaue Verbindung der Hildesheimer Pyxis mit ihrem
aufgesteckten Kreuz lässt keinen Zweifel daran, dass beide von
Anfang an zusammengehören. Dafür spricht auch die gleichartige
Rankenornamentik auf dem architektonisch gestalteten Unterbau
und auf der Rückseite des Kreuzes. Damit ist dieses Altargerät
eines der wenigen komplett überkommenen Beispiele seiner Art.
Abgesehen von der wahrscheinlich gemachten Provenienz sind
es vor allem Einzelheiten der Gestaltung, die eine Entstehung in
Hildesheim nahelegen. Besonders charakteristisch ist das gerippte
Rankenwerk des Knaufes, in dem der Einsteckdorn des Kreuzes
verankert wird. Bereits eines der drei Scheibenkreuze, die das
Hildesheimer Domkapitel im Zusammenhang mit der Erstellung
eines Reliquienschreins für die Gebeine des 1133 heiliggesprochenen Bischofs Godehard in Auftrag gab (Hildesheim, Dommuseum,
Inv.-Nr. DS 27c), zeigt solche gerippten Ranken.

Schon lange hat man registriert, dass zwischen dem Cappenberger Kopfreliquiar (Kat.-Nr. 126) und dem Hildesheimer Altargerät eine Reihe auffälliger Übereinstimmungen besteht. Was diese beiden auf den ersten Blick so unterschiedlichen Bildwerke aber
grundsätzlich miteinander verbindet, ist die in Grundzügen vergleichbare Art, einen architektonisch gestalteten Sockel mit einem
figuralen Bildwerk zu bekrönen. | MichB

Literatur: Bloch 1992, S. 126 f., S. 130, Nr. 1 L 5 | Brandt 2019, S. 89–106,
hier: S. 100 f. | Springer 1981, S. 148–152, Nr. 28 und Abb. K244–255.

Kat.-Nr. 135 (s. auch S. 54, Abb. 4; S. 65, Abb. 4)
WESTDEUTSCHLAND/RHEINLAND (KÖLN)
**Sogenannte Taufschale Kaiser Friedrichs I. Barbarossa,
Mitte 12. Jahrhundert, Gravuren und Teilvergoldung nach 1170**
Silber, getrieben, graviert, teilweise vergoldet, H. 5,0 cm, Dm. 24,2 cm |
Berlin, Staatliche Museen zu Berlin, Kunstgewerbemuseum,
Inv.-Nr. 1933, 25

Die silberne Handwaschschale stammt aus dem ehemaligen Prämonstratenserstift Cappenberg. Sehr wahrscheinlich ist sie identisch mit jener „ebenfalls silbernen Schüssel" (*pelvi nichilominus
argentea*), die Probst Otto von Cappenberg in seinem sogenannten
Testament zusammen mit einem silbernen Kopf dem Kloster
übereignete. Weithin berühmt geworden ist das Werk vor allem
wegen der kunstvoll in den Schalenboden gravierten Szene einer
Taufhandlung mit umlaufenden Inschriften.

Dargestellt ist die Taufe eines Knaben im Immersions-Ritus,
der damals üblichen Ganzkörpertaufe. Rechts der zylindrischen
Fünte (vgl. Kat.-Nr. 136) erscheinen der taufende Bischof mit einem
assistierenden Kleriker, links der profan gewandete Taufpate sowie
zwei weitere weltliche Zeugen, darunter, fast ganz verdeckt im
Hintergrund, auch eine Frau. Die Darstellung zeigt die Taufhandlung,
kurz bevor der Pate den Täufling aus der Taufe hebt. Beischriften
über dem Täufling und dem Taufpaten bezeichnen diese als den
späteren Kaiser Friedrich I. Barbarossa und Otto, der zu dieser Zeit
noch Graf von Cappenberg war und Ende Dezember 1122 zum
Taufpaten Friedrichs erwählt wurde.

Das annähernd kreisrunde Bildfeld umlaufen zwei durch Dop-
pellinien begrenzte Schriftfelder. Der Text des inneren lautet in
deutscher Übersetzung: „Sei du, den das Wasser von außen wäscht,
des inneren Menschen eingedenk: Damit du seist, was du nicht
bist, wasche rein, wische ab, was du bist!" Dieser Vers bezieht sich
nicht, wie vielfach angenommen, auf das Sakrament der Taufe,
sondern gemahnt an die Notwendigkeit steter spiritueller Reinigung eines jeden Menschen. Der Text im äußeren Feld dagegen
erläutert die mit der Schale verbundene Memoria: „Kaiser und Augustus Friedrich hat diese Geschenke seinem Paten Otto darge-
bracht, jener Gott."

Jüngste Forschungen legen nahe, dass die Gravuren der silbernen Handwaschschale erst nach Ottos Tod am 26./27. Januar 1171
im Auftrag des Cappenberger Konvents hinzugefügt worden sind.
Dafür sprechen unter anderem auch stilistische Merkmale, beispielsweise das Auftreten enger Parallel- und Winkelhakenfalten
sowie scharfgezackter Blattornamente, die für eine um 1170/90
datierte Werkgruppe um den Gregorius-Tragaltar in Siegburg
und das Turmreliquiar in Darmstadt (Kat.-Nr. 83) charakteristisch
sind. Clemens M. M. Bayer hat zuletzt aus gewichtigen epigrafischen
Gründen eine Entstehung der Gravuren um 1180/90 in der Werkstatt des Kölner Anno-Schreins angenommen und vermutet einen
intendierten Zusammenhang mit der Ausstellung des kaiserlichen
Schutzdiploms für das Stift Cappenberg vom 21. August 1187. | LL

Literatur: Bayer 2022, S. 289–304 | Horch 2001, S. 103–154 | Lamba-
cher 2022.

Kat.-Nr. 136

WESTFALEN

Fragment des Taufsteins aus St. Agatha in Münster-Angelmodde, 1. Drittel 13. Jahrhundert

Baumberger Sandstein, H. 85,0 cm, Dm. 90,0 cm | Münster, LWL-Museum für Kunst und Kultur, Inv.-Nr. D-60 AV (Leihgabe des Vereins für Geschichte und Altertumskunde Westfalens Abt. Münster)

Seit den Anfängen des Christentums erfolgt die Aufnahme in die kirchliche Gemeinschaft durch das Sakrament der Taufe. Vollzogen wird die Taufe durch Übergießen des Täuflings mit Wasser (Infusionstaufe) oder das weitgehende oder vollständige Untertauchen (Immersionstaufe). In Westfalen hat sich eine große Zahl hochmittelalterlicher Taufbecken oder Taufsteine erhalten, die teils nur ornamental, teils aber auch mit Heiligenfiguren oder Szenen der Passion Christi geschmückt sind.

Die immer wieder fälschlich als „Taufschale" für den späteren Kaiser Friedrich I. Barbarossa bezeichnete Handwaschschale zeigt die Darstellung einer solchen Immersionstaufe, mit dem kleinen Friedrich als Täufling, einem Bischof als Zelebranten und Otto von Cappenberg als Taufpate (Kat.-Nr. 135). Das Taufbecken aus Angelmodde, einem ehemaligen Dorf in der Nähe Münsters, wurde vielleicht von der münsterischen Dombauhütte angefertigt. Darauf deuten dem Schmuckband aus kräftigen Akanthusblättern verwandte Kapitellformen im Dom hin. | PM

Literatur: Ausst.-Kat. Münster 1993, Bd. 1, S. 371, Kat.-Nr. A 8.10 (Géza Jászai).

Hermann̄ dei gr̄a Capenbergensis abb. Theoderic̄ por. Volenand̄ suppor. Ruthger̄ cellerarius̄ cetiq;
frs eidem loci. omnib; suis successorib; in perpetuū. Notū facim̄ tā futuris̄. qm̄ p̄sentib; statuisse nos
communi consilio. ut anniuersarī domni Werneri monasterien̄sis epi. cū sollempni siuitio celebrē. dante
camerario iii. solidos. sacdote de Wernen tres. sacdote de Alen tres. sacdote de Bure duos. cellerario uinci
& uini ministrē. Sciendū quoq; qd fr̄ nr̄ deo deuot̄ sacdos sc̄i Jacobi. in ciuitate monast. Landolphus
noīe. redit iii. solidor̄. de domo qdā in Werle. in festo s. Margarete soluendos comparuit. hac delibatiōe.
ut in festo s. Jacobi. solite frm̄ refectioni. piscū coemptio supaddat̄. atq; ex hoc caritatis obseqo. memo
ria eī apud nos in benedictione habeat. Eade spe. eodeq; deuotionis ardore canonic̄ Sosaciensis lr̄po
noīe. octo solidos̄ redit. de quadā domo in Werle. annuati in festo s. Margarete soluendos compar
uit. ea prouisione. ut in octaua assumptiois. s. Marie. ad seruitiū suen̄t expendant. qui mat
myseticie. apud filiū suū pro ipo intercedat. Preterea sciendū. qd Ludewicus monasteriensiū ciui
um unus̄. calicē deauratū ecc̄ie Capenbergensi dedit. insup. & redit octo solidor̄s. de dimidia
domo in Werle annuati puenientes. quor̄ solidor̄ iiii. in festo s. Margarete. iiii. in hiem̄ne
festo s. Johannis euglistē soluunt nob̄ intulit. ea puisione ut cū ipe Ludewic̄. ex hac luce
migauerit. in ei annivsario. septē solidi ad seruitiū frm̄ expendant. & tā ipsius. qia fris nri
Ludgeri sacdotis germani sui. s; & patris. ac matris eor̄. uidelic; Ludewici & Bertradis. me
moria uigiliarū ac missarū officiis agat. Hos septē solidos̄ por. ac suppor recipiant̄. &
cura dom̄ habeant. & xii denarios̄ qui supsunt. de anno in annū in sequestro reponant.
ppter timore incendii & ppter diusos casus. ut cū sūma excreuerit possit dom̄ de hac pecunia
res̄ taurari. Ut igitur̄ ia dicta seruitia. commu̅n̄ c̄silio s; statuta fuisse nemo ambigat. nec
ea postea̅u quisqm̄ temerario ausu mutare uel infringere p̄sumat. pagina hanc sigillo
ecc̄ie nr̄ munire curauim̄. anathemate ferientes om̄em homine q̄ hec cassare iniq p̄suptioe
teptauerit. Idem per om̄ia dicendū. ac perpetuo obseruandū. de annivsario Ra
dolphi de Sosacia. & uxoris sue Berthrudis. q̄ viii marcas dedit ad p̄parandos redit. Sex
solidi monast. monete. q̄s soluit dom̄ q̄dā in Ostwich. in annivsario eor̄. ad ministiū suen̄t
expendent. Act̄ anno dn̄ice Incarnat̄. m̄. c̄. c̄. viii. Indict̄ xii. Epacta xxiii. Concurrente iii.

Kat.-Nr. 139

Kat.-Nr. 138

Kat.-Nr. 137 (wie Kat.-Nr. 29 und S. 50, Abb. 2)

Schenkungsurkunde des Propstes Otto von Cappenberg, o. J., um 1160/70 (Kopie)

Handschrift auf Pergament mit Wachssiegel, H. 46,5 cm, B. 36,5 cm | Selm-Cappenberg, Archiv Graf von Kanitz, Stiftsarchiv, Urk. Nr. 13

Kat.-Nr. 138 (vgl. Kat.-Nr. 10)

Abt Hermann und der Konvent zu Cappenberg beurkunden ältere Memorienstiftungen, 1209

Tinte auf Pergament mit Wachssiegel, H. 39,7 cm, B. 27,8 cm (Pergament), Siegel Dm 7,0 cm | Münster, NRW Landesarchiv Westfalen, Kloster Cappenberg, B 208u/Stift Cappenberg – Urkunden, Nr. 14

Kat.-Nr. 139 (wie Kat.-Nr. 2)

Grabplatte des Grafen Gottfried von Cappenberg, um 1300/20 (Kopie), mit dem Cappenberger Kopf

Sandstein, H. 222,0 cm, B. 109,0 cm (Kopie) | Selm-Cappenberg, Stiftskirche St. Johannes Evangelist

Kat.-Nr. 140 (s. auch S. 57, Abb. 8; ausgestellt in der Mittelalter-Sammlung)

ARNSTEIN ODER MITTELRHEIN

Fünf Felder eines typologischen Zyklus, um 1170/80

1) Moses vor dem brennenden Dornbusch, Inv.-Nr. L-1002 LM, 2) Aarons blühender Zweig, Inv.-Nr. L-1003 LM, 3) Gesetzesübergabe an Moses, Inv.-Nr. L-1004 LM, 4) Stammvater Jesse und König David, Inv.-Nr. L-1005 LM, 5) Christus mit den Gaben des Heiligen Geistes, Inv.-Nr. L-1006 LM I Glas, Blei, Schwarzlotmalerei, ca. H. 50,0 cm, B. 48,0 cm I Münster, LWL-Museum für Kunst und Kultur

Die fünf Scheiben aus der Prämonstratenser-Klosterkirche Arnstein an der Lahn zählen zu den bedeutendsten frühmittelalterlichen Verglasungen Europas und stellen gleichzeitig den ältesten typologischen Zyklus in der deutschen Glasmalerei dar. Als Graf Ludwig von Arnstein 1139 seine Burg mit allen Gütern für die Errichtung eines Prämonstratenser-Reformklosters stiftete und sich selbst der Klostergemeinschaft anschloss, folgte er – wie etwa die Grafen von Cappenberg, enge Verbündete Friedrich Barbarossas – dem Frömmigkeitsideal seiner Zeit.

Der jüngeren Bauforschung zufolge dürfte die überlieferte Farbverglasung des Westchores von Anfang an für die drei zentralen Chorfenster konzipiert gewesen sein, wie Daniel Parello zuletzt angenommen hat. Die Überreste dieses Bestandes wurden später im spätgotischen Mittelfenster des Westchores zusammengefügt und schließlich 1815 für die Sammlung von Karl Freiherr vom Stein erworben.

Im Zentrum des dreiteiligen, typologisch aufgebauten Zyklus befand sich aller Wahrscheinlichkeit nach eine Wurzel Jesse. Die beiden Seitenfenster enthielten jeweils drei Szenen aus dem Alten (Legenden von Moses und Aaron) und aus dem Neuen Testament, deren Gegenüberstellungen auf die symbolische Auslegung der Jungfräulichkeit Mariens Bezug nahm.

Ein besonderes Gewicht kommt bei diesem Glasmalereikomplex der einzigartigen Stifterdarstellung eines Prämonstratensermönchs und Glasmalers namens Gerlachus zu. Sein heutiger Platz unterhalb der Szene mit Moses am brennenden Dornbusch kann weder in ikonografischer noch in bestandskritischer Hinsicht als der ursprüngliche betrachtet werden. Einen plausiblen Kontext für dieses Stifterbild bietet jedoch eine als Kriegsverlust geltende Kreuzigungsscheibe aus dem Kunstgewerbemuseum Berlin, deren Zusammengehörigkeit mit dem Gerlachus-Zyklus weithin angenommen wird. Ihre identische Formensprache, das Format und vor allem der erneuerte Randbereich mit einem exakt übereinstimmenden, halbrunden Ergänzungsstück unterhalb der Kreuzigung lassen hier den ursprünglichen Platz des Stifterbildes Gerlachus vermuten, dessen Bittschrift sich unmittelbar an Christus richtet.

Stilistisch zeigen die Gerlachus-Scheiben enge Bezüge zur Helmarshausener Buchmalerei, insbesondere zur Handschriftengruppe um das Evangeliar Heinrichs des Löwen (S. 36, Abb. 8). I EK

Literatur: Marx 2007, S. 7–19 I Krings 1990, S. 3–8, 17–31, 474–484 I Parello 2007, S. 31–39.

5. Die Kunst der Barbarossazeit in Westfalen

In der Lebens- und Wirkungszeit des Stauferkaisers Friedrichs I. Barbarossa entstanden wesentliche politische Strukturen in Westfalen. Indem Barbarossa den Sachsenherzog Heinrich den Löwen im Jahr 1180 absetzte, stieg der Erzbischof von Köln zum Herzog von Westfalen auf, die Bischöfe zu Fürstbischöfen, die Westfalen bis 1802 beherrschten.

Die Kunst des 12. Jahrhunderts, also der Romanik und Frühgotik in und aus Westfalen wird im folgenden Kapitel nach langer Zeit erstmals wieder Gegenstand einer Sonderschau. Nicht nur in der Mittelalter-Sammlung unseres LWL-Museums für Kunst und Kultur (Westfälisches Landesmuseum) , sondern auch in vielen Kirchen und ehemaligen Klöstern in der Region schlummern verborgene Schätze, die neu entdeckt und gewürdigt werden sollen. So ist zum Beispiel das *Soester Antependium* (Kat.-Nr. 84) nicht nur ein großartiges Kunstwerk, sondern auch Ausdruck der engen Beziehungen zwischen Westfalen und dem Erzbistum Köln zugleich. Die Stadt Soest selbst ist in dieser Zeit ein überregional bedeutendes Zentrum der Kirchen- und Glasmalerei. Erstmals sind die mit dem Bau der Soester Patrokli-Stiftskirche um 1166 entstandenen Scheiben mit Szenen unter anderem zur Vita des Stiftsheiligen Patroklus überhaupt in einer Ausstellung zu sehen (Kat.-Nr. 153). Dieses gilt auch für ein einzigartiges Möbel bzw. dessen Überreste, den Thron, der angeblich für die Vermählung Heinrichs des Löwen mit seiner englischen Gattin Mathilde im Dom zu Minden angefertigt worden sein soll (Kat.-Nr. 147). In Minden finden sich auch große und kleine Werke der Schatzkunst, die, wie womöglich auch die beschnitzten Thronwangen, im Benediktinerkloster Helmarshausen an der Diemel hergestellt wurden. Dort leitete im frühen 12. Jahrhundert ein Mönch namens Roger eine potente Buchmalerei- und Goldschmiedewerkstatt, aus der neben den beiden prächtigsten westfälischen Tragaltären der Romanik, dem Dom-Tragaltar und dem Abdinghofer Tragaltar (Kat.-Nr. 145) aus Paderborn, später auch das unschätzbar wertvolle Evangeliar Heinrichs des Löwen und der Corveyer *Liber Vitae* (Kat.-Nr. 70) hervorgingen.

Beispiele für den künstlerischen und kulturellen Transfer zwischen Orient und Okzident in der Barbarossazeit, sozusagen „aus der Welt nach Westfalen", sind der Olifant aus dem Welfenschatz in Braunschweig (Kat.-Nr. 160) oder die exotischen Stickereien auf einer Reliquienhülle aus einer Osnabrücker Marienskulptur (Kat.-Nr. 157).

In Zusammenarbeit mit der „Klosterlandschaft Westfalen-Lippe" und dem Medienzentrum des LWL wurden an den drei herausragenden westfälischen Klosterorten Cappenberg, Freckenhorst und Liesborn eindrückliche Kurzporträts dieser ehemaligen geistlichen Einrichtungen gedreht, welche durch die Barbarossazeit geprägt sind bzw. deren Geschichte eng mit der des Staufers verflochten ist. Auf diese Weise wird die weit über Westfalen hinausreichende künstlerische und kulturhistorische Bedeutung der hier versammelten Exponate und die facettenreiche Lebenswelt Kaiser Friedrichs I. Barbarossa auch in dieser Region erlebbar.

Petra Marx

Kat.-Nr. 141

WERKSTATT DES ROGER VON HELMARSHAUSEN

Bronzekreuz aus dem Dom zu Minden, um 1120/30

Bronze, gegossen, ziseliert, z. T. vergoldet, Einlagen in Silber und Niello,
Kreuz: H. 119,0 cm, B. 105,2 cm, Kreuzbalken: B. 18,6 cm, Corpus:
H. 93,5 cm, B. 92,5 cm I Minden, Dompropsteigemeinde

Die monumentale Bronzearbeit besteht aus zwei Kreuzbalken sowie dem aus sechs Einzelteilen zusammengesetzten Corpus. Auf
einer Fußstütze in Form eines geflügelten Drachens aufruhend ist
der Gekreuzigte aufrecht mit waagerechten Armen wiedergegeben, die symmetrische Komposition beleben Asymmetrien, etwa
das nach rechts geneigte Haupt. Sein fein modelliertes Antlitz mit
den geöffneten, in Silber eingelegten Augen wird umrahmt vom
gekräuselten Bart und dem streng gescheitelten Haupthaar, das
auf den Schultern in je drei Strähnen ausläuft.

Der Leib Jesu ist an Oberkörper und Gliedmaßen subtil modelliert und vollständig vergoldet. In einem gewissen Kontrast dazu
steht das aufwendig gestaltete Lendentuch: Gerafften Partien, vergoldet und mit Silber plattiert, stehen glatte Flächen gegenüber,
die ein diagonales Quadratmuster aus Niello und Silber (zumeist
ausgefallen) zeigen.

Über dem Haupt findet sich der Kreuztitulus: „IHC [griech. =
Jesus] NAZAR/ENVS REX / IVDEORVM", auf dem Querbalken zudem eine zweizeilige, vergoldete Inschrift in Form eines zweisilbig
gereimten leoninischen Hexameters: „+ HOC REPARAT · CHR(ISTV)S ·
DEVS · IN · LIGNO · CRVCIFIXVS /+ Q(VO)D · DESTRVXIT ·
ADA(M) DECEPTVS · IN · ARBORE · QVADAM" (= „Das macht wieder gut Christus, der am Holz gekreuzigte Gott, was zerstört hat
Adam, getäuscht von dem Baume"); auf der Rückseite des Quer-
balkens sind Namen eingraviert: links „IOB · DANIEL · NOE" als
alttestamentliche Vorläufer, rechts „PETRVS · AP(OSTO)L(V)S ·

IOHANNES · EV(ANGELISTA) · EVSTACHIVS M(ARTY)R" als Nachfolger Christi.

Die ehemals 18 – heute noch fünf – an den Kreuzbalken ange-
nieteten Metallstreifen sind als Astansätze zu deuten und erlauben
in Verbindung mit der Inschrift eine Interpretation des Kreuzes
als Baum des Lebens. Dies geht überein mit der Darstellung Christi,
der lebend – mit geöffneten Augen und ohne Seitenwunde –
am Kreuz hängt und über das Böse in Gestalt des Drachens trium-
phiert.

Unter den wenigen monumentalen Christusfiguren der ersten
Hälfte des 12. Jahrhunderts seien hier nur der Elfenbeinkruzifixus
(um 1130) im Diözesanmuseum Bamberg, ebenfalls ohne Seitenwunde, und das Kreuzabnahmerelief der Externsteine (um 1110/50)
mit vergleichbar strukturierten Lendentüchern angeführt. Deutlich
enger sind hingegen die Vergleiche mit kleinen Bronzekruzifixen
des Kunstkreises Helmarshausen, allen voran dasjenige des Museums Angewandte Kunst in Frankfurt. Auf eine Fertigung in der
Werkstatt des Roger von Helmarshausen um 1120/30 weisen auch
technische Übereinstimmungen, insbesondere das diagonale Quadratmuster des Lendentuches aus Niello und Silber. Dieses in dieser Zeit einzigartige Gestaltungselement findet sich an weiterer
Hauptstücken der Werkgruppe wie dem Paderborner Dom-Tragaltar, dem Wiener Greifen-Aquamanile und dem Bronzestab aus
Werden (Kat.-Nr. 146). Das Mindener Bronzekreuz, zusammen mit
dem Werdener Kruzifix (um 1060/70) das einzige derartige Monu-
mentalwerk aus Bronze, ist somit als eines der Hauptwerke aus
der Werkstatt des Roger von Helmarshausen anzusprechen. I HK

Literatur: Ausst.-Kat. Paderborn 2006, Bd. 2, S. 431–433, Kat.-Nr. 518
(Rainer Kahsnitz) I Kdm Minden 2000, S. 970–973, Kat.-Nr. 64 (Anna
Beatriz Chadour-Sampson; Lit) I Stiegemann/Westermann-Angerhausen
2006.

Kat.-Nr. 142

HELMARSHAUSEN

Kreuzigung Christi (Kanonblatt) aus einer Sakramentar-Handschrift, letztes Drittel 12. Jahrhundert

Pergament, Wasserfarbe, Goldauflage, H. 23,9 cm, B. 16,3 cm | Münster, LWL-Museum für Kunst und Kultur, Inv.-Nr. BM 1745 (Leihgabe des Bistums Münster)

Von einem verlorenen Sakramentar aus der Buchmalerei-Werkstatt des Klosters Helmarshausen haben sich vier Blätter erhalten, darunter die in leuchtendem Gold und kräftigem Grün, Rot und Blau angelegte Kreuzigungsszene. Christus erscheint wie schwebend vor den als paradiesischer Lebensbaum (lat. *arbor vitae*) mit grünem Stamm und abgesägten Enden gekennzeichneten Kreuzesstämmen. Mit Sonne und Mond über dem Kreuz trauern direkt darunter seine Mutter Maria und der jugendliche Apostel Johannes um den Erlöser. Vier Medaillons mit den drei alttestamentlichen Figuren Moses, David und Jesaja sowie dem Apostelfürsten Petrus unten rechts kommentieren auf ihren langen und für Helmarshausen typischen Spruchbändern das bewegende Ereignis als Erfüllung ihrer Prophezeiungen. Petrus ruft mit den Worten „Christus hat für uns gelitten und hinterließ uns ein Vorbild" zur Nachfolge Christi auf. Damit richtet er sich direkt an die beiden kleineren Gestalten, die demütig zu Füßen des Kreuzes knien, ein Benediktinerabt und sein Klosterbruder, bei denen es sich um die Stifter der kostbaren Handschrift handeln könnte. Mit ihren betend erhobenen Händen scheinen sie das Kreuz direkt zu berühren.

Auf ikonografische Vorbilder aus dem Maasgebiet deutet das ungewöhnliche Bild am unteren Rand, an dem die im Buch der Könige erwähnte Witwe von Sarepta dargestellt ist. Das gekreuzte Feuerholz in ihren Händen ist ebenfalls als alttestamentliche Typologie auf den Kreuzestod Christi zu deuten. Nach der Schaffenszeit des Mönchs Roger von Helmarshausen (vgl. Kat.-Nr. 141, 145, 146) und der Amtszeit Abt Wibalds von Corvey (Kat.-Nr. 70) wären die vorliegenden Miniaturen nach Barbara Klössel-Luckhardt einer dritten Phase maasländischen Einflusses in der dortigen Werkstatt zuzuschreiben.

Mit der Darstellung der Kreuzigung auf dem entsprechend benannten Kanonblatt beginnt im Sakramentar der Messkanon (lat. *canon missae*), das eucharistische Hochgebet (hier auf der Rückseite des ausgestellten Blattes). Mit den Worten des *Te igitur* („Dich, gütiger Vater, bitten wir ...") erfleht der Priester für die christliche Gemeinschaft die gnädige Annahme des Opfers am Altar und die Aufnahme der sündigen Seelen bei Gott. Die Verehrung des gemarterten Heilands während des Gottesdienstes fand auch durch Küssen der Handschrift ihren Ausdruck, wie das abgeriebene Gesicht des Gekreuzigten beweist. | PM

Literatur: Ausst.-Kat. Köln 1985, Bd. 1, S. 164, Kat.-Nr. B 15 (Barbara Klössel-Luckhardt) | Ausst.-Kat. Münster 2012, S. 385, Kat.-Nr. 219 (Klara Katharina Petzel) | Wolter von dem Knesebeck 2003.

Kat.-Nr. 143

NIEDERSACHSEN, WOHL HILDESHEIM

Reliquiar in Form einer Kugeldose, 2. Drittel 12. Jahrhundert

Ahornholz, gedrechselt und bemalt, H. 16,3 cm, Dm. 15,1 cm I Hildesheim, Dommuseum, Inv.-Nr. 136

Das einzigartige Reliquienbehältnis in Kugelform stammt wahrscheinlich aus dem Hochaltar des Hildesheimer Doms. Wie man
auch heute noch erkennen kann, war es ursprünglich nicht bemalt,
sondern mit umlaufenden Doppelrillen verziert. Womöglich führte
die Sichtbarmachung des Reliquiars auf dem Altar oder an einem
anderen Ort dazu, dass man es in kräftigem Rot, Schwarz und Gold
bemalen ließ. Die obere Hälfte der Kugel zeigt in kreisrunden Medaillons den am Kreuznimbus erkennbaren Christus mit Maria
(zu seiner Rechten) und weitere, nicht identifizierbare Heilige. Der
untere Teil ist von einem Rosetten-Muster überzogen, das in klei-
nerer Ausführung auch den Deckel schmückt. Dieser Deckel kann
mithilfe von Lamellen so geschlossen werden, dass er wie der

einer modernen Teekanne beim Bewegen des Behältnisses nicht
herunterfallen kann. Vielleicht enthielt es ursprünglich Reliquien
der dargestellten Heiligen.

Die Nähe des preziös bemalten Holz-Behältnisses zu anderen
Kunstgattungen ist unverkennbar. Offenbar empfing der Maler
künstlerische Impulse aus der Buchmalerei- und Goldschmiedewerkstatt in Kloster Helmarshausen. Die mit schwarzer Farbe auf-
gemalten Heiligentondi erinnern an den Rahmendekor Helmarshausener Handschriften, an die Niello-Technik (s. Kat.-Nr. 141) oder
an verschattete Gravierungen auf glatten vergoldeten Metallober-
flächen (Kat.-Nr. 144). Der rotschwarze Blumenrapport ist ebenfalls ein für Helmarshausen typisches Ornament, es lässt aber
auch an Emailarbeiten denken, die wiederum die Designs kostbarer
Seidenstoffe aufgegriffen haben. I PM

Literatur: Ausst.-Kat. New York 2013, S. 96 f., Kat.-Nr. 34 (Barbara Drake
Böhm) I Brandt u. a. 2015, S. 86, Kat.-Nr. 38 (Michael Brandt).

Kat.-Nr. 144

HELMARSHAUSEN (WERKSTATT ODER UMKREIS IM
WESERRAUM?)

**Heilige Märtyrerin (Fragment eines Tragaltars aus Kloster
Iburg), Mitte des 12. Jahrhunderts**

Kupferblech in Ausschnittarbeit, graviert, punziert, vergoldet; H. 4,5 cm,
B. 5,0 cm | Münster, LWL-Museum für Kunst und Kultur, Inv.-Nr. H-177 LM

Von den Seitenwänden eines Reliquienkastens oder Tragaltars aus
der Benediktinerabtei Iburg bei Osnabrück haben sich in verschiedenen Museen einzelne Fragmente mit runden Brustbildern von
Heiligen und Märtyrern erhalten. Diese sind, wie das vorliegende
Bruchstück, rechteckig und bestehen aus einem Medaillon mit rah-
mendem Blattwerk; in anderen Fällen existieren nur noch die Medaillons selbst. Die hier dargestellte namenlose Märtyrerin trägt
einen Schleier, ihre Rechte ist im Segensgestus erhoben, in ihrer
Linken trägt sie einen Palmwedel. Im ursprünglichen Zustand des
Iburger Kästchens waren die Durchbrüche in den Metallplatten

vermutlich mit bemaltem Pergament oder farbigen Seidenstoffen
hinterlegt.

In Stil und Herstellungstechnik, dem sogenannten *opus interrasile* (Ausschnittarbeit), stehen diese Bruchstücke hochrangigen
Goldschmiedewerken aus der Helmarshausener Klosterwerkstatt
nahe. Nach Michael Peter führen diese Gravierungen den vor allem
durch den Paderborner Tragaltar geprägten Helmarshausener Stil
in vereinfachter Form weiter (Peter 2006). Eng verwandt sind seiner Meinung nach auch die Medaillonbilder im Corveyer *Liber Vitae*
(Kat.-Nr. 70). Ungefähr zu der Zeit, als diese Goldschmiedearbeiten
für die Benediktinerabtei Iburg, den Sitz der Osnabrücker Bischöfe
unweit der Stadt, angefertigt wurden, entstand auch die Grabplat-
te für Gottschalk von Diepholz (S. 93, Abb. 8). | PM

Literatur: Ausst.-Kat. Lavanttal/Lichtenau 2009, S. 237 f., Kat.-Nr. 15.3
(Holger Kempkens) | Ausst.-Kat. Münster 1993, Bd. 1, S. 339, Kat.-Nr. A
2.1 (Gésa Jászai) | Ausst.-Kat. Paderborn 2006, S. 428 f., Kat.-Nr. 515g
(Michael Peter).

Kat.-Nr. 145 (Detail auf S. 256)

WERKSTATT DES ROGER VON HELMARSHAUSEN

Tragaltar aus dem Benediktinerkloster Abdinghof, um 1130

Eichenholzkern, farbig gefasst, Kupferblech in Ausschnittarbeit, graviert, punziert und vergoldet, Bronze gegossen um einen Eisenkern, vergoldet (Füße) – Altarstein erneuert, Rahmung des Altarsteins und Lüstermalerei der Bodenplatte 15. Jahrhundert, Teile aus dem 19. Jahrhundert, H. 11,8 cm, B. 18,5 cm, L. 31,1 cm I Paderborn, Erzbischöfliches Diözesanmuseum und Domschatzkammer, Inv.-Nr. PR 50 (Leihgabe des Franziskanerklosters zu Paderborn)

Der Tragaltar, an dem ortsunabhängig von einem reisenden Priester die Messe gefeiert werden konnte, befand sich bis 1803 in dem von Bischof Meinwerk (geb. um 975, amt. 1009–1036) gegründeten Benediktinerkloster Abdinghof in Paderborn. Dementsprechend umgeben den Altarstein (bis nach 1861 aus Porphyr) seitlich Dar-

stellungen der beiden Klosterpatrone Paulus und Petrus (oben) sowie der Altarpatrone Felix von Aquileja (vor 1890 erneuert) und Blasius von Sebaste (unten). Reliquien des 284 getöteten Märtyrers Felix hatte der Patriarch Poppo von Aquileja (geb. vor 1004, amt. 1019–1045), der Neffe Bischof Meinwerks, im Oktober 1031 im Zuge der bevorstehenden Kirchweihe des Abdinghof-Klosters nach Paderborn gesandt.

Die halbfigurigen Heiligendarstellungen sind in *opus interrasile*-Technik angelegt, bei der die Zwischenräume zwischen den Darstellungen ausgesägt werden, während die beiden ornamentalen Bleche lediglich gravierte Ranken zeigen. Die ebenfalls in Durchbruchtechnik gefertigten Bleche der Längsseiten des Altares widmen sich den Martyrien der beiden Altarpatrone: Der heilige Felix wird mit seinen beiden Gefährten Largus und Dionysius enthauptet, der heilige Blasius wird mit Knüppeln geschlagen, an einem Gerüst hängend geschunden und zuletzt enthauptet. Eine der Schmal-

seiten zeigt den heiligen Petrus bei der Taufe eines jungen Mannes, der später als Mönch das Martyrium erleidet. Auf der anderen Seite wird ein junger Mann von einem Herrscher verurteilt und durch das Schwert enthauptet – beide Märtyrer lassen sich nicht näher identifizieren.

Der Tragaltar aus Kloster Abdinghof gehört zusammen mit dem sogenannten Dom-Tragaltar im Paderborner Domschatz zu den Kernstücken des „Kunstkreises Helmarshausen", einem der frühesten in Westfalen fassbaren Kunstzentren der Romanik. Für den Dom-Tragaltar ist urkundlich der Name des Mönches Roger als Hersteller überliefert. Diesem kann auch der Abdinghofer Tragaltar zugeschrieben werden, wofür trotz der unterschiedlichen Gestaltungsvorgaben nicht zuletzt die Verwendung derselben Punzen spricht. Zudem finden sich am hier besprochenen Objekt auch die charakteristischen Stilformen des Kunstkreises wie der parzellierende Stil der Gewänder, das besondere Verständnis für körper-

liches Volumen und die typische Gesichtsbildung, insbesondere der Augenschnitt. Sowohl in den figürlichen Darstellungen als auch in den Architektur- und Zierelementen klingt zudem – über die maasländischen und kölnischen Wurzeln des Kunstkreises hinaus – eine Rezeption stadtrömischer, deutlich antik-hellenistisch geprägter Kunst an.

Als Auftraggeber des Tragaltares kann der Abdinghofer Abt Hamuko (amt. 1115–1142) angenommen werden, der selbst dem Helmarshausener Konvent entstammte. | HK

Literatur: Ausst.-Kat. Paderborn 2014, S. 162–166, Nr. 42 (Christiane Ruhmann, mit weiterführender Lit.) | Ausst.-Kat. Lavanttal/Lichtenau 2009, S. 236 f., Kat.-Nr. 15.2 (Holger Kempkens) | Stiegemann/Westermann-Angerhausen 2006.

WERKSTATT DES ROGER VON HELMARSHAUSEN

Handhabe eines liturgischen Geräts (Flabellum?) aus der Abtei Werden, um 1120/30

Kupferlegierung, vergoldet, mit Silberplattierung und Niello; gegossen, ziseliert, punziert; Vergoldung abgerieben, L. 38,5 cm | Bonn, LVR-Landes-Museum, Inv.-Nr. 9146

Der zierliche, aus Bronze gegossene Stab besteht aus einem spiralig gedrehten Griff mit eichelförmigem Knauf als unterem Abschluss und einem Schaft in Gestalt eines knospenden Zweiges. Zwischen beiden vermittelt ein quadratischer, profilierter Knauf, den Schaft bekrönt ein separat gegossener Dodekaeder mit einem stilisierten Löwenkopf. Sämtliche Oberflächen sind subtil und farblich kontrastierend gestaltet: Beim Griff sind die Seitenflächen des Vierkantstabes konvex und versilbert bzw. konkav und vergoldet, während der vergoldete Schaft durch regelmäßig angeordnete Knospen modelliert ist. Der Fruchtbehälter des vergoldeten Eichelknaufs ist mit einem diagonalen Quadratmuster aus Niello verziert, der mittlere Knauf besitzt silberne Zierbänder mit nielliertter Ornamentik, ebenso der Dodekaeder auf seinen Hauptflächen, beide sind zudem punziert. Der in den Details differenziert modellierte Löwenkopf wurde graviert und vergoldet.

Sowohl die virtuos angewandten Techniken als auch die qualitätvolle Durchgestaltung und die Stilformen weisen auf eine Fertigung des Stabes in der Werkstatt des Mönches Roger im Kloster Helmarshausen. So findet sich insbesondere das niellierte diagonale Quadratmuster des Eichelknaufs auch bei weiteren Hauptwerken der Werkgruppe wie dem Paderborner Dom-Tragaltar, dem Wiener Greifen-Aquamanile und dem Mindener Bronzekreuz (Kat.-Nr. 141). Als möglicher Auftraggeber des aus der Benediktinerabtei Werden stammenden und um 1120/30 zu datierenden Stabes kommt der tatkräftige Abt Bernhard von Werden und Helmstedt (belegt 1129) infrage, der 1129 eine Urkunde König Lothars III. (* 1075, reg. 1125–1137) für St. Pantaleon bezeugte.

Drei Öffnungen im Maul des Löwenkopfs lassen erkennen, dass darin ursprünglich ein Einsatz eingezapft war, der durch einen Querstift hinter den Zähnen fixiert werden konnte – wohl ein Fächerelement aus Pergament, Seide oder Pfauenfedern. Folglich bildete der Stab die Handhabe eines Flabellums, eines liturgischen Fächers, mit dem während der Messfeier Fliegen etc. vom Messkelch und vom Zelebranten ferngehalten wurden. | HK

Literatur: Ausst.-Kat. Essen/Werden 1999, S. 359 f., Kat.-Nr. 54 (Ingeborg Krueger; Lit.) | Ausst.-Kat. Paderborn 2006, S. 433 f., Kat.-Nr. 519 (Ingeborg Krueger) | Mende 2006, S. 172–175 | zu Abt Bernhard: Stüwer 1980, S. 314 f.

Kat.-Nr. 147

WESTFALEN (MINDEN?)

**Rückwand eines Thrones aus dem Mindener Dom,
1. Drittel 13. Jahrhundert**

Eichenholz, geschnitzt; Eisenverbindungen; Beschläge aus Kupferblech;
geringe Reste einer Farbfassung; Beine 1970/72 abgesägt; H. (mit Füßen)
154,5 cm, B. 121,5 cm, T. 100 cm I Minden, Katholische Dompropsteigemeinde

Die Konstruktion des Möbelfragments besteht aus miteinander ver-
zapften Rahmenhölzern, von denen sich die seitlichen als Stollen
nahtlos in die Füße fortsetz(t)en. Eiserne Riegel dienen der Stabili-
sierung, werden jedoch von z. T. mit goldenen Wellenranken bemalten Kupferblechen überdeckt. Die Füße sind als Vierkantsäul-
chen gestaltet. Die erhaltene Rückfront des Möbels ist mehrfach in
der Tiefe abgestuft: Auf ein Rahmenprofil folgt ein Teilungskreuz,
das vier eingetiefte Kassetten trennt, welche aufwendige Flachschnitzereien enthalten: Diejenige unten links zeigt ein Rautenmus-
ter aus vier kompliziert verschlungenen, mit Perl- und Diamant-
schnitt sowie einem „laufenden Hund" verzierten Bändern. Die
Perlbänder des Feldes unten rechts bilden einen achtstrahligen,
gedrückten Stern, gefüllt mit Blattwerk sowie in den oberen Ecken
geflügelten Drachen. Eine Motivübernahme des Sterns aus der
orientalisch-islamischen Kunst könnte über das normannisch-staufi-
sche Sizilien vermittelt worden sein. Das Feld darüber enthält
sechs Quadrate mit darin eingeschriebenen Perlringen und Ro-
setten. Das Feld oben links ist figürlich gestaltet: Im Zentrum stehen zwei miteinander kämpfende, zentaurenartige Mischwesen,
ausgestattet mit Schwert und Schild: rechts mit dem Körper einer
Raubkatze, links mit dem Körper eines Vogeldrachens. Kleine Drachen und (Affen-)Menschen greifen ringsum in das Geschehen ein,

oben ist mittig ein bärtiger Dornauszieher zwischen einem Mann
und einem Drachen dargestellt. Das Teilungskreuz zieren Flachschnitzereien aus herzförmigen Volutenmotiven bzw. aus Blättern
und Dolden. An seinem glatt belassenen Kreuzungspunkt war wohl
ehemals ein metallenes Zierelement aufgesetzt.

Vergleichbare Flachschnitzereien mit Flechtbändern, Blattwerk
und Fabelwesen finden sich auf Kleinmöbeln, so etwa auf einem
Birnbaumkästchen aus Dolberg/Westfalen (Kat.-Nr. 162) und insbesondere einem Buchsbaumkästchen, heute im Bargello in Florenz (Coll. Carand Nr. 1345), doch erreichen sie nicht die Dichte
und Qualität der Mindener Reliefs. Am Chorgestühl (um 1230/40)
der nahen Zisterzienserklosterkirche Loccum zeigen die Abschluss-
wangen eine eng verwandte Ornamentik, die die Vermutung erlaubt, dass in Minden im ersten Drittel des 13. Jahrhunderts eine
auf Flachschnitzereien spezialisierte Werkstatt existierte.

Weitere Befunde an den Eckhölzern erlauben die Rekonstruktion als Sitzmöbel mit Armlehnen – somit ist es vermutlich ein
Thronsitz in der Nachfolge der 875 von Kaiser Karl dem Kahlen dem
Papst geschenkten „Cathedra Petri". Der hohe Aufwand in Konstruktion und Dekoration spricht ebenfalls dafür, dass es sich einst-
mals um ein Repräsentationsmöbel gehandelt hat, wohl einen
Bischofsthron. Dagegen spricht auch nicht der Mangel an eindeutig
christlichen Darstellungen, die bei einem solchen Funktionsmöbel
nicht zwingend erforderlich waren und auch an anderen mittelalterlichen Bischofsthronen (Augsburg, Toul, Basel etc.) fehlen. Das
Mindener Thronfragment ist somit als eines der bedeutendsten
Holzmöbel der Stauferzeit anzusehen. I HK

Literatur: Appuhn 1988/89 I Ausst.-Kat. Stuttgart 1977, Bd. 1, S. 379 f.,
Kat.-Nr. 510 (Horst Appuhn) I Kdm Minden 1998, S. 730–734, Nr. VII.7.1
(Roland Pieper; Lit.) I Meyer 1984.

Kat-Nr. 147

Kat.-Nr. 148
HELMARSHAUSEN (?)
Altarleuchter-Paar aus dem Mindener Domschatz, um 1120/30
Bronze, gegossen, ziseliert, vergoldet, Dorn aus Eisen, Vergoldung teilweise
abgerieben, H. 16,8/17,0 cm, Dm. 11,5–11,8 cm ǀ Minden, Katholische
Dompropsteigemeinde

Die beiden identisch gestalteten Leuchter bestehen jeweils aus dem
dreiseitigen Leuchterfuß, dem gedrückten Nodus und der konischen
Traufschale, untereinander verbunden durch den eisernen Dorn.

Der Leuchterfuß ruht auf drei Beinen mit Greifenklauen, die
jeweils eine Halbkugel fassen. Sein pyramidaler Aufbau zeigt auf
allen drei Seiten in durchbrochenem Relief ein symmetrisches
Motiv: in der Mitte zwei geflügelte Drachen, die aus dem unteren
Randstreifen hervorgehen und deren Klauen einander berühren.
Sie attackieren mit zurückgewandtem Kopf die Hinterläufe von
Löwen, welche die Pyramidengrate besetzen. Deren vorgestreckte
Köpfe halten als Eckakzente eine Kugel im Maul. Der dargestellte
Drachenkampf ist als Symbol für die Überwindung des Bösen zu
verstehen, das hier nun, entmachtet, als Träger des Lichtes dient.

Mit einem identischen Leuchterfuß im Museum Angewandte
Kunst in Frankfurt und zwei Leuchtern im Museum für Kunst und
Gewerbe in Hamburg (Inv.-Nr. 199.510) und in der Stiftskammer in
Borghorst bildet das Mindener Leuchterpaar eine qualitativ hervor-
stechende Kerngruppe von Drachenleuchtern. Ihre Fertigung um
1120/30 wird im Kloster Helmarshausen angenommen, zu dem
der Bischofssitz Minden enge Beziehungen unterhielt und das sich
unter der Ägide des Mönches Roger zu einem bedeutenden Kunstzentrum entwickelt hat, dessen Erzeugnisse unter dem Begriff
„Kunstkreis Helmarshausen" zusammengefasst werden. So lassen
sich einige der Gestaltungsmotive der Leuchter auf Hauptwerke
der Werkgruppe zurückführen, etwa die Greifenklauenbeine, die
am Paderborner Dom-Tragaltar (Diözesanmuseum Paderborn,
Inv.-Nr. DS 2) vorgebildet sind. ǀ HK

Literatur: Ausst.-Kat. Paderborn 2006, S. 433 f., Nr. 519 (Ursula Mende) ǀ
Mende 2006 ǀ Kdm Minden 2000, S. 957 f., Kat.-Nr. 50 (Anna Beatriz Chadour-Sampson; Lit).

Kat.-Nr. 149

HILDESHEIM (?)

Altarkreuz („Simeonkreuz") aus der Abtei Liesborn, um 1130/40

Bronze, Kupfer, vergoldet, mit Knauf H. 63,5 cm, B. 27,0 cm I Münster, LWL-Museum für Kunst und Kultur, Inv.-Nr. T-1007 LG (Leihgabe aus Privatbesitz)

Das vielleicht in einer Hildesheimer Werkstatt gefertigte Altar- und Vortragekreuz der Benediktinerabtei Liesborn zählt zu den bedeutendsten romanischen Schatzkunstwerken in Westfalen. Die Vorderseite des Kreuzes trägt die plastische Figur des gekreuzigten Christus, der beinahe vollkommen aufrecht, mit erhobenem, leicht nach links gewandtem Haupt und weit ausgebreiteten, bogenförmig fixierten Armen hängt. Das lange Lendentuch bedeckt seinen ganzen Unterkörper bis zu den Knien. Das friedvolle, detailreich ausgearbeitete Gesicht Jesu spiegelt die Überwindung allen irdischen

Leidens. Links und rechts auf den Enden der Querbalken sind die trauernden Personifikationen von Sonne und Mond eingraviert. Über dem Haupt Christi ist die aus einer Wolke herabkommende segnende Hand Gottes dargestellt. Am unteren Ende des Kreuzbalkens befindet sich die Halbfigur eines Abtes, der mit erhobenem Kopf auf den Erlöser blickt. Dieser kann als Gründerabt des Liesborner Benediktinerklosters, Balduin (amt. 1130–1161), identifiziert werden. Die Rückseite des Kreuzes zeigt fünf alttestamentliche Szenen in kreisförmigen Inschriften, die als Präfigurationen des Kreuzesopfers, der Kreuztragung, der Kreuzigung, der Höllenfahrt und der Auferstehung Christi gedeutet werden. Umgeben von diesen alttestamentlichen Typologien ist auf dem unteren Kreuzbalken der Patron der Liesborner Klosterkirche, der heilige Simeon, dargestellt. I ED

Literatur: Ausst.-Kat. Lavanttal/Lichtenau 2009, S. 151 f., Kat.-Nr. 9.10 (Holger Kempkens) I Ausst.-Kat. Münster 1993, Bd. 1, Kat.-Nr. A.4.6 (Géza Jászai) I Kösters 2000, S. 147.

Kat.-Nr. 150

NIEDERRHEIN ODER WESTFALEN (?)

Vorderdeckel des „Codex Aureus" aus Freckenhorst, letztes Viertel 11. Jahrhundert

Eichenholz mit Goldblech, Filigran, Edelsteine, Perlen, Perlmutt, Elfenbein, H. 22,6 cm, B. 17,5 cm, T. 1,8 cm ∣ Münster, LWL-Museum für Kunst und Kultur, Inv.-Nr. G-1008 LG (Leihgabe des Landesarchivs Nordrhein-Westfalen, Abt. Westfalen, Münster)

Eine aus mehreren Teilen bestehende Handschrift, die sich ebenfalls im Besitz des Landesarchivs Münster befindet, wurde über Jahrhunderte im westfälischen Frauenstift Freckenhorst in einem mit Goldblech beschlagenen Einband verwahrt und trägt daher den Namen „Codex Aureus" (lat. für Goldenes Buch). Der 460 Seiten starke Band (nicht ausgestellt) enthält im ersten Teil unter anderem die vier Evangelien, Auszüge für liturgische Lesungen und einen Stammbaum Christi. Einige Seiten sind mit kunstvollen Miniaturen geschmückt, darunter auch eine *Majestas Domini* (lat. wörtlich: der thronende Herr), wie man sie in ähnlicher Form als

filigrane Elfenbeinschnitzerei auf dem Buchdeckel sehen kann. Der zweite Teil des Codex umfasst wirtschaftliche und rechtliche Aufzeichnungen des Spätmittelalters, die jedoch auf dem berühmten Freckenhorster Heberegister, einem vom 11. bis Ende des 12. Jahrhunderts in Altsächsisch und Latein geführten Besitzverzeichnis des bedeutenden und vermögenden Frauenstifts, basieren.

Einige der im 1. Teil der Handschrift versammelten Texte kamen bei der Messfeier am Hauptaltar der noch erhaltenen romanischen Stiftskirche zum Einsatz. Das Goldene Buch mit dem (doppelten) Bild des Erlösers als Weltenrichter wurde dabei Teil des heiligen Geschehens und Christus selbst erschien in diesem Moment als Bürge für die Rechtmäßigkeit und Legitimität der Freckenhorster Rechts- und Eigentumsansprüche. Etwa zu der angenommenen Zeit der Entstehung des *Codex Aureus* griff der münsterische Bischof Erpho wiederholt in die Belange der Frauengemeinschaft ein, die sich dagegen zur Wehr setzen musste. ∣ PM

Literatur: Ausst.-Kat. Münster 2012, S. 143, Kat.-Nr. 25 (Petra Marx) ∣ Marx 2009.

Kat.-Nr. 151

WESERGEBIET

Vitus-Reliquiar aus Kloster Willebadessen, um 1200

Silber, teilweise vergoldet, getrieben, gegossen, geprägt, Email, Niello, Eichenholzkern, H. 19,5 cm, B. 28,8 cm, T. 16,0 cm I Willebadessen, Katholische Pfarrgemeinde St. Vitus

Das Reliquiar in der Gestalt eines Tragaltars ruht auf drachenförmigen Füßen und zeigt an den Wandungen zwischen gegossenen Pilastern getriebene und mit Kittmasse gefüllte Hochreliefs der zwölf Apostel, deren Namen auf der Kante der Deckplatte wiedergegeben sind. Deren Oberseite zeigt eine Darstellung der *Majestas Domini* mit den über Matrizen geformten Symbolen der vier Evangelisten in den Ecken sowie der zentralen, getriebenen Darstellung des thronenden Christus in der Mandorla, dem sich fürbittend Maria und Vitus zuwenden, die Hauptpatrone des 1149 gegründeten Benediktinerinnenklosters Willebadessen. Der heilige Vitus avancierte rasch zum Patron der Sachsen und gar zum Reichsheiligen, seit seine Gebeine im Jahre 836 von Saint-Denis in das Benediktinerkloster Corvey an der Weser übertragen worden waren. Seine Verehrung erfuhr von dort aus eine weitreichende Verbreitung in Westfalen und weit darüber hinaus. In der Folge wurde er häufig zum Schutzheiligen gewählt, so auch in Willebadessen.

Zu Füßen von Maria und Vitus sind in Gravurtechnik rechts Nonnen, links Mönche dargestellt, darunter „ROBERTUS PRIOR". Eine rahmende Inschrift aus Niello bezieht sich auf die beiden Patrone: „STELLA MARIA MARIS DEGENES H/IC TUEARIS // NOS D[OMINU]S ETERNA VITV PACE GVBE/RNA" („Maria Meeresstern, schütze uns, die wir hier leben. Herr, durch den heiligen Vitus lenke uns in ewigem Frieden"). Die emaillierte Inschrift auf den Kanten der Bodenplatte, ebenfalls ein leoninischer Hexameter, nimmt Bezug auf die Stifter des Reliquiars: „A XPO DETVR IVSTVS / QVISQ[UE] MERETVR / DANTIBVS HEC DONA MERCES ET + / CERTA CORONA" („Den Gebern dieser Gaben ist Dank und Krone sicher, die von Christus wird gegeben werden und die jeder Gerechte verdient").

Sowohl die dendrochronologische Datierung des Eichenholzkerns auf 1181/91 als auch der stilistische Befund der Inschriften und Treibarbeiten sprechen für eine Entstehung des Schreins in der Zeit um 1200, stilistische Vergleiche deuten auf eine Fertigung im Wesergebiet. I HK

Literatur: Ausst.-Kat. Münster 2012, S. 152–154, Kat.-Nr. 31 (Annika Pröbe) I Gresch 1999, S. 226 ff. I Grieb 2004, S. 11 ff., 24 f.

Kat.-Nr. 152

OSNABRÜCK (?)

Ziborium aus dem Mindener Domschatz, um 1220/40

Silber, teilweise vergoldet, geprägt, Filigran, Glassteine, Holzkern, H. 23,0 cm, Dm. 11,5 cm I Minden, Katholische Dompropstgemeinde

Das sechsseitige Gefäß mit pyramidalem Deckel zur Verwahrung der konsekrierten Hostien ist vollständig mit geprägten Silberblechen verkleidet, hinzu kommt ein vergoldetes Filigranband mit alternierend roten und blauen Glassteinen. Die durch Kantensäulchen gerahmten Wandungsfelder enthalten Reliefs sitzender Apostel und Propheten in bewegter Haltung und Gestik, identifizierbar ist allein Petrus anhand des Schlüssels (Abb. rechts). Die von Kordelbändern eingefassten Dachflächen zeigen Halbfiguren über Zinnenkränzen: Christus, Petrus, Paulus, einen weiteren Apostel sowie einen Diakon und einen Märtyrer.

Die Relieffiguren der Dachflächen kehren übereinstimmend an einer Hostiendose aus St. Jakobi in Lippstadt und an dem Reliquiar mit Bergkristall aus Enger im Berliner Kunstgewerbemuseum

(Inv.-Nr. 88,633) wieder, diejenigen der Wandung an einem Reliquiendiptychon im Osnabrücker Domschatz und an einem Reliquienkasten aus St. Michaelis in Lüneburg, heute im Museum August Kestner, Hannover (Inv.-Nr. WM XXIa 10), außerdem auf dem Bronzetaufbecken in Oesede bei Osnabrück.

Die Prägung mittels Bronzematrizen ermöglichte gegenüber der aufwendigeren Treibarbeit eine rationellere Herstellung qualitätvoller figürlicher und ornamentaler Reliefs. Ihre Fertigung wird in einer um 1220/40 wohl in Osnabrück tätigen Goldschmiedewerkstatt angenommen, als deren Hauptwerke die Osnabrücker Schreine der beiden Heiligen Crispinus und Crispinianus sowie der Beckumer Prudentia-Schrein gelten. Die hier skizzierte Osnabrücker Gruppe erlaubt somit aufschlussreiche Einblicke in die Kunstproduktion der Spätromanik in Westfalen und darüber hinaus. I HK

Literatur: Ausst.-Kat. Köln 1985, Bd. 1, S. 343, B 122 (Birgit Bänsch; Lit.) I Ausst.-Kat. Münster 2012, S. 184 f., Nr. 56 (Hildegard Schäfer) I Kdm Minden 2000, S. 923–925, Kat.-Nr. 23 (Anna Beatriz Chadour-Sampson; Lit.).

Kat.-Nr. 153b

Kat.-Nr. 153a

Kat.-Nr. 153a, b

SOEST

Verhör des heiligen Patroklus und Schreitende Krieger, um 1160/66

Glas, Blei, Schwarzlotmalerei, a) H. 62,8 cm, B. 67,0 cm, b) H. 61,7 cm, B. 28,0 cm I Soest, St. Patrokli Dom-Museum, a) Fragmentenscheibe XI, b) Fragmentenscheibe XII

Zwei Fragmentenscheiben im Soester Dommuseum stammen offenbar aus der Erstverglasung des spätromanischen Chores von St. Patrokli zu Soest, deren deren Überreste insgesamt zweifelsohne zu den Inkunabeln der deutschen Glasmalerei gehören. Das Kanonikerstift St. Patrokli, gegründet und ausgestattet mit Heiligenreliquien durch Bischof Bruno von Köln im Jahre 954, verdankte seinen Aufstieg, wie die meisten Sakralbauten in Soest – der Hofresidenz Kölner Bischöfe in Westfalen – dem erzbischöflichen Stuhl (vgl. Kat.-Nr. 84).

Die Errichtung des ambitionierten spätromanischen Baus von St. Patrokli fiel in die Amtszeit der einflussreichen Erzbischöfe Arnold I. (amt. 1137–1151) und Arnold II. von Wied (amt. 1151–1156); für letzteren ist sogar ein gemeinsamer Besuch der Stadt mit König Friedrich I. Barbarossa überliefert. Die feierliche Weihe der Stiftskirche vollzog am 5. Juli 1166 Bischof Rainald von Dassel, der Erzkanzler von Italien und engster politischer Berater Barbarossas (vgl. Kat.-Nr. 77).

In den drei Chorfenstern dieses Baus befand sich ein liturgisch und künstlerisch anspruchsvoll gestaltetes Bildprogramm mit einem typologisch aufgebauten Passionszyklus in der Mitte und im Nord-

fenster, während das südliche Chorfenster die Legende des Titularheiligen Patroklus (um 200 – um 259) präsentierte. Dieser reiche Bürger der Stadt Troyes bekannte sich zur Regierungszeit des Kaisers Valerian (amt. 253–260) seiner Vita zufolge zum Christentum und wurde nach mehrfacher Verweigerung der Götzenverehrung verurteilt und hingerichtet. Die erste der beiden hier zu behandelnden Darstellungen (a) zeigt das Verhör des Heiligen durch den römischen Stadthalter, während die drei Krieger auf dem zweiten, hervorragend erhaltenen Fragment (b) sowohl in der Flankenbahn des Patroklus-Fensters als auch als Assistenzfiguren einer Gefangennahme Christi im nördlichen Chorfenster einen Platz eingenommen haben könnten.

In stilistischer Hinsicht zeigen die Verglasungsreste von St. Patrokli unmittelbare Zusammenhänge mit den bedeutendsten Erzeugnissen der Helmarshausener Buchmalerei ihrer Zeit, unter welchen das Lippoldsberger Evangeliar (um 1155/65) und die Prachthandschriften Heinrichs des Löwen (vgl. Kat.-Nr. 89) an erster Stelle zu nennen sind.

Die noch in situ vorhandenen mittelalterlichen Fragmente wurden in den 1870er-Jahren durch den Glasmaler Joseph Osterrath bei der historistischen Neuverglasung des Chores teilweise wiederverwendet. Die dabei ausgeschiedenen Stücke konnten schließlich 1961/65 unter Aufsicht des ausgewiesenen Glasmalereikenners Ulf-Dietrich Korn bei der Fa. Dr. H. Oidtmann, Linnich, mustergültig restauriert und in rekonstruktiver Anordnung in den Lichtkästen des Dommuseums von St. Patrokli ausgestellt werden. I EK

Literatur: Janssen 2010, S. 243–288 I Korn 2012, S. 120–138.

Kat.-Nr. 154

Kat.-Nr. 154
NIEDERSACHSEN (HILDESHEIM?)
Drachenleuchter, frühes 13. Jahrhundert
Bronze, gegossen und ziseliert, H. 22,2 cm, B. 18,3 cm | Münster, LWL-
Museum für Kunst und Kultur, Inv.-Nr. BM 292 (Leihgabe des Bistums
Münster)

Kat.-Nr. 155
NIEDERSACHSEN (HILDESHEIM?)
Drachenleuchter, 1. Hälfte 13. Jahrhundert
Bronze, gegossen und ziseliert, H. 27,7 cm, Dm. 28,0 cm | Stuttgart,
Landesmuseum Württemberg, Inv.-Nr. WLM 9462

Im Rahmen der Ausstellung werden erstmals zwei Objekte gemeinsam gezeigt, die vermutlich ungefähr zur selben Zeit und in derselben Werkstatt entstanden sind: ein Drachenleuchter mit einem
Reiter aus der Sammlung des LWL-Museums für Kunst und Kultur
und ein Leuchter, dessen Drachen im Begriff ist, einen Ritter zu
verschlingen (oder wieder auszuspucken) aus dem Landesmuseum
in Stuttgart. Die gefiederten Drachenkörper sind sind jeweils rund-
lich und haben einen langen Schwanz, Raubtierfüße und einen
hundeähnlichen Kopf. Gewundene Blattranken an einem kräftigen
Pflanzenstängel bilden einen Griff, der Stängel mündet in einer
blütenförmigen Tropfschale für die Kerze. Beide Leuchter deuten eine Kampfsituation an, wobei das Exemplar in Münster schon den
friedfertigen, gezähmten Drachen zeigt, der spielerisch eine Blatt-
ranke ins zahnlose Maul nimmt. Beim Stuttgarter Drachenleuchter

Kat.-Nr. 155

schwingt mit dem Ritter in zeitgenössischer Rüstung (vgl. Kat.-Nr. 115) die Vorstellung von der Überwindung des Monsters durch den tapferen Ritterheiligen Georg mit.

Die hohl aus Bronze gegossenen Bildwerke sind einfach zu handhaben. Während für den Drachenreiter unklar ist, ob er im weltlichen oder kirchlichen Kontext (als Altarleuchter) zum Einsatz kam, verweisen der Fundort (die Burgruine Waldenburg im Schwarzwald) und die Darstellung bei seinem Gegenstück klar auf einen adeligen Gebrauchszusammenhang. Form und Funktion verbinden die beiden zoomorphen Lichtträger mit einer verwandten Gruppe von Bronzegerätschaften des 12. Jahrhunderts, den Aquamanilien in Gestalt von Löwen, Hunden, Vögeln etc., deren Herkunft im vorderen Orient, im heutigen Iran, Irak und Syrien (vgl. Kat.-Nr. 95) liegt. Der Ursprung des beliebten und im Mittelalter weit verbreite-

ten, Unheil abwehrenden Drachens liegt ebenfalls in der orientalischen Bilderwelt, in der Gestalt des Senmurvs oder Pfauendrachens, einem mythischen Getier mit Federschwanz und Löwenpranken (s. Kat.-Nr. 158, 159). An den westlichen Kerzenständern erscheinen Drachen wie hier als Vollfiguren oder als Schmuck des Schaftes oder der Füße (Kat.-Nr. 90, 184). Sie haben in allen Fällen eine „dienende Funktion" und beschützen den hellen und wärmenden Schein der Kerzenflamme, die als Licht Gottes und himmlisches Leuchten verstanden wird. Das verwendete Buntmetall Bronze, eine Legierung aus Kupfer, Zinn oder Zink und Blei, stammt vermutlich aus dem Goslarer Rammelsberg, ein auch zu Zeiten Barbarossas zentraler Ort für die Erzgewinnung. | PM

Literatur: Marx 2021 (Lit.).

Kat.-Nr. 156

HILDESHEIM

Weibliche Leuchterfigur, um 1230

Bronze, gegossen und ziseliert, Eisen (Dorne); Lichtschalen, mittlerer Kerzendorn und vorderer Teil des Standfußes bzw. des vorderen Rocksaumes erneuert, Alter der Nieten ungewiss, H. 30,4 cm (einschließlich Dorn), H. 24,5 cm (ohne Dorn) I Rheda-Wiedenbrück, St. Aegidius Wiedenbrück

Die Leuchterfigur einer stehenden Dame mit zwei Lichtschalen in den Händen und einem Kerzendorn auf dem Kopf erhebt sich über einem flachen, runden Standfuß. Die Haare der Dame fallen unter einer Krone in zwei Flechtzöpfen auf den Rücken herab und kennzeichnen sie als Jungfrau. Die elegante Gewandung lockert die frontale Ausrichtung der Figur auf. Der Saum des plissierten, auf dem Boden aufliegenden Rocks wird von einer Borte abgeschlossen. An Oberkörper und Armen liegt das am hohen Ausschnitt, an den Schultern und Seiten mit Zierstreifen geschmückte Gewand eng an und betont mit einer kreuzschraffierten Borte die schlanke Taille. An den Handgelenken weiten sich die Ärmel und fallen als Schärpen auf die Hüften herab. Auf der Brust trägt die Frau ein exquisites Gehänge mit zwei kegelförmigen Broschen und Ketten.

Der Fuß mit seinem großen Radius und seinen Nieten sowie das leichte Zurückneigen der Figur tragen trotz der nach vorn aus-

gestreckten, kerzentragenden Arme zur Standfestigkeit bei. Die Schärpen der Ärmel wiederum dienen als Stützen für die angesichts der massiven Dorne wohl schweren Kerzen. Die Leuchterdame gehört zur Gruppe der Figurenleuchter und verweist hier auf den etwas älteren sogenannten Wolframleuchter im Dom zu Erfurt. Nachdem der Kerzendorn auf ihrem Kopf heute lediglich als erneuert betrachtet wird, teilt sie mit dem ehemals ebenfalls dreiflammigen Wolframleuchter neben den Lichthaltern in den Händen die streng frontale Ausrichtung.

Die gekrönte Jungfrau wurde bislang als Tugend-Personifikation interpretiert. Angesichts des überbordenden Reichtums an Licht, Gewandung und Schmuck wäre auch eine Laster-Darstellung erwägenswert. Eine nächstverwandte thronende Jungfrau zeigt ein Löwenaquamanile im Rijksmuseum Amsterdam, das wie die Leuchterdame im Umfeld der berühmten Hildesheimer Domtaufe entstanden sein dürfte.

Unter welchen Umständen dieser exzeptionelle Leuchter nach Wiedenbrück gelangte, ist bislang ebenso ungewiss wie die Frage, an welchem Standort die im Saum befindlichen drei Nieten die Leuchterdame zu sichern suchten. I VH

Literatur: Ausst.-Kat. Hildesheim 2008, S. 306 f., Kat.-Nr. 28 (Ursula Mende) I Henkelmann 2019, S. 195 I Olchawa 2019, S. 509.

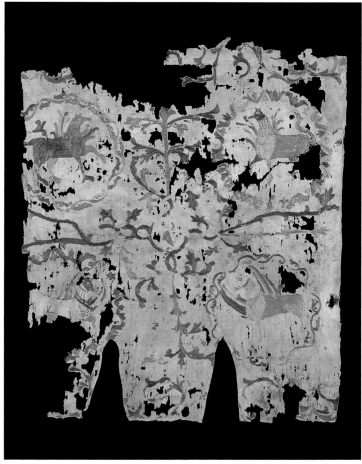

Kat.-Nr. 157a, b

WESTFALEN (OSNABRÜCK?)

Thronende Madonna, um 1250

Eichenholz, H. 50,0 cm, B. 24,0 cm, T. 19,5 cm I Münster, LWL-Museum
für Kunst und Kultur, Inv.-Nr. E-20 LM

DEUTSCHLAND

**Stickerei-Fragment mit Fabelwesen in Rankenmedaillons,
12. Jahrhundert**

Bestickter Stoff, Seide, Leinen, H. 64,0 cm, B. 51,0 cm I Münster, LWL-
Museum für Kunst und Kultur, Inv.-Nr. DD-1190 LM

Die thronende Maria wurde 1911 im Osnabrücker Kunsthandel
erworben und stammt vermutlich aus einer der dortigen Kirchen.
Sie ist stark beschädigt, neben dem rechten Arm ging das mit
Dübeln befestigte Christuskind verloren, dessen Umrisse noch gut
erkennbar sind. Im verschließbaren Reliquienfach auf der Rückseite der Skulptur fand man eine Schädelreliquie der heiligen Regi-
na, die im Osnabrücker Dom besonders verehrt wird. Die Reliquie
war in kostbare Textilien gehüllt: zwei gemusterte Seidenstoffe
aus Vorderasien aus dem 9. bzw. 11. Jahrhundert und ein Stück
Leinen mit Seidenstickereien wohl aus dem 12. Jahrhundert. Die
sterblichen Überreste von Heiligen in Skulpturen oder Goldschmiede-

Reliquiaren in wertvolle Stoffe zu hüllen, war im Mittelalter weit
verbreitet, wie auch das Beispiel des Cappenberger Kopfes (Kat.-
Nr. Nr. 126, 130) zeigt. Die Existenz von gewebten und bestickten
Textil-Fragmenten aus dem Orient oder aus Byzanz hängt mit der
Mobilität des hohen Mittelalters zusammen, wenn durch zum Beispiel Pilgerreisen kostbare Gewänder in den Westen gelangten.
Hier wurden sie aufgrund ihrer edlen Materialien und der exotischen Motivik sehr wertgeschätzt, weiter aufgeteilt, als Geschenke weitergegeben und immer wieder neu genutzt. Das vorliegende
Fragment erfuhr ohne Rücksicht auf die Ausrichtung der Stickerei-
en eine Umarbeitung zu einem Kleidchen wohl für die Madonna,
in der es gefunden wurde (s. die beiden Abnäher unten). Vorlagen
für die dargestellten Vierbeiner, oben Greifen und unten geflügelte
Pferde, finden sich in sassanidischen Seidenstoffen des frühen Mittelalters und in byzantinischen Seidengeweben des 11. Jahrhunderts. Um diesen motivischen Transfer zwischen Orient und Okzident zu verdeutlichen, stellen wir der Madonna und dem Stoff
Schnitzereien und Bronzearbeiten zur Seite, die ebenfalls von der
islamischen Kunst geprägt sind (Kat.-Nr. 159, 160). I PM

Literatur: Ausst.-Kat. Münster 1975, S. 240–242, Kat.-Nr. 153 (Dorothea
Kluge) I Ausst.-Kat. Münster 1993, Bd. 1, S. 343 f., Kat.-Nr. A 3.3 (Géza
Jászai).

Kat.-Nr. 158

Kat.-Nr. 159

Kat.-Nr. 158

IRAK ODER IRAN

Wasserkrug mit Reliefdekor (Senmurv), 9. Jahrhundert

Messingguss, H. 29,0 cm | London, The British Museum, Inv.-Nr. 1959,1023.1. (Brooke Sewell Permanent Fund)

Die Form und die Verzierung dieses Wasserkruges zeigen die Kontinuität der Ikonografie und der Metallverarbeitungstradition der Antike im Nahen Osten in der Zeit vor der Verbreitung des Islams im 7. Jahrhundert. Mitte des folgenden Jahrhunderts wurden das Reich der Sassaniden und Teile des Byzantinischen Reiches von muslimischen Herrschern erobert, die als Nachfolger des Propheten Mohammed (gest. in 632) verschiedene Dynastien gründeten: zuerst die Umayyaden in Damaskus (661–750), dann die Abbasiden in Bagdad (750–1258).

Während die Form dieses Gefäßes mit Henkel und blattförmigem Daumenstück aus einem Guss in der Tradition der Antike verankert ist, erinnert das Bildmotiv an die Ikonografie der sassanidischen Welt, denn es stellt in Rondellen auf beiden Seiten der Kanne einen Senmurv dar. Dieses mythologische Wesen, das typisch für die sassanidische Ära (224–651) ist, wurde oft als dekoratives Muster auf Textilien und anderen Gegenständen sowie in der Architektur bis weit in die islamische Ära hinein verwendet. Die hier als Flachrelief gearbeitete Kreatur hat den Kopf eines Hundes, die Pfoten eines Löwen und den Schwanz eines Vogels. Während sich die Hörner normalerweise hinter den Ohren befinden, hat der Kunsthandwerker sie hier nach vorn platziert.

Mehrere Schriften in *Pahlavi*-Schrift, insbesondere das *Avesta* – das heilige Buch des zoroastrischen Glaubens, der Staatsreligion der Sassaniden – erwähnen den Senmurv, ein Wesen, das für seinen Dienst als Samenverteiler bekannt war. Der Kunsthistoriker Prudence Oliver Harper schrieb diesbezüglich: „Es entstand der Baum aller Keime, aus dem alle Pflanzenarten ständig wachsen. Dort hat der Senmurv seine Ruhestätte. Wenn er jenen Baum verlässt, streut er die trockenen Samen ins Wasser, und sie kehren mit dem Regen auf die Erde zurück."

In der islamischen Ära verschwanden dieses großartige Wesen und seine mythologische Bedeutung allmählich aus der Ikonografie. Nichtsdestotrotz blieb ein Echo des Senmurvs im *Shahnama*, dem „Buch der Könige", erhalten. In diesem iranischen Nationalepos, das von Abu'l Qasim Firdawsi gegen Ende des 10. Jahrhunderts verfasst wurde, beschützt ein Wesen namens „Simurgh" Zal, den Sohn des Königs Sam – eine Szene, die oft in der persischen Malerei dargestellt wurde. | VP

Literatur: Baer 1983 | Harper 1961 | Ward 1993.

Kat.-Nr. 159

MAASGEBIET

Aquamanile in Gestalt eines Greifs oder eines Senmurv, um 1120

Bronze, graviert, ziseliert, vergoldet, silbertauschiert, Ergänzungen aus Kunststoff (Pranken, Stützvolute, Schnauze), H. 14,0 cm, B. 14,2 cm T. 8,0 cm | Stuttgart, Landesmuseum Württemberg, Inv.-Nr. WLM 1960-350

Das kleinformatige Gießgefäß gehört mit den ebenfalls als geflügelte Mischwesen gestalteten Exemplaren in London (Victoria and Albert Museum), Wien (Kunsthistorisches Museum, Inv.-Nr. Kunstkammer, 83) und Hildesheim (Dommuseum, Inv.-Nr. 2016-1) zu den ältesten erhaltenen Aquamanilien (Handwaschgefäßen) aus dem christlichen Europa. Das Stuttgarter Exemplar ist geprägt durch einen rundlichen, vogelartigen Körper, der auf kurzen Beinen und einer Stützvolute ruht. Von der kräftig gewölbten Brust vermittelt der gebogene kurze Hals zum kugeligen Kopf mit blattartigen Ohren und der ursprünglich als Ausguss dienenden Schnauze. Zwischen den am Körper anliegenden Flügeln erhebt sich der hoch aufgerichtete Schwanz, an dessen Ende sich die Eingussöffnung befindet. Aus dem Rücken wächst ein rankenförmiger Henkel, der durch Voluten mit dem Schwanz und dem Kopf verbunden ist. Die heutige Erscheinung als Senmurv (Pfauendrache), die durch die Ergänzung der nicht erhaltenen Pranken, Schnauze und Stützvolute nach dem motivisch verwandten Aquamanile in London bestimmt wird, erscheint auch aufgrund der Parallelen zum Hildesheimer Pfauendrachen plausibel (vgl. Kat.-Nr. 158).

Das Stuttgarter Aquamanile zeugt davon, dass die Vorläufer der westeuropäischen zoomorphen Wassergefäße, deren früheste vermutlich im Maasgebiet entstanden, in der sassanidischen und islamischen Kunst und Kultur liegen (vgl. dazu auch den Beitrag von Joanna Olchawa in diesem Band). Nicht nur das Motiv des Senmurv – ein Fabeltier aus der altiranischen Mythologie, das in der islamischen und byzantinischen Kunst weiterlebte –, auch die flächendeckende Gestaltung mit floralen und geometrischen Gravierungen und die durch die Vergoldung und Silbertauschierungen erreichte Mehrfarbigkeit künden vom kulturellen Austausch mit der islamischen Welt. Die im Vorderen Orient verbreitete Nutzung vergleichbarer Gefäße für die rituelle Handwaschung wurde seit dem 12. Jahrhundert in Europa sowohl für den weltlichen als auch für den kirchlichen Bereich adaptiert (S. 75. Abb. 2). Für das Stuttgarter Aquamanile ist aufgrund seiner geringen Größe ein liturgischer Gebrauch anzunehmen. | ISH

Literatur: Ausst.-Kat. Hildesheim 2022 | Mende 2010, S. 71–83 | Olchawa 2019, Kat.-Nr. 23, S. 254–256 | von Falke/Meyer 1935, S. 40, Nr. 267, Abb. 231.

Kat.-Nr. 160

MITTELMEERRAUM (ÄGYPTEN, SIZILIEN ODER SÜD-
ITALIEN), UNTER FATIMIDISCHEM EINFLUSS

Olifant/Signalhorn, 11. Jahrhundert

Elfenbein, mit Resten farbiger Fassung und Vergoldung, L. 58,0 cm,
Schallöffnung Dm. ca. 12,5 cm | Braunschweig, Herzog Anton Ulrich-
Museum, Inv.-Nr. MA 107

Der Olifant ist flächendeckend beschnitzt, die glatt belassenen
Partien beschränken sich auf die Streifen für die Trageriemen sowie die Blaszone; ein schmaler Streifen ist in der Schallzone abgearbeitet worden. Die Hauptzone zeigt in 15 Längsstreifen auf der
Innenkrümmung zwei umeinander gewundene Schlangen, zu beiden Seiten davon abwechselnd je zweimal hintereinander laufende
Tiere und Ranken sowie an der äußeren Krümmung sechs Streifen
mit Tieren. Unter diesen Tieren finden sich Vögel und verschiedene
Vierbeiner, wie Löwen, Hasen und Steinböcke. Die Schallzone zieren
zwei trinkende Hirsche zu Seiten eines Trogs, ein Elefant, ein Vogel
und ein Löwe, die Blaszone ein Löwe und ein Vogel.

Der Braunschweiger Olifant gehört stilistisch zu einer Gruppe
ähnlicher Olifante und Kästchen, weist aber als Besonderheiten
das Motiv der Schlangen, den Wechsel von Ranken mit Tierprozes-
sionen in der Hauptzone und die ohne rahmende Medaillons dar-

gestellten Tiere der Schallzone auf. Die Schnitzereien sind als fla-
ches Relief gearbeitet, Rundungen mit Kerben oder Haken, häufig
auch parallel nebeneinander, angedeutet. Ähnlichkeiten ergeben
sich mit ägyptischen, süditalienischen und sizilischen Schnitzarbei-
ten, sodass eine präzise Lokalisierung nicht möglich ist; die Datierung jedoch stützt sich auf die C-14-Untersuchung eines Olifanten
dieser Gruppe in Doha.

Das Elfenbeinhorn wird erstmals 1705 in Wolfenbüttel mit
dem Verweis erwähnt, es habe sich früher bei den Reliquien in der
Stiftskirche St. Blasius befunden, also im sogenannten Welfenschatz; dieser befand sich seit 1671 nicht mehr in Braunschweig,
sondern in Hannover. In den Inventaren des Schatzes lässt sich
der Olifant nicht eindeutig identifizieren, zumal die Anzahl der dort
genannten Hörner des heiligen Blasius variiert. Ursprünglich war
das Horn ein profanes Signalhorn (vgl. Kat.-Nr. 114), das später in
einem Kirchenschatz, vielleicht in Braunschweig, entweder als Reliquie des heiligen Blasius angesehen oder als Behältnis für andere
Reliquien verwendet wurde, worauf die bemerkte Abarbeitung
an der Schallzone für eine Art Verschluss hinweisen könnte. | RM

Literatur: Ausst.-Kat. Braunschweig 1995, Bd. 1, Kat.-Nr. D 56 (Alfred
Walz) | Ausst.-Kat. Braunschweig 2009, S. 482 f., Kat.-Nr. 174 (Regine
Marth) | Shalem 2014, Kat.-Nr. A 11, Kat.-Nr. A 13, S. 51–59.

Kat.-Nr. 161

SIZILIEN

Holzkästchen (Brautlade), um 1200

Weidenholz mit Fassungsresten, Holzmosaik aus Eichen-und Spindelholz
Beschläge und Griff aus vergoldetem Rotguss, H. 15,0 cm, B. x 32,6 cm,
T. 17,0 cm, Füße 2,5 cm I Essen, Domschatzkammer, Inv.-Nr. 39

Der Holzkasten aus dem Essener Domschatz diente zwischen 1482
und dem Ende des 19. Jahrhunderts als Reliquiar für die Überreste
des heiligen Altfrid, dem Gründer des einst so einflussreichen Essener Frauenstiftes. Die Abschrift einer Cedula, einer der Reliquie
beigefügten Notiz, berichtet uns davon. Die Entstehung des Kastens ist allerdings bereits für das frühe 13. Jahrhundert anzunehmen. Darauf verweisen erstens die ornamentalen Schnitzereien,
wie die herz- und c-förmigen Palmetten. Ganz ähnliche Formen finden sich an einem Retabel aus der Soester Kirche S. Maria in Palude
von 1240, das heute in der Berliner Gemäldegalerie (Inv.-Nr. 1216A)
aufbewahrt wird. Zweitens weist der Essener Kasten spezielle
Techniken von zusammengeleimten Holzlamellen und Einlegear-
beiten auf. Weitere Kästen dieser Art haben sich im westfälischen
und niedersächsischen Raum erhalten – viele auch hier in einstigen
Frauenstiften. Standen die Kästen also in rein sakralen Verwen-

dungszusammenhängen? Das figurativ ausgestaltete Schloss des
Essener Kastens erscheint diesbezüglich kurios: Zu sehen ist eine
Ringübergabe eines Mannes an eine Frau. Handelt es sich hier
eventuell doch um ein Bild einer weltlichen Hochzeit und bei dem
Kasten um ein Hochzeitsgeschenk? Unsere übliche Trennung einer
säkularen von einer sakralen Sphäre lässt diesen Befund heute
widersprüchlich erscheinen (vgl. den Beitrag von Joanna Olchawa).
Es bedarf eines Blickes in die Produktionsbedingungen des Hochmittelalters, um diese Ambivalenz zuzulassen: Um 1200 gab es
kaum Werkstätten oder Handwerker, die nicht in einem monastischen und kirchlichen Kontext gearbeitet haben. Entsprechend waren viele Bildsujets von christlichen Vorbildern geprägt, wie auch
solche der „Minnekunst". Darüber hinaus sollte den Frauenstiften
als Auffindungsorten der Kästen Rechnung getragen werden. Ein
weltlicher Gegenstand konnte beim Eintritt der Frau in das Stift in
der Folge in den Schatz gelangen und das Bild einer Ringübergabe
auch im Sinn einer mystischen Ehe der Frau mit Christus verstanden werden. I AL

Literatur: Himmelheber 1994, S. 65–91 I Lambacher 2014, S. 109–140 I
Shalev-Eyni 2005, S. 27–57.

Kat.-Nr. 162

WESTFALEN (?)

Reliquienkasten aus St. Lambertus in Dolberg, um 1200

Buchenholz, Birnenbaumholz, Nussbaumholz, farbige Fassung und Vergoldung, Beschläge, Scharniere und Griff: Bronze, vergoldet, H. 17, 2 cm,
B. 33,0 cm, T. 19,0 cm | Münster, LWL-Museum für Kunst und Kultur,
Inv.-Nr. E-5 LM

Fantastisch-monströs muten die diversen Wesen an, welche die
Schauseiten des Kastens aus der Sammlung des Landesmuseums
zieren. Wie bei dem Kasten aus dem Essener Domschatz (Kat.-Nr.
161) stellt sich auch hier die Frage nach der Vereinbarkeit von Gestaltung und Verwendung: Die miteinander kämpfenden und bis-
weilen hybriden Kreaturen, zum Beispiel die geflügelten Löwen, die
sogenannten Mantikore der Deckelrückseite, sind dem christlichen Abendland zwar über bebilderte Ausgaben von Bestiarien
oder dem berühmten *Physiologus* bekannt und lassen sich ebenso
in der Bauskulptur finden, werfen als Gestaltung eines Reliquiars
indes Fragen der Angemessenheit auf. Vergleiche zu ähnlich
gestalteten elfenbeinernen Olifanten (Kat.-Nr. 96, Kat.-Nr. 160)
deuten darauf hin, dass wir die Antworten nicht allein mit dem
Blick durch eine christliche Lupe finden werden. Olifanten wurden
gleichsam in christlichen wie islamischen Herrschaftsgebieten er-
zeugt und sind weniger im Licht religiöser Differenzen als vielmehr
der merkantilen und kulturellen Verbindungslinien der mediterranen
Anwohner im späten 10. bis 12. Jahrhundert zu sehen. Es scheint
gemeinsame Vorlieben für wertvolle Materialien und besondere
Gegenstände gegeben zu haben, zu denen neben Seidentextilien
oder Goldschmiedearbeiten auch solche aus Elfenbein zählten, die
damit eine *Shared Culture* im Mittelmeerraum bildeten (vgl. den
Beitrag von Joanna Olchawa). Der Kasten aus dem Landesmuseum ist zwar aus Holz gearbeitet, er folgt in seiner Form und mit
seiner geschnitzten Menagerie indes elfenbeinernen Vorbildern,
die im 11. Jahrhundert sowohl in den Hofwerkstätten des umayya-
dischen Kalifats von Córdoba in Andalusien als auch des byzantinischen Kaisers in Konstantinopel vorgebildet worden waren.
Viele dieser Kästen sind unter verschiedenen Vorzeichen in nord-
alpine Kirchenschätze gelangt – wie Beispiele aus St. Servatius in
Maastricht oder St. Viktor in Xanten unter Beweis stellen. Es ist
indes noch unklar, ob der Kasten in Münster mediterranen Ur-
sprungs ist oder „nur" nach derartigen Vorbildern in Nordeuropa
geschaffen wurde. | AL

Literatur: Ausst.-Kat. Selm/Dortmund 1971, Kat.-Nr. 2 | Hoffman 2001,
S. 17–50 | Shalem 1996.

Literaturverzeichnis

Ausst.-Kat. Berlin 2017
Welcome to Jerusalem, hrsg. von Margret Kampmeyer und Cilly Kugelmann, Ausst.-Kat. Jüdisches Museum Berlin, Berlin/Köln 2017.

Ausst.-Kat. Bonn/Essen 2005
Krone und Schleier. Kunst aus mittelalterlichen Frauenklöstern, Ausst.-Kat. Kunst- und Ausstellungshalle der Bundesrepublik Deutschland, Bonn, und Ruhrlandmuseum, Essen, München 2005.

Ausst.-Kat. Braunschweig 1985
Stadt im Wandel. Kunst und Kultur des Bürgertums in Norddeutschland 1150–1650, hrsg. von Cord Meckseper, Ausst.-Kat. Braunschweigisches Landesmuseum, Braunschweig, Herzog Anton Ulrich-Museum, Braunschweig und Dom zu Braunschweig, 4 Bde., Stuttgart 1985.

Ausst.-Kat. Braunschweig 1995
Heinrich der Löwe und seine Zeit. Herrschaft und Repräsentation der Welfen 1125–1235, hrsg. von Jochen Luckhardt und Franz Niehoff, Ausst.-Kat. Herzog Anton Ulrich-Museum, Braunschweig, 3 Bde., München 1995.

Ausst.-Kat. Braunschweig 2009
Otto IV. Traum vom welfischen Kaisertum, hrsg. von Bernd Ulrich Hucker, Ausst.-Kat. Braunschweigisches Landesmuseum, Braunschweig, Petersberg 2009.

Ausst.-Kat. Darmstadt/Köln 1997
Kölner Schatzbaukasten. Die Große Kölner Beinschnitzwerkstatt des 12. Jahrhunderts, hrsg. von Markus Miller, Ausst.-Kat. Hessischen Landesmuseum, Darmstadt und Museum Schnütgen, Köln, Mainz 1997.

Ausst.-Kat. Essen/Werden 1999
Das Jahrtausend der Mönche. Kloster Welt Werden 799–1803, hrsg. von Jan Gerchow, Ausst.-Kat. Ruhr Museum, Essen und Schatzkammer der Propsteikirche, Werden, Köln 1999.

Ausst.-Kat. Essen 2021
Eine Klasse für sich. Adel an Rhein und Ruhr, hrsg. von Heinrich Theodor Grütter u. a., Ausst.-Kat. Ruhr Museum, Essen, Essen 2021.

Ausst.-Kat. Herne 2010
Ritter, Burgen und Intrigen – Aufruhr 1225! Das Mittelalter an Rhein und Ruhr, hrsg. von Brunhilde Leenen, Ausst.-Kat. LWL-Museum für Archäologie – Westfälisches Landesmuseum, Herne, Mainz 2010.

Ausst.-Kat. Hildesheim 1989
Kirchenkunst des Mittelalters. Erhalten und erforschen, hrsg. von Michael Brandt, Ausst.-Kat. Dommuseum Hildesheim, Hildesheim 1989.

Ausst.-Kat Hildesheim 2000
„Ego sum Hildensemensis". Bischof, Domkapitel und Dom in Hildesheim 815 bis 1810, hrsg. von Ulrich Knapp und Jochen Bepler, Ausst.-Kat. Dommuseum Hildesheim, Hildesheim, Petersberg 2000.

Ausst.-Kat. Hildesheim 2001
Abglanz des Himmels. Romanik in Hildesheim, hrsg. von Michael Brandt, Ausst.-Kat. Dommuseum Hildesheim, Hildesheim, Regensburg 2001.

Ausst.-Kat. Hildesheim 2008
Bild und Bestie. Hildesheimer Bronzen der Stauferzeit, hrsg. von Michael Brandt, Ausst.-Kat. Dommuseum Hildesheim, Hildesheim, Regensburg, 2008.

Ausst.-Kat. Hildesheim 2022
Islam in Europa 1000–1250, hrsg. v. Claudia Höhl, Felix Prinz und Pavla Ralcheva, Ausst.-Kat. Dommuseum Hildesheim, Regensburg 2022.

Ausst.-Kat. Hildesheim/Berlin 2010
Schätze des Glaubens. Meisterwerke aus dem Dom-Museum Hildesheim und dem Kunstgewerbemuseum Berlin, hrsg. von Lothar Lambacher, Ausst-Kat. Dommuseum Hildesheim,

Hildesheim und Kunstgewerbemuseum Berlin zu Gast im Bode-Museum, Berlin, Regensburg 2010.

Ausst.-Kat. Hildesheim 2022
Islam in Europa 1000–1200, hrsg. von Claudia Höhl, Felix Prinz und Pavla Ralcheva, Ausst.-Kat. Dommuseum Hildesheim, Hildesheim, Regensburg 2022.

Ausst.-Kat. Köln 1982
Die Heiligen Drei Könige – Darstellung und Verehrung, hrsg. von Rainer Budde, Ausst.-Kat. Wallraf-Richartz-Museum in der Josef-Haubrich-Kunsthalle, Köln, Köln 1982.

Ausst.-Kat. Köln 1985
Ornamenta Ecclesiae. Kunst und Künstler der Romanik, hrsg. von Anton Legner, Ausst.-Kat. Museum Schnütgen, Köln, 3 Bde., Köln 1985.

Ausst.-Kat. Köln 2011
Glanz und Größe des Mittelalters. Kölner Meisterwerke aus den großen Sammlungen der Welt, hrsg. von Dagmar Täube, Ausst.-Kat. Museum Schnütgen, Köln, München 2011.

Ausst.-Kat. Köln 2014
Die Heiligen Drei Könige. Mythos, Kunst und Kult, hrsg. von Manuela Beer, Ausst.-Kat. Museum Schnütgen, Köln, München 2014.

Ausst.-Kat. Lavanttal/Lichtenau 2009
Macht des Wortes. Benediktinisches Mönchtum im Spiegel Europas, hrsg. von Gerfried Sitar und Martin Kroker, Ausst.-Kat. Benediktinerabtei St. Paul im Lavanttal, Kärnten, 2009 und LWL-Landesmuseum für Klosterkultur, Stiftung Kloster Dalheim, Lichtenau, 2011, Regensburg 2009.

Ausst.-Kat. Magdeburg 2006
Heiliges Römisches Reich Deutscher Nation 962–1806. Von Otto dem Großen zum Ausgang des Mittelalters, hrsg. von Matthias Puhle und Claus-Peter Hasse, Ausst.-Kat. Kulturhisto-

risches Museum, Magdeburg, 2 Bde., Dresden 2006.

Ausst.-Kat. Magdeburg 2008
Spektakel der Macht. Rituale im Alten Europa 800–1800, hrsg. von Barbara-Stollberg-Rillinger, Mathias Puhle, Jutta Götzmann, Gerd Althoff, Ausst.-Kat. Kulturhistorisches Museum, Magdeburg, Darmstadt 2008.

Ausst.-Kat. Magdeburg 2009
Aufbruch in die Gotik, hrsg. von Matthias Puhle und Claus-Peter Hasse, Ausst.-Kat. Kulturhistorisches Museum, Magdeburg, 2 Bde., Darmstadt 2009.

Ausst.-Kat. Mainz 1998
Hildegard von Bingen 1098–1179, hrsg. von Hans-Jürgen Kotzur, Ausst.- Kat. Bischöfliches Dom- und Diözesanmuseum Mainz, Mainz 1998.

Ausst.-Kat. Mainz 2004
Die Kreuzzüge. Kein Krieg ist heilig, hrsg. von Hans-Jürgen Kotzur, Ausst.-Kat. Bischöfliches Dom- und Diözesanmuseum Mainz, Mainz 2004.

Ausst.-Kat. Mainz 2020
Die Kaiser und die Säulen ihrer Macht. Von Karl dem Großen bis Friedrich Barbarossa, hrsg. von Bernd Schneidmüller, Ausst.-Kat. Landesmuseum, Mainz, Darmstadt 2020.

Ausst.-Kat. Mannheim 2010
Die Staufer und Italien. Drei Innovationsregionen im mittelalterlichen Europa, hrsg. von Alfried Wieczorek, Ausst.-Kat. Reiss-Engelhorn-Museen, Mannheim, 2. Bde., Mannheim 2010.

Ausst.-Kat. Montecassino 1994
Exultet. Rotoli liturgici del medioevo meridionale, hrsg von Giulia Orofino und Guglielm Cavallo, Ausst.-Kat. Abbazia di Montecassino, Cassino, Rom 1994.

Ausst.-Kat. München 1950
Ars sacra. Kunst des frühen Mittelalters, hrsg. von Albert Boeckler, Ausst.-Kat. Bayerische Staatsbibliothek, München, München 1950.

Ausst.-Kat. Münster 1975
Konservieren, restaurieren, hrsg. von Bernard Korzus, Ausst.-Kat. Westfälisches Landesmuseum für Kunst und Kulturgeschichte, Münster. Westfälisches Landesamt für Denkmalpflege, Münster, Münster 1975.

Ausst.-Kat. Münster 1993
Imagination des Unsichtbaren. 1200 Jahre Bildende Kunst im Bistum Münster, hrsg. von Géza Jászai, Ausst.-Kat. Westfälisches Landesmuseum für Kunst und Kulturgeschichte Münster, 2 Bde., Münster 1993.

Ausst.-Kat. Münster 2012
Goldene Pracht. Mittelalterliche Schatzkunst in Westfalen, Ausst.-Kat. LWL-Landesmuseum für Kunst und Kulturgeschichte, Münster, und Domkammer der Kathedralkirche St. Paulus, Münster, München 2012.

Ausst.-Kat. Münster 2020
Passion Leidenschaft. Die Kunst der großen Gefühle, hrsg. von Petra Marx, Ausst.-Kat. LWL-Museum für Kunst und Kultur, Münster, Berlin 2020.

Ausst.-Kat. New York 1970
The Year 1200. A Centennial Exhibition at the Metropolitan Museum of Art, hrsg. von Konrad Hoffman, Ausst.-Kat. Metropolitan Museum of Art, New York, Bd. 1, New York 1970.

Ausst.-Kat. New York 2013
Medieval Treasures from Hildesheim, hrsg. von Peter Barnet, Michael Brandt, Gerhard Lutz, Ausst.-Kat. The Metropolitan Museum of Art, New York, New York 2013.

Ausst.-Kat. Oldenburg 2006
Saladin und die Kreuzfahrer, hrsg. von Mamoun Fansa, Ausst.-Kat. Landesmuseum Natur und Mensch, Oldenburg, Oldenburg 2006.

Ausst.-Kat. Paderborn 2006
Canossa 1077 – Erschütterung der Welt, hrsg. von Christoph Stiege-mann und Matthias Wemhoff, Ausst.-Kat. Erzbischöfliches Diözesanmuseum und Domschatzkammer, Paderborn, Museum in der Kaiserpfalz, Paderborn, und Städtische Galerie, Paderborn, 2 Bde., München 2006.

Ausst.-Kat. Paderborn 2014
Diözesanmuseum Paderborn. Werke in Auswahl, hrsg. von Christoph Stiegemann, Ausst.-Kat. Erzbischöfliches Diözesanmuseum und Domschatzkammer, Petersberg 2014.

Ausst.-Kat. Paris 2013
Une Renaissance. L'art entre Flandre et Champagne 1150–1200, hrsg. von Sophie Balance u. a., Ausst.-Kat. Musée de Cluny – Musée national du Moyen Âge, Paris 2013.

Ausst.-Kat. Paris 2014
Le Trésor de l'abbaye de Saint-Maurice d'Agaune, hrsg. von Élisabeth Antoine-König, Ausst.-Kat. Musée du Louvre, Paris, Paris 2014.

Ausst.-Kat. Selm/Dortmund 1971
Brieffladen aus Niederdachsen und Nordrhein-Westfalen, hrsg. von Horst Appuhn, Ausst.-Kat. Selm, Schloss Cappenberg, Museum für Kunst und Kulturgeschichte der Stadt Dortmund, Dortmund 1971.

Ausst.-Kat. Speyer 2011
Die Salier. Macht im Wandel, hrsg. von Laura Heeg, Ausst.-Kat. Historisches Museum der Pfalz Speyer, Speyer, 2 Bde., München 2011.

Ausst.-Kat. Speyer 2017
Richard Löwenherz. König – Ritter – Gefangener, hrsg. von Alexander Schubert, Ausst.-Kat. Historisches Museum der Pfalz Speyer, Speyer, Regensburg 2017.

Ausst.-Kat. Speyer 2019
Medicus. Die Macht des Wissens, hrsg. von Alexander Schubert u. a., Ausst.-Kat. Historisches Museum der Pfalz Speyer, Darmstadt 2019.

Ausst.-Kat. Stuttgart 1977
Die Zeit der Staufer. Geschichte – Kunst – Kultur, hrsg. von Reiner Haussherr, Ausst.-Kat. Landesmuseum Württemberg, Stuttgart, 5 Bde., Stuttgart 1977.

Van Acker 1991/93
Lieven van Acker (Hrsg.), Hildegardis Bingensis Epistolarium (Corpus Christianorum, Continuatio mediaevalis, Bd. 91/91A), Turnhout 1991/93.

Alexander 2015
David G. Alexander, Islamic Arms and Armor in the Metropolitan Museum of Art, New Haven/London 2015.

Althoff 2003
Gerd Althoff, „Lothar III. (1125–1137)", in: Bernd Schneidmüller und Stefan Weinfurter (Hrsg.): Die deutschen Herrscher des Mittelalters. Historische Portraits von Heinrich I. bis Maximilian I. (919–1519), München 2003, S. 201–216.

Althoff 2014
Gerd Althoff, „Mittelalterliche Verfassungsgeschichte und Spielregeln der Politik. Ein Nachwort", in: Gerd Althoff: Spielregeln der Politik im Mittelalter. Kommunikation in Frieden und Fehde, Darmstadt 2014, S. 361–404.

Appelt 1975
Heinrich Appelt (Hrsg.), Die Urkunden Friedrichs I. 1152–1158 (Monumenta Germaniae Historica. Die Urkunden der deutschen Könige und Kaiser, Diplomata 10/1), Hannover 1975.

Appelt 1979
Heinrich Appelt (Hrsg.), Die Urkunden Friedrichs I. 1158–1167 (Monumenta Germaniae Historica. Die Urkunden der deutschen Könige und Kaiser, Diplomata 10/2), Hannover 1979.

Appuhn 1973
Horst Appuhn, Beobachtungen und Versuche zum Bildnis Kaiser Friedrichs I. Barbarossa in Cappenberg, in: Aachener Kunstblätter, Jg. 44, Aachen 1973, S. 129–192.

Appuhn 1974
Horst Appuhn, Der Saal des Freiherrn vom Stein in Schloss Cappenberg, in: Burgen und Schlösser. Zeitschrift für Burgenforschung und Denkmalpflege, Bd. 15, Nr. 1, Braubach/Rhein 1974, S. 41–44.

Appuhn 1977
Horst Appuhn, Cappenberg. Stiftskirche, Schloß, Museum (Große Baudenkmäler), Nr. 274, München 1977.

Appuhn 1988/89
Horst Appuhn, „Beiträge zur Geschichte des Herrschersitzes im Mittelalter, III. Teil: Der Stuhl im Dom von Minden", in: Aachener Kunstblätter, Bd. 56/57, Aachen 1989/90, S. 53–72.

Aris 1998
Marc-Aeilko Aris (Hrsg.), Hildegard von Bingen. Internationale wissenschaftliche Bibliographie unter Verwendung der Hildegard Bibliographie von Werner Lauter (Quellen und Abhandlungen zur mittelrheinischen Kirchengeschichte, Nr. 84), Mainz 1998.

Arkell 1956
Anthony J. Arkell, „The Making of Mail at Omdurman", in: Kush 4, Khartum 1956, S. 83–85.

Arnhold 2014
Hermann Arnhold (Hrsg.), Einblicke Ausblicke. 100 Spitzenwerke im neuen LWL-Museum für Kunst und Kultur in Münster, Münster 2014.

Assmann 1995
Aleida Assmann, „Die Sprache der Dinge. Der lange Blick und die wilde Semiose", in: Hans Ulrich Gumbrecht und Karl Ludwig Pfeiffer (Hrsg.): Materialität der Kommunikation, Frankfurt am Main 1995, S. 237–251.

Augustyn/Söding 2021
Wolfgang Augustyn und Ulrich Söding (Hrsg.): Bildnis – Memoria – Repräsentation. Beiträge zur Erinnerungskultur im Mittelalter und in der Frühen Neuzeit (Veröffentlichungen des Zentralinstituts für Kunstgeschichte in München, Bd. 56), Passau 2021.

Baer 1983
Eva Baer, Metalwork in Medieval Islamic Art, New York 1983.

Balzer 2006
Edeltraud Balzer, Adel – Kirche – Staat. Studien zur Geschichte des Bistums Münster im 11. Jahrhundert (Westfalia Sacra, Nr. 15), Münster 2006.

Balzer 2012
Edeltraud Balzer, „Der Cappenberger Barbarossakopf. Vorgeschichte, Geschenkanlass und Funktionen", in: Frühmittelalterliche Studien Bd. 46, Berlin 2012, S. 241–299.

Balzer 2015
Edeltraud Balzer, „Neues zum Cappenberger Barbarossakopf", in: Westfalen. Hefte für Geschichte, Kunst und Volkskunde, Jg. 93, Münster 2015, S. 3–36.

Barbier de Meynard 1998
Charles Adrien Casimir Barbier de Meynard (Hrsg.), „Abū Shāma, Kitāb al-rawdatayn/Le Livre des Deux Jardins", in: Recueil des Historiens des Croisades. Historiens orientaux, Bd. 4, Paris 1898, S. 3–522.

Barnet/Dandridge 2006
Peter Barnet und Pete Dandridge (Hrsg.), Lions, dragons & other beasts. Aquamanilia of the Middle ages; Vessels for Church and Table, New York/New Haven/London 2006.

Bauermann 1971
Johannes Bauermann, „Altena – von Reinald von Dassel erworben? Zu den Güterlisten Philipps von Heinsberg", in: Beiträge zur Geschichte Dortmunds und der Grafschaft Mark, Bd. 67, Dortmund 1971, S. 228–252.

Bayer 1986
Clemens M. M. Bayer, „Die beiden großen Inschriften des Barbarossa-Leuchters", in: Clemens M. M. Bayer. u. a. (Hrsg.): Celica Iherusalem. Festschrift für Erich Stephany (Veröffentlichung d. Vereins f. christliche Kunst im Erzbistum Köln und Bistum Aachen), Köln u.a. 1986, S. 213–240.

Bayer 2009
Clemens M. M. Bayer, „Otto der IV. und der Schrein der Heiligen Drei Könige im Kölner Dom. Inschriften und andere Textquellen", in: Ausst.-Kat. Braunschweig 2009, S. 101–122.

Bayer 2011
Clemens M. M. Bayer, Die Inschriften am Darmstädter Turmreliquiar, Vortrag beim Wissenschaftlichen Symposium: Neue Forschungen zum romanischen Turmreliquiar aus der Samm-lung Hüpsch im Hessischen Landesmuseum Darmstadt, Berlin 2011.

Bayer 2020
Clemens M.M. Bayer, „Die Inschriften der Objekte mit ‚Hildesheimer' Emails", in: Dorothee Kemper: Die Hildesheimer Emailarbeiten des 12. und 13. Jahrhunderts. Mit einer kommentierten Edition der Inschriften von Clemens M. M. Bayer, Objekte und Eliten in Hildesheim 1130 bis 1250, Bd. 4, Regensburg 2020, S. 599–603.

Bayer 2022
Clemens M. M. Bayer, „Cappenberger Köpfe, eine Handwaschschale und anderes in den einschlägigen textlichen Überlieferungen des 12. Jahrhunderts", in: Görich 2022 a, S. 271–311.

Beer 2005
Manuela Beer, Triumphkreuze des Mittelalters. Ein Beitrag zu Typus und Genese im 12. und 13. Jahrhundert, Regensburg 2005, S. 541—546.

Beer u. a. 2009
Manuela Beer u. a. (Hrsg.), Schönes NRW. 100 Schätze mittelalterlicher Kunst, Essen 2009.

Belghaus 2014
Viola Belghaus, „Barbarossa und das Armreliquiar Karls des Großen", in: Görich/Schmitz-Esser 2014, S. 270–289.

Berghaus 1981
Peter Berghaus, „Westfalen und seine Nachbarlandschaften", in: Peter Berghaus (Hrsg.): Köln – Westfalen 1180–1980. Landesgeschichte zwischen Rhein und Weser, Bd. 1, Münster 1981, S. 13–27.

Berghaus 1983
Peter Berghaus, „Friedrich I. Barbarossa (1152–1190)", in: Percy Ernst Schramm (Hrsg.): Die deutschen Kaiser und Könige in Bildern ihrer Zeit 751–1190, München 1983, S. 128–130, S. 261.

Bergmann 1987
Ulrike Bergmann, Das Chorgestühl des Kölner Domes (Jahrbuch. Rheinischer Verein für Denkmalpflege und Landschaftsschutz, Jg. 1986/87), Neuss 1987.

Beuckers/Kemper 2018
Klaus Gereon Beuckers und Dorothee Kemper (Hrsg.), Das Welandus-Reliquiar im Louvre. Ein Hauptwerk niedersächsischer Emailkunst in interdisziplinärer Perspektive (Objekte und Eliten in Hildesheim 1130 bis 1250, Bd. 3), Regensburg 2018.

Birkmeyer 1998
Regine Birkmeyer, Ehetrennung und monastische Konversion im Hochmittelalter, Berlin 1998.

Bistumsarchiv Münster, GV Cappenberg A 2-3

Bivar 1964
Adrian David Hugh Bivar, Nigerian Panoply. Arms and Armour of the Northern Region, Lagos 1964.

Blakker 2000
Lothar Blakker, „Ein Eiserner Nasalhelm aus Augsburg", in: Das archäologische Jahr in Bayern, Stuttgart 2000, S. 103–104.

Bloch 1980
Peter Bloch, Das Bildnis des Menschen im Mittelalter. Herrscherbild – Grabbild – Stifterbild, in: Bilder vom Menschen in der Kunst des Abendlandes, hrsg. von Peter Bloch, Ausst.-Kat. Staatliche Museen zu Berlin und Nationalgalerie, Berlin, Berlin 1980, S. 107–120.

Bloch 1992
Peter Bloch, Romanische Bronzekruzifixe (Bronzegeräte des Mittelalters, Nr. 5), Berlin 1992.

Blöcher 2012
Heidi Blöcher, Die Mitren des Hohen Mittelalters, Riggisberg 2012.

Bockhorst/Niklowitz 1991
Wolfgang Bockhorst und Fredy Niklowitz (Hrsg.), Urkundenbuch der Stadt Lünen bis 1341 (Stadtarchivs Lünen, Bd. 10), Lünen 1991.

Bockhorst 2003
Wolfgang Bockhorst, „Die Grafen von Cappenberg und die Anfänge des Stifts Cappenberg", in: Irene Crusius und Helmut Flachenecker (Hrsg.): Studien zum Prämonstratenserorden, Göttingen 2003, S. 57–74.

Bockhorst 2022
Wolfgang Bockhorst, „Die Gründung des Prämonstratenserstiftes Cappenberg", in: Görich 2022 a, S. 69–87.

Böhm 1993
Gabriele Böhm, Mittelalterliche figürliche Grabmäler in Westfalen von den Anfängen bis 1400 (Kunstgeschichte, Bd. 19), Münster/ Hamburg 1993.

Böhringer/Oepen 2016
Letha Böhringer und Joachim Oepen, „Wer hat's erfunden? Ist Rainald von Dassel der ‚Erfinder' der Dreikönigsreliquien?", in: Geschichte in Köln, Nr. 63, Köln 2016, S. 79–96.

Bollnow 1930
Hermann Bollnow, Die Grafen von Werl. Genealogische Untersuchungen zur Geschichte des 10. bis 12. Jahrhunderts, Diss. Univ. Greifswald 1930.

Borgolte 2014–2016
Michael Borgolte (Hrsg.), Enzyklopädie des Stiftungswesens in mittelalterlichen Gesellschaften, 2 Bde., Berlin 2014–2016.

Brandt 1980
Michael Brandt, „Kreuz Heinrichs des Löwen", in: Jochen Zink (Hrsg.): Die Kirche zum Heiligen Kreuz in Hildesheim (Die Diözese Hildesheim in Vergangenheit und Gegenwart Jg. 46/47), 1978/79, Hildesheim 1980, S. 157 f., Nr. 3 und Abb. 192–194.

Brandt 2019
Michael Brandt, „Das Cappenberger Kopfbild: Herrscher oder Heiliger?", in: Wolfgang Augustyn (Hrsg.), Opus. Festschrift für Rainer Kahsnitz, Bd. 1 (Zeitschrift des Deutschen Vereins für Kunstwissenschaft, Jg. 69, 2015), Berlin 2019, S. 89–106

Brandt u. a. 2015
Michael Brandt u. a. (Hrsg.), Dommuseum Hildesheim. Ein Auswahlkatalog, Hildesheim/Regensburg 2015.

Brandt 2017
Michael Brandt, „Made in Hildesheim? Überlegungen zur Niedersächsischen Bronzekunst des 12. Jahrhunderts", in: Claudia Höhl u. a. (Hrsg.): Drachenlandung. Ein Hildesheimer Drachen Aquamanile des

12. Jahrhunderts, Bd. 1, Regensburg 2017, S. 45–72.

Brandt 2022
Michael Brandt, „Ars fusilis. Der Cappenberger Bronzekopf und sein Umkreis", in: Görich 2022 a, S. 349–364.

Breiding 2010
Dirk Breiding, „Harnisch und Waffen des Hoch- und Spätmittelalters", in: Brunhilde Leenen (Hrsg.): Ausst.-Kat. Ritter, Burgen und Intrigen – Aufruhr 1225! Das Mittelalter an Rhein und Ruhr, Mainz 2010, S. 129–146.

Brepohl 2013
Erhard Brepohl, Theophilus Presbyter und das mittelalterliche Kunsthandwerk. Gesamtausgabe der Schrift ‚De diversis artibus' in einem Band, 2. Aufl. Köln/Weimar/Wien, Böhlau 2013.

Brüning 1973
Hans-Joachim Brüning, „Das Schloß und seine heutigen Anlagen", in: Wilfried Henze (Hrsg.): Corvey – ein Wegweiser durch seine Geschichte und die heutige Anlage, Höxter 1973, S. 20–28.

Buchenau/Pick 1928
Heinrich Buchenau und Berendt Pick, Der Brakteatenfund von Gotha (1900), München 1928.

Bull/Kempf 2013
Marcus Graham Bull und Damien Kempf (Hrsg.), The Historia Iherosolimitana of Robert the Monk, Rochester 2013.

Carotti 1896
Giulio Carotti, „Relazione sulle antichità entrate nel Museo Patrio di Archeologia in Milano (Palazzo Brera) nel 1895", in: Archivio Storico Lombardo, vol. 5, fasc. 10, giugno, Mailand 1896, S. 421–448.

Cichy 2016
Eva Cichy, „Steinerne Fundamente und ein Pilgerzeichen – eine neuentdeckte Hofwüstung in Welver", in: Archäologie in Westfalen-Lippe 2016, Langenweißbach 2016, S. 136–139.

Codex iuris canonici 1917
Codex iuris canonici. Pii X Pontificis Maximi iussu digestus Benedicti Papae XV auctoritate promulgatus, Rom 1917.

Cordez 2015
Philippe Cordez, Schatz, Gedächtnis, Wunder. Die Objekte der Kirchen im Mittelalter (Quellen und Studien zur Geschichte und Kunst im Bistum Hildesheim, Bd. 10), Regensburg 2015.

Dale 2002
Thomas E. A. Dale, „The Individual, the Resurrected Body, and Romanesque Portraiture. The Tomb of Rudolf von Schwaben in Merseburg", in: Speculum, Bd. 77, Chicago 2002, S. 707–743.

Deér 1961
Josef Deér, „Die Siegel Kaiser Friedrichs I. Barbarossa und Henrichs VI. in der Kunst und Politik ihrer Zeit", in: Ellen J. Beer u. a. (Hrsg.): Festschrift Hans R. Hahnloser zum 60. Geburtstag 1959, Basel u. a. 1961, S. 47–102.

Delsenbach 1790
Johann Adam Delsenbach, Wahre Abbildung der sämtlichen Reichskleinodien welche in der des Heil. Röm. Reichs freyen Stadt Nürnberg aufbewahret werden, Nürnberg 1790.

Dendorfer 2013
Jürgen Dendorfer, „Das Lehnrecht und die Ordnung des Reiches. ‚Politische Prozesse' am Ende des 12. Jahrhunderts", in: Karl-Heinz Spieß (Hrsg.): Ausbildung und Verbreitung des Lehnswesens im Reich und in Italien im 12. und 13. Jahrhundert (Vorträge und Forschungen, Bd. 76), Ostfildern 2013, S. 187–220.

Dendorfer 2014
Jürgen Dendorfer, „Barbarossa als Kreuzfahrer im Schäftlarner Codex", in: Görich/Schmitz-Esser 2014, S. 160–174.

Dendorfer 2019
Jürgen Dendorfer, „Vasallen und Lehen unter Friedrich Barbarossa: Politische Bindungen durch das Lehnswesen?", in: Knut Görich und Martin Wihoda (Hrsg.): Verwandtschaft – Freundschaft – Feindschaft. Politische Bindungen zwischen dem Reich und Ostmitteleuropa in der Zeit Friedrich Barbarossas, Wien u. a. 2019, S. 69–95.

Dendorfer 2022
Jürgen Dendorfer, „Die Gründung des Stiftes Cappenberg und die Konflikte zwischen Kaiser und Großen in spätsalischer Zeit", in: Görich 2022 a, S. 53–67.

Denicke 1983
Jürgen Denicke, Die Brakteaten der Münzstätte Braunschweig. Heinrich der Löwe, 1142–1195, Bd. 1, Braunschweig 1983.

Dethlefs 2003
Gerd Dethlefs, „Zur weltlichen Ausstattung der Klöster zwischen Reformation und Säkularisation", in: Hengst 2003, S. 813–840.

Dethlefs 2004
Gerd Dethlefs, „Das ‚Adelige Gotteshaus' Cappenberg im 18. Jahrhundert. Zum geistlichen und kulturellen Profil eines Prämonstratenserstifts", in: Marius Jacoby und Winfried Schlepphorst (Hrsg.): Die Vorenweg-Orgel in der Stiftskirche zu Cappenberg, Münster 2004, S. 51–88.

Dethlefs 2009
Gerd Dethlefs (Hrsg.), Das Cappenberger Chorgestühl 1509–1520. Meister Gerlach und die Bildschnitzerwerkstatt der Brabender in Unna (Dortmunder Mittelalter-Forschungen, Nr. 13), Bielefeld 2009.

Dethlefs 2015
Gerd Dethlefs, „Der Cappenberger Barbarossakopf und sein Reliquienkreuz", in: Westfalen. Hefte für Geschichte, Kunst und Volkskunde, Jg. 93, Münster 2015, S. 37–46.

Dethlefs 2022
Gerd Dethlefs, „Die Gründung des Stifts Cappenberg 1122 und seine Bedeutung für das Bistum Münster", in: Johann Michael Fritz (Hrsg.): Gottfried von Cappenberg zu Ehren. Eine Jubiläumsgabe, Münster 2022, S. 31–35.

Deutinger 1999
Roman Deutinger, Rahewin von Freising. Ein Gelehrter des 12. Jahrhunderts (Monumenta Germaniae Historica. Schriften, Bd. 47), Hannover 1999.

Die Briefe des Propstes Ulrich von Steinfeld 1976
„Die Briefe des Propstes Ulrich von Steinfeld", in: Ingrid Joester (Hrsg.): Urkundenbuch der Abtei Steinfeld (Publikationen der Gesellschaft für rheinische Geschichtskunde, Nr. 60), Köln 1976, S. 603–639.

Diedrichs 2001
Christof L. Diedrichs, Vom Glauben zum Sehen. Die Sichtbarkeit der Reliquie im Reliquiar. Ein Beitrag zur Geschichte des Sehens, Berlin 2001.

Van Dieten 1975
Jan Louis van Dieten, Nicetae Choniatae Historia, 2 Bde. (Corpus Fontium Historiae Byzantinae, Bd. 11, 1,2), Berlin/New York 1975.

Dinzelbacher 1981
Peter Dinzelbacher, „Über die Entdeckung der Liebe im Hochmittelalter", in: Saeculum. Jahrbuch für Universalgeschichte, Bd. 32, Freiburg/München 1981, S. 185–208.

Drös 1993
Harald Drös, „Siegelepigraphik im Umfeld des ältesten Kölner Stadtsiegels", in: Archiv für Diplomatik, Schriftgeschichte, Siegel- und Wappenkunde, Bd. 39, Köln u. a. 1993, S. 149–199.

Ehbrecht 1981
Wilfried Ehbrecht, „Die Grafschaft Arnsberg. Herrschaftsbildung und Herrschaftskonzeption bis 1368", in: Peter Berghaus und Siegfried Kessemeier (Hrsg.): Köln, Westfalen 1180–1980. Landesgeschichte zwischen Rhein und Weser, Bd. 1, Münster 1981, S. 174–179.

Ehlers 2008
Joachim Ehlers, Heinrich der Löwe. Eine Biographie, München 2008.

Ehlers 2010
Joachim Ehlers, „Hofkultur – Probleme und Perspektiven", in: Werner Paravicini (Hrsg.): Luxus und Integra-

tion. Materielle Hofkultur Westeuropas vom 12. bis zum 18. Jahrhundert, München 2010, S. 13–24.

Ehlers 2011
Caspar Ehlers, „Die salischen Kaisergräber im Speyerer Dom", in: Ausst.-Kat. Speyer 2011, Bd. 2, S. 203–209.

Ehlers 2013
Joachim Ehlers, Otto von Freising. Ein Intellektueller im Mittelalter. Eine Biographie, München 2013.

Ehlers-Kisseler 2003
Ingrid Ehlers-Kisseler, „Die Cappenberger und das Prämonstratenserinnenstift Oberndorf in Wesel", in: Salhof, Festung, Freie Stadt. Beiträge zur Geschichte der Stadt Wesel und des Niederrheins, Wesel 2003, S. 59–66.

Ehlers-Kisseler 2019
Ingrid Ehlers-Kisseler, „Von Prémontré nach Magdeburg. Die Ausbreitung der Prämonstratenser im deutschen Nordosten", in: Jahrbuch für mitteldeutsche Kirchen- und Ordensgeschichte, Bd. 15, München 2019, S. 89–121.

Ehlers-Kisseler 2021
Ingrid Ehlers-Kisseler, „Die Ausbreitung der Prämonstratenser bis zur Mitte des 12. Jahrhunderts", in: Hasse u.a. 2021, S. 75–109.

Ehlers-Kisseler 2022
Ingrid Ehlers-Kisseler, „Die Ausstrahlung der Gründung des Prämonstratenserstiftes Cappenberg", in: Görich 2022 a, S. 103–125.

Eismann 2005
Stefan Eismann, „Mittelalterliche Schachfiguren und Spielsteine aus Sendenhorst", in: Günter Horn u. a. (Hrsg.): Von Anfang an. Archäologie in Nordrhein-Westfalen (Schriften zur Bodendenkmalpflege in Nordrhein-Westfalen, Nr. 8), Mainz 2005, S. 522–523.

Elbern/Reuther 1969
Victor H. Elbern und Hans Reuther, Der Hildesheimer Domschatz, Hildesheim 1969.

Ellger 2000/02
Ottfried Ellger, „Cappenberg: Von der Burg zur Kirche. Ausgrabungen im Chor der ehem. Prämonstratenserstiftskirche St. Johannes Evangelist in Selm-Cappenberg 1992/93", in: Westfalen. Hefte für Geschichte, Kunst und Volkskunde, Jg. 78, Münster 2000/02, S. 237–269.

Elm 1984
Kaspar Elm (Hrsg.), Norbert von Xanten. Adeliger, Ordensstifter, Kirchenfürst, Köln 1984.

Embach 2003
Michael Embach, Die Schriften Hildegards von Bingen. Studien zu ihrer Überlieferung und Rezeption im Mittelalter und in der Frühen Neuzeit (Erudiri Sapientia, Bd. 4), Berlin 2003.

Engel 2021
Ute Engel, „Stifter und Memoria. Bild- und Ausstattungsprogramme der Prämonstratenserkirchen in Cappenberg, Ilbenstadt, Arnstein und Knechtsteden", in: Hasse u.a. 2021, S. 313–347.

Van Engen 2000
John van Engen, „Letters and the Public 'Persona' of Hildegard", in: Alfred Haverkamp (Hrsg.): Hildegard von Bingen in ihrem historischen Umfeld. Internationaler wissenschaftlicher Kongreß zum 900jährigen Jubiläum, 13.-19. September 1998, Bingen am Rhein, Mainz 2000, S. 375–418.

Erhard 1847–1851
Hermann August Erhard, Regesta Historiae Westphaliae. Accedit Codex Diplomaticus, Bd. 1–2, Münster 1847–1851.

Erkens 2017
Franz-Reiner Erkens, Sachwalter Gottes. Der Herrscher als christus domini, vicarius Christi und sacra majestas. Gesammelte Aufsätze zum 65. Geburtstag (Historische Forschungen, Bd. 116), Berlin 2017.

Essling-Wintzer/Strohmann 2019
Wolfram Essling-Wintzer und Dirk Strohmann, „Die Grafengruft im Kapitelsaal von Kloster Wedinghausen in Arnsberg", in: Archäologie in Westfalen-Lippe 2018, Langenweißbach 2019, S. 118–123.

Falk 1991/93
Birgitta Falk, „Bildnisreliquiare. Zur Entstehung und Entwicklung der metallenen Kopf-, Büsten- und Halbfigurenreliquiare im Mittelalter" (in: Aachener Kunstblätter, Bd. 59), Köln 1991–1993, S. 99–238.

Von Falke/Meyer 1935
Otto von Falke und Erich Meyer, Romanische Leuchter und Gefäße, Gießgefäße der Gotik (Bronzegeräte des Mittelalters, Bd. 1), Berlin 1935.

Fees 2014
Irmgard Fees, „Friedrich Barbarossa in seinen Siegeln", in: Görich/Schmitz-Esser 2014, S. 60–75.

Fees 2015
Irmgard Fees, „Die Siegel und Bullen Kaiser Friedrichs I. Barbarossa", in: Archiv für Diplomatik, Bd. 61, Köln u. a. 2015, S. 95–132.

Felten 1984
Franz J. Felten, „Norbert von Xanten. Vom Wanderprediger zum Kirchenfürsten", in: Elm 1984, S. 69–157.

Fiamma 1869
Galvano Fiamma, Chronicon extravagans et Chronicon maius, Turin 1869.

Ficker 1851
Julius Ficker, Die Münsterischen Chroniken des Mittelalters (Die Geschichtsquellen des Bistums Münster, Bd. 1), Münster 1851.

Filip 2000
Václav Vok Filip, Einführung in die Heraldik (Historische Grundwissenschaften in Einzeldarstellungen, Nr. 3), Stuttgart 2000.

Fingernagel 1999
Andreas Fingernagel, Die illuminierten lateinischen Handschriften süd-, west- und nordeuropäischer Provenienz der Staatsbibliothek zu Berlin – Preußischer Kulturbesitz. 4.–12. Jahrhundert, Bd. 1 (Kataloge der Handschriftenabteilung Reihe 3: Illuminierte Handschriften, Bd. 2), Wiesbaden 1999.

Von Fircks 2021
Juliane von Fircks, „Die Grabmäler der Könige im Mittelalter – innen und außen", in:Augustyn/Söding 2021, S. 171—200.

Fischer 2018
Thorsten Fischer, „Adelige Memoria im regionalen Kontext. Zum liturgischen Totengedenken der Grafen von der Mark im 13. und 14. Jahrhundert", in: Stefan Paetzold und Felicitas Schmieder (Hrsg.): Die Grafen von der Mark. Neue Forschungen zur Sozial-, Mentalitäts- und Kulturgeschichte (Veröffentlichungen der Historischen Kommission für Westfalen, Neue Folge Bd. 41), Münster 2018, S. 79–101.

Fößel 2000
Amalie Fößel, Die Königin im mittelalterlichen Reich. Herrschaftsausübung, Herrschaftsrechte, Handlungsspielräume (Mittelalter-Forschungen, Nr. 4), Stuttgart 2000.

Fozi 2015
Shirin Fozi, „,Reinhildis has died': Ascension and Enlivenment on a Twelth-Century Tomb", in: Speculum, Bd. 90, Nr. 1, 2015, S. 158–194.

Fozi 2021
Shirin Fozi, Romanesque Tomb Effigies. Death and Redemption in Medieval Europe, 1000–1200, Pennsylvania 2021.

Freund u. a. 2008
Susanne Freund u. a. (Hrsg.), Historisches Handbuch der jüdischen Gemeinschaften in Westfalen und Lippe. Die Ortschaften und Territorien im heutigen Regierungsbezirk Münster, Bd. 2, Münster 2008.

Freund 2021
Stephan Freund, „Der Hl. Norbert von Xanten als Erzbischof von Magdeburg", in: Hasse u.a. 2021, S. 197–217.

Frey 1891
Carl Frey, „Ursprung und Entwicklung Staufischer Kunst in Süditalien", in: Deutsche Rundschau, Nr. 68, Berlin 1891, S. 271–297.

Fried 1991

Johannes Fried, „Der Archipoeta – ein Kölner Scholaster?", in: Klaus Herbers (Hrsg.): Ex Ipsis Rerum Documentis. Beiträge zur Mediävistik. Festschrift für Harald Zimmermann zum 65. Geburtstag, Sigmaringen 1991, S. 85–90.

Fritz 1961

Rolf Fritz: „Ikonographie des hl. Gottfried von Cappenberg", in: Westfälische Zeitschrift. Zeitschrift für Vaterländische Geschichte und Altertumskunde, Bd. 111, Münster 1961, S. 1–20.

Fritz 1964

Johann Michael Fritz, „Goldschmiedearbeiten des Stiftes Cappenberg", in: Westfalen. Hefte für Geschichte, Kunst und Volkskunde, Jg. 42, Münster 1964, S. 363–377.

Führkötter 1965

Adelgundis Führkötter (Hrsg.), Briefwechsel. Hildegard von Bingen, Salzburg 1965.

Führkötter 1980

Adelgundis Führkötter (Hrsg.), Das Leben der heiligen Hildegard von Bingen, Salzburg 1980.

Führkötter 1998

Adelgundis Führkötter, „Hildegard von Bingen. Leben und Werk", in: Anton Ph. Brück (Hrsg.): Hildegard von Bingen 1179–1979. Festschrift zum 800. Todestag der Heiligen (Quellen und Abhandlungen zur mittelrheinischen Kirchengeschichte, Bd. 33), Mainz 1998, S. 31–54.

Fundatio monasterii Victoriensis 1904

„Fundatio monasterii Victoriensis", in: August von Jaksch (Hrsg.): Die Kärntner Geschichtsquellen 811–1202 (Monumenta historica ducatus Carinthiae, Nr. 3), Klagenfurt 1904, S. 290–295.

Galbreath/Jéquier 1978

Donald Lindsay Galbreath und Léon Jéquier, Lehrbuch der Heraldik, München 1978.

Gamans 1643

Johannes Gamans (Hrsg.), „B. Godefridus Cappenbergensis, ex comite canonicus ord. Praemonstrat.", in: Jean Bolland und Gottfried Henschen (Hrsg.): Acta Sanctorum. Ianuarius, Bd. 1, Antwerpen 1643, S. 834-863, 1111-1113.

Gearhart 2019

Heidi C. Gearhart, „Memory, Making, and Duty in the Remaclus Retable of Stavelot", in: Gesta, Bd. 58, 2019, S. 137–155.

Giese 2018

Martina Giese, „Das Heinrichs-Reliquiar aus historischer Sicht. Stiftungen und Memorialpflege im Michaelskloster im 12. Jahrhundert", in: Beuckers/Kemper 2018, S. 71–91.

Gimpel 1980

Jean Gimpel, Die industrielle Revolution des Mittelalters, Zürich 1980.

Giovio 1551

Paolo Giovio, Elogia virorum bellica virtute illustrium veris imaginibus supposita, quæ apud Musæum spectantur, Florenz 1551.

Giulini 1760

Giorgio Giulini, Memorie spettanti alla storia, al governo, ed alla descrizione della Città, e della Campagna di Milano, ne' secoli bassi, vol. 6, Mailand 1760.

Godman 2011

Peter Godman, „The Archpoet and the Emperor", in: Journal of the Warburg and Courtauld Institutes, Jg. 74, 2011, S. 31–58.

Godman 2014

Peter Godman, The Archpoet and Medieval Culture, Oxford 2014.

Görich 2001

Knut Görich, Die Ehre Barbarossas. Kommunikation, Konflikt und politisches Handeln im 12. Jahrhundert (Symbolische Kommunikation in der Vormoderne), Darmstadt 2001.

Görich 2011

Knut Görich, Friedrich Barbarossa. Eine Biographie, München 2011.

Görich 2014

Knut Görich, „Das Barbarossarelief im Kreuzgang von St. Zeno in Bad Reichenhall", in: Görich/Schmitz-Esser 2014, S. 223–237.

Görich 2015

Knut Görich, „Erinnerungsgeschichte(n). Die Zerstörung Mailands 1162", in: Pietro Silanos und Kai-Michael Sprenger (Hrsg.): La distruzione di Milano (1162). Un luogo di memorie (Ordines, Nr. 2), Milano 2015, S. 255–285.

Görich 2017

Knut Görich, „Der Cappenberger Kopf – ein Barbarossakopf?", in: Friedrich Barbarossa (Schriften zur staufischen Geschichte und Kunst, Bd. 36), Göppingen 2017, S. 48–76.

Görich 2018

Knut Görich, „Frieden schließen und Rang inszenieren. Friedrich I. Barbarossa in Venedig 1177 und Konstanz 1183", in: Alheydis Plassmann und Dominik Büschken (Hrsg.): Staufen and Plantagenets. Two Empires in Comparison (Studien zu Macht und Herrschaft, Nr. 1), Bonn 2018, S. 19–52.

Görich 2019

Knut Görich, „Ereignis und Rezeption. Friedrich Barbarossa demütigt sich vor Papst Alexander III. in Venedig 1177", in: Unmögliche Geschichte(n)? Kaiser Friedrich I. Barbarossa und die Reformation (Barbarossa-Stiftung, Nr. 2), Altenburg 2019, S. 36–45.

Görich 2022 a

Knut Görich (Hrsg.), Cappenberg 1122–2022. Der Kopf, das Kloster und seine Stifter, Regensburg 2022.

Görich 2022 b

Knut Görich, „Der Cappenberger Kopf und sein Stifter. Befunde, Probleme, Neudeutung", in: Görich 2022 a, S. 11–49.

Görich 2022 c

Knut Görich, „Vorwort", in: Görich 2022 a, S. 9.

Görich/Schmitz-Esser 2014

Knut Görich und Romedio Schmitz-Esser (Hrsg.): BarbarossaBilder. Entstehungskontexte, Erwartungshorizonte, Verwendungszusammenhänge, Regensburg 2014.

Goethe 1999

Johann Wolfgang von Goethe, Begegnungen und Gespräche. Bd. 6: 1806-1808, hrsg. von Renate Grumach, Berlin/New York 1999.

Goethe 2016

Johann Wolfgang von Goethe, Tagebücher. Historisch-kritische Ausgabe. Bd. 8,1: 1821-1822, hrsg. von Wolfgang Albrecht, Stuttgart/Weimar 2016.

Goez 1994

Werner Goez, „‚Barbarossas Taufschale'. Goethes Beziehungen zu den Monumenta Germaniae historica und seine Erfahrungen mit der Geschichtswissenschaft", in: Deutsches Archiv für Erforschung des Mittelalters, Bd. 50, Köln 1994, S. 73–88.

Golob 1992

Nataša Golob, „Gesta Friderici seu cronica. Eine Handschrift aus Stična, 1180-1182, Wolfenbüttel, Cod. Guelf. 206 Helmst.", in: Codices manuscript, Bd. 16, 1992, S. 98–103, Nr. 11.

Gosmann 2009

Michael Gosmann, „Die Grafen von Arnsberg und ihre Grafschaft: Auf dem Weg zur Landesherrschaft (1180–1371)", in: Klueting 2009, S. 171–202.

Grabar 1997

Oleg Grabar, „The Shared Culture of Objects", in: Henry Maguire (Hrsg.): Byzantine Court Culture from 829 to 1204, Washington D. C. 1997, S. 115–129.

Grauwen 1986

Wilfried Marcel Grauwen, Norbert, Erzbischof von Magdeburg (1126–1134), Duisburg-Hamborn 1986.

Greenblatt 2004

Stephen Greenblatt, „Resonance and Wonder", in: Bettina Carbonell (Hrsg.): Museum Studies. An Anthology of Contexts, Oxford 2004, S. 541–555.

Gresch 1999

Dirk Gresch, „Eine Kostbarkeit – unser Vitusschrein", in: Karl Hengst und Heinrich Müller (Hrsg.): Willebadessen gestern und heute. Beiträge zur Geschichte von Kloster, Stadt und Pfarrgemeinde aus Anlass der Klostergründung vor 850 Jahren, Paderborn 1999, S. 226–234.

Grieb 2004
Heiner Grieb, Romanische Goldschmiedekunst nach Theophilus. Der Vitusschrein aus Willebadessen (Staatliche Akademie der Bildenden Künste Stuttgart Institut für Museumskunde, Bd. 21), München 2004.

Grimm 1844
Jacob Grimm, Gedichte des Mittelalters auf König Friedrich I. den Staufer und aus seiner so wie der nächstfolgenden Zeit, Berlin 1844.

Groß 2022
Lilian Groß, Riemenhalter eines Pferdezaumzeugs, Landesmuseum Württemberg. Sammlung Online, URL: https://www.landesmuseum-stuttgart.de/sammlung/sammlung-online/dk-details?dk_object_id=2332 (zuletzt aufgerufen am: 11.05.2022).

Grundmann 1959
Herbert Grundmann, Der Cappenberger Barbarossakopf und die Anfänge des Stiftes Cappenberg (Münstersche Forschungen, Nr. 12), Köln 1959.

Güterbock 1949
Ferdinand Güterbock, „Le lettere del notaio imperiale Burcardo intorno alla politica del Barbarossa nello scisma ed alla distruzione di Milano", in: Bullettino dell'Istituto Storico Italiano per il Medioevo, Bd. 61, Rom 1949, S. 1–65.

Haasis-Berner/Poettgen 2002
Andreas Haasis-Berner und Jörg Poettgen, „Die Mittelalterlichen Pilgerzeichen der Heiligen drei Könige ein Beitrag von Archäologie und Campanologie zur Erforschung der Wallfahrt nach Köln", in: Zeitschrift für Archäologie des Mittelalters, Bd. 30, Bonn 2002, S. 173–202.

Hävernick 1935
Walter Hävernick, Die Münzen von Köln. Die königlichen und erzbischöflichen Prägungen der Münzstätte Köln sowie die Prägungen der Münzstätten des Erzstifts Köln, Bd. 1, Vom Beginn der Prägung bis 1304, Köln 1935.

Hagenmaier 1980
Winfried Hagenmaier, Die lateinischen mittelalterlichen Handschriften der Universitätsbibliothek Freiburg im Breisgau (Kataloge der Universitätsbibliothek Freiburg im Breisgau, Bd. I/3), Wiesbaden 1980.

Hahn 2012
Cynthia Hahn, Strange Beauty. Issues in the Making and Meaning of Reliquaries, 400–circa 1204, Pennsylvania/University Park 2012.

Harari 2013
Noah Yuval Harari, Eine kurze Geschichte der Menschheit, München 2013.

Harper 1961
Prudence Oliver Harper, 'The Senmurv', The Metropolitan Museum of Art Bulletin, New Series, Bd. 20, No. 3, New York 1961.

Hartmann 2011
Martina Hartmann, Studien zu den Briefen Abt Wibalds von Stablo und Corvey sowie zur Briefliteratur in der frühen Stauferzeit (Monumenta Germaniae Historica. Studien und Texte, Bd. 52), Hannover 2011.

Hartmann 2012
Martina Hartmann (Hrsg.), Das Briefbuch des Wibald von Stablo und Corvey, 3 Bde. (Monumenta Germaniae Historica. Epistolae. Briefe der deutschen Kaiserzeit, Bd. 9), Hannover 2012.

Haskins 1927
Homer Haskins, The Renaissance of the Twelfth Century, Cambridge 1927.

Hasse u. a. 2021
Claus-Peter Hasse u. a. (Hrsg.): Mit Bibel und Spaten. 900 Jahre Prämonstratenserorden (Zentrum für Mittelalterausstellungen Magdeburg, Bd. 7), Halle (Saale) 2021.

Haverkamp 2000
Alfred Haverkamp (Hrsg.), Hildegard von Bingen in ihrem historischen Umfeld. Internationaler wissenschaftlicher Kongress zum 900-jährigen Jubiläum, 13.–19. September 1998, Bingen am Rhein, Mainz 2000.

Hechelhammer 2004
Bodo Hechelhammer, „Frauen auf dem Kreuzzug", in: Ausst.-Kat. Mainz 2004, S. 205–211.

Heimatverein Riesenbeck 2020
Heimatverein Riesenbeck (Hrsg.), Reinhildis Miterbin Christi. Der Grabstein und seine Geschichte in der St. Kalixtus Kirche Riesenbeck (Schriftenreihe des Heimatvereins, Bd. 7), Riesenbeck 2020.

Helmold von Bosau 1990
Helmold von Bosau, Slawenchronik (Chronica Slaworum), hrsg. und neu übertragen von Heinz Stoob (Ausgewählte Quellen zur deutschen Geschichte des Mittelalters, Bd. 19), 5. Aufl. Darmstadt 1990.

Hengst 1992/94/2003
Karl Hengst (Hrsg.), Westfälisches Klosterbuch. Lexikon der vor 1815 errichteten Stifte und Klöster von ihrer Gründung bis zur Aufhebung, 3 Bde. (Veröfflichungen der Historischen Kommission für Westfalen, Reihe 44, Bd. 2,1-3), Münster 1992–1994–2003.

Henkel 2021
Arno-Lutz Henkel, Celica Jerusalem. Studien zur mittelalterlichen Lichterkrone, Bonn 2021, S. 152–196, Onlinepublikation.

Henkelmann 2019
Vera Henkelmann, „Der sogenannte Wolfraum-Leuchter in Erfurt in der Licht- und Leuchtertradition des christlichen Mittelalters", in: Falko Bornschein u. a. (Hrsg.): Der Wolfram-Leuchter im Erfurter Dom. Ein romanisches Kunstwerk und sein Umfeld (Schriften des Vereins für die Geschichte und Altertumskunde von Erfurt, Nr. 11), Erfurt 2019, S. 177–215.

Herbers 1991
Klaus Herbers, „Unterwegs zu heiligen Stätten – Pilgerfahrten", in: Hermann Bausinger (Hrsg.): Von der Pilgerfahrt zum modernen Tourismus, Bd. 23, München 1991.

Herklotz 2014
Ingo Herklotz, „Lateinische Kruzifixe in der byzantinischen Polemik: Kultkritik als Papstkritik", in: Manuela Gianandrea u. a. (Hrsg.): Il Potere

dell' Arte nel Medioevo. Studi in onore di Mario Onofrio, Rom 2014, S. 787–802.

Hesbert 1968
René-Jean Hesbert (Hrsg.), Corpus antiphonalium officii. Invitatoria et antiphonae, Bd. 3 (Rerum ecclesiasticarum documenta. Series maior, Bd. 9), Rom 1968.

Hillebrand 1962
Werner Hillebrand, Besitz- und Standesverhältnisse des Osnabrücker Adels 800 bis 1300 (Studien und Vorarbeiten zum Historischen Atlas Niedersachsens, Bd. 23), Göttingen 1962.

Himmelheber 1994
Georg Himmelheber, „Mittelalterliche Holzmosaikarbeiten", in: Jahrbuch der Berliner Museen, Bd. 36, Berlin 1994, S. 65–91.

Hinz 1996
Berthold Hinz, Das Grabdenkmal Rudolfs von Schwaben. Monument der Propaganda und Paradigma der Gattung, Frankfurt am Main 1996.

Hlawitschka 2005
Eduard Hlawitschka, „Weshalb war die Auflösung der Ehe Friedrich Barbarossas und Adela von Vohburg möglich?", in: Deutsches Archiv für Erforschung des Mittelalters, Bd. 61, Köln 2005, S. 506–536.

Hömberg 1950
Albert K. Hömberg, „Geschichte der Comitate des Werler Grafenhauses", in: Westfälische Zeitschrift. Zeitschrift für Vaterländische Geschichte und Altertumskunde, Bd. 100, Münster/Regensberg 1950, S. 1–133.

Hoffman 2001
Eva R. Hoffman, „Pathways of Portability. Islamic and Christian Interchange from tenth to twelfth century", in: Art history. Journal of the Association of Art Historians, Bd. 24, Oxford u. a., 2001, S. 17–50.

Hoffmann 1964
Hartmut Hoffmann, Gottesfriede und Treuga Dei (Monumenta Germaniae Historica. Schriften, Bd. 20), Stuttgart 1964.

Hoffmann 2007

Hartmut Hoffmann, „Das Briefbuch Wibalds von Stablo", in: Deutsches Archiv für die Erforschung des Mittelalters, Bd. 63, Köln u.a. 2007, S. 41–69.

Hoffmann 1970

Konrad Hoffmann, The Year 1200. A Centennial Exhibition at the Metropolitan Museum of Art, Bd. 1 (The Cloisters Studies in Medieval Art, Bd. 1), New York 1970.

Horch 2001

Caroline Horch, Der Memorialgedanke und das Spektrum seiner Funktionen in der bildenden Kunst des Mittelalters, Königstein/Taunus 2001.

Horch 2013

Caroline Horch, Nach dem Bild des Kaisers. Funktionen und Bedeutungen des Cappenberger Barbarossakopfes (Studien zur Kunst, Nr. 15), Köln/Weimar/Wien 2013.

Horch 2014

Caroline Horch, „‚Capud argenteum ad imperatoris formatum effigiem' und ‚crux aurea qua sancte Johannis nuncupare solebat'. Der Cappenberger Barbarossakopf in seiner Funktion als Reliquiar", in: Siede/Stauffer 2014, S. 116–131.

Hübner 2010

Gert Hübner, „Höfische Kultur im stauferzeitlichen Europa", in: Ausst.-Kat. Mannheim 2010, Bd. 1, S. 269–275.

Hüsing 1882

Augustin Hüsing, Der hl. Gottfried, Graf von Cappenberg, Prämonstratenser-Mönch, und das Kloster Cappenberg, Münster 1882.

Hütt 1993

Michael Hütt, ‚Quem lavat unda foris …' Aquamanilien. Gebrauch und Form, Mainz 1993.

Hugo 1734/36

Charles Louis Hugo, Sacri Et Canonici Ordinis Praemonstratensis Annales. In Duas Partes Divisi, 2 Bde., Nancy 1734–1736.

Huth 2014

Volkhard Huth, „Unbeachtete BarbarossaBilder. Zu zwei Herrscherdarstellungen in Handschriften aus Freiburg und Paris", in: Görich/Schmitz-Esser 2014, S. 188–205.

Jakobi 1979

Franz-Josef Jakobi, Wibald von Stablo und Corvey (1098–1158). Benediktinischer Abt in der frühen Stauferzeit (Veröffentlichungen der Historischen Kommission für Westfalen, Reihe 10, Bd. 5), Münster 1979.

Janicke 1965

Karl Ed. Gustav Janicke (Hrsg.), Urkundenbuch des Hochstifts Hildesheim und seiner Bischöfe (Publicationen aus den K. Preußischen Staatsarchiven, Bd. 65), Hannover 1907, Reprint, Osnabrück 1965.

Janssen 2010

Wilhelm Janssen, „Soest – ‚Hauptstadt' des Erzstifts Köln rechts des Rheins", in: Wilfried Ehbrecht u. a. (Hrsg.): Soest, Geschichte der Stadt, Bd. 1, Soest 2010, S. 243–288.

Jaritz 1990

Gerhard Jaritz, „Seelgerätstiftungen als Indikator der Entwicklung materieller Kultur", in: Heinrich Appelt und Gerhard Jaritz (Hrsg.): Materielle Kultur und religiöse Stiftung im Spätmittelalter. Internationales Round-Table-Gespräch Krems an der Donau, 26. September 1988, Wien 1990, S. 13–36.

Jordan 1963

Karl Jordan, „Goslar und das Reich im 12. Jahrhundert", in: Niedersächsisches Jahrbuch für Landesgeschichte, Bd. 35, Göttingen 1963, S. 49–77.

Joye 2012

Sylvie Joye, La femme ravie. Le mariage par rapt dans les sociétés occidentales du Haut Moyen âge (Collection Haut Moyen Age, Nr. 12), Turnhout 2012.

Kahsnitz 1977

Rainer Kahsnitz, Siegel und Goldbullen, in: Ausst.-Kat. Stuttgart 1977, Bd. 1, S. 17–107, Bd. 2, Abb. 11–92, Bd. 3, Abb. 1–30.

Kahsnitz 1979

Rainer Kahsnitz, „Armillae aus dem Umkreis Friedrich Barbarossas", in: Anzeiger des Germanischen Nationalmuseums, Nürnberg 1979, S. 7–46.

Kahsnitz 1982

Rainer Kahsnitz, „Das Heilige Grab als liturgisches Gerät. Zu einer mittelalterlichen Bronze im Germanischen Nationalmuseum Nürnberg", in: H. G. Kramberg (Hrsg.): Nürnberger Gespräche. Ordo Militiae Crucis Templi, Wiesbaden 1982, S. 37–51.

Kahsnitz 2019

Rainer Kahsnitz, „Zum Stil der Propheten-Platten am Darmstädter Turmreliquiar", in: Kunst in Hessen und am Mittelrhein, 2018/NF 11, Gedenkschrift für Dr. Theo Jülich, Darmstadt 2019, S. 69–91.

Kallfelz 1973

Hatto Kallfelz (Hrsg.), Lebensbeschreibungen einiger Bischöfe des 10.–12. Jahrhunderts (Ausgewählte Quellen zur deutschen Geschichte des Mittelalters, Bd. 22), Darmstadt 1973.

Kamp 2006

Norbert Kamp, Moneta regis. Königliche Münzstätten und königliche Münzpolitik in der Stauferzeit (Monumenta Germaniae Historica. Schriften, Bd. 55), Hannover 2006.

Kartschoke 2003

Dieter Kartschoke, „Deutsche Literatur am Hof Heinrichs des Löwen?", in: Johannes Fried und Otto Gerhard Oexle (Hrsg.): Heinrich der Löwe. Herrschaft und Repräsentation, Stuttgart 2003, S. 83–134.

Kaul 2009

Camilla G. Kaul, „Der Staufer-Mythos im Bild. Zur Stauferrezeption im 19. und 20. Jahrhundert", in: Kunsttexte. Journal für Kunst- und Bildgeschichte, Bd. 4, Berlin 2009, S. 1–24.

Kdm Minden 1998

Die Bau- und Kunstdenkmäler von Westfalen, Bd. 50. Stadt Minden Teil 2. Altstadt 1. Der Dombezirk Teilbd. 1, bearb. von Roland Pieper und Anna Beatriz Chadour-Sampson, unter Mitarb. von Elke Treude, Essen 1998.

Kdm Minden 2000

Die Bau- und Kunstdenkmäler von Westfalen, Bd. 50. Stadt Minden Teil 2. Altstadt 1. Der Dombezirk Teilbd. 2, bearb. von Roland Pieper und Anna Beatriz Chadour-Sampson, unter Mitarb. von Elke Treude. Essen 2000.

KDK Münster

Landesarchiv Westfalen, Kriegs- und Domänenkammer Münster, Fach 19, Nr. 19

Keil 2005

Gundolf Keil, „Chirurg von der Weser", in: Werner E. Gerabek u. a. (Hrsg.): Enzyklopädie Medizingeschichte, Berlin/New York 2005, S. 250–251.

Kemper 2014

Dorothee Kemper, Die Goldschmiedearbeiten am Dreikönigenschrein. Bestand und Geschichte seiner Restaurierungen im 19. und 20. Jahrhundert, mit Beiträgen zu Materialanalysen und Herstellungstechniken, 3 Bde. , Köln 2014.

Kemper 2020

Dorothee Kemper, Die Hildesheimer Emailarbeiten des 12. und 13. Jahrhunderts. Mit einer kommentierten Edition der Inschriften von Clemens M.M. Bayer (Objekte und Eliten in Hildesheim 1130 bis 1250, Nr. 4), Regensburg 2020.

Kemperdick 2009

Stephan Kemperdick, „Gemalte Altartafeln vor 1300. Formen und Schicksale", in: Aschaffenburger Jahrbuch für Geschichte, Landeskunde und Kunst des Untermaingebietes, Bd. 27, Aschaffenburg 2009, S. 65–90.

Keupp 2014

Jan Keupp, „‚Sie scheint sich auszulegen …' Die Cappenberger ‚Taufschale' als Ermöglichungsinstanz der Mediävistik", in: Görich/Schmitz-Esser 2014, S. 290–305.

Keupp 2016

Jan Keupp, „Spieglein, Spieglein in der Hand. Schönheitsideale und Mode im Mittelalter", in: DAMALS. Das Magazin für Geschichte, Nr. 48, 10, Leinfelden-Echterdingen 2016, S. 64–69.

Keupp 2021
Jan Keupp, „Damenwahl. Neue Allianzen auf und mit dem Schachbrett des Mittelalters", in: Tim Neu und Marian Füssel (Hrsg.): Akteur-Netzwerk-Theorie und Geschichtswissenschaft, Paderborn 2021, S. 73–102.

Keupp 2022
Jan Keupp, „Das sogenannte Testament Ottos von Cappenberg", in: Knut Görich (Hrsg.): Cappenberg 1122–2022. Der Kopf, das Kloster und seine Stifter, Regensburg 2022, S. 177–195.

Keupp/Schmitz-Esser 2015
Jan Keupp und Romedio Schmitz-Esser (Hrsg.), Neue alte Sachlichkeit. Studienbuch Materialität des Mittelalters, Ostfildern 2015.

Klaes 1993
Monica Klaes (Hrsg.), Vita sanctae Hildegardis, 2 Bde. (Corpus Christianorum, Continuatio mediaevalis, Bd. 126), Turnhout 1993.

Klemm 1989
Elisabeth Klemm, „Helmarshausen und das Evangeliar Heinrichs des Löwen", in: Dietrich Kötzsche (Hrsg.): Das Evangeliar Heinrichs des Löwen. Kommentar zum Faksimile, Frankfurt/M. 1989, S. 42–76.

Klinkenberg 2011
Emanuel S. Klinkenberg, „Representations of Architecture on early City Seals in the Holy Roman Empire: References to Aurea Roma on Royal and Imperial Bulls", in: Marc Gil und Jean-Luc Chassel (Hrsg.): Pourquoi les Sceaux? La Sigillographie, nouvel enjeu de l'Histoire de l'Art. Akten des Kolloquiums Lille 2008, Lille 2011, S. 365–382.

Klössel-Luckhardt 2014
Barbara Klössel-Luckhardt, „Die Siegel des Kollegiatstifts St. Blasii zu Braunschweig", in: Harald Wolter-von dem Knesebeck und Joachim Hempel (Hrsg.): Die Wandmalereien im Braunschweiger Dom St. Blasii, Regensburg 2014, S. 29–42.

Klössel-Luckhardt 2020
Barbara Klössel-Luckhardt, „... de tuo arbitrio ordinasti - nach Deinem Ermessen geregelt ...'. Zum Verhält-

nis von Auftraggeber und Künstler am Beispiel der Siegel Friedrich I. Barbarossas", in: Der Stauferkaiser Friedrich I. Barbarossa. Leben und Wirken 1122–1190. Symposium Geschichtsverein Salzgitter 2020 (im Druck).

Klueting 2009
Harm Klueting (Hrsg.), Das Herzogtum Westfalen. Das kurkölnische Herzogtum Westfalen von den Anfängen der kölnischen Herrschaft im südlichen Westfalen bis zu Säkularisation 1803, Bd. 1, Münster 2009.

Kluge-Pinsker 1991
Antje Kluge-Pinsker, Schach und Trictrac. Zeugnisse mittelalterlicher Spielfreude in salischer Zeit (Römisch-Germanisches Zentralmuseum. Monographien 30), Sigmaringen 1991.

Knittel 2016
Hartmut Knittel, Binnenschiffe – kleiner Maßstab, großes Detail. Die Sammlung der Schiffsmodelle des TECHNOSEUM, Bestandskatalog, Darmstadt 2016.

Körntgen 2022
Ludger Körntgen, „Cappenberger Johannesreliquiar und staufische Reichskrone. Zwei Fallbeispiele für eine Hermeneutik materieller Überlieferung", in: Richard Engl u. a. (Hrsg.): StauferDinge. Materielle Kultur der Stauferzeit in neuer Perspektive, Regensburg 2022, S. 245–257.

Kösters 2000
Klaus Kösters, Verborgene Schätze. Mittelalterliche Kunst in Westfalen, Münster 2000.

Kötzsche 1973
Dietrich Kötzsche, „Zum Stand der Forschung der Goldschmiedekunst des 12. Jahrhunderts im Rhein-Maas-Gebiet", in: Anton Legner (Hrsg.): Rhein und Maas. Kunst und Kultur 800–1400, Bd. 2, Köln 1973, S. 191–236.

Kötzsche 1986
Lieselotte Kötzsche, „Artikel Hand II (ikonographisch)", in: Reallexikon für Antike und Christentum, Bd. 13, 1986, S. 402–467.

Kötzsche 2010
Dietrich Kötzsche, „Fragmente vom Armreliquiar Karls des Großen", in: Zeitschrift des Deutschen Vereins für Kunstwissenschaft, Bd. 64, Berlin 2010, S. 173–186.

Kohl 1987
Wilhelm Kohl, Das Domstift St. Paulus zu Münster, 3 Bde. (Germania Sacra NF. 17,1-3), Bd. 1, Berlin/New York 1987

Kohl 1999
Wilhelm Kohl, Das Bistum Münster. Die Diözese, 4 Bde. (Germania Sacra NF. 37,1-4), Bd. 1, Berlin/New York 1999

Kohl 2003
Wilhelm Kohl, „Der westfälische Adel und seine Klöster", in: Hengst 2003, S. 457–473

Kohl 2006
Wilhelm Kohl, Das Kollegiatstift St. Mauritz vor Münster (Germania Sacra NF. 47), Berlin/New York 2006.

Kohlhaussen 1959
Heinrich Kohlhaussen, „Das Paar vom Bussen", in: Hans Möhle (Hrsg.): Festschrift Friedrich Winkler, Berlin 1959, S. 29–48.

Korn 2012
Ulf-Dietrich Korn, „Die Glasmalereien in Dommuseum", in: Hans Joachim Sperling (Hrsg.): Soest St. Patrokli, Geschichte und Kunst, Regensburg 2012, S. 120–138.

Krabath 2002
Stefan Krabath, „Untersuchungen zur mittelalterlichen und neuzeitlichen Ringbrünnenproduktion in Mitteleuropa unter besonderer Berücksichtigung Westfalens", in: Medium Aevum Quotidianum, Bd. 45, Krems 2002, S. 96–129.

Krempel 1971
Ulla Krempel, „Das Remaclusretabel in Stavelot und seine künstlerische Nachfolge", in: Münchner Jahrbuch der Bildenden Kunst, Bd. 22, 1971, S. 23–45.

Kreuzkamp 2003
Franz-Peter Kreuzkamp, Bauernbefreiung auf Cappenberg. Die Entwicklung der grundherrlich-bäuerlichen Rechtsverhältnisse vom ausgehenden 18. bis zum Ende des 19. Jahrhunderts am Beispiel der ehemaligen Bauerschaft Übbenhagen, Münster 2003.

Krings 1990
Bruno Krings, Das Prämonstratenserstift Arnstein a. d. Lahn im Mittelalter (Veröffentlichungen der Historischen Kommission für Nassau, Bd. 48), Wiesbaden 1990.

Krohm/Suckale 1992
Hartmut Krohm und Robert Suckale (Hrsg.), Die Goldene Tafel aus dem Mindener Dom (Bilderhefte der Staatlichen Museen zu Berlin, Preußischer Kulturbesitz, Bd. 73/74), Berlin 1992.

Kroos 1985
Renate Kroos, Der Schrein des heiligen Servatius in Maastricht und die vier zugehörigen Reliquiare in Brüssel, München 1985.

Krueger 1990
Ingeborg Krueger, „Glasspiegel im Mittelalter. Fakten, Funde und Fragen", in: Bonner Jahrbücher des Rheinischen Landesmuseums in Bonn, Bd. 190, Mainz 1990, S. 233–313.

Krueger 1995
Ingeborg Krueger, „Glasspiegel im Mittelalter II. Neue Funde und neue Fragen!, in: Bonner Jahrbücher des Rheinischen Landesmuseums in Bonn, Bd. 195, Mainz 1995, S. 209–248.

Kühn 1995 a
Walter Kühn, „Münzen und Geld zur Zeit Heinrichs des Löwen im Raum um Braunschweig und Lüneburg", in: Ausst.-Kat. Braunschweig 1995, Bd. 2, S. 401–407.

Kühn 1995 b
Walter Kühn, Die Brakteaten Heinrichs des Löwen, 1142–1195. Zeugnisse aus Kultur und Wirtschaft in den Ländern Braunschweig und Lüneburg (Münzfreunde Minden, Bd. 16), Minden 1995.

Kühnemund 2019
Julia Ulrike Kühnemund, „KYPIE BOHΘEI Tω Cω ΔOYΛω" HERR, HILF DEINEM DIENER! Zur (Schutz-) Funktion der byzantinischen Enkolpien des 8. bis 13. Jahrhunderts, Diss., Tübingen 2019.

Kurzführer Herne 2010
AufRuhr 1225!, Ritter, Burgen und Intrigen, Das Mittelalter an Rhein und Ruhr, hrsg. v. LWL-Museum für Archäologie, Westfälisches Landesmuseum Herne. Kurzführer zur Ausstellung 2010, Mainz 2010,

Lahusen 2003
Götz Lahusen, „Antike Schriftzeugnisse zum römischen Porträt", in: Martin Büchsel und Peter Schmidt (Hrsg.): Das Porträt vor der Erfindung des Porträts, Mainz am Rhein, 2003.

Lambacher 2010
Lothar Lambacher, „Neue Befunde am Armreliquiar Karls des Großen", in: Zeitschrift des Deutschen Vereins für Kunstwissenschaft, Bd. 64, Berlin 2010, S. 187–201.

Lambacher 2011
Lothar Lambacher, „Romanische Goldschmiedekunst in Köln – Bestand, Bedeutung und Erforschung", in: Ausst.-Kat. Köln 2011, S. 90–111.

Lambacher 2014
Lothar Lambacher, „Ein Kästchen mit Holzmosaik aus dem Reliquiar der Dompatrone im Hildesheimer Dom", in: Wolfgang Augustyn und Ulrich Söding (Hrsg.): Dialog-Transfer-Konflikt. Künstlerische Wechselbeziehungen im Mittelalter und in der Frühen Neuzeit (Veröffentlichungen des Zentralinstitutes für Kunstgeschichte in München, Bd. 33), Passau 2014, S. 109–140.

Lambacher 2022
Lothar Lambacher, „Die sogenannte Taufschale Barbarossas. Handwaschschale und Memorialgegenstand", in: Görich 2022 a, S. 197–225.

Lambacher u. a. 2022
Lothar Lambacher u. a., „Neue Befunde am Cappenberger Kopf", in: Görich 2022 a, S. 313–327.

Landau 2011
Peter Landau, Der Archipoeta – Deutschlands erster Dichterjurist. Neues zur Identifizierung des politischen Poeten der Barbarossazeit, (Sitzungsberichte der Bayerischen Akademie der Wissenschaften. Philosophisch-historische Klasse, Nr. 3), München 2011.

Lang 2016
Susanne Lang, „Neues zum ,Hl. Nikolaus aus Füssenich' aus dem LVR-LandesMuseum Bonn – ein kunsthistorischer Überblick", in: Zeitschrift für Kunsttechnologie und Konservierung, Bd. 30, 2, Worms 2016, S. 201–214.

Laudage/Leiverkus 2006
Johannes Laudage, Yvonne Leiverkus (Hrsg.), Rittertum und höfische Kultur der Stauferzeit, Köln/Weimar/Wien 2006

Leben des Heiligen Godefridi 1609
„Leben des Heiligen Godefridi Graffen und Conuentualen zu Cappenberg in Westphalen des Premonstratenser Ordens", in: Historia Von Leben/ Thaten/ und Sterben etzlicher außwölten Lieben H. Gottes. Des H. Premonstratenser Ordens. Als Nemblich/ 1 H. Norberti Ertzbischoff zu Magdeburg fundatoren ermeltes Ordens. 2 H. Friderici. 3 H. Hermanni Steinfeldensis gnant Joseph. 4 H. Godefridi Comitis Canonich zu Cappenb, Köln 1609, S. 135–187.

Leidinger 1981
Paul Leidinger, „1180–1288", in: Peter Berghaus (Hrsg.): Köln - Westfalen 1180–1980. Landesgeschichte zwischen Rhein und Weser, Bd. 1, Münster 1981, S. 42–57.

Leidinger 2009
Paul Leidinger, „Die Grafen von Werl und Werl-Arnsberg (ca. 980–1124). Genealogie und Aspekte ihrer politischen Geschichte in ottonischer und salischer Zeit", in: Klueting 2009, S. 119–170.

Leistikow 2000
Andreas Leistikow, Die Geschichte der Grafen von Cappenberg und ihrer Stiftsgründungen – Cappenberg, Varlar und Ilbenstadt (Studien zur Geschichtsforschung des Mittelalters, Nr. 10), Hamburg 2000.

Lepie 2013/14
Herta Lepie, „Inventarium der Paramente und sonstige Utensilien der Stiftskirche angefertigt 1848", in: Geschichte im Bistum Aachen, Jg. 12, 2013/14, S. 159–262.

Liebetrau 2016
Katharina Liebetrau, „Neues zum ,Hl. Nikolaus aus Füssenich' aus dem LVR-LandesMuseum Bonn – die kunsttechnologische Untersuchung", in: Zeitschrift für Kunsttechnologie und Konservierung, Bd. 30, 2, Worms 2016, S. 215–232.

Luchterhandt/Röckelein 2021
Manfred Luchterhandt und Hedwig Röckelein (Hrsg.), Palatium Sacrum – Sakralität am Hof des Mittelalters. Orte, Dinge, Rituale, Regensburg 2021.

Luckhardt 1987
Jochen Luckhardt, Westfalia Picta. Erfassung westfälischer Ortsansichten vor 1900, Bd. 1: Hochsauerlandkreis / Kreis Olpe, Bielefeld 1987.

Lutz 2004
Gerhard Lutz: Das Bild des Gekreuzigten im Wandel. Die sächsischen und westfälischen Kruzifixe der ersten Hälfte des 13. Jahrhunderts. Petersberg 2004, S. 60-75.

Lutz 2015
Gerhard Lutz, „Das Cappenberger Kruzifix. Forum – Funktion – Kontext", in: Kristin Marek und Martin Schulz (Hrsg.): Kanon Kunstgeschichte. Einführung in Werke, Methoden und Epochen. Mittelalter, Bd.1, Paderborn 2015, S. 153–173.

Mann 2005
Vivian Mann, „The Artistic Culture of Prague Jewry in the Late Middle Ages", in: Barbara Boehm (Hrsg.): Prague. The Crown of Europe 1347–1427, New York 2005.

Mansi 1776
Giovanni Domenico Mansi, Sacrorum conciliorum nova et amplissima collectio, Bd. 21, Venedig 1776.

Manuwald 2016
Henrike Manuwald, „Formen der bildlichen Memoria: Barbarossa in der Bilderhandschrift der ,Sächsischen Weltchronik'", in: Peter Rückert und Monika Schaupp (Hrsg.): Repräsentation und Erinnerung. Herrschaft, Literatur und Architektur im Hohen Mittelalter am Main und Tauber, Stuttgart 2016, S. 68–90.

Marquart 2019
Markus Marquart, „Wilde Männer", in: Altfränkische Bilder, NF. 14 Jg., Würzburg 2019, S. 2–5.

Marsolais 2001
Miriam Lorraine Marsolais, ,God's Land is My Land.' The Territorial-Political Context of Hildegard's of Bingen's Rupertsberg Calling, Diss. University of California, Berkeley 2001.

Marth 2013
Regine Marth, „Liturgische Geräte des Mittelalters aus Gandersheim im Herzog Anton Ulrich-Museum Braunschweig", in: Hedwig Röckelein u. a. (Hrsg.): Der Gandersheimer Schatz im Vergleich. Zur Rekonstruktion und Präsentation von Kirchenschätzen, Regensburg 2013, S. 135–146.

Marx 2006
Petra Marx, Die Stuck-Emporenbrüstung aus Kloster Gröningen. Ein sächsisches Bildwerk des 12. Jahrhunderts und sein Kontext, Berlin 2006.

Marx 2007
Petra Marx (Hrsg.), Die Glasgemälde-Sammlung des Freiherrn vom Stein (Patrimonia, Bd. 300), Berlin 2007.

Marx 2009
Petra Marx, Vorderdeckel des ,Codex aureus' aus Freckenhorst (LWL-Landesmuseum für Kunst und Kulturgeschichte, Das Kunstwerk des Monats April 2009), Münster 2009.

Marx 2013
Petra Marx, „Im Glanze Gottes und der Heiligen: Stifterbilder in der mittelalterlichen Goldschmiedekunst", in: Westfalen. Hefte für Geschichte, Kunst und Volkskunde, Bd. 91, Münster 2013, S. 107–164.

Marx 2021
Petra Marx, Drachenleuchter, Niedersachsen, frühes 13. Jahrhundert (LWL-Museum für Kunst und Kultur, Das Kunstwerk des Monats März 2021), Münster 2021.

Matzke 2014
Michael Matzke, „Barbarossa auf den Münzen seiner Zeit", in: Görich/Schmitz-Esser 2014, S. 90–115.

Meier 2006
Frank Meier, Von allerley Spil und Kurzweyl. Spiel und Spielzeug in der Geschichte, Ostfildern 2006.

Mende 1989
Ursula Mende, „Minden oder Helmarshausen. Bronzeleuchter aus der Werkstatt Rogers von Helmarshause", in: Staatlichen Museen zu Berlin Preussischer Kulturbesitz (Hrsg.): Jahrbuch der Berliner Museen, Bd. 31, Berlin 1989, S. 61–85.

Mende 1995
Ursula Mende, „Zur Topographie sächsischer Bronzewerkstätten im welfischen Einflussbereich", in: Ausst.-Kat. Braunschweig 1995, Bd. 2, S. 427–439.

Mende 2006
Ursula Mende, „Kleinbronzen aus Helmarshausen", in: Stiegemann/Westermann-Angershausen 2006, S. 171–183.

Mende 2010
Ursula Mende, „Ein frühes Drachen-Aquamanile. Gestalt, Geschichte und Nachleben einer romanischen Kleinbronze im Landesmuseum Württemberg, Stuttgart", in: Andrea von Hülsen-Esch und Dagmar Täube (Hrsg.): ‚Luft unter die Flügel…'. Beiträge zur mittelalterlichen Kunst, Festschrift für Hiltrud Westermann-Angerhausen (Studien zur Kunstgeschichte, Bd. 181), Hildesheim, Zürich und New York 2010, S. 71–83.

Mende 2013
Ursula Mende, Die mittelalterlichen Bronzen im Germanischen Nationalmuseum, Bestandskatalog, Nürnberg 2013.

Mende 2020
Ursula Mende, Gusswerke. Beiträge zur Bronzekunst des Mittelalters, Regensburg 2020.

Meyer 1946
Erich Meyer, Bildnis und Kronleuchter Kaiser Friedrich Barbarossas (Der Kunstbrief, Nr. 27), Berlin 1946.

Meyer 1959
Ruth Meyer, „Ein Buchdeckel aus Corvey im Landesmuseum Münster", in: Westfalen. Hefte für Geschichte, Kunst und Volkskunde, Bd. 37, Münster 1959, S. 70–91.

Meyer 1984
Hans Gerhard Meyer, „Zur Datierung des sog. Thrones im Mindener Dom", in: Niederdeutsche Beiträge zur Kunstgeschichte, Bd. 23, Petersberg u. a. 1984, S. 9–42.

Meyer/Schneider 2010
Carla Meyer und Christian Schneider, „Der Codex Manesse und die Entdeckung der Liebe. Eine Einführung", in: Maria Effinger u. a. (Hrsg.): Ausst.-Kat. Der Codex Manesse und die Entdeckung der Liebe (Schriften der Universitätsbibliothek Heidelberg, Bd. 11), Heidelberg 2010, S. 9–23.

Michalsky 2009
Tanja Michalsky, „Memoria. Formen und Funktion der gemeinschaftlichen Erinnerung", in: Susanne Wittekind (Hrsg.): Geschichte der bildenden Kunst in Deutschland. Romanik, Bd. 2, München u.a. 2009, S. 388–409.

Michler 2014
Elke Michler, „Die textilen Reliquienhüllen aus dem Cappenberger Barbarossakopf – Materielle und technische Befunde", in: Siede/Stauffer 2014, S. 132–148.

Miller 2017
Peter N. Miller, History and its Objects. Antiquarianism and Material Culture since 1500, Ithaca 2017.

Möhring 2005
Hannes Möhring, Saladin. Der Sultan und seine Zeit 1138–1193, München 2005.

Mommsen/Mommsen 1958
Momme Mommsen und Katharina Mommsen, Die Entstehung von Goethes Werken in Dokumenten. Abaldemus–Byron, Bd. 1, Berlin 1958.

Moore 2001
Robert I. Moore, Die erste europäische Revolution. Gesellschaft und Kultur im Hochmittelalter, München 2001.

Moralitas de scaccario 1962
„Moralitas de scaccario", in: Harold James Ruthven Murray: A History of Chess, 2. Aufl. Oxford 1962, S. 559–561.

Müller 1997
Ulrich Müller, „Schach und Hnefatafl – zwei mittelalterliche Spiele als Beispiel ‚archäologischer Objektwanderung'", in: Irene Erfen und Karl-Heinz Spieß (Hrsg.): Fremdheit und Reisen im Mittelalter, Stuttgart 1997, S. 119–146.

Müller 2021
Kirsten Müller, Restaurierung der Stiftskirche St. Johannes Evangelist Cappenberg 2020–2021, Arnsberg 2021.

Nedoma 2014
Robert Nedoma, „Die Schachterminologie des Altwestnordischen und der Transfer des Schachspiels nach Skandinavien", in: Matthias Teichert (Hrsg.): Sport und Spiel bei den Germanen. Nordeuropa von der römischen Kaiserzeit bis zum Mittelalter (Ergänzungsbände zum Reallexikon der Germanischen Altertumskunde, Nr. 85), Berlin/Boston 2014, S. 29–85.

Niemeyer 1963
Gerlinde Niemeyer (Hrsg.), Hermannus quondam Judaeus Opusculum de conversione sua (Monumenta Germaniae Historica. Quellen zur Geistesgeschichte des Mittelalters, Bd. 4), Weimar 1963.

Niemeyer 1967
Gerlinde Niemeyer, „Die Vitae Godefridi Cappenbergensis", in: Deutsches Archiv für Erforschung des Mittelalters, Bd. 23, Köln 1967, S. 405–467.

Niemeyer/Ehlers-Kisseler 2005
Gerlinde Niemeyer und Ingrid Ehlers-Kisseler (Hrsg.), Die Viten Gottfrieds von Cappenberg (Monumenta Germaniae Historica. Scriptores rerum germanicarum , Bd. 74), Hannover 2005.

Nieus 2017
Jean-Francois Nieus, „L'introduction du sceau équestre dans l'Empire", in: Marc Libert und Jean-François Nieus (Hrsg.): Le sceau dans le Pays-Bas méridionaux, X^e-XVIe siècles. Kolloquium Brüssel – Namur 2014, Brüssel 2017.

Niklowitz u. a. 2016
Fredy Niklowitz u. a., Hundertundeine Erzählung. Sagen, Legenden und Geschichten aus dem Raum Lünen (Schriftenreihe des Stadtarchivs Lünen, Bd. 18), Lünen 2016.

Nilgen 2010
Ursula Nilgen, „Staufische Bildpropaganda. Legitimation und Selbstverständnis im Wandel", in: Ausst.-Kat. Mannheim 2010, Bd. 1, S. 87–96.

Nordhoff 1878
Joseph Bernhard Nordhoff, „Hohenstaufer-Kleinodien des Klosters Cappenberg. Zugleich ein Beitrag zur vergleichenden Kunstgeschichte", in: Monatsschrift für die Geschichte Westdeutschlands, Nr. 4, München 1878, S. 344–360.

Nucleus 1700/30
Nucleus Historicus de Cappenbergh, Handschrift o.J., um 1700–1730, Bistumsarchiv Trier Abt. 95 Nr. 253, Kopie in Landesarchiv Westfalen, Fot. 25.

Oesterley 1872
Hermann Oesterley, Gesta Romanorum, Berlin 1872.

Oidtmann 1912
Heinrich Oidtmann, Die rheinischen Glasmalereien vom 12. bis zum 16. Jahrhundert, Bd. 1, Düsseldorf 1912.

Olchawa 2019
Joanna Olchawa, Aquamanilien. Genese, Verbreitung und Bedeutung in islamischen und christlichen Zere-

monien, Bronzegeräte des Mittelalters, Bd. 8, Regensburg 2019.

Olchawa 2022
Joanna Olchawa, „Krone, Kopf und Kult. Zur Bekrönung des Cappenberger Kopf-Reliquiar", in: Görich 2022 a, S. 329–347.

Opll 2022
Ferdinand Opll, „Patrinus noster. Der Taufpate Kaiser Friedrich Barbarossas. Zu Leben und Wirken Ottos von Cappenberg", in: Görich 2022 a, S. 129–175.

Ortúzar Escudero 2016
María José Ortúzar Escudero, Die Sinne in den Schriften Hildegards von Bingen. Ein Beitrag zur Geschichte der Sinneswahrnehmung (Monographien zur Geschichte des Mittelalters, Nr. 62), Stuttgart 2016.

Ottomeyer/Bumstark 2010
Hans Ottomeyer und Reinhold Bumstark (Hrsg.), Das Exponat als historisches Zeugnis. Präsentationsformen politischer Ikonographie, Dresden 2010.

Parello 2007
Daniel Parello, „Fünf Felder eines typologischen Zyklus aus Arnstein", in: Marx 2007, S. 31–39.

Peine 1995
Hans-Werner Peine, „Grauer Alltag und farbige Pracht. Adelshaushalte und höfische Kultur im Spiegel westfälischer Bodenfunde", in: Mamoun Fansa (Hrsg.): Der sassen speyghel. Sachsenspiegel – Recht – Alltag, Bd. 2, Oldenburg 1995, S. 261–270.

Peine/Treude 1990
Hans-Werner Peine und Elke Treude, „Spektakuläre Funde von der Falkenburg", in: Thomas Otten u. a.(Hrsg.): Archäologie in Nordrhein-Westfalen 2010-2015. Forschungen – Funde – Methoden, Schriften zur Bodendenkmalpflege in Nordrhein-Westfalen, Bd. 11,2, Mainz 1990, S. 164–167.

Peine/Treude 2011/12
Hans-Werner Peine und Elke Treude, „Der Erzbischof im Brandschutt: Eine Schachfigur von der Falkenburg", in: Archäologie in Westfalen-Lippe 2011/12, Langenweißbach/Heidelberg 2011/12, S. 106–110, 132–136.

Peine/Treude 2015
Hans-Werner Peine und Elke Treude, „Spektakuläre Funde von der Falkenburg, in: Archäologie in Nordrhein-Westfalen 2010–2015. Forschungen - Funde – Methoden S. 164–167.

Peine/Wegener 2017
Hans-Werner Peine und Kim Wegener, „Von filigran bis katastrophal – Elfenbeinkamm, Spielstein und Schadereignisse", in: Archäologie in Westfalen-Lippe 2017, Münster 2017, S. 111–115.

Peine/Wegener 2020
Hans-Werner Peine und Kim Wegener, Die Holsterburg bei Warburg, Kreis Höxter (Frühe Burgen in Westfalen, Nr. 43), Münster 2020.

Peine/Wolpert 2018
Hans-Werner Peine und Nils Wolpert, „Von Metapodien zu Kämmen, Reliquiaren und Schachfiguren. Das Handwerk des Knochenschnitzers im Mittelalterlichen Westfalen", in: LWL-Freilichtmuseum Hagen (Hrsg.): Echt alt! Mittelalterliches Handwerk ausgegraben, Hagen 2018, S. 174–191.

Peter 2006
Michael Peter, „Neue Fragen und alte Probleme. Die beiden Paderborner Tragaltäre und der Beginn der Helmarshausener Goldschmiedekunst im 12. Jahrhundert", in: Stiegemann/Westermann-Angerhausen 2006, S. 80–96.

Peter 2009
Michael Peter, Das sogenannte Kreuz Heinrichs des Löwen (Jahrbuch für Geschichte und Kunst im Bistum Hildesheim, Jg. 2007/08), 2009.

Petersohn 2003
Jürgen Petersohn, „Friedrich Barbarossa, Heinrich der Löwe und die Kirchenorganisation in Transalbingien. Voraussetzungen, Bedeutung und Wirkungen des Goslarer Privilegs von 1154", in: Johannes Fried und Otto Gerhard Oexle (Hrsg.): Heinrich der Löwe. Herrschaft und Repräsentation (Vorträge und Forschungen, Nr. 57), Ostfildern 2003, S. 239–279.

Petry 1972/73
Manfred Petry, „Die ältesten Urkunden und die frühe Geschichte des Prämonstratenserstiftes Cappenberg in Westfalen (1122–1200)", in: Archiv für Diplomatik, Köln 1972/73, Bd. 18 (1972) S. 143–289, Bd. 19 (1973), S. 29–150.

Pfaffenbichler 2017
Matthias Pfaffenbichler, „Die Anfänge des Turniers im 12. und 13. Jahrhundert", in: Stefan Krause und Matthias Pfaffenbichler (Hrsg.): Ausst.-Kat. Turnier. Tausend Jahre Ritterspiele, München 2017, S. 15–21.

Pfeiffer 1955
Gerhard Pfeiffer, „Die Bündnis- und Landfriedenspolitik der Territorien zwischen Weser und Rhein im späten Mittelalter", in: Hermann Aubin u. a. (Hrsg.): Der Raum Westfalen, Bd. II,1, Münster 1955, S. 79–141.

Philippi 1882
Friedrich Philippi, Die westfälischen Siegel des Mittelalters, Bd. 1, Münster 1882.

Philippi 1886
Friedrich Philippi, „Die Cappenberger Porträtbüste Kaiser Friedrichs I.", in: Zeitschrift für vaterländische Geschichte und Alterthumskunde, Nr. 44, Münster/Regensberg, 1886, S. 150–161.

Philipsen 2019
Christian Philipsen u. a. (Hrsg.): Levon I. Ein armenischer König im staufischen Outremer (Schriften für das Kunstmuseum Moritzburg Halle (Saale), Nr. 19), Leitzkau, 2019.

Pilz 2021
Marcus Pilz, Transparente Schätze. Der abbasidische und fatimidische Bergkristallschnitt und seine Werke, Darmstadt 2021.

Pitarakis 2006
Brigitte Pitarakis, Les croix-reliquaires pectorales byzantines en bronze (Cahiers archéologiques. Bibliothèque des Cahiers archéologiques, Nr. 16), Paris 2006.

Prinz 1976
Joseph Prinz, Mimigernaford – Münster. Die Entstehungsgeschichte einer Stadt, Münster 2. Aufl. 1976

Prutz 1883/1994
Hans Prutz, Kulturgeschichte der Kreuzzüge, Berlin 1883/Nachdr. Hildesheim 1994.

Puricelli 1645
Giovanni Pietro Puricelli, Ambrosianæ Mediolani Basilicæ, Ac Monasterii Hodie Cisterciensis, Monvmenta, vol. 1, Mediolani 1645.

Rädle 1975
Fidel Rädle, „Abt Wibald und der Goldschmied G.", in: Mittellateinisches Jahrbuch, Nr. 10, Stuttgart 1975, S. 74–79.

Raimann 1913
Thomas Raimann, Kirchliche und weltliche Herrschaftsstrukturen im Osnabrücker Nordland (9.–13. Jh.), Diss. Osnabrück 1913.

Rathmann-Lutz 2016
Anja Rathmann-Lutz, „Narrative im Vergleich: Das dynamische 12. Jahrhundert als Scheide- oder Höhepunkte des Hochmittelalters", in: Thomas Kühtreiber und Gabriela Schichta (Hrsg.): Kontinuitäten, Umbrüche, Zäsuren. Die Konstruktion von Epochen in Mittelalter und früher Neuzeit in interdisziplinärer Sichtung (Interdisziplinäre Beiträge zu Mittelalter und Früher Neuzeit, Nr. 6), Heidelberg 2016, S. 191–206.

Rehm 2018
Ulrich Rehm, „Der Cappenberger Barbarossakopf und die Geschichte der Bildnisbüste", in: Rotary Club Selm – Kaiser Barbarossa (Hrsg.): … sich einen Kopf machen. Cappenberger Vorträge zum Mittelalter, Essen 2018, S. 117–153.

Rehm 2022
Ulrich Rehm, „Kein Barbarossakopf", in: Görich 2022 a, S. 365–380.

De Reiffenberg 1842
Frédéric de Reiffenberg, „Poëme en l'honneur de l'empereur Frédéric Barberousse", in: Bulletins de l'Académie Royale des Sciences et Belles-Let-

tres de Bruxelles 9,1, Brüssel 1842,
S. 475–496.

Rensing 1954
Theodor Rensing, „Der Kappenberger
Barbarossakopf", in: Westfalen. Hefte
für Geschichte, Kunst und Volkskunde, Jg. 32, Münster 1954, S. 165–183.

Reudenbach 2010
Bruno Reudenbach, „Körperteil-Reli-
quiare. Die Wirklichkeit der Reliquie,
der Verismus der Anatomie und die
Transzendenz des Heiligenleibes", in:
Hartmut Bleumer u. a. (Hrsg.): Zwischen Wort und Bild. Wahrnehmungen
und Deutungen im Mittelalter,
Köln/Weimar/Wien 2010.

Rheinberger 2002
Hans-Jörg Rheinberger, Experimen-
talsysteme und epistemische Dinge.
Eine Geschichte der Proteinsynthese
im Reagenzglas, übers. von Gerhard
Herrgott (Wissenschaftsgeschichte),
Göttingen 2002.

Robinson 2008
James Robinson, Masterpieces of
Medieval Art, London 2008.

Röckelein 2022
Hedwig Röckelein, „Die Reliquien aus
dem Cappenberger Kopf und die
Johannesverehrung in Cappenberg",
in: Görich 2022 a, S. 227–257.

Roth 1822
Friedrich Roth, Ueber den Nutzen der
Geschichte, Nürnberg 1822.

Rueß 2009
Karl-Heinz Rueß, Friedrich Barbarossa
und sein Hof, Göppingen 2009.

Runde 2020
Sabine Runde, „Handspiegel mit Dar-
stellung eines Liebespaars", in:
Ausst.-Kat. Mainz 2020, S. 415 f.
[Nr. IV.22]

Salesch 2002
Martin Salesch, Burg Sternberg. Die
archäologischen Untersuchungen, in:
Westfalen 78 (2000), Münster 2002,
S. 146–161.

Sanyal 2019
Mithu Sanyal, „Zuhause", in: Fatma
Aydemir und Hengameh Yaghoobifa-
rah (Hrsg.): Eure Heimat ist unser
Albtraum, Berlin 2019, S. 101–121.

Saurma-Jeltsch 2010
Liselotte E. Saurma-Jeltsch, „Rom
und Aachen in der staufischen Reichs-
imagination", in: Bernd Schneidmüller
u. a. (Hrsg.): Verwandlungen des
Stauferreichs. Drei Innovationsregionen im mittelalterlichen Europa.
Konferenzschrift, Stuttgart 2010,
S. 268–307.

Schädler/Calvo 2009
Ulrich Schädler und Ricardo Calvo
(Hrsg.), Alfons X. ‚der Weise', „Das
Buch der Spiele" (Ludographie – Spiel
und Spiele, Nr. 1), Wien 2009.

Schieffer 1990
Rudolf Schieffer, „Bleibt die Archipoeta anonym?", in: Mitteilungen des
Instituts für Österreichische Geschichtsforschung, Nr. 98, München
1990, S. 59–79.

Schlotheuber 2012
Eva Schlotheuber, „miserere mei
deus. Stifter und Stifterinnen in
Westfalen", in: Ausst.-Kat. Münster
2012, S. 50–57.

Schmale 1965
Franz-Josef Schmale (Hrsg), Gesta
Frederici seu rectius Cronica. Otto
von Freising und Rahewin (Ausgewählte Quellen zur Geschichte des
deutschen Mittelalters, Nr. 17),
Darmstadt 1965.

Schmid/Wollasch 1983/89
Karl Schmid und Joachim Wollasch
(Hrsg.), Der Liber Vitae der Abtei Corvey, 2 Bde. (Veröffentlichungen der
Historischen Kommission für Westfalen, Reihe 40, Bd. 2,1-2), Wiesbaden
1983/1989.

Schmitt-Korte 2011
Karl Schmitt-Korte, „Ein Rundgang
durch das Architektur-Modell der
Grabeskirche", in: Thomas Pratsch
(Hrsg.): Konflikt und Bewältigung. Die
Zerstörung der Grabeskirche zu Je-
rusalem im Jahre 1009 (Millennium-
Studien zu Kultur und Geschichte des
ersten Jahrtausends n. Chr., Nr. 32),
Berlin 2011, S. 345–358.

Schmitz 1913
Heinrich Schmitz, Die Glasgemälde
der Königlichen Sammlung Kunstgewerbemuseums Berlin, Berlin 1913.

Schmitz-Esser 2014 a
Romedio Schmitz-Esser, „The Bishop
and the Emperor: Tracing Narrative
Intent in Otto of Freising's Gesta
Frederici", in: Erik S. Kooper und Sjo-
erd Levelt (Hrsg.): The Medieval
Chronicle IX, Amsterdam/New York
2014, S. 297–324.

Schmitz-Esser 2014 b
Romedio Schmitz-Esser, Der Leichnam im Mittelalter. Einbalsamierung,
Verbrennung und die kulturelle Konstruktion des Körpers (Mittelalter-
Forschungen, Nr. 48), Ostfildern
2014.

Schmitz-Esser 2021
Romedio Schmitz-Esser, Ein Bildwerk
ohne, möglicherweise gegen die Tra-
dition? Das Grabmal Rudolfs von
Rheinfelden im Dom zu Merseburg, in
Augustyn/Söding 2021, S. 75–97.

Schneidmüller 2014
Bernd Schneidmüller, „Wie konnte
man ein Reich regieren, wenn man
immer auf Reisen war?", in: Stefan
Lang (Hrsg.): Wie wäscht man ein
Kettenhemd?, Göppingen 2014,
S. 68–72.

**Schneidmüller/Wolter-von dem
Knesebeck 2018**
Bernd Schneidmüller und Harald
Wolter-von dem Knesebeck, Das
Evangeliar Heinrichs des Löwen und
Mathildes von England, Darmstadt
2018.

Scholz 2018
Anke K. Scholz, Der Schatzfund aus
dem Stadtweinhaus in Münster/
Westfalen und vergleichbare Schatz-
funde des hohen und späten Mittelalters als archäologische Quelle (Monographien des Römisch-Germani-
schen Zentralmuseums, Nr. 144),
Mainz 2018.

Schomburg 1998
Silke Schomburg, Der Ambo Heinrichs II. im Aachener Dom, Aachen
1998.

Schorta/Röckelein 2018
Regula Schorta und Hedwig Röckelein, „Katalog der Reliquienpäckchen
aus dem Welandus-Reliquiar", in:
Beuckers/Kemper 2018, S. 61–70.

Schrader/Führkötter 1956
Marianna Schrader und Adelgundis
Führkötter, Die Echtheit des Schrift-
tums der Heiligen Hildegard von
Bingen (Beihefte zum Archiv der Kulturgeschichte, Bd. 6), Köln/Graz
1956.

Schramm 1956
Percy Ernst Schramm, „Schluß. Herrschaftszeichen und Staatssymbolik",
in: Percy Ernst Schramm (Hrsg.):
Herrschaftszeichen und Staatssymbolik. Beiträge zu ihrer Geschichte
vom dritten bis zum sechzehnten
Jahrhundert (Monumenta Germaniae
Historica. Schriften, Bd. 13), Stuttgart
1956, S. 1064–1090.

Schubert 2009
Martin Schubert, „Höfische Kultur
und volkssprachliche Schriftlichkeit
in Thüringen und Sachsen im 12. und
13. Jahrhundert", in: Ausst.-Kat. Magdeburg 2009, S. 269–272.

Seeberg 2012
Stefanie Seeberg, „Women as Makers
of Church Decoration: Illustrated
Textiles at the Monasteries of Al-
tenberg/Lahn, Rupertsberg and
Heiningen (13th–14th c.)", in: Therese
Martin (Hrsg.): Reassessing the Roles
of Women as ‚Makers' of Medieval
Art and Architecture. Visualising the
Middle Ages, Bd. 7,1, Leiden 2012,
355–391.

Shalem 1996
Avinoam Shalem, Islam Christian-
ized. Islamic portable objects in the
medieval church treasuries of the
Latin West (Ars Faciendi, Beiträge
und Studien zur Kunstgeschichte,
Bd. 7), Frankfurt/Main u. a. 1996.

Shalem 2014
Avinoam Shalem (Bearb.), Die mittelalterlichen Olifante (Die Elfenbein-
skulpturen, Bd. 8), Berlin 2014.

Shalev-Eyni 2005
Sari Shalev-Eyni, „Iconography of
Love. Illustrations of Bride and Bride-

groom in Ashkenazi Prayerbooks of the Thirteenth and Fourteenth Century", in: Studies in Iconography, Bd. 26, Princeton 2005, S. 27–57.

Siede/Stauffer 2014
Irmgard Siede und Annemarie Stauffer (Hrsg.): Textile Kostbarkeiten staufischer Herrscher. Werkstätten–Bilder – Funktionen (Studien zur internationalen Architektur- und Kunstgeschichte, Nr. 99), Petersberg 2014

Sperber 2003
Christian Sperber, Hildegard von Bingen – eine widerständige Frau (Magi-e – forum historicum, Nr. 6), Aichach 2003.

Spieß 1992
Karl-Heinz Spieß, „Art. Mainz, Hoftage", in: Lexikon des Mittelalters, Bd. 6, 1992, S. 142–143.

Springer 1981
Peter Springer, Kreuzfüße. Ikonographie und Typologie eines hochmittelalterlichen Gerätes, Bd. 3, Berlin 1981

Stadtmann 1698–1713
Johannes Stadtmann, Annales Cappenbergensesin quibus BB. Comitum Godefridi & Ottonis Fundatorum vita, Fundatae ac Candidae Ecclesiae Exordia, ac D.D Praelatorum Canonicè Succedentium Series. Cum quibisdam Memorabilibus referuntur, 1622, fortgeführt 1698–1713, Bistumsarchiv Münster, GV Hs. 259.

Stadtmann 1828
Johannes Stadtmann, Annales Capenbergenses, Abschrift von Joseph Kumann 1828, Landesarchiv Westfalen, Dep. Altertumsverein, Msk. 25.

Stauffer 2014
Annemarie Stauffer, „Untersuchungen zur Herkunft und zeitlichen Einordnung der textilen Reliquienhüllen aus dem Cappenberger Barbarossakopf", in: Siede/Stauffer 2014, S. 149–158.

Vom Stein 1829
Karl Freiherr vom Stein, „Briefe an Friedrich Schlosser und seine Tochter Therese", in: Walther Hubatsch

(Hrsg.): Freiherr vom Stein. Briefe und amtliche Schriften, Bd. 7, Stuttgart 1969, Nr. 529, 550, 559.

Von Steinen 1741
Johann Diederich von Steinen, Kurze Beschreibung der Hochadelichen Gotteshäuser Cappenberg Und Scheda Und des Klosters Weddinghausen. Als ein Beytrag Der Westphälischen Geschichte, Dortmund 1741.

Stephan 1993
Hans-Georg Stephan, „Der Chirurg von der Weser (ca. 1200–1262) – Ein Glücksfall der Archäologie und Medizingeschichte", in: Sudhoffs Archiv, Bd. 77,2, Wiesbaden 1993, S. 174–192.

Stiegemann/Westermann-Angerhausen 2006
Christoph Stiegemann und Hiltrud Westermann-Angerhausen (Hrsg.), Schatzkunst am Aufgang der Romanik. Der Paderborner Tragaltar und sein Umkreis, München 2006

Stieldorf 2020
Andrea Stieldorf, „Unbekannte Objekte? Das mittelalterliche Europa und sein Umgang mit fremden Kulturen", in: Helga Giersiepen und Andrea Stieldorf (Hrsg.): Über Grenzen hinweg – Inschriften als Zeugnisse des kulturellen Austauschs, Paderborn 2020, S. 53–78.

Stiftsarchiv Cappenberg 1784/85
Stiftsarchiv Cappenberg, A II 3c vol. 1, Kellnereirechnung 1784/85: 30.6.1785 an Goldschmied Johann Friedrich Althoff zu Lünen.

Stratford 1998
Neil Stratford, „Lower Saxony and England – an old chestnut reviewed", in: Joachim Ehlers und Dietrich Kötzsche (Hrsg.): Der Welfenschatz und sein Umkreis, Mainz 1998, S. 243–257.

Stüwer 1980
Wilhelm Stüwer, Die Reichsabtei Werden an der Ruhr (Germania Sacra NF. 12), Berlin/New York 1980.

Stuttmann 1966
Ferdinand Stuttmann, Mittelalter I: Bronze, Email, Elfenbein (Bildkataloge des Kestner-Museums Hannover, Bd. 8), Hannover 1966.

Tapken 1998
Kai Uwe Tapken, „Kettenhemd", in: Die Andechs-Meranier in Franken. Europäisches Fürstentum im Mittelalter, Ausst.-Kat. Bamberg 1998, Mainz 1998, S. 275.

Terrier Aliferis 2016
Laurence Terrier Aliferis, L' imitation de l'Antiquité dans l'art médiéval (1180–1230) (Répertoire iconographique de la littérature du Moyen Age. Les études du RILMA, Bd. 7), Turnhout 2016.

Thomas 1934
Bruno Thomas, „Die westfälischen Figurenportale in Münster, Paderborn und Minden", in: Westfalen. Hefte für Geschichte, Kunst und Volkskunde, Bd. 19, Münster 1934, S. 1–95.

Thomsen 2018
Christiane M. Thomsen, Burchards Bericht über den Orient. Reiseerfahrungen eines staufischen Gesandten im Reich Saladins 1175/1176 (Europa im Mittelalter, Nr. 29), Berlin/Boston 2018.

Torre 1714
Carlo Torre, Il Ritratto Di Milano, Diviso In Tre Libri / Colorito Da Carlo Torre, Canonico dell' Insigne Basilica degli Appostoli, e Collegiata di San Nazaro, Mailand 1714.

Veddeler 1991/93
Peter Veddeler, „Das münsterische Balkenwappen. Entstehung und Entwicklung eines regionalen Wappens", in: Westfalen. Hefte für Geschichte, Kunst und Volkskunde, Bd. 69, Münster 1991/93, S. 1–166.

Vey 1964
Horst Vey, „Kölner Zeichnungen aus dem 16., 17. und 18. Jahrhundert", in: Wallraf-Richartz-Jahrbuch. Jahrbuch für Kunstgeschichte, Bd. 26, Köln 1964, S. 73–166.

Vita Fretherici 2001
„Vita Fretherici", in: Herman Th. M. Lambooij und Johannes A. Mol (Hrsg.): Vitae abbatum Orti Sancte Marie. Vijf abtenlevens van het klooster Mariëngaarde in Friesland, Hilversum 2001, S. 132–240.

Vogtherr 2017
Thomas Vogtherr, „Mathilde von England, Heinrich der Löwe und die heiligen Könige. Das Hildesheimer Oswald-Reliquiar aus der Sicht des Historikers", in: Klaus Gereon Beuckers und Dorothee Kemper (Hrsg.): Typen mittelalterlicher Reliquiare zwischen Innovation und Tradition. Beiträge zu einer Tagung des Kunsthistorischen Instituts der Christian-Albrechts-Universität zu Kiel am 22. Oktober 2016, Bd. 2, Regensburg 2017, S. 195–210.

Wagendorfer 2009
Martin Wagendorfer, „Eine bisher unbekannte (Teil-)Überlieferung des Saladin-Briefs an Kaiser Friedrich I. Barbarossa", in: Deutsches Archiv für Erforschung des Mittelalters, Bd. 65, Köln/Weimar/Wien 2009, S. 565–584.

Wapnewski 1972
Peter Wapnewski, Die Lyrik Wolframs von Eschenbach. Edition, Kommentar, Interpretation, München 1972.

Ward 1993
Rachel Ward, Islamic Metalwork (Eastern art series), London 1983.

Wegener 1928
Hans Wegener, Beschreibendes Verzeichnis der Miniaturen und des Initialschmuckes in den deutschen Handschriften bis 1500, Bd. 5, Leipzig 1928.

Weinfurter 1989
Stefan Weinfurter, „Norbert von Xanten und die Entstehung des Prämonstratenserordens", in: Barbarossa und die Prämonstratenser, Göppingen 1989, S. 67–100.

Weinfurter 2005
Stefan Weinfurter, „Um 1157. Wie das Reich heilig wurde", in: Bernhard Jussen (Hrsg.): Die Macht des Königs. Herrschaft in Europa vom Frühmittelalter bis in die Neuzeit, München 2005, S. 190–204.

Weller 2004
Tobias Weller, Die Heiratspolitik des deutschen Hochadels im 12. Jahrhundert (Rheinisches Archiv, Bd. 149), Köln u. a. 2004.

Wenzel/Lechtermann 2002
Horst Wenzel und Christina Lechtermann (Hrsg.), Beweglichkeit der Bilder. Text und Imagination in den illustrierten Handschriften des ‚Welschen Gastes' von Thomasin von Zerclaere (Pictura et Poesis, Bd. 15), Köln 2002.

Weyns 1968
Norbert J. Weyns, Sacramentarium Praemonstratense (Bibliotheca Analectorum Praemonstratensium, Nr. 8), Averbode 1968.

Weyns 1973
Norbert J. Weyns, Antiphonale Missarum Praemonstratense (Bibliotheca Analectorum Praemonstratensium, Nr. 12), Averbode 1973.

Wichmann/Wichmann 1960
Hans Wichmann und Siegfried Wichmann, Schach. Ursprung und Wandlung der Spielfigur in zwölf Jahrhunderten, München 1960.

Williamson/Davies 2014
Paul Williamson und Glyn Davies (Hrsg.), Medieval ivory carvings, London 2014.

Wilmans 1856
Roger Wilmans (Hrsg.), Vita Norberti archiepiscopi Magdeburgensis (Monumenta Germaniae Historica. Scriptores, Bd. 12), Hannover 1856, S. 663–706.

Wilmans 1871
Roger Wilmans, Die Urkunden des Bisthums Münster von 1201 bis 1300 (Westfälisches Urkundenbuch, Bd. 3), Münster 1871.

Wilmans 1881
Roger Wilmans, Die Kaiserurkunden der Provinz Westfalen 777–1313, Bd. 2,1 (901–1254), Münster 1881.

Wimmer 2000
Otto Wimmer, Kennzeichen und Attribute der Heiligen, Innsbruck 2000.

Wimmer 2005
Hanna Wimmer, „The Iconographic Programme of the Barbarossa Candelabrum in the Palatine Chapel in Aachen. A Re-Interpretation", in: Immediations. The Research Journal of the Courtauld Institute of Art, Nr. 1, London 2005, S. 24–39.

Wittekind 2002
Susanne Wittekind, „Liturgiereflexionen in den Kunststiftungen Abt Wibalds von Stablo", in: Nicolas Bock u. a. (Hrsg.): Art, cérémonial et liturgie au Moyen Âge (Études lausannoises d'histoire de l'art, Bd. 1), Rom 2002, S. 503–524.

Wittekind 2004
Susanne Wittekind, Altar – Reliquiar – Retabel. Kunst und Liturgie bei Wibald von Stablo, Köln 2004.

Wittekind 2005
Susanne Wittekind, „Caput et corpus. Die Bedeutung der Sockel von Kopfreliquiaren", in: Bruno Reudenbach und Gia Toussaint (Hrsg.): Reliquiare im Mittelalter (Hamburger Forschungen zur Kunstgeschichte, Nr. 5), Berlin 2005, S. 107–135.

Wörn 1980
Dietrich Wörn, „Armillae aus dem Umkreis Friedrich Barbarossa – Naplečniki Andrej Bogoljubskijs", in: Jahrbücher für Geschichte Osteuropas, Bd. 28, Stuttgart 1980, S. 391–397.

Wolf 1997
Jürgen Wolf, Die sächsische Weltchronik im Spiegel ihrer Handschriften. Überlieferung, Textentwicklung, Rezeption (Münstersche Mittelalter-Schriften, Bd. 75), München 1997.

Wolter 1991
Heinz Wolter, „Der Mainzer Hoftag von 1184 als politisches Fest", in: Detlef Altenburg u. a. (Hrsg.): Feste und Feiern im Mittelalter, Sigmaringen 1991, S. 193–199.

Wolter-von dem Knesebeck 2003
Harald Wolter-von dem Knesebeck, „Buchkultur im geistigen Beziehungsnetz. Das Helmarshausener Skriptorium im Hochmittelalter", in: Ingrid Baumgärtner (Hrsg.): Helmarshausen. Buchkultur und Goldschmiedekunst im Hochmittelalter, Kassel 2003, S. 77—122.

Württemberg 2017
Die Kunstkammer der Herzöge von Württemberg. Bestand, Geschichte Kontext, hrsg. von Landesmuseum Württemberg, 3 Bde., Stuttgart 2017.

Zapf 2012
Volker Zapf, „Art. Archipoeta", in: Wolfgang Achnitz (Hrsg.): Deutsches Literatur-Lexikon. Das Mittelalter, Bd. 4, Berlin/Boston 2012, S. 64–69.

Zimmermann 2003
Karin Zimmermann, „Cod. Pal. lat. 112", in: Karin Zimmermann (Hrsg.): Die Codices Palatini germanici in der Universitätsbibliothek Heidelberg (Cod. Pal. germ. 1–181) (Kataloge der Universitätsbibliothek Heidelberg, Bd. 6), Wiesbaden 2003.

Bildnachweis

Aachen, Domschatzkammer, © Domkapitel Aachen (Foto: Pit Siebigs): Kat.-Nr. 129, S. 66, Abb. 5; (Ann Münchow): Abb. 5, 6, S. 81

Augsburg, © Kunstsammlungen und Museen Augsburg, Archäologisches Zentraldepot (Foto: Andreas Brücklmair): Kat.-Nr. 116, S. 225

Bad Iburg, St. Clemens (Foto: Andreas Lechtape, Münster): Abb. 8, S. 93

Bad Reichenhall, Kreuzgang St. Zeno (Foto: Knut Görich): Abb. 1, S. 29

Belecke, Katholische Kirchengemeinde St. Pankratius, Stadtmuseum „Schatzkammer Propstei" (Foto: Ansgar Hoffmann): Kat.-Nr. 31, S. 126, S. 122 (Detail)

Berlin, Staatliche Museen zu Berlin, © Kunstgewerbemuseum (Fotos: Fotostudio Bartsch): Kat.-Nr. 132, S. 245; Kat.-Nr. 97, S. 204; Kat.-Nr. 135, S. 250; Rückseite (Detail), S. 54, Abb. 4 (Detail), S. 65, Abb.4; (Hans-Joachim Bartsch): Abb. 3 rechts, S. 78; (Foto: Saturia Linke): Kat.-Nr. 131, S. 244

Berlin, Staatliche Museen zu Berlin, © Münzkabinett (Fotos: Lutz-Jürgen Lübke, Lübke & Wiedemann): Kat.-Nr. 62a, S. 160; Kat.-Nr. 62d, S. 160; Kat.-Nr. 64, S. 162; Kat.-Nr. 73, S. 173; (Fotos: Reinhold Saczewski): Kat.-Nr. 62f, S. 160; Kat.-Nr. 62g, S. 160; (Fotos: Christian Stoess): Kat.-Nr. 63, S.162; Kat.-Nr. 65, S. 162

Berlin, Staatsbibliothek zu Berlin - Preußischer Kulturbesitz, Handschriften und historische Drucke (Foto: bpk/Staatsbibliothek zu Berlin/Ruth Schacht): Abb. 9, S. 93; Kat.-Nr. 54, S. 152

Bern, Burgerbibliothek, Cod. 120.II, f. 107r – Petrus de Ebulo: Liber ad honorem Augusti, lat. http://www.e-codices.ch/de/bbb/ 0120-2/107r: Abb. 10, S. 38

Bonn, LVR-LandesMuseum (Fotos: Jürgen Vogel): Abb. 1, S. 40; Kat.-Nr. 74, S. 174; Kat.-Nr. 105c, S. 211; Kat.-Nr. 146, S. 266

Braunschweig, Braunschweiger Löwe, Foto: Jürgen Meier, Hamburg, Abb. 9, S. 37

Braunschweig, Herzog Anton-Ulrich-Museum (Foto: Michael Lindner): Kat.-Nr. 90, S. 193; (Foto: Bernd Peter Keiser): Kat.-Nr. 160, S. 283

Brüssel, Musées royaux d'Art et d'Histoire, Foto: Creative Commons CC BY– MRAH/KMKG Abb. 9, S. 70; (Foto: © RMAH): Kat.-Nr. 66, S. 168/169

Brüssel, Royal Library of Belgium: Kat.-Nr. 69, S.170

Bünde, Kreisheimatmuseum Striediecks Hof, Foto: Bildarchiv Foto Marburg, Harald Busch: Abb. 1, S. 87; Abb. 6, S. 91

Darmstadt, Hessisches Landesmuseum (Foto: Wolfgang Fuhrmannek): Abb. 3, S. 43; Kat.-Nr. 83, S. 185

Detmold, Lippisches Landesmuseum (Foto: LWL-Archäologie für Westfalen/Stefan Brentführer): Kat.-Nr. 101, S. 208

Dortmund, Museum für Kunst und Kulturgeschichte der Stadt Dortmund (Foto: Jürgen Spiler): Kat.-Nr. 11, S. 112

Duisburg, Prämonstratenserkloster Abtei Hamborn (Foto: Daniel Elke): Kat.-Nr. 7, S. 106

Essen, © Domschatz Essen (Foto: Christian Diehl, Dortmund): Kat.-Nr. 161, S. 284

Essen-Kettwig, Privatbesitz (© Ruhr Museum, Foto: Christoph Sebastian): Kat.-Nr. 107, S. 215

Frankfurt am Main, © Museum Angewandte Kunst (Foto: Uwe Dettmar): Abb. 3 links, S. 78; Kat.-Nr. 111, S. 219;

Freckenhorst, Katholische Kirchengemeinde St. Bonifatius (Foto: Stefan Kube, Greven): Kat.-Nr. 5, S. 108

Freiburg, © Universitätsbibliothek, Historische Sammlungen (Hs. 367): Abb. 3, S. 31; S. 138; Kat.-Nr. 47, S. 143

Fulda, Hochschul- und Landesbibliothek, Cod. D 11, fol. 13v und 14r: Abb. 2, S. 30

Goslar, Goslarer Museum (Foto: Volker Schadach, Goslar): Kat.-Nr. 44, S. 140

Grünsberg, Burg Grünsberg, Stromer'sche Kulturgut-, Denkmal- und Natur-Stiftung (Foto: Thomas Bachmann): Kat.-Nr. 117, S. 225

Hamburg, Museum für Kunst und Gewerbe (Fotos: Maria Thrun): Kat.-Nr. 51, S. 147; Kat.-Nr. 113, S. 221

Hannover, Museum August Kestner (Foto: Detlef Jürges): Kat.-Nr. 94d, S. 199; (Fotos: Christian Tepper): Kat.-Nr. 94a, S. 199; Kat.-Nr. 94c, S. 199; Kat.-Nr. 128, Abb. 11, S. 72

Hannover, Niedersächsisches Landesarchiv: Kat.-Nr. 60, S. 158

Heidelberg, Universitätsbibliothek, Cod. Sal. X,16, fol. 3v: Abb. 9, S. 48; Cod. Pal. germ. 389, fol. 11 v: S. 210 unten; Kat.-Nr. 112, S. 220; Kat.-Nr. 114, S. 222, S. 226

Herne, LWL-Museum für Archäologie, Westfälisches Landesmuseum (Foto: Tim Schmidt): Kat.-Nr. 103, S. 209; Kat.-Nr. 104, S. 209; (Foto: Stefan Brentführer): Kat.-Nr. 118, S. 227

Hildesheim, © Dommuseum Hildesheim (Foto: Florian Monheim): Kat.-Nr. 76, S. 175; Kat.-Nr. 79, S. 179; Kat.-Nr. 87, S. 191, S. 164 (Detail); Kat.-Nr. 88, S. 190; Kat.-Nr. 133, S. 246; Kat.-Nr. 134, S. 249; Kat.-Nr. 143, S. 262

Höxter, Stadtarchäologie (Foto: Carolin Breckle, HMP Speyer): Kat.-Nr. 106, S. 213

Koblenz, Landeshauptarchiv: Kat.-Nr. 68, S. 166

Köln, Domschatzkammer, © Hohe Domkirche Köln, Dombauhütte (Foto: Matz und Schenk): Abb. 6 links, S. 34, Kat.-Nr. 77, S. 176 rechts; (Jennifer Rumbach): Abb. 6 rechts, S. 34; Kat.-Nr. 77, S. 176 links

Köln, Historisches Archiv: Kat.-Nr. 86, S. 188

Köln, Kölnisches Stadtmuseum (Foto: © Rheinisches Bildarchiv Köln): Kat.-Nr. 82a, b, S. 183

Köln, St. Maria im Kapitol (Foto: © Rheinisches Bildarchiv Köln, rba_c003863): Abb. 11, S. 95

Kopenhagen, National Museum of Denmark (Foto: Arnold Mikkelsen): Kat.-Nr. 91, S. 196; Kat.-Nr. 95, S. 202; Kat.-Nr. 109, S. 217; Kat.-Nr. 120, S. 229; (Foto: Line Eskerod): Kat.-Nr. 99, S. 206; Kat.-Nr. 100, S. 206

London, British Library (Foto: bpk / British Library Board): Kat.-Nr. 89, S. 194, 195; (©akg-images / British Library): S. 212

London, The British Museum, © The Trustees of the British Museum: Kat.-Nr. 96, S. 203; Kat.-Nr. 105d, S. 211; Kat.-Nr. 108, S. 216; Kat.-Nr. 110, Abb. 6, S. 46, S. 200 (Deckel, Detail), Kat.-Nr. 158, S. 280

London, © Victoria and Albert Museum: Kat.-Nr. 92, Abb. 1, S. 74; Kat.-Nr. 105b, S. 211; Kat.-Nr. 105e, S. 211

Lüttich, © Archives de l'État en Belgiques: Kat.-Nr. 71, Abb. 4, S. 44: Kat.-Nr. 72, Abb. 4, S. 79

Madrid, Monasterio-Biblioteca-Collection, San Lorenzo del Escorial, Libro de Juegos, 1283, fol. 17v (Detail), Arabes jugando al ajedrez, Manuscritto arabe, Conj. n° 90024, Künstler: Alfons X. von Kastillien; Foto: akg-images, S. 207

Mailand, Museo d'Arte Antica del Castello Sforzesco – Comune di Milano/Saporetti, 2000, Abb. 5, S. 33, Kat.-Nr. 58

Mainz, Bischöfliches Dom- und Diözesanmuseum: Kat.-Nr. 124, S. 236; (Foto: Marcel Schawe): Kat.-Nr. 75, S. 174

Mannheim, TECHNOSEUM (Foto: Hans Bleh): Kat.-Nr. 125, S. 237

Merseburg, Sankt Johannes Baptista und Laurentius (Foto: Bildarchiv Foto Marburg): Abb. 2, S. 88; Abb. 4, S. 90

Minden, Katholische Dompropstgemeinde (Foto: Dombau-Verein Minden e.V. / Christian Schwier): Kat.-Nr. 141, S. 258, 259; Kat.-Nr. 147, S. 268; (Fotos: Dombau-Verein Minden e.V. / Simon Vogel): Kat.-Nr. 148, S. 269; Kat.-Nr. 152, S. 273

Münster, Diözesanbibliothek (Foto: LWL-Museum für Kunst und Kultur, Foto: Hanna Neander): Kat.-Nr. 12, S. 113 links

Münster, Landesarchiv NRW, Abteilung Westfalen, Kat.-Nr. 70, S 171; Kat.-Nr. 85, S. 187; Kat.-Nr. 138, S. 252, S.253 unten (Detail)

Münster, LWL-Archäologie für Westfalen (Foto: Stefan Brentführer): Kat.-Nr. 45, S. 141; Kat.-Nr. 81a, S. 181; (Umzeichnung Gisela Helmich): S. 214

Münster, LWL-Medienzentrum für Westfalen/LWL-Museum für Kunst und Kultur, Illustration von Niklas Schwartz: Abb. 1, S. 15

Münster, LWL-Museum für Kunst und Kultur, Westfälisches Landesmuseum (Foto: Sabine Ahlbrand-Dornseif): Abb. 2, S. 17; Abb. 6, S. 56; Kat.-Nr. 27, S. 120; Kat.-Nr. 41, S. 135 links; Kat.-Nr. 42, S. 135 rechts; Kat.-Nr. 136, S. 251; Kat.-Nr. 144, S. 263; Kat.-Nr. 149, S. 270; Kat.-Nr. 154, S. 276; Kat.-Nr. 157a, b, S. 279; Kat.-Nr. 162, S. 285; (Foto: Andrea Gössel, CVMA Deutschland/Freiburg, CC BY-NC 4.0 (Detail): Abb. 7, S. 57; (Foto: Andrea Gössel, CVMA Freiburg, Montage: Hanna Neander: Kat.-Nr. 140, S. 254, 255; (Fotos: Stefan Kötz): Kat.-Nr. 62b, S. 160; Kat.-Nr. 62c, S. 160; Kat.-Nr. 62e, S. 160; Kat.-Nr. 62h, S. 161; Kat.-Nr. 62i, S. 161; Kat.-Nr. 80a–d, S. 180; Kat.-Nr. 94b, S. 199; Kat.-Nr. 94e, S. 199; Kat.-Nr. 127a, S. 240; Kat.-Nr. 127b–e, S. 241; (Foto: Petra Marx): Abb. 6, S. 68; (Foto: Hanna Neander): Abb. 1, S.18; Abb. 5, S. 22; Abb. 8, S. 25; Kat.-Nr. 8, S. 110; Kat.-Nr. 26, S. 119; Kat.-Nr. 27, S. 118; Kat.-Nr. 28, S. 120/121 oben; Kat.-Nr. 35, S. 130; Kat.-Nr. 40, S. 134; Kat.-Nr. 50, S. 146; Kat.-Nr. 84, S. 186; Kat.-Nr. 102, S. 208; Kat.-Nr. 142, S. 261; (Fotos: Johanna Reich): Kat.-Nr. 43, S. 137 © VG Bild-Kunst, Bonn 2022; (Foto: Rudolf Wakonigg): Abb. 3 links, S. 89; Kat.-Nr. 150, S. 271

Münster, St. Mauritz (Foto: Christoph Hellbrügge, Ascheberg): Abb. 3 rechts, S. 89

Münster, Stadtarchiv (Foto: LWL-Museum für Kunst und Kultur, Hanna Neander): Kat.-Nr. 22, S. 117

Nancy, © Palais des Ducs de Lorraine – Musée Lorrain (Foto: Michel Bourguet): Kat.-Nr. 121, S. 231

Nürnberg, © Germanisches Nationalmuseum, Leihgabe Bayerische Landesstiftung, Bundesverwaltungsamt Berlin (Foto: M. Runge): Abb. 7 S. 82; Graphische Sammlung, Inventar-Nr. HB 26838, Kapsel-Nr. 1031: Abb. 9, S. 83; (Fotos: G. Janßen): Kat.-Nr. 119c, S. 229; Kat.-Nr. 123, S. 235

Osnabrück, Diözesanmuseum und Domschatzkammer (Foto: Stephan Kube, Greven): Kat.-Nr. 98, S. 205

Paderborn, Erzbischöfliches Diözesanmuseum (Foto: Ansgar Hoffmann): Kat.-Nr. 145, S. 264, 265, S. 256 (Detail)

Paris, Bibliothèque nationale de France, Ms. Latin 833, fol. 9v, https://gallica.bnf.fr/ark:/12148/btv1b84323061/f26.item: Abb.9, S. 59

Paris, Musée du Louvre, bpk / RMN - Grand Palais (Foto: Martine Beck-Coppola): Kat.-Nr. 49, Abb. 8, S. 82; Kat.-Nr. 59, S. 156, 157, 163, Abb. 7, S. 35; S. 69, Abb. 7; (Foto: Jean-Gilles Berizzi): Kat.-Nr. 105 a, S. 211; (Foto: Stéphane Maréchalle): Kat.-Nr. 52, S. 148, 149

Pegau, Evangelische Stadtkirche Sankt Laurentius (Foto: SLUB Dresden, Deutsche Fotothek, Waltraud Rabich): Abb. 7, S. 91

Privatbesitz, (Foto: LWL-Museum für Kunst und Kultur, Rudolf Wakonigg): Abb. 3, S.21; (Foto: LWL-Museum für Kunst und Kultur, Gerd Dethlefs): Abb. 4, S. 21; S. 122; (Foto: LWL-Museum für Kunst und Kultur, Hanna Neander): Kat.Nr. 32, S. 127

Repro aus: Bau- und Kunstdenkmäler von Westfalen Bd. 41, 5.Teil, Die Stadt Münster, Der Dom, bearbeitet von Max Geisberg, Münster 1977, Nachdruck der 1937 erschienenen 1. Auflage, S. 65, Abb. 1400: Abb. 7, S. 24

Repro aus: Braun, Georg: Beschreibung und Contrafactur der vornehmbster Stät der Welt. Plochingen: Müller und Schindler, hier: Band 4, 1968, Nr. 22: Abb. 5, S. 45

Repro aus: Katalog Cappenberg, Der Kopf, das Kloster und seine Stifter, 2022, S. 375, Abb. 12: Abb. 10, S. 71

Repro aus: Heinrich August Erhard, Regesta Historiae Westfaliae, Bd. 2, Münster 1851, Abb. 2 Münster, LWL-Museum für Kunst und Kultur, Münster, Bibl.-Sign. D 8555-I,1-2 AV: Kat.-Nr. 21, S. 116

Repro aus: Theodor Ilgen, Die westfälischen Siegel des Mittelalters, Bd. 3, Münster 1889, Tafel 104, Münster, LWL-Museum für Kunst und Kultur, Münster, Bibl.-Sign. D 8555-5,3 2° AV: Kat.-Nr. 10, S. 111

Repro aus: Mannheim 2010, Die Staufer und Italien. Drei Innovationsregionen im mittelalterlichen Europa, hrsg. von Alfried Wieczorek, Ausst.-Kat. Reiss-Engelhorn-Museen, Mannheim, Bd. 2, S. 139, Mannheim 2010: Kat.-Nr. 33, S. 128

Repro aus: Montecassino 1994, Exultet. Rotoli liturgici del medioevo meridionale, hrsg von Giulia Orofino und Guglielm Cavallo, Ausst.-Kat. Abbazia di Montecassino, Cassino, Rom 1994, S. 96: Kat.-Nr. 37, S. 131

Repro von: Cover des Katalogs „Die Zeit der Staufer", Bd. 1, Stuttgart 1977, Umschlaggestaltung: Atelier Lohrer, Stuttgart, 1977: Abb. 2, S. 63

Rheda-Wiedenbrück, St. Aegidius Wiedenbrück (Foto: Ansgar Hoffmann): Kat.-Nr. 156, S. 278

Riesenbeck, Katholische Pfarrkirche Sankt Kalixtus (Foto: LWL-Denkmalpflege, Landschafts- und Baukultur in Westfalen/ Hedwig Nieland): Abb. 10, S. 95

Riggisberg, Abegg-Stiftung, CH-3132 Riggisberg (Foto: Christoph von Viràg, 2019): Abb. 8, S. 48

Rom, © Biblioteca Apostolica Vaticana, Vat. lat. 1984, fol. 8v–9r: Abb. 9, S. 26; Kat.-Nr. 122, S. 233

Schleswig, © Stiftung Schleswig-Holsteinische Landesmuseen Schloss Gottorf: Kat.-Nr. 115, S. 223

Selm-Cappenberg, Archiv Graf von Kanitz, Kat.Nr. 13, S.113, Kat.-Nr. 20, S. 116; Kat.-Nr. 30, S.125, (Foto: Marius Jacoby, Münster): Kat.-Nr. 9, S. 111 (Siegel von Kat.-Nr. 29 und 137); Kat.-Nr. 137, S. 50/51, Abb. 1, 2

Selm-Cappenberg, Katholische Pfarrgemeinde St. Johannes Evangelist (akg-images): Kat.-Nr. 139, S. 253; © Reiss-Engelhorn-Museen

Mannheim (Foto: Jean Christen): Kat.-Nr. 130, S. 243; © Reiss-Engelhorn-Museen, Mannheim (Foto: Elke Michler): Abb. 5, S. 55; (Foto: Bernd Kirtz): Abb. 6, S. 23; (Stefan Kube, Greven): Kat.-Nr. 126, S. 240; Titel; Abb. 1, S. 62; Abb. 3, S. 64; Abb. 5, S. 90, S. 238; (LWL-Medienzentrum für Westfalen, Foto: Andreas Lechtape): Abb. 2, S. 20; Kat.-Nr. 4, S. 104; (LWL-Museum für Kunst und Kultur, Foto: Hanna Neander): S. 100; Kat.-Nr. 2, S. 105; Kat.-Nr. 3, S. 102/103; Kat.-Nr. 34, S. 129

Selm-Cappenberg, Schloss Cappenberg (Foto: LWL-Museum für Kunst und Kultur/Hanna Neander): Kat.-Nr. 38, S. 132

Soest, Dommuseum St. Patrokli (Fotos: Elena Kosina, CVMA Freiburg): Kat.-Nr. 153, S. 274, 275

Stuttgart, Landesmuseum Württemberg (Fotos: H. Zwietasch/J. Leliveldt): Kat.-Nr. 78., S 177; Kat.-Nr. 119b, S. 228; (Fotos: Jonathan Leliveldt): Kat.-Nr. 155, S. 277; Kat.-Nr. 159, S. 281

Utrecht, Museum Catharijneconvent (Foto: Ruben de Heer): Kat.-Nr. 48, S. 144; Kat.-Nr. 57, S. 154

Valenciennes, Bibliothèque municipale: Kat.-Nr. 36, S. 130

Warstein-Belecke, Katholische Kirchengemeinde St. Pankratius Belecke, Stadtmuseum „Schatzkammer Propstei" (Foto: Ansgar Hoffmann): Kat.-Nr. 31, S. 126, S. 123 (Detail)

Wedinghausen, Prämonstratenserstift (Foto: LWL-Archäologie für Westfalen/Wolfram Essling-Wintzer): Abb. 7, S. 47

Wien, Akademie der Künste, Kupferstichkabinett: Kat.-Nr. 39, S. 134

Wienhausen, Kloster Wienhausen (Foto: Bildarchiv Foto Marburg/Dieter Schumacher): Abb. 2, S. 75

Wiesbaden, Hochschul- und Landesbibliothek RheinMain, Hs. 2, fol. 357v: Abb. 8, S. 58

Willebadessen, Katholische Pfarrgemeinde St. Vitus (Foto: Ansgar Hoffmann): Kat.-Nr. 151, S. 272

Wolfenbüttel, Braunschweigisches Landesmuseum (Foto: Ingeborg Simon): Kat.-Nr. 18, S. 115

Wolfenbüttel, Herzog August Bibliothek, Cod. Guelf. 105 Noviss. 2°, fol. 171v, https://diglib.hab.de/mss/105-noviss-2f/start.htm, Abb. 8, S. 36; Kat.-Nr. 46, S. 142

Wolfenbüttel, Niedersächsisches Landesarchiv – Abteilung Wolfenbüttel, Inv.-Nr. 1 Urk 1: Abb. 8, S. 69; Kat.-Nr. 53, S. 150, 151

Worms, Stadtarchiv Worms (Foto: Stefan Blume): Abb. 4, S. 32, Kat.-Nr. 61, S. 159

© Von SteveK – Eigenes Werk, CC BY-SA 3.0, https://commons.wikimedia.org/w/index.php?curid=6008888: Abb. 2, S. 42

© Von Geak - Eigenes Werk, CC BY-SA 4.0, https://commons. wikimedia.org/w/index.php?curid=75550208: Abb. 3, S. 52

Impressum

Diese Publikation erscheint anlässlich der Ausstellung *Barbarossa. Die Kunst der Herrschaft* im LWL-Museum für Kunst und Kultur, Westfälisches Landesmuseum, Münster und auf Schloss Cappenberg, Selm

Ausstellung

LWL-Museum für Kunst und Kultur, Westfälisches Landesmuseum, Münster und Schloss Cappenberg, Selm

Direktor
Hermann Arnhold

Assistenz der Direktion
Bettina Porsch

Kuratorin Münster
Petra Marx

Kurator Cappenberg
Gerd Dethlefs, Flora Tesch

Wissenschaftliche und kuratorische Beratung
Jan Keupp

Wissenschaftliche Volontärin
Ekaterina Dudka

Studentischer Volontär
Leopold Schiller

Ausstellungsmanagement
Gudrun Püschel

Registrar
Eric Blanke, Annika Thewes

Verwaltung
Detlev Husken (Leitung), Monika Denkler, Manuela Bartsch, Nicole Brake, Claudia Berning, Birgit Kanngießer,

Kommunikation
Claudia Miklis (Leitung), Laura Ambrosius, Linda Flür, Robin Hofstetter, Nora Staege

Kunstvermittlung
Ingrid Fisch (Leitung), Sara Hirschmüller, Britta Lauro, Flora Tesch

Fundraising
Bastian Weisweiler

Besuchsservice
Silvia Koppenhagen, Holger Lüsch

Kasse
Kirstin Amshoff, Barbara Brandherm, Christian Huxel, Sabine Schmidt, Dorothee Press

Kulturprogramm
Daniel Müller Hofstede

Veranstaltungsmanagement
Bastian Weisweiler (Leitung), Silvia Kopenhagen, Annika Tombrock

Bibliothek
Martin Zangl (Leitung), Gudrun Brinkmann, Petra Wanning

Restauratorische Betreuung
Berenice Gührig, Monika Lidle-Fürst, Ryszard Moroz, Claudia Musolff, Jutta Tholen

Magazinverwaltung
Jürgen Uhlenbrock, Jürgen Wanjek

Ausstellungsbau, Aufbau und Technik
Heinz Alfred Boguszynski, Johann Crne, Thomas Erdmann, Werner Müller, Frank Naber, Tristan Orlt, Beate Sikora, Marianne Stermann, Peter Wölfl

Beleuchtung
Johann Crne, Frank Naber

Ausstellungsgestaltung
Atelier Schubert, Stuttgart

Ausstellungsfilm
In Kooperation mit dem LWL-Medienzentrum
Illustrationen: Niklas Schwartz
Animation: Annette Jung
Drehbuch: David Lensing

Katalog

© 2022 LWL-Museum für Kunst und Kultur, Münster, die Künstler:innen, die Autor:innen, die Fotograf:innen und Michael Imhof Verlag, Petersberg

Herausgeberin
LWL-Museum für Kunst und Kultur, Münster
Petra Marx

Konzeption und Redaktion
Petra Marx

Dokumentation
Ingrid Hillebrand (Leitung), Sabine Bär, Leonie Boer, Ursula Grimm, Anke Killing

Bildredaktion
Ursula Grimm, Ekaterina Dudka

Bildbearbeitung
Hanna Neander, Sabine Ahlbrand-Dornseif

Projektmanagement im Verlag
Vicki Schirdewahn, Michael Imhof Verlag

Lektorat
Dorothée Baganz, Michael Imhof Verlag

Gestaltung und Satz, Reproduktion
Vicki Schirdewahn, Michael Imhof Verlag

Druck und Bindung
Grafisches Centrum Cuno, Calbe

Schriften
Flama, Saira

Papier
Magno Satin

Bibliografische Information der Deutschen Nationalbibliothek
Die Deutsche Nationalbibliothek verzeichnet diese Publikation in der Deutschen Nationalbibliografie; detaillierte bibliografische Daten sind im Internet über http://dnb.dnb.de abrufbar.

Michael Imhof Verlag GmbH & Co. KG
Stettiner Straße 25, 36100 Petersberg
Tel.: 0661 2919166 0; Fax: 0661 2919166 9
E-Mail: info@imhof-verlag.de
www.imhof-verlag.de

Printed in Germany

ISBN 978-3-7319-1260-6